PHÉNOMÉNOLOGIES
ET LANGUES FORMULAIRES

ÉPIMÉTHÉE

ESSAIS PHILOSOPHIQUES

Collection fondée par Jean Hyppolite
et dirigée par Jean-Luc Marion

PHÉNOMÉNOLOGIES

ET

LANGUES
FORMULAIRES

CLAUDE IMBERT

OUVRAGE PUBLIÉ AVEC LE CONCOURS
DU CENTRE NATIONAL DES LETTRES

PRESSES UNIVERSITAIRES DE FRANCE

ISBN 2 13 044354 0

ISSN 0768-0708

Dépôt légal — 1re édition : 1992, mai

© Presses Universitaires de France, 1992
108, boulevard Saint-Germain, 75006 Paris

Avant-propos

DES DIMENSIONS INTELLIGIBLES

> La vertu intrinsèque du modèle réduit est qu'il compense la renonciation à des dimensions sensibles par l'acquisition de dimensions intelligibles.
>
> Claude Lévi-Strauss.

1. *Ce livre s'est constitué de lui-même, par la convergence de questions à première vue sans commune mesure. Les unes se trouvaient impliquées, au début du siècle, dans l'héritage divisé du criticisme. Les autres furent la conséquence d'une* formalisation *dont on attendait, quelques décennies plus tard, qu'elle effaçât la singularité des logiques grecques et les conformât aux nôtres. Or il a suffi de vouloir comprendre pourquoi la dialectique stoïcienne — qui n'avait au reste jamais jusqu'alors occupé l'avant-scène — ne se laissait pas représenter dans les termes d'une logique postfrégéenne, pourquoi néanmoins il eût été essentiel pour les projets philosophiques surgis au début du siècle qu'elle y consentît, et la complicité de nos questions initiales s'est imposée à l'évidence.*

Car l'échec du formalisme logique, tout circonstancié et historiographique qu'il paraîtra d'abord, bravait deux fois l'attente. D'une part, en révélant la spécificité des syntaxes, il singularisait aussi leur fonction, et rappelait leur adhérence au domaine, aux questions, et au support par rapport auxquels elles avaient été définies. Lui-même devait renoncer au mathématisme simpliste qu'il affectait. D'autre part, une fois que la diversité syntaxique s'était imposée, elle matérialisait une discontinuité entre deux structures logiques, la grecque et celle que l'on dira plus spécifiquement nôtre, tour à tour exemplaires en leur ordre. Celles-ci venaient occuper les points extrêmes d'un spectre que l'on avait cru continu, et qu'elles divisaient en fait. Et cette rupture reversait incontinent son objection sur les philosophies qui, ayant pris leur départ de l'un ou l'autre extrême, avaient partagé, au début du siècle et de part et d'autre de la Manche, le dessein d'unir par le truchement d'une médiation logique uniforme les domaines thématiquement disjoints de la science physico-mathématique et de la connaissance perceptive. L'échec des premiers essais, un atermoiement indiscernable d'une paralysie laissaient entendre que la différence thématique, loin de se pouvoir résoudre dans une logique unitaire, avait déjà diversifié les dimensions syntaxiques conférant aux langages qu'elles articulent la capacité de représenter leurs objets, et de les inscrire dans leurs preuves. Et si la rupture était consommée, elle maintiendrait chacune des tentatives philosophiques dans l'orbe de sa grammaire initiale, et le ferait à l'insu de leurs allégations. De là qu'une historiographie où la formalisation eût établi une conciliation boudée entre les deux points de départ, où une différence déniée vi formae *se fût résolue en une simple opacité historique, eût donné aux deux projets philosophiques en attente leur seconde chance.*

Or, la rupture une fois établie, ce fut une même chose que de reconnaître les moyens et propos de l'institution logique, d'en relever les états disjoints et les syntaxes hétérogènes, et de comprendre que celles-ci ouvraient des dimensions d'intelligibilité qui ne sont ni équivalentes ni arbitraires. Et par un renversement de perspective, curieusement analogue à celui qui avait conduit Merleau-Ponty d'une analyse de la perception à une théorie de l'expression, on apprendrait à identifier les conditions de l'objectivité dans la sous-jacence de ses choix discursifs. On y entreverrait aussi ce qui s'y dérobe et s'y montre tout à la fois, un état, antécédent par définition, dont s'emparent nos syntaxes explicites, en dépendent toutefois, et sans lequel leur prétention égalerait leur arbitraire. Toutes déterminations que les grammaires, les styles et les symbolismes assument, concilient, ordonnent, ou déportent sur de nouvelles articulations. Aussi l'analyse serait-elle déçue par principe si l'on s'entêtait à poser ou axiomatiser une clarté première, parce qu'elle serait condamnée à osciller entre les termes extrêmes d'un positivisme absolu des choses ou d'une texture psychophysiologique hypothétiquement adéquate d'emblée à nos architectures discursives. Elle prendrait un tout autre sens si on acceptait d'en saisir le moment de variation, et si l'on s'interrogeait sur la raison de tels sédiments hétérogènes. S'ouvrait alors un lieu philosophique que ces remarques n'épuisent assurément pas, quand bien même elles y ont introduit. En portant l'attention sur la division récente de nos logiques, on n'en aura cerné rien de plus que les préalables.

2. *Une logique, associée à une syntaxe explicite comme furent les nôtres, est doublement contrainte par le support discursif auquel elle adhère et une structure qu'elle ne crée pas, mais dont elle généralise et diffuse le schème. Par les dimensions grammaticales qu'elle ménage ou surimpose, elle délimite les possibilités d'exposition et de connaissance dont elle trame l'enchaînement. Ces premiers caractères, qui opposent à l'évidence une grammaire prédicative définie sur une langue naturelle et une écriture quantificationnelle qui dénie l'articulation précédente, suffisaient à libérer la perspective ici ouverte de son introduction historique. Car ils spécifient les points extrêmes d'un axe idéal comme* phénoménologie *et* langue formulaire. *Le premier terme rappelle la détermination la plus littérale des logiques grecques, auxquelles la dialectique stoïcienne avait apporté l'exactitude et l'invisibilité d'un classicisme. Cette manière de concilier le donné sensible avec une détermination conceptuelle, d'associer à tout phénomène les dimensions d'une intelligibilité discursive, est invariante pour toutes les philosophies solidaires d'une catégorisation analogique de l'expérience, et d'une syntaxe prédicative. Le second terme reproduit en partie le sous-titre de la* Begriffsschrift *(Frege, 1879,* Eine der arithmetischen nachgebildete Formelsprache des reinen Denkens*), pour relever la singularité générative de ses inférences immédiates, et le renoncement aux articulations (et ponctuations) d'une langue naturelle. La distance était alors suffisante pour qu'apparussent au moins problématiques les philosophies qui en appelaient, pour la franchir, aux arguments symétriques du* fondement *ou de l'*analyse.

Il en suivait aussi que, adhérente aux langages, aux syntaxes, aux démonstrations et aux traités qui la matérialisent, aucune logique ne se perd. Qu'elle s'entretient perpétuellement des conditions — si l'on veut « transcendantales » en ce sens que, étant grammaticalisées, elles ne seront jamais absentes en droit — qui ont induit sa première institution. Aucune logique ne risque donc « l'oubli des origines », ni ne subira la metabasis eis allo genos *d'une extension indéfinie. Et dès lors qu'on apercevait quelque chose de leurs déterminations intrinsèques, on pouvait en écarter les qualifications éponymes. On sait que, en flagrante contradiction avec l'orthodoxie d'une formalisation unitaire, l'usage s'est maintenu — prudente réserve ? — de spécifier les logiques par le nom propre de qui en avait donné le premier état. En revanche, on comprendra mieux par quelle brutale et lumineuse simplification Kant, reléguant dans une* Préface *l'argument du* πρῶτος εὑρέτης *(le premier qui...), s'était emparé de la logique « générale » et anonyme, qu'il réduisait (sous un titre dont on n'oubliera pas qu'il l'inventait, ni pour quelles fins :* logique formelle*) à la hiérarchie de ses articulations syntaxiques. Le criticisme y trouvait son assiette en associant celles-ci aux fonctions de connaissance qui en acceptaient la distribution. Exposant tout ensemble la loi et la clôture de ce premier système, où furent mobilisées toutes les intégrations disponibles d'une langue naturelle, Kant en avait restitué l'usage à la catégorisation du mouvement et des manières d'être. Il intégrait aussi, mais analogiquement et dans l'ombre des opérations « transcendantales », les synthèses mathématiques et dynamiques dont la syntaxe effective eût incliné, a contrario pour « l'algèbre de la logique ». Ainsi la logique catégoriale ne céderait rien de son droit aux algorithmes locaux qui, aient-ils été conçus par Leibniz ou revus par Lambert, s'avéraient incapables de communiquer leur syntaxe au texte de l'expérience. Face à quoi, il devenait également clair que la logique quantificationnelle, ménageant d'autres dimensions pour d'autres preuves et d'autres matières, avait déposé ses coordonnées grammaticales sur une organisation symbolique qui avait emprunté les directives de sa syntaxe à une mathématique dont elle assumait en échange le mode de représentation. Ou, pour le dire en un mot, l'accessibilité. Lui fallût-il renoncer alors aux descriptions et aux inférences du premier registre, aux catégories et à l'articulation prédicative.*

Restait alors à laisser jouer une différence que le formalisme avait annulée par principe, fût-ce sous le couvert d'une simple méthode. Donc à reconnaître en premier lieu l'opération constitutive de la dialectique stoïcienne. En elle s'achève l'art de hiérarchiser les prédicats qualitatifs sous les prédicats physiques, d'y modéliser et reproduire le mouvement protreptique de l'allégorie de Caverne dans le tropos *de ses syllogismes, et d'inscrire les données perceptives dans l'unité d'action où le cosmos prend figure. Pour avoir grammaticalisé sur un énoncé prédicatif la* catégorisation *du donné sensible et les articulations du syllogisme — c'est-à-dire la perception, l'objectivité et la causalité — elle avait pu diffuser ses règles dans tous les genres savants du classicisme alexandrin. Mais une fois que l'une avait cessé d'apparaître nécessaire, et l'autre suffisante, la* syntaxe *prédicative et la* catégorisation *avaient cédé quelque chose de leur omnipotence à une quantification multiple, immanente à l'arithmétique et adéquate à l'analyse discursive de la récurrence. Quelque chose mais non tout puisque, avant même d'avoir déçu une philosophie qui en attendait une analyse universelle et canonique, la syntaxe extensionnelle avait promptement réintégré le champ de la connaissance mathématique. Ce que disait aussi, et sans ambages, un texte tardif et peu lu de Frege — sa troisième* Recherche logique *(1923) — donc dans les années où les algébristes, tel Skolem, lui avaient donné le statut de « logique sous-jacente ».* Nouveau sensus communis logicus, *intégré à la mathématique des nombres entiers ? Plutôt une forme dissidente, où Kant n'aurait pu reconnaître le sien.*

3. *Ces deux pôles une fois identifiés, la deuxième partie de ce livre en met à l'épreuve le pouvoir analytique sur quelques questions ordinairement disputées. Quant aux chapitres de la troisième partie, ils ont tenté de saisir, sur des matières apparemment aussi disjointes que l'argument du* Menteur *ou un genre littéraire, et cette fois tout formalisme renoncé, comment nos langages varient, croisent, ou relaient les syntaxes logiques auxquelles ils se réfèrent. Comment aussi ils en obtiennent leur propre réalisme.*

Le moment était donc venu de rendre aux logiques prédicatives leurs dimensions propres et d'en faire valoir les invariants, tous commis à une épistémologie « phénoménologique ». Cela même que le système quantificationnel, dissimulé autant qu'appauvri dans le formalisme de transcription, ne pouvait faire voir puisqu'il y contredisait. S'enchaînent alors l'apophantique prédicative dépositaire du contrat d'objectivité des syntaxes grecques, puis les versions postcartésiennes, probabilitaire ou modale, janséniste ou kantienne, de ce même contrat. Ainsi, sous quelque forme qu'on la considère, la syntaxe prédicative, inventoriée sous un protocole fini de questions et de déterminations corrélatives, ne manquait pas de régir l'accord du phénoménal donné et de sa répartition énoncée. On en a relevé la version stoïcienne qui, pour avoir identifié le procès catégorial à la syntaxe d'un énoncé déclaratif, pour avoir lié l'assertion simple à son développement conditionnel, éclaire par analogie l'opération criticiste. Dans les deux cas, il importait que les chefs d'instruction fussent en nombre fini, potentiellement hiérarchisés dans la syntaxe de tout énoncé particulier, et tels qu'ils déterminent suffisamment le phénomène pour rendre compte de l'assentiment. Ainsi, exhaustivement distribuée dans les « moments » successifs de la prédication, l'assertion ne serait nulle part puisqu'elle était partout. Kant répondait à Hume comme Chrysippe aux Sceptiques : par complétude et détermination, cet a priori ratione *de l'équation phénoménologique.*

On mesure alors quelle distance éloigne la logique grecque, sa règle d'énonciation, et son lien aux coordonnées « ptolémaïques » du monde de l'expérience, d'une distribution de vérité propre aux systèmes vérifonctionnels. L'énoncé apophantique ayant grammaticalisé les aspects de la chose comme autant de conditions de sa décision, l'adjectivation vrai, pas plus que l'existence selon Kant, n'y est un prédicat. Elle démarque un mode d'énonciation et les règles de son jeu. On pouvait alors renvoyer aux exercices d'école l'art de débusquer le sophisme de la véracité du menteur qui ment. Au reste, cette instruction catégoriale sans reste, qu'elle fût grammaticalement marquée ou reléguée dans la parenthèse d'une déduction transcendantale, s'est perpétuée dans le terme et la procédure du jugement. Qu'il fût interprété comme probabilité favorable ou comme dépositaire de la phénoménologie critique, il restituait, fût-ce à bonne distance, les certitudes du réalisme empirique. Dans les deux cas, le parti avait été pris en faveur d'une économie discursive, à vocation universelle, et contre les propriétés de décision, nécessairement locales, d'un calcul rudimentaire. Un même réalisme philosophique unissait les maîtres de Port-Royal et le philosophe des Lumières, tous acceptant, pour prix de sa capacité à constituer l'expérience et à la représenter, cette « limite du langage » que rappelait Wittgenstein. « Elle se montre dans l'impossibilité où nous sommes de décrire le fait qui correspond à un énoncé (ou le traduit), autrement qu'en répétant cet énoncé. (Nous avons ici affaire à la solution kantienne du problème de la philosophie) ». Elle n'est qu'une autre manière d'exprimer la condition « apophantique » d'une grammaire phénoménologique. Contrat sémantique que répétait, en fin de compte, la convention T de Tarski. Mais pour le faire en levant le contexte d'énonciation, celle-ci n'avait pu s'en approprier les effets. Et comme il advint de la quantification, la sémantique tarskienne rejoindrait son lieu mathématique propre, ici la théorie des modèles. Si donc la première syntaxe s'était trouvée ainsi sauvée et confirmée, Kant restaurant le sol meuble de nos vitales évidences et les vertus descriptives de nos langues naturelles (Wortsprache), on ne pourrait plus méconnaître le caractère indirect de tout langage, ni l'opacité première de ses transactions grammaticales. Encore moins leurs déterminations anthropologiques.

4. On n'a tenté ici aucune exposition de ces deux logiques, dont la syntaxe a varié notre rationalisme et divisé des épistémologies que rien n'oblige à tenir pour rivales. Un prochain volume suivra l'invention de la catégorisation grecque, de ses

états essayés dans le dialogue platonicien à la version syntaxique, λογοειδής, immanente au mouvement continu du discours (lectio continua), qu'en a procurée Chrysippe. Un autre analysera les hésitations, plus que le conflit, entre grammaire générale et mathesis universalis, des Regulae ad directionem ingenii à d'Alembert, des tables logiques de Kant aux écritures verticales de la Begriffsschrift. Ces dernières, imposant le relais des espaces graphiques contre ou malgré les plans « cartésiens », révèlent les dimensions effectives d'une syntaxe que brouille le symbolisme linéaire, et non moins celui des équations que celui des syllogismes. Elles éclairent d'autant mieux le rôle médiateur, ou l'artifice, de toute logique qu'on aura cessé d'y voir une production immédiate, exclusive, et adéquate, d'un acte de pensée dont les facultés ont longtemps revendiqué l'origine, et n'en furent guère plus que la redondance. Le seul fait de leur variation écartait autant l'absolu transcendantal que le dogmatisme logique.

Laissant donc l'argumentation ockhamienne qui est d'usage, on a choisi de suivre le déploiement des possibilités d'expression latentes qui avait accompagné la catégorisation prédicative ou la générativité des écritures quantificationnelles. Pour disjointes qu'elles soient, elles ont matérialisé et varié une part essentielle de nos capacités analytiques. Non qu'on en attende de circonscrire cette « prose du monde », que les Grecs avaient déjà donnée dans le premier registre — celui des choses et des actions où la perception déploie les orbes concentriques de son théâtre. Mais on y gagnerait de voir les nébuleuses réciproques de la pensée, du langage et du réel se distribuer en constellations discrètes. De là que les derniers chapitres tentent de réintégrer les deux systèmes, qu'il avait fallu considérer d'abord in abstracto, dans le texte des objectivités qu'ils fragmentent. L'invention des formes d'expression dont ils relèvent n'exclut pas qu'ils fussent composés entre eux, ou employés à des fins ignorées de ce que nous supposions être leur « orthologie ».

Ainsi a-t-on suivi les déplacements et moyens stylistiques qui nous ont éloigné du cantus firmus de l'apophantique sans perdre son harmonique. Et d'abord pris sur le fait la capacité de la logique grecque à unir les « choses divines » et les « choses humaines », la physique et l'éthique, en conjuguant les unes et les autres dans la même syntaxe de l'actio. Alors l'histoire naturelle prêtait sa poétique à l'histoire humaine, habilitant ce genre voisin, plus tard nommé roman. De celui-ci on ne pouvait ignorer ni le concours des passions humaines aux finalités ultimes qu'il expose, ni le protreptique ad naturam *qu'il enseigne. Variante du* Banquet, *il fait voir ce qui unit le mythe d'Eros à la grammaire du* Sophiste. *On en dirait aussi justement « qu'il exprimait symboliquement », à la manière de l'art graphique Caduveo que Lévi-Strauss a su réintégrer dans les opérations d'une* mythologique, *une cosmologie anticipée à laquelle chacun devait s'essayer en grammaticalisant (« analysant ») sa représentation. Vu sous ce dernier jour, Longus rejoint Polybe, et les* Pastorales *varient une histoire* pragmatique *que Hegel réservait au second. Platon avait refusé de céder à la « misologie », et quelques siècles plus tard cette logique, qui avait accompli sa demande, célébrait universellement les Noces de Mercure et de la Philologie.*

Alors le premier relevé d'une opposition simple, qui avait été notre point de départ, faisait place au réseau, aux complémentations et aux appropriations stylistiques. On en a donné deux illustrations, l'une brute et l'autre extrême. Les simulations de l'intelligence artificielle illustrent la première possibilité, et la reprise du « style de Frege » dans le Tractatus *suit le mouvement plus secret de la seconde. Emprunt dont Wittgenstein ne cesserait ensuite de méditer, et de tourner, les limitations. Car les marges de l'indicible, si elles ont un sens absolu par où elles nous laissent sur leur rive interne, rappellent aussi le prix de nos successifs contrats « platoniciens ». Remémorant donc que — νοεῖν καὶ λέγειν — la pensée épouse la forme d'un langage pour s'approprier ses règles, et qu'elle ne pouvait disposer d'une grammaire, à quelque degré d'abstraction qu'on la situe, sans en inclure les propriétés inexpugnables et limitatives dans le système de ses états allomorphes.*

On n'en comprendra que mieux la manière dont Frege conçut le rôle du formulaire quantificationnel, intervenant comme langage de secours (Hilfessprache) quand l'autre, commun et descriptif (Darlegungssprache) avait épuisé ses ressources analytiques. Le terme, et le second recours qu'il désigne, éclaire soudainement son parallèle antique. De même en effet s'était ouvert l'intermède théorétique de la « définition » et de l'essence dans le dialogue platonicien. Dialogue, dont le genre inventé par Protagoras, n'était encore que le champ clos, et déjà déserté par beaucoup, mathématiciens et physiciens, des appréciations qualitatives. Platon, y insérant le préalable des « questions physiques » et des déterminations invariantes qu'elles découpent, matérialisait sur l'organisation prédicative sa « seconde navigation », ou sa deuxième chance. Il définissait aussi, avec la restriction du discours *direct, un premier état apophantique.*

Du fait de ces commerces incessants on retiendra que l'opposition entre phénoménologies et langues formulaires, jusqu'ici tant et tant insistée, ne répète ni n'arbitre le débat entre grammaire (ou logique) universelle et mathesis universalis, pas même la distinction, plus récente et plus triviale, entre langage et calcul. Car même si Frege a pu sembler, au regard de ses premiers interprètes et parfois au sien propre, avoir effectué tout ou partie du calculus leibnizien, même si le « calcul » du Tractatus conciliait autrement les opposés, l'histoire devait enseigner bientôt, et par Wittgenstein lui-même, que le formulaire extensionnel avait brutalement dévalué nos anciens repères. La Begriffsschrift *avait inventé une réalité mal nommée — dont le sens était aussi suspendu que ce genre « anonyme » sur la mention problématique duquel Aristote avait ouvert son traité de* Poétique *— qui n'était en vérité ni calcul ni langage, et pour laquelle son auteur ne sut d'abord qu'accumuler les périphrases. Cette écriture manifestait une générativité qui ne coïncidait pas avec le mouvement de nos preuves, et qui décevait la reconduction tacite des contrats d'énonciation antérieurs. S'indignera-t-on que le règlement métathéorique de cette écriture, que la formulation exacte des règles quantificationnelles et de la sémantique des modèles aient occupé un bon demi-siècle, quand le règlement de l'apophantique a sollicité, entre Platon et Chrysippe, trois écoles philosophiques ? S'étonnera-t-on que la logique mathématique n'ait pas clos l'inventaire de ses développements et de ses usages, quand la bibliothèque des possibilités d'expression commencée avec le platonisme ne cesse de se nourrir de ce « génie grammatical » que Proust admirait en* Flaubert *?*

Comme l'a fait remarquer C. Lévi-Strauss, un système symbolique ne peut que produire instantanément sa mutation : parce qu'elle est d'ordre synchronique. Il n'en reste pas moins à élaborer diachroniquement ses mises au point et métamorphoses, et à reconnaître ses pérennités. Aussi pour s'en tenir au premier état des langues quantificationnelles, tout ou presque était donné avec les premiers graphismes de la Begriffsschrift, *y compris la cohérence de son déroulement et l'embarras d'un demi-siècle sur ses limites. Frege avait donc vu juste en soulignant, dans son* Introduction, *la modification syntaxique dont tout dépendrait ensuite, et la singularité d'une* quantification *préfixée qui déboutait de leurs valeurs discursives antérieures la subordination et la subsomption. Se fût-il trompé dans son pronostic épistémologique, comme dans la prolongation d'une théorie (ici frauduleusement kantienne) du concept et de l'objet. Mais on lui saura infiniment gré d'avoir reconnu dans la générativité de l'expression une « source de connaissance », d'avoir compris, avant Wittgenstein, le contour grammatical de nos intelligences synoptiques. Et quand bien même ces nouveaux schématismes oblitéreraient d'aventure la synthèse du temps subjectif, ils avaient rapproché les constructions discursives explicites des constructions musicales — qui ne le sont pas moins.*

5. *Le propos initial, de faire droit à l'attaque singulière des logiques grecques et de rendre à leur lieu propre les écritures formulaires, avait ainsi croisé plus d'une fois ces philosophies qui tentèrent de fonder l'un des extrêmes sur l'autre, ou de l'y résoudre par analyse. L'obstacle dans les deux cas était identique, puisque l'outrance des phénoménologies transcendantales ou le gauchissement d'une procédure d'analyse, que seule son exactitude pouvait recommander, renvoyaient immanquablement de quelques écritures spécieuses au refus premier de reconnaître la nature propre de chacun des termes qu'on voulait contraindre sous le régime de l'autre. Ce refus avait, il est vrai, pour lui une hypothèse venue des marges du cartésianisme. Elle était commune à Husserl et à Russell. Mais elle avait achevé son heure. Identifiant proleptiquement pensée et calcul, elle perpétuait son vestige dans le titre, quelque peu leibnizien, de* calcul propositionnel. *Et celui-ci, tout comme sa variante :* l'apophantique formelle, *avait été l'une de ces « crampes mentales » que signalait Wittgenstein, sinon la plus insidieuse des apparences au début d'un siècle qui n'en finit pas de finir son commencement — le nôtre.*

*Car le mirage de ce « calcul logique » portait haut les attributs séducteurs d'une énonciation factuelle immédiate et de la décision computable. Sa machine simple eût donc introduit l'équation apophantique dans la terre promise des interférences effectives et des sciences exactes. En lui se fût accompli un Théé*tète *conclusif, et tel que Platon ne l'eût jamais écrit — en ceci du moins qu'il eût été délivré de son voisinage, placé comme il se donne entre le* Parménide *et le* Sophiste. *Mais une fois écartées ces pensées inconciliables, apparaîtra plus clairement le sens du platonisme inaugural. On y verra l'ébauche, plusieurs fois refaite, du premier de nos « langages indirects » — cette première* machine à *laquelle il fut seulement demandé que l'image qu'elle procure fût fiable à l'égal de cette imitation,* μηχανὴ δαιμόνια *(Sophiste, 266 b 6), que les Dieux nous avaient apprise.*

Remerciements

Nous disons notre reconnaissance envers les institutions qui, en accueillant les thèmes et le projet de ce livre, en ont encouragé la rédaction. Outre l'Ecole des hautes études en sciences sociales, nous remercions, tout particulièrement, le Centre d'études anciennes de l'Ecole normale supérieure, les Archives Husserl de Paris, les Universités de Baltimore (Humanities), Bilbao, Campinas, l'Université de Californie (à Berkeley, Davis, Riverside), celles de Genève, Harvard, Kiel, Lisbonne (Universidade Nova), l'Institut de philosophie de Naples, l'Université d'Oxford (Balliol College), la New School for Social Research (New York), la Maison française de l'Université Columbia, la Scuola normale superiore de Pise, l'Université de Sarrebruck et l'Université de Tunis.

Une première version des chapitres VI, VII, VIII, XI et XIII a été publiée dans :

Histoire et structure, A la mémoire de Victor Goldschmidt, Paris, Vrin, 1985.
Le temps de la réflexion, Paris, Gallimard, 1982.
Les fins de l'homme, Paris, Galilée, 1981.
Revue *Traverses*, Centre Pompidou, 1987.
Hommage à Henri Joly, Grenoble, 1989.

L'appendice au chapitre IV suit, pour l'essentiel, l'article « Gottlob Frege », paru dans le *Dictionnaire des philosophes*, Paris, PUF, 1983.

Nous remercions les éditeurs d'en avoir permis la reprise.

PREMIÈRE PARTIE

La seconde navigation

Il me restait, pour me mettre à sa recherche, à changer de navigation.

Phédon 99 *d.*

CHAPITRE PREMIER

LE PRIX
DE L'EXPÉRIENCE

> Une nouvelle lumière sur quelques objets, une
> nouvelle obscurité sur plusieurs, a été le fruit ou la
> suite de cette effervescence générale des esprits,
> comme l'effet du flux et du reflux de l'Océan est
> d'apporter sur le rivage quelques matières, et d'en
> éloigner les autres.
>
> D'Alembert,
> *Eléments de philosophie.*

1. Avant que la logique des *Principles of Mathematics* ait été mise à
l'épreuve de ses promesses (*Principia mathematica,* 1910-1913), et bien
avant qu'elle ait pris sa configuration définitive dans les années 30,
Russell l'avait affectée à la détermination de la nouvelle objectivité.
Dès 1905, la formule paradigmatique de l'analyse avait suppléé le réalisme « naïf », qu'il partageait quelques années plus tôt avec Moore en
commun désaveu des philosophies transcendantales. Entre l'affirmation provocante que « l'herbe est véritablement verte, quoi qu'en aient
pensé tous les philosophes depuis Locke » et la dernière conférence de
la *Philosophie de l'atomisme logique* (1916), le système symbolique des
Principia, que l'on disait mathématique de par son premier usage et
logique néanmoins de par son hypothèse d'universalité, allait procurer
la formule des choses et le rasoir d'Ockham du nouveau réalisme. Du
titre de ce dernier exposé, *On what there is,* on fit un manifeste. Russell
substituait à la métaphysique de l'être les « fictions » logiques qui,
pour organiser notre expérience, en délégueraient la gestion à la grammaire des écritures quantificationnelles.

Dans le même temps Husserl, renonçant à ses premiers essais d'une psychologie de l'arithmétique, en appelait à la *logica perennis*. Trente années durant, il médita son extension en *mathesis universalis*, sans jamais cesser d'y voir un médiateur originairement transcendantal de l'objectivité, dût-il vouloir en lever la clôture « aristotélicienne » et l'approprier aux géométries postgaliléennes.

S'étonnera-t-on un jour que le réalisme juré des uns, et le parti pris des autres d'en appeler aux « choses mêmes », que des professions de foi empiristes pareillement convaincues, aient — unanimes sur ce point — recherché la logique qui y eût prêté son fil et sa trame ? Il est vrai qu'elle seule eût empêché que l'argument péremptoire du donné — qu'il vînt du *Lebenswelt* ou des sense data — pût échapper à une contradiction latente, celle de prétendre à plus qu'à une évidence instantanée et libertaire. En outre, seul le dénominateur commun d'une médiation logique unitaire maintiendrait dans une égale proximité les premières intelligences mathématiques et les premières aperceptions, en quelque ordre qu'on les veuille prendre. Il servait aussi une immanence de principe, liant la pensée à ses évidences discursives et à leur commune finitude, que personne ne voulait enfreindre.

Le véritable paradoxe était ailleurs. Car si l'on s'entendait de part et d'autre à écarter la mathématique kantienne et la déduction transcendantale pour leurs trop évidentes limites, tant la perception du problème de l'objectivité que les solutions essayées demeurèrent encloses dans la perspective du criticisme. On voulait que les mêmes opérations intellectuelles traversassent le champ entier de la connaissance et perpétuassent l'unité de l'expérience. Que les preuves mathématiques aient eu priorité, ou qu'elles l'eussent cédé au cheminement transcendantal de l'objectivité, chacune des logiques définies sur l'un de ces points de départ promettait d'étendre son empire jusqu'à l'autre — qu'elle rendrait inutile. Symétriques à l'origine, ces intentions demeurèrent comparables dans leurs déboires, pour se replier enfin et similairement sur leur premier domaine.

Aussi, pour avoir désavoué les clauses du criticisme mais non ses intentions, une logique, « imitée de l'arithmétique » (Frege, 1879) et premièrement dédiée à la représentation de ses preuves, poursuivrait parallèlement et sans pouvoir s'y satisfaire une « analyse » canonique de ce qui est et de ce qui n'est pas. Le paradigme russellien, aussi souvent varié qu'on l'aura voulu, n'aura eu sur ce point d'autre effet que de paraphraser, sans les réduire véritablement, les coordonnées déictiques et temporelles des langues d'expérience. L'analyse s'était condamnée en ce registre à quelques interventions ockhamiennes de bon sens — « entia non sunt multiplicanda praeter necessitatem » — et aux discontinuités sans avenir de l'atomisme logique. De là aussi que la phénoménologie transcendantale, liée par l'invariant prédicatif qu'elle revendiquait, n'a jamais pu atteindre, par aucune extension ou variation de son noyau, à la plus élémentaire des écritures quantificationnelles. Car celles-ci, par le choix explicite qui a présidé à leur invention, ne sont ni prédicatives ni catégoriales, pas plus qu'elles ne prétendent à l'intentionnalité. De part et d'autre on était demeuré dans les anciennes certitudes, mais on exigeait en outre une effectivité syntaxique dont la mise au point allait requérir que ces mêmes certitudes fussent écartées.

Or, si l'échec menaçait par implication l'unité d'une expérience où les mathématiques et la physique eussent encore déterminé tacitement la syntaxe du jugement empirique, dans l'immédiat il attentait brutalement au statut immémorial de la logique. Et moins pour restreindre, comme on l'a dit parfois, le champ d'une logique « universelle » (car toute logique ne peut que se donner comme telle, et faire valoir ses régularités dès qu'on en a ouvert le registre), que pour débouter la prétention d'une logique absolue, ignorant sa première dédicace à la représentation du monde en objets et en faits, ou incapable de reconnaître quelles autres dimensions elle s'était elle-même ultérieurement données[1]. A son tour, l'inhérence postulée de la logique à l'immédiateté mentale répétait, sans en connaître le coût, une très longue assimilation de la pensée au discursus. Or c'était en son nom que Kant avait pu répliquer les divisions de la logique générale tout au long de l'*Analytique* et, plus encore, leur demander une investigation indirecte des facultés transcendantales.

---

1. Voir la note d'introduction rédigée par Burton Dreben et J. van Heijenoort, dans *Kurt Gödel, Collected Papers,* vol. I, Oxford, 1986.

Néanmoins, ni la partie toujours remise, de Russell à Carnap et à Quine, d'une analyse parcourant l'intégralité de la connaissance, ni le piétinement des *Recherches logiques* husserliennes, ne pourraient récuser un projet dont elles ranimaient incessamment l'essai. Le propos ne perdrait rien de son éclat tant que rien n'avait contredit l'hypothèse qu'une même logique pût traverser tous les lieux de l'intelligence possibles, et tous les systèmes symboliques qui la reliaient. Aussi, tant que la solution parut simplement atermoyée, elle eût été anticipée, ou simplement simulée à une échelle de réduction acceptable, si l'on avait pu mettre en connivence l'objectualité grecque et son apophantique — toujours mobilisables pour notre quotidien — et le formulaire quantificationnel — toujours impliqué en quelque part de l'argumentation mathématique, fût-ce dans ses modélisations et ses récurrences. Une formalisation à double entente, quel qu'ait été le sens où chacun choisirait de la pratiquer, eût aussi réconcilié contre elles-mêmes des philosophies qui s'en fussent peut-être défendues. Il n'en est pas moins vrai que le propos, leibnizien en sa plus exacte teneur, d'une *mathesis universalis* où se confondraient dans une commune réplique « caractéristique » les objets, les opérations qui s'y trouvent définies, et la pensée des unes et des autres, était réclamé par les deux familles philosophiques. Et ces complicités involontaires étaient indiscernables d'une cause qu'elles plaidaient contradictoirement.

2. L'assimilation de la logique stoïcienne au calcul propositionnel allait donc, dans le mouvement des années 30, servir un raisonnement simultanément rétrospectif et prospectif. Quant au passé, on montrerait qu'un fragment propre du formulaire, peu à peu dégagé de la compacité d'écriture que lui avait donnée Frege, offrait ses ressources là où l'écriture quantificationnelle, déjà librement requise pour transcrire les modes aristotéliciens, avait épuisé sa capacité de formalisation. Appliqué à la dialectique stoïcienne il en dévoilerait le secret et vengerait son discrédit. L'histoire y eût gagné d'être plus équitable puisque mieux informée. Et si l'on prenait l'argument par son revers, on annulerait la distance historique séparant « l'ancienne » de la « nouvelle »

logique[1]. Suffirait-il d'appliquer sur la première deux patrons importés de l'autre, et chargés de représenter sélectivement les syllogismes péripatéciens et les inférences hypothétiques des stoïciens, que la différence conceptuelle eût été balayée avant même d'être élucidée. Le recouvrement formel en eût fait foi.

L'intérêt proprement historique, on le verra[2], fut deux fois déçu. Les images obtenues s'avéraient aussi pauvres dans leur teneur (c'est-à-dire dans leur syntaxe) qu'indiscernables entre elles, l'opération ayant annulé *motu proprio* la différence qu'elle devait exalter. Résultat plus troublant, cette représentation exsangue était de surcroît sans prise sur les définitions, les descriptions, les causalités, les finalités et les démonstrations éthiques, quand elle n'y contredisait. Et puisqu'elle supposait un canon par rapport auquel tous les raisonnements effectifs des Grecs se trouvaient en infraction, elle avait déjà accumulé contre elle-même tous les éléments d'une procédure d'appel. Il était, en outre, trop tard pour que cette conclusion calamiteuse demeurât dans les limites de l'historiographie. Car l'affaire avait mobilisé deux générations de logiciens, il s'y était agi du sens intemporel de l'hellénisme, et le résultat avait, en fin de compte, dénudé le ressort de l'entreprise.

Avant même que les logiciens polonais n'en aient usé pour formaliser les inférences stoïciennes — ou plutôt n'aient voulu l'y reconnaître — la structure vérifonctionnelle avait été isolée par Wittgenstein, qui lui avait confié tout le transcendantal de la connaissance. « La logique n'est pas matière d'enseignement, mais l'image reflétée du monde. La logique est transcendantale » (*Tractatus*, 6.13). S'y explicitaient en effet les conditions ultimes d'une « analyse », telles aussi que le paradigme russellien pourrait enfin convertir son usage, jusqu'ici strictement ockhamien ou correctif, à la représentation du monde. Conditions explicites et redoutables néanmoins, puisque l'extensionnalité du « calcul » voulait que les propositions élémentaires fussent vraies, ou fausses, indépendamment les unes des autres. Et dès lors qu'aucun énoncé de *notre* langage ne satisfaisait ni ne pouvait satisfaire à l'a priori

---

1. Cf. Rudolf Carnap, *Die alte und die neue Logik, Erkenntnis*, I, 1930.
2. Voir, infra, chap. II.

de ce critère, le calcul du *Tractatus,* ainsi qu'en jugeait Wittgenstein dans quelques manuscrits des années 30, s'était replié sur sa singularité. Il ne pouvait ni accomplir l'analyse russellienne — dont ce nouvel atermoiement érodait la vraisemblance — ni se recommander des mathématiques, qui n'avaient que faire de cette interprétation « propositionnelle ». Pour le reste, la théorie des fonctions de vérité allait prendre son statut d'une série de thèses et de théorèmes auxquels les démonstrations de Herbrand ont fixé à 1928 leur terminus a quo.

Si donc l'analyse, et la seconde version qu'en proposait la *Philosophie de l'atomisme logique,* se décidait sur la possibilité d'identifier l'élément de la logique vérifonctionnelle avec la proposition de notre langage d'expérience, en laquelle se disent les faits et se posent les objets, elle avait joué son destin sur une adjectivation douteuse. Le « calcul propositionnel », unissant un fragment du formulaire et le propositionnel de notre langage, supposait, iréniquement, que le problème était résolu. Les interprétations rétrospectives des historiens, et celles, prospectives, du positivisme logique, avaient au moins pour elles d'avoir exactement situé la difficulté. Car la manière dont une proposition de notre usage tisse dans sa hiérarchie prédicative les conditions de sa vérité (conditions kantiennes, si l'on veut) et grammaticalise l'instance de l'assertion, excluait par *construction* l'extensionnalité, qui ignore les premières, et la syntaxe vérifonctionnelle, qui annule la seconde.

A suivre l'école polonaise, qu'aurait-on gagné sinon de réduire l'univers des logiques grecques à d'indiscernables tautologies ? Outre qu'on reprenait sous une autre guise l'interprétation classique de la syllogistique, on la privait d'une manière synthétique (euclidienne, c'est-à-dire hellénistique) de conduire les démonstrations, à laquelle les cartésiens n'avaient pas mesuré leur éloge. Qu'avait-on fait en réalité sinon repris, mais dans sa version réciproque, la manière spontanée dont on avait, à commencer par Frege lui-même, lu les écritures insolites de la *Begriffsschrift* comme des énoncés aristotéliciens ? C'est-à-dire doublé une syntaxe strictement graphique, munie de ses règles propres de substitution et de transformation, d'une économie discursive familière, d'abord hésitante, puis délibérément engagée dans la reprise des anciens tours de pensée et d'expression : l'objet, le concept, la généralité et l'existence ?

On avait donc atténué ce qu'avaient d'audacieux le terme et la chose de *Begriffsschrift*. Cette écriture, premièrement dévolue à la grammaticalisation de la récurrence et capable de toutes les inférences incluses potentiellement dans cette nouvelle syntaxe, se trouvait réaffectée, *volens nolens*, à la position des choses et à la détermination des prédicats. En associant, une cinquantaine d'années plus tard, ce que l'on savait de la dialectique stoïcienne à une sous-structure du formulaire, on poursuivait cet usage et on confirmait l'analyse russellienne par sa réciproque. Mieux encore, on se réjouissait de l'y reconnaître, fût-ce en un état rudimentaire, effective et spontanée, offerte dans le miroir du temps. Ce qui, tout bien pensé, aurait pu être un avertissement.

La « formalisation » — mais on a vu qu'il s'agissait de réécrire un syllogisme grec dans une autre syntaxe — inaugurait donc un jeu que l'on n'avait encore jamais joué, où les pièces tomberaient à la fois pile ou face. Côté pile, le symbolisme moderne inscrirait chaque syllogisme ancien dans l'ensemble de nos formules valides. Il le ferait en procédant cas par cas, autant de fois que l'exemple illustrerait l'argument, et sans s'alarmer de conséquences intempestives, puisqu'il était posé en principe que cette logique ancienne ne pouvait faire système autrement que sous notre reconnaissance. Côté face, la formule serait lue en sorte qu'elle véhicule dans le même symbolisme l'appareil épistémologique des Grecs, fût-ce le schème minimal de la chose et de ses prédicats, que le premier ne pouvait ni ne voulait assumer. Outre que l'analyse y avait trouvé ses exercices d'école, la méthode devait procurer une résolution verbale du problème philosophique qui l'avait suscitée. A défaut d'une *construction logique* du monde, l'immédiateté grecque, c'est-à-dire le réalisme des perceptions et des choses, eût pris langue avec cette part si prometteuse des mathématiques qu'ouvrait alors l'arithmétisation du continu, ses topologies et ses récurrences associées.

Le détour historiographique avait donc déçu l'intention seconde que les logiques anciennes vinssent prêter en sous-main aux écritures formulaires les déterminations muettes, et corrélatives, d'une apophantique et d'un monde de choses et d'actes. Déterminations essentielles néanmoins pour que l'analyse pût tenir son rôle, régler l'ontologie, arguer du sens existentiel des quantificateurs, développer ses atomes propositionnels et ses factualités décidables : toutes implications soutenant, à frais commun, le paradigme de Russell. Déterminations non moins indispensables pour qu'elle pût réviser, mais *sans l'annuler*, le réalisme que le sens commun continuerait de jouer en avant-scène. Mais alors une conséquence paradoxale menaçait son programme. Car la nouvelle logique, une fois qu'elle y était affectée, ne pouvait que vouloir dissoudre sa différence ou la méconnaître. Il lui fallait en effet vouloir rejoindre son didyme ancien, ne pouvant le destituer qu'en lui empruntant le thème et les arguments de sa justice. Et ce non sans trahir l'autorité de son principe mathématique, et sa singularité extensionnelle. Serait-ce que les nouvelles questions *On what there is* n'avaient pris leur sens qu'à supposer, à leur insu et à leurs dépens, la réitération sous une autre guise des anciennes réponses ?

En outre, il avait suffi que la dialectique stoïcienne répugne par ses stipulations à l'algorithme vérifonctionnel, qu'elle se révèle, à meilleure enquête, prédicative et catégoriale autant que l'avait été l'Analytique d'Aristote à laquelle elle donnait la réplique, pour que la famille entière des logiques grecques ait trouvé son unité. Sa réalité catégoriale et syllogistique l'opposait alors aux écritures quantificationnelles, lesquelles explicitent quelques traits déterminants, mais non suffisants, pour une syntaxe convenant à l'arithmétique. Au terme de l'épreuve se trouvait donc confirmée, a contrario, la filiation « socratique » des logiques prédicatives, et l'univers de choses, manières d'êtres et raisons auxquelles, toutes variantes confondues, elles étaient assermentées. On montrera, plus bas et ailleurs, comment la dialectique stoïcienne accomplissait le platonisme logique. S'y sont implantés le classicisme alexandrin et l'immense bibliothèque de ses savoirs. En quoi, sans nul doute, s'y reconnaît toujours une part essentielle de notre présent ; car cette logique perdure, mais sous des usages, développements, et concessions, imperceptibles aux rétrospectives formelles. Pour autant que celles-ci en aient jamais pu soupçonner quelque chose.

3. Quelle qu'ait été l'issue de l'entreprise, le formalisme y avait perdu cette autorité vague, venue sans qu'on y ait mis grand scrupule, de la pratique des algorithmes, de développements algébriques spécifiques et de la représentation booléenne des modes aristotéliciens. Or il avait suffi que le nouveau symbolisme ait accaparé l'espérance des *Lois de la pensée,* pour que la pratique des écritures, sinon la gêne des transcriptions, révélât la diversité des syntaxes. On ne pouvait plus ignorer qu'elles détiennent une générativité propre, et qu'un choix avait été fait quant aux inférences qu'elles assument, comme entre les intentions descriptives ou explicatives qu'elles satisfont ou récusent.

Nul doute que l'épisode eût été secondaire dans le procès général du formalisme qui a marqué les années 30, s'il n'avait imposé deux conséquences. D'abord qu'aucune logique n'est séparable de son effectivité syntaxique. Renonçant aux législations transcendantes de la pensée, Frege avait appris de l'exercice même de la *Begriffsschrift* que les lois logiques ne peuvent être énoncées à part du symbolisme qui les expose, parce qu'elles ont déjà joué dans l'élection et l'articulation de ce symbolisme. Et cette nouvelle règle d'immanence décapait les ambitions de l'analyse. Dès lors que celle-ci opposait un développement canonique à un énoncé de sens commun (et de langage « ordinaire ») dont elle corrigeait l'ontologie foisonnante, elle y avait substitué une autre syntaxe. Pouvait-on supposer qu'elle porterait la même épistémologie, de choses et de déterminations ? Qu'elle entretiendrait le même commerce avec l'objectivité, prenant ainsi le risque de dire en aparté sa propre inutilité ? Et si l'analyse était porteuse d'un nouvel empirisme en faisant surenchère sur nos premières énonciations dont elle n'avait pas quitté le registre, elle le ferait à la manière d'un exercice de traduction. Encore que d'une espèce bien particulière.

Posons, avec Quine, qu'une « traduction radicale » projette, dans la langue qu'il faut traduire, la grammaire de la langue au bénéfice de laquelle on opère. Posons encore que cette grammaire se spécifie comme autant d'hypothèses de traduction. Alors l'exercice assidu de la reformulation *analytique,* dont la leçon serait plus amère s'il est possible que la probabilité janséniste, demandait que fût associée à chacune de nos perceptions, et de nos énoncés, une logique dont

Quine a montré combien elle était solidaire de l'appareil, tacite et sans évidence, des axiomes ensemblistes[1]. Comment éviter alors que l'analyse ne se divise contre elle-même ?

D'une part, Quine a donné la règle de l'engagement ontologique : *Existe ce qui peut être la valeur d'une variable* — on pourrait ajouter, sans y faire tort : « Je ne sais que cela. » En résultera une distribution d'objets (ou, comme l'anglais le dit mieux, de *posits,* pures positions d'objet), sous réserve qu'une même logique coure tout le long de la chaîne du savoir et traverse le corps entier des sciences naturelles et empiriques. Pour autant, l'écriture et l'engagement qu'elle affiche seront relatifs à la théorie, ultimement mathématique, qui veille sur cette unification. « Nous traitons des variables liées en connection avec l'ontologie nullement pour savoir ce qui est *(what there is),* simplement pour savoir ce qu'une doctrine — la nôtre ou celle d'un autre — affirme exister *(says there is).* » (Mais plutôt la nôtre que celle d'un autre, si nous y appliquons nos hypothèses de traduction ?) D'autre part, ce simulacre d'objet accaparera la densité des choses que nous appréhendons à la seule condition que la structure quantificationnelle, sommée de traduire nos articles définis et nos anaphores, s'impose à la manière d'un exercice spirituel, enjoignant de ne voir dans l'objet rien de plus que sa position, ses voisinages, ses relations et ce qui lui adviendra en conséquence d'éventuels arrangements ordinaux ou cardinaux — tous compris sous les opérations ensemblistes. Que telle soit la contrainte de l'apprentissage de la langue, et quand bien même nous ne cesserions jamais de réapprendre notre langage, il demeure que l'analyse ne peut obtenir son effet qu'à entretenir le jeu réciproque d'une intentionnalité objectuelle première et d'une appropriation quantificationnelle supposée la convaincre de ses errances. Tout comme les directeurs de conscience induisent des préférences calculées sur l'inaliénable concupiscence. Il était donc essentiel que Quine veuille nouer l'un à l'autre les deux bouts de la chaîne, ajoutant à la quantification « telle que nous avons appris à l'aimer » ce « mythe aristotélicien de l'objet », inséparable de notre dilection.

---

1. Cf. *Set theory and its Logic,* 1963, Préface.

Ainsi, tout en tirant parti de la syntaxe frégéenne, et de l'élimination du moment catégorial dans la constitution de l'objectivité, l'analyse, fût-elle pensée comme une traduction, répétait en sous-main quelque chose d'une stratégie kantienne. Car il s'agissait une fois encore d'unir les déterminations élémentaires, que la mathématique des ensembles avait induites en toute matière scientifique, à une position d'objet tel que le donne l'expérience et dont le prototype, si l'on excluait tant l'analytique transcendantale que nos familiarités associatives, devait mobiliser une manière grecque de le dire. Pour sa part, Kant avait déduit l'objectivité des concepts en insérant leur synthèse dans l'appareil des fonctions du jugement. Il restituait ainsi l'expérience dans une syntaxe éprouvée par les Anciens et potentiellement (« transcendantalement ») aménagée aux conditions des preuves newtoniennes. Donc encore toute acquise à la phénoménologie de la chose et de ses déterminations enchaînées. A l'inverse, l'analyse en appelait à une syntaxe, à la fois effective et différente, dont elle n'exercerait que l'ultime gérance. Car la rectification des concepts et des énoncés, des ontologies et des inférences qu'on en attendait, avait déjà traversé toute la pyramide des sciences et de leurs âges. Selon l'un et l'autre de ces ordres, vient en dernier la mathématique ensembliste, la plus abstraite et la plus générale, au bénéfice de laquelle la logique quantificationnelle, mais non sans le « mythe aristotélicien » de l'objet, doit restituer le droit des choses dans nos manières de dire.

Ainsi décrit, en chacune de ses étapes, d'un temps sur l'autre et d'une science à l'autre, le processus se donne comme approximé, révisable, et en perpétuel réajustement. La langue-théorie qui l'achève n'en sera que l'expression métastable, et Quine n'exclut pas que la bivalence se fît un jour aussi obsolète que la causalité. L'analyse reconnaît ici le travail de Sysiphe d'une opération qui lui est dévolue et qu'elle ne peut achever. *Officiellement,* la « traduction » devrait verser, en sens unique et direct, les hypothèses grammaticales du langage quantificationnel sur l'idiome d'usage. Elle s'y trouvait contrainte pour deux raisons de poids inégal. L'une est de fait. Nos idiomes « paroissiaux », soumis incessamment à l'écolage que leur imposent les sciences, sont affectés d'une interminable adolescence et supposés capables de déformations sans limite prévisible. L'autre, qui n'est pas clairement dite, serait de dimensions. Car seule peut se concevoir la position hiérarchique d'une structure quantificationnelle sur une langue prédicative qu'elle coiffe de sa propre complexité, aucunement l'épigenèse d'une quantification surgissant d'une langue déjà constituée par une syntaxe prédicative et une sémantique catégoriale, toutes deux expressément tenues de s'abolir dans ce processus. Et cependant, l'analyse requiert *officieusement* que notre langue perpétue un usage descriptif et une position d'objet, qu'elle prête au formulaire ses fonction d'assertion et d'objectualité, et jusqu'au « mythe » aristotélicien venu soutenir l'interprétation ontologique de la quantification. Elle ne dissimule rien de ce qu'elle emprunte à un hellénisme à chaque fois plus exsangue, plus nécessaire, et plus artificieux.

S'écrivait ici un dernier épisode dans l'invention de l'*ontologie,* cette science, ignorée des Grecs, d'objets essentiellement « incolores » — pour user du raccourci de Wittgenstein. Et s'il est vrai qu'on en doit le titre à Christian Wolff, elle serait le terme d'une tradition déjà longue. Partie du moment postcartésien où ce qui serait bientôt une nouvelle scholastique avait relégué, plus vivement que les qualités premières et secondes, les coordonnées de la perception et l'instance apophantique, pour mieux faire place aux prédicats computationnels. Il n'y aurait plus que des choses et leur compte. Mais on y perdrait aussi la priorité des prédicats d'action sur leurs suppôts éventuels : toutes hypothèses sur lesquelles l'hellénisme avait développé l'orbe de ses livres scientifiques et philosophiques. Alors on reconnaîtra que le mythe aristotélicien de l'objet et la « traduction » phrase à phrase — ce double protocole ajouté à l'écriture quantificationnelle pour les fins de l'analyse — participaient de ce pauvre commerce, où l'on accepte de perdre beaucoup pour garder un peu, et si peu qu'on en joue seulement l'espérance. Ils acquittaient l'octroi pour le réalisme décidable que l'on souhaitait toujours, en place d'une apophantique prédicative qu'il fallait précisément éliminer. Mais les conditions, déboîtées et voyantes, n'étaient que simplement coordonnées à une langue canonique incapable d'en grammaticaliser l'instance. En un sens, la solution retenue répétait les rétractions de Kant, honorant quelque chose de la logique d'Aristote, et amendant le désordre de ses catégories quelques années après avoir traité sans ménagement le « colosse aux pieds d'argile », et afin d'y pouvoir écrire le jugement d'expérience. En un autre sens l'impossibilité de produire une discursivité courant sur l'expérience, le mouvement rompu de l'analyse, rendaient justice à la singularité ultime de l'œuvre critique, dont la table des fonctions logiques du jugement avait été l'emblème limpide, autant que détesté.

L'écriture quantificationnelle, quels qu'aient été les déplacements de l'analyse, n'avait donc pu rejoindre l'objectualité quotidienne sans la postuler. L'épreuve avait néanmoins réintégré la difficulté en son lieu propre, c'est-à-dire dans son détour. On ne régirait cet univers déjà parlé et constitué qu'en en maîtrisant l'ordonnance et la grammaire. Parce que l'analyse n'a accès à rien d'antérieur à la syntaxe dont elle se réclame, et que prévaut ici l'aphorisme de Wittgenstein — « qu'il ne faut pas vouloir commencer avant le commencement ».

4. Se justifiera de même l'impuissance d'une logique catégoriale à outrepasser le répertoire de ses inférences *habituelles*. *Techné logiké* en un sens beaucoup plus immédiat que le formulaire quantificationnel, elle est encore saturée de nos attitudes discursives prioritaires, respectueuse des articulations sur lesquelles elle inscrit sa syntaxe, et chargée d'une transaction immémoriale entre communication, description, et inférence. De là qu'aucun prolongement de l'apophantique « analytique » en une apophantique « formelle » (ou « mathématique ») ne pouvait étendre son régime d'évidence en sorte qu'il franchisse la différence d'une logique convenant aux mathématique.

On sait comment Husserl en a poursuivi l'hypothèse (*Logique formelle et logique transcendantale*, 1929). Aussi, autant qu'il relevait quelques erreurs singulières ou les périls adossés du logicisme et du formalisme, est-ce au principe d'une extension des premières évidences qu'objectait Cavaillès *(Logique ou théorie de la science)*. Les opérations formelles et hétérogènes appliquées à l'apophantique alimentent ses premiers doutes. Ils n'épargnent pas le solipsisme d'une logique transcendantale, dont les constitutions subjectives devaient relayer de leur évidence propre l'évidence perdue des premiers moments, et confirmer celle-ci même d'une certitude cartésienne. Enfin Cavaillès confronte la théorie des multiplicités, qui achève ce programme, avec l'effectivité de l'axiomatique des ensembles. C'est ici que, après avoir rappelé les limites internes du formalisme démontrées par Gödel, lesquelles eussent récusé a posteriori l'entreprise husserlienne en supposant qu'elle eût abouti, Cavaillès atteint spécifiquement son ambition de rejoindre, par la conjugaison des constitutions transcendantales et d'opérations formelles adjacentes, les « idéalités » mathématiques. L'argument est de fait : il n'y a pas coïncidence entre « la clôture du champ des objets d'une théorie et la clôture (ou saturation) de son système conceptuel ». Il prenait appui sur un axiome hilbertien, mal interprété par Husserl. Mais la remarque vaut pour atteindre un ressort essentiel à l'argumentation transcendantale, et mettre en doute sa capacité à maintenir de pas en pas une réciprocité entre l'apophantique formelle et l'ontologie formelle, dont l'extension guidait cet *Essai d'une critique de la raison logique* (sous-titre de Husserl). On reprendra donc ces objections en fonction de ce seul principe, qui eût guidé une progression du matériel au formel, de l'apophantique et du catégorial à l'extensionnel.

Husserl se proposait de prolonger l'apophantique aristotélicienne (« analytique ») par l'itération d'enchaînements confiés à des connecteurs booléens — conjonction et disjonction. Mais il faut ici choisir. Ou bien on demeure effectivement dans le champ apophantique, et l'opération est à ce point triviale qu'elle mérite à peine d'être mentionnée — si ce n'est pour introduire des séquences d'une longueur inusitée dans l'usage commun des langues. Ou bien ces connecteurs sont des fonctions vérifonctionnelles, et sans même qu'on s'interroge sur la cohérence d'opérations introduites une à une, ils annulent le statut apophantique des énoncés qu'ils préfixent. Régis par une autre syntaxe, ils ne sont plus que des variables auxquelles des valeurs de vérité seront affectées, et pour lesquelles ne seront pris en compte ni le contenu descriptif que ces énoncés explicitent, ni l'expérience d'une donation immédiate qui eût emporté l'assertion. Toutes qualités qui ont valu à l'apophantique sa modalité d'évidence et soutiennent une conversion exemplaire entre les déterminations transcendantales de l'énonciation et celles, réalistes, du procès énoncé. Or le projet husserlien ne se soutient que de prolonger cette équation apophantique par le truchement du formalisme, sous réserve d'appuyer maintenant sur l'évidence des opérations formelles la coïncidence entre le discursif qu'elles engendrent et l'ontologique qu'elles souhaitent. Certes, dans ce règne des idéalités mathématiques, il ne s'agit aucunement d'existence empirique. Mais bien de prolonger une structure de description exorbitée de son genre, privée de son office, et néanmoins conviée à poser en ontologie formelle la réplique de son propre mouvement. On postulera donc que la générativité mathématique est isomorphe à la générativité transcendantale — mais non sans éviter, ni même vouloir le faire, que l'ontologie formelle n'ait purement et simplement expulsé la première ? Cavaillès devait donc, et c'était le moins, proposer un sursis : « L'enchaînement mathématique possède une cohésion qui ne se laisse pas brusquer. »

Or la phénoménologie transcendantale, qui devait apposer ici le double sceau de l'évidence et de l'a priori, est deux fois liée à l'apophantique, en fait et en droit. Elle seule offre son paradigme pour tout enrichissement de son noyau, y compris les itérations formelles qui devront donc prendre la première des deux voies distinguées précédemment, celle qui préserve l'équation entre l'évidence et la chose, et où le moindre intérêt rétribue le moindre risque. Et cette limitation de fait parcourt toute la chaîne des extensions husserliennes. En outre, elles répliqueront ou varieront une syntaxe prédicative qui seule effectue les consignes transcendantales et, unissant la position de l'objet à sa récognition conceptuelle, répète la scène d'une donation et de sa lecture eidétique.

Husserl, en témoignent plusieurs textes de la *Crise des sciences européennes,* ne concevait pas d'autre origine (ou tradition) possible pour une logique tenue de satisfaire tous les développements des sciences contemporaines et toutes les conditions d'une théorie de la connaissance. L'hypothèse ne laissait place pour aucune autre syntaxe, sinon dérivable de ce premier état, eût-elle été plus conforme à la conduite effective des démonstrations mathématiques. Nul doute cependant que la manière dont les mathématiques accordent le mouvement de leurs preuves et l'accessibilité de leurs objets n'ait été d'abord interne à leur développement. Nul doute que le passage des constructions euclidiennes, par la règle et le compas, aux constructions par points et coordonnées, que le passage des « longues chaînes de raison » des Anciens à l'algèbre des Modernes n'aient été partie propre de la *Géométrie* cartésienne. Porteuse d'un nouveau paradigme que réfléchit la Méthode, elle avait divisé le régime jusqu'alors unique de l'évidence. L'effectuation du *cogito* en singularisait le premier état, où son indéniable actualité comporte, sur l'instant, la certitude de *mon* existence. Tandis que la certitude mathématique ne la saurait rejoindre sans la garantie qu'y apporte un Dieu non trompeur. Or, bien que l'argument de l'évidence masque la différence, il la confirme par cela même qu'il devait en fin de compte la dissoudre hors d'elle-même, c'est-à-dire en Dieu. Ainsi l'effectivité mathématique, bien avant d'avoir requis ou de s'être approprié les ressources d'une langue formulaire avait, dès le XVIIe siècle, rompu un genre dont l'unité ne se ferait ni sous l'autorité du *calculus* ni par l'entremise d'une *lingua rationalis*.

Si donc la logique transcendantale ne pouvait vouloir s'étendre à l'intégralité du savoir physico-mathématique qu'en sollicitant l'extension continue d'une apophantique, elle ne pouvait non plus empêcher que les opérations effectivement impliquées dans ce savoir, parce qu'elles se règlent sur l'économie délibérément autre des coordonnées et des démonstrations mathématiques, n'aient déjà et de longtemps écarté son équation d'objectivité, et toute composition de ses itérations autochtones. La générativité que l'on voulait gagner ne pouvait être capitalisée avec les certitudes de l'apophantique primordiale auxquelles elle n'est pas homogène. Le remède proposé à la crise des sciences, parce qu'il exaltait les propriétés remarquables de la modalité discursive définie par la philosophie athénienne, ne pouvait qu'accroître l'écart qu'il fallait réduire, et avec lui la désolation que la science ait quitté le monde de la vie. Mais il se pourrait aussi que Husserl, décrivant éloquemment dans un manuscrit tardif les coordonnées « ptolémaïques » de notre expérience, en ait achevé l'Odyssée. A ce compte, « l'apophantique formelle » des années antérieures n'aurait fait que varier, selon une symétrie déjà constatée, le douteux oxymore des logiciens polonais.

5. Ici se rejoignent nos questions initiales. Par l'une et l'autre voie on avait cherché à réduire le disparate de nos manières de penser, d'unir dans une continuité discursive autrement placée les démonstrations des sciences physico-mathématiques et l'humble compte rendu de nos comportements. Les solutions essayées, les premières, philosophiques, dans la synchronie d'un système, et la seconde étirant dans la diachronie l'impossible métamorphose, eussent été substituables. Mais les philosophies avaient, tout en prenant le devant, affronté la difficulté in concreto, tandis que l'histoire, selon un curieux renversement des rôles, en avait traité in abstracto. S'étant réglée par méthode sur l'écriture exacte du formulaire, il lui fallait cristalliser de même l'autre terme de la comparaison. Or, une fois rapporté à ses plus simples déterminations, le problème avait révélé le postulat complice, commun aux deux approches et partagé par les deux philosophies qu'il avait mobilisées. Chacun avait admis une homogénéité syntaxique de droit en laquelle toute connaissance eût grammaticalisé ses inférences et ses concepts. En retour et pris comme tel, ce postulat éclairait le sens et le détour du criticisme, et le dilemme que dut affronter la postérité kantienne. Il détermine également le cahier de charges auquel se trouvèrent, bon gré mal gré, commises les philosophies venues après la *Begriffsschrift* — s'il l'on suit Gödel qui en louait une intelligence syntaxique inégalée par les *Principia mathematica,* ou après ces derniers si l'on tient compte de la diffusion historique.

Kant avait arbitré le conflit entre grammaire générale et *mathesis universalis,* c'est-à-dire entre la composition des signes et celle des opérations, tout différemment que ne le suggérait Leibniz. Ecartant aussi bien la réduction de l'une à l'autre que leur recouvrement formel, la logique kantienne avait mis à jour une nouvelle possibilité d'intégration qui, répartie sous quatre chefs, écartait la distinction littérale entre les précédentes. En place, elle avait défini un nouveau rapport entre le sensible et l'intelligible, mais sous les espèces plus immédiates du mathématique et du discursif. Comme le précisait en termes imagés la préface à la seconde édition de la *Critique de la raison pure,* Kant gardait tout de l'ancienne problématique et de ses termes, mais en proposerait une solution réglée par le détour copernicien d'un sujet pour qui seul existe, et à qui seul s'impose, la division du sensible et de l'intelligible. En outre, en déplaçant l'intégration ultime de la prédication au jugement, et de l'énoncé à sa modalité, Kant avait ajouté à la logique classique une dimension qui, pour être inscrite dans une économie linguistique coutumière, donnait à celle-ci encore une fois le dernier mot. Demi-mesure néanmoins puisqu'elle n'explicitait nullement la syntaxe effective des fonctions mathématiques et dynamiques réellement mobilisées. Plus encore, parce qu'elle limitait leur jeu propre, une fois qu'elles se trouvaient enchâssées dans le jugement d'expérience et contraintes de contribuer à sa constitution. Celui-ci y avait gagné de dénombrer les conditions de l'expérience. Mais chaque fonction mathématique, ainsi « formalisée » dans une syntaxe prédicative, y recevait une signification réduite, ad hoc, et bientôt outrageusement simplifiée. En rétribution d'un geste comparable à l'analyse russellienne mais inverse, Kant pouvait reconduire et prolonger le contrat apophantique en équation transcendantale, identifiant les conditions de l'objet de l'expérience et de l'expérience de l'objet. Néanmoins, si la table des fonctions logiques du jugement avait procuré un fil conducteur, elle induisait une correspondance simplement analogique entre la première et une logique transcendantale non explicitée, et cependant responsable des synthèses où se constituent la connaissance et ses représentations. La seconde version de la déduction transcendantale donnait en fait à l'aperception originaire toutes les fonctions du sens commun aristotélicien : « C'est le même qui perçoit, qui pense et qui énonce. » Le naturalisme des facultés y avait cédé aux synthèses, indirectement dénombrées par les fonctions du jugement, mais sous réserve que les concepts catégoriaux en aient donné une expression convenante, ou simplement suffisante. Or l'absence de toute écriture effective et une opération transcendantale, d'autant mieux affranchie des fonctions canoniques du jugement qu'elle se trouvait immédiatement liée à l'aperception originaire, allaient canaliser toutes les réinterprétations du criticisme.

Par son office, la logique transcendantale indiquait l'effectuation des synthèses mathématiques et dynamiques qu'elle n'explicitait pas, et dont elle ne pourrait longtemps encore revendiquer la gérance. Elle avait donc accepté potentiellement une division dont elle imposait la résolution ultime dans les moyens, discursifs, de son premier volet. Or, sous cette contrainte, elle serait incapable d'honorer le programme encyclopédique — ce tableau des facultés, des principes et des objets de connaissance — sur lequel s'achevait l'œuvre critique (Deuxième Introduction à la *Critique du jugement*, § IX). Le jugement kantien, bien que chargé d'établir un lien entre « la législation de l'entendement et celle de la raison », n'avait procuré aucun moyen terme entre une Encyclopédie notionnelle (pour laquelle le mathématicien d'Alembert avait écrit tout ensemble l'admirable *Discours* de son impossibilité et l'apologie de son exposition simplement alphabétique) et une organisation du savoir, hétérogène au niveau où en voulait surprendre l'unité et dont la mathématique de Gauss organiserait la part originairement non conceptuelle.

On comprend mieux que Husserl, tenant la position extrême dans les retours sur soi de la philosophie transcendantale, en ait éprouvé la formule divisée. Entre une apophantique encouragée par le néo-aristotélisme de Brentano, un instant accordée avec les thèmes psychologiques de la *Philosophie de l'arithmétique* et bientôt confiée à l'art combinatoire, et une synthèse transcendantale muette et maintenant sommée d'accéder aux procédures mathématiques effectives. L'œuvre de Husserl, y compris ses nouveaux départs incessants, éprouvait le dilemme des philosophies transcendantales : qu'elles ne pouvaient ni demeurer à l'intérieur du criticisme kantien, dont les limites équivalaient une amputation vive, ni y renoncer tant que l'on rechercherait, par le truchement d'une manière discursive à la fois originaire et universelle, à perpétuer la réciprocité des choses, des savoirs, et des consciences. Il était aussi clair qu'aucune écriture quantificationnelle ne rejoindrait jamais les objets de nos énonciations et ostensions, et nullement par incapacité d'assumer son origine. Tout à l'inverse, son premier état s'était montré à ce point incapable d'oublier le régime de l'objet, et de ses manières d'être, que ce dernier avait engagé à son compte la plus immédiate interprétation du formulaire frégéen. Sémantique inhérente à la prédication et plus tenace qu'elle, ce bernard-l'hermite de tous les symbolismes, y avait introduit le thème calamiteux de l'objet logique et précipité la loi antinomique des *Grundgesetze der Arithmetik.* Les dernières pages du journal de Frege en ont fait le dur constat. Non que la structure quantificationnelle dût feindre l'agnosticisme, ou afficher l'irresponsabilité des choses vides ou des formalismes importés, mais il s'agissait cette fois de relations et d'inférences, de substitutions et de règles, nullement d'objets et de concepts, de faits ou d'assertions. En bref, de « ce qui est le cas », si l'on veut, nullement du « monde ».

A partir de la *Begriffsschrift,* les mathématiciens avaient définitivement pris en charge leur exposition *(Darstellung)* et leur domaine. Le premier geste fut d'abandonner une syntaxe composite où l'équation se trouvait, interprétée comme la variante d'une prédication, enchâssée dans le fonds commun de l'hypothético-déductif, et ses unités ponctuées par les signes illocutoires de l'inférence. Le second fut de dissocier une topologie des ordres, des voisinages et des limites, du donné pur de l'espace intuitif ou vécu, et d'en atermoyer la correspondance. Convaincu de l'étroitesse de la logique classique, qui lexicalisait une relation d'ordre qu'elle ne pouvait définir, Frege avait aussi écarté le support d'une langue articulée *(Wortsprache)* pour une syntaxe dont les dimensions répondaient aux démonstrations mathématiques effectives. Il n'empêche que, une fois déclinées les fonctions léguées par l'ancien régime épistémologique, et celui-ci même, le rôle auxiliaire de cette autre syntaxe aussi bien que son règlement métamathématique ne furent reconnus que beaucoup plus tard, entre les dernières *Recherches logiques* de Frege et les théorèmes limitatifs de Herbrand, Gödel et Tarski. Néanmoins, un seuil avait été franchi. Cette syntaxe portait trace d'une nouvelle manière d'appréhender la réalité mathématique, et les dimensions qu'elle avait ouvertes objectivaient les espèces changeantes mais non arbitraires de son exposition. Sa générativité devenait pierre de touche pour l'effectivité des démonstrations. Et par là elle donnait prise aux métathéorèmes dont la garantie allait accompagner une mathématique si délibérément postkantienne qu'elle se dérobait au passé antérieur des questions de fondement.

La rupture était évidente, et inscrite dans les faits. Elle vaut contre l'*analyse* qui, pour enjamber une division qu'elle nie en droit et pratique en fait, changeait abruptement d'échelle et argumentait trop près et trop loin à la fois. Soit qu'elle s'en remette, au terme de son argument, à l'évolution des sciences ou des cerveaux, soit qu'elle applique, en justice expéditive, le *vae victis* de la traduction radicale. Et cependant un refus intransigeant des modalités et des significations, l'élégante précision des versions successives des *Methods of Logic,* l'adhérence de leur règles à la matière des mathématiques ensemblistes, composent mal avec les hypothèses transformistes alléguées, ou les conciliations sursitaires, révisables, pragmatistes, par lesquelles Quine veut libérer nos consciences et nos comportements de l'intentionnalité. L'argument demeure en attente de ses médiations. La rupture vaut tout autant contre l' « itération » des opérations apophantiques, le solipsisme des actes transcendantaux, la théorie eidétique des multiplicités. Elle n'épargne pas le diagnostic corollaire d'une crise de ces sciences que la coalition des intentionnalités ne pouvait rejoindre.

On avait souhaité l'équivalent d'une *expérience,* et il fallait reconnaître que le simple propos en serait désormais truqué. Car il y eût fallu deux logiques — pour le moins. Et cela contredisait l'intention qui les mobilisait. Et cela détruisait aussi ce que l'on croyait savoir d'une logique à qui on demandait toujours de traverser tous les moments du savoir et de l'aperception.

6. On cherchera donc à comprendre cette instance syntaxique nouvelle, « frégéenne », qui ne fut pas déterminée par l'autorégulation des sciences expérimentales, puisqu'elle tenait de si près à l'exposition mathématique elle-même. Instance dont l'intelligence ne se réduit pas non plus à l'apprentissage d'une langue, fût-ce la manière dont chacun d'entre nous ne cesse de réapprendre la sienne, puisque ce nouveau canon communique si mal avec nos langues « naturelles », et qu'il n'était nullement appelé à leur être substitué.

Mais on ne pourra plus ignorer que la nature même des systèmes quantificationnels, leur raison d'être et leur facture, avaient exclu l'alibi d'un formalisme universel de l'objet. La modélisation qui accompagne l'usage et l'interprétation d'une langue formulaire s'avère être une opération disjointe de l'aperception, et explicite en chacun de ses pas. La composition logique de Kant, réfléchissant dans les catégories de l'énonciation un rapport entre le sensible et l'intelligible que ne garantissait aucune participation dans les choses, résolvant le paradoxe d'une symétrie sans concept en accordant quelque chose à la singularité des opérations mathématiques, avait récusé toute correspondance simple ou homothétique entre le discursif et l'intuitif. L'apophantique y avait trouvé sa limite et perdu son naturalisme. Kant néanmoins s'était emparé de sa grammaire, avait tracé le tableau de ses « dimensions » disponibles, et défini sous quelles conditions les synthèses d'une intuition, deux fois médiatisée par l'espace et le temps, seraient encore une fois inscrites dans la syntaxe des fonctions du jugement. La *Critique de la raison pure* exposait une tentative ultime. Mais le droit fil du criticisme impliquait aussi qu'on ne saurait, en répétition aveugle, maquiller hâtivement la prédication en quantification monadique, parce que leurs grammaires réelles étaient incompatibles. Parce que tout l'intérêt de l'affaire était précisément dans ce déploiement hétérogène des syntaxes, et la fin du régime logique « platonicien », du rapport entre l'intelligible et le sensible et de ses variantes.

Le refus de la rupture n'avait au reste produit, au mieux, qu'un compromis verbal, ou une métaphore pédagogique, incapables de masquer que le roi de cet interrègne était nu. Car n'existait à la rigueur, pas plus qu'une quelconque logique des classes entremise entre Euler et Cantor, un « calcul des prédicats ». Parce que la théorie de la quantification n'était ni ne pouvait être un calcul, et qu'elle n'avait pu être pensée, c'est-à-dire écrite, qu'en éliminant la prédication. Aussi, à vouloir perpétuer l'ancien régime de langue, les paradoxes avaient multiplié leurs occurrences. Tous venaient d'un égal entêtement à poursuivre un mode d'objectivité phénoménologique, de la chose et de ses aspects, de sa donation et de son intelligibilité, quand son assiette discursive et son immédiateté apophantique, bientôt rappelées à leur lieu propre, avaient été provisionnellement mises à part. Et ses conséquences avaient couru tout au long de nos anciennes évidences : des errances de Frege sur l'*objet* à l'ambiguïté de la traduction existentielle des quantificateurs, des paradoxes de l'analyse aux réincarnations du *Crétois menteur*. On y avait appris qu'il y avait plus de philosophie à comprendre l'hétérogénéité de nos grammaires, et à éloigner d'un nouveau pas la conscience de ses objectivations, qu'à vouloir plus longtemps répéter quelque pythagorisme, c'est-à-dire — sous d'autres termes — nombrer la diagonale ou quarrer le cercle. La philosophie transcendantale avait su prolonger l'apophantique au prix d'une modalité critique, et l'avait conduite jusqu'à son *non possumus*. En quoi elle était bien « close et achevée ».

(Mais que n'aurait-on pas accordé, en ce début de siècle, aux demandes conjointes de concrétude et de décision, d'immédiat et d'effectif, qui ne furent pas le seul fait des extrémistes politiques ?)

Or la *Begriffsschrift* avait dénudé, dans l'histoire expérimentale de ses trois versions et par la lente mise au point de son bon usage, près de soixante ans plus tard, la manière dont une logique définit simultanément ses articulations et ses lois, et inscrit dans ses transformations le champ entier des inférences qu'elle conduit. Dès lors que Frege avait su réduire à quelques opérations, toutes définies sur une économie de langage, le raisonnement par récurrence, dès lors qu'il avait explicité dans les mêmes termes la relation de succession immédiate, il mettait sous notre regard les paramètres et les finalités en fonction desquels se détermine une syntaxe logique. Sans avoir voulu, ni non plus empêché, que cette écriture développe une générativité qui défiait, dès l'origine, l'ordonnance accoutumée de nos démonstrations. De là aussi que le terme kantien de construction *(Aufbau)* allait pour un temps couvrir ce qui n'avait pas encore de nom, cette production de preuves et de formules que l'écriture formulaire limitait en droit, mais que le commentaire précipitait en fait dans les anciennes questions. Néanmoins, le pas était franchi. Et l'exactitude de la procédure une fois matérialisée dans son graphisme et dans ses règles, elle reversait son enseignement, par comparaison et différence, sur la constitution grecque d'une logique qu'on rapporterait désormais aux fins et dimensions qu'elle avait choisies.

Pour emprunter et poursuivre une distinction proposée par Cavaillès, si le progrès des mathématiques peut être décrit selon les deux moments du paradigme et de la thématisation, une logique en aurait réussi la grammaticalisation. Ou plutôt, il n'y a de paradigme à la rigueur que dans cet accord exemplaire d'une structure et d'une grammaire explicitant la discursivité canonique qui en dispose. La thématisation lui serait donc deux fois liée. Parce qu'elle ne peut que suivre son institution, y développant cette part d'objectivation et d'analyse dont il procure les dimensions, et parce qu'elle précipite l'oubli du sens premier et matériel qui le singularisait.

Et si tel est bien le sens fondamental du processus, on en perçoit d'emblée la force, les contraintes et les limitations. Ce modèle vaut bien plus qu'une image, puisqu'il réanime les termes les plus techniques du platonisme et par là portait l'exigence d'une analyse effective, c'est-à-dire finie. Il appartient au paradigme d'être, selon une ambiguïté d'essence, objectif et syntaxique, d'avoir réussi une grammaticalisation et de se donner, pour cette réussite même, en canon et en exemple. Exemple qu'on répète dans la grammaire qu'il procure, sa face visible et dimensionnelle dit encore quelque chose de sa face oubliée : par l'équivalence de ses règles et de ses conditions.

Et pour être d'abord platonicien, le concept détient aussi la clé de l'apophantique. Mais il en desserre le naturalisme, la nécessité et l'immédiateté. De même, l'analytique kantienne, alignant les chefs de l'expérience sur la syntaxe du jugement, procurait tout ensemble un fil conducteur pour la déduction des concepts et un fil d'Ariane pour imposer sa géométrie, « copernicienne » et finie sur le labyrinthe d'une analyse matérielle et infinie. Celle, mathématique ou newtonienne, agrammaticale en tout cas, qui avait précipité le système de Leibniz en *Monadologie,* s'il ne l'y avait perdu.

Ainsi le même souci d'une grammaticalisation, la première fois analogique et l'autre générative, cerne le genre de nos logiques et en justifie les espèces. Il les distingue de celles dont les oppositions maîtresses, également responsables des déterminations et des inférences, ont une objectivation figurée, adhérente à une nomenclature, une statuaire, une zoologie ou tout autre système d'oppositions dont les capacités d'association et de différenciation jouent aux confins du lexical et du figuratif. Néanmoins, l'association de ces emblèmes et de ces mythèmes, de leurs symétries et de leurs renversements, organise sur cet a priori matériel, non moins régulier pour n'induire aucune grammaire, ces récits que caractérise cet écart, et que l'on dit *mytholo-*

giques. Tels ceux dont Platon confiait le sens, d'avant la première grammaire prédicative et l'analytique de la participation, à la géométrie qualitative des couleurs simples — blanc, or et pourpre (*Phédon*, 110 *c*) — et à la géographie des parcours infernaux.

7. Le temps n'est donc plus de vouloir encore une fois compiler sur l'une des syntaxes les fonctions de l'autre, et de poursuivre un impossible chiasme. On a déjà relevé que l'interprétation existentielle des quantificateurs ou celle, propositionnelle, des fonctions de vérité annulaient la prégnance empirique que l'on recherchait. Que la transparence supposée de l'analyse se payait d'un leurre, puisqu'elle ne pouvait écourter la modélisation indirecte et ensembliste de sa compétence. Qu'il n'y avait pas à vouloir déployer l'univers des intelligences possibles, et moins encore celui, redoutablement restreint, des logiques effectives, à partir d'un principe phénoménologique qui, jeté dans cet emploi, trahissait sa propre conviction.

Car en affectant à la fois l'originarité apophantique et l'exactitude d'une écriture hantée par l'algorithme, à tenter la chimère et vouloir greffer sur un état discursif, supposé liminaire, une forme également liminaire de calcul, on avait perdu les dimensions de l'une sans acquérir celles de l'autre. On avait, en particulier enrayé le jeu entre syntaxe et lexique où se concrétisent la fonction du « faire voir », l'habile catégorisation enchâssée des qualités premières et secondes, et tous les tropismes de l'intentionnalité phénoménologique. Or, en voulant accroître son acribie et achever l'inventaire de ses possibles, la formalisation du transcendantal défaisait chaque nuit la tapisserie diurne de son eidétique. Et pour mieux s'approprier cette générativité qui lui échappait toujours, puisqu'elle n'était pas dans le mime des opérations algébriques mais dans une syntaxe dont le premier succès lui fut d'emblée si désobligeant, l'apophantique avait sacrifié ses ressources propres et ses variantes : modalités d'assertion, adverbes, temps irréels, subordination, enchâssement, adjectivation..., outre la réappropriation de chacun d'eux, et d'autres encore, en divers discours, directs ou indirects, ponctuations et registres, etc. Pour n'admettre qu'une intentionnalité vide, proclamer la parenthèse du monde et une conscience du temps consignée dans l'échauguette d'une conjugaison rudimentaire. Et dès que l'évidence originaire d'une donnée « charnelle » se trouvait livrée à un système d'énonciation gelé par la rigueur de son éventuelle « formalisation », elle ne pouvait même plus accéder à sa propre exactitude.

Il restait à comprendre la réalité d'une disjonction, ne fût-elle assignable que dans l'abstraction des syntaxes logiques. Car il est non moins certain que celles-ci obsèdent notre rationalisme, sans qu'il leur ait rendu plus qu'une justice partisane, jouant tantôt l'une et tantôt l'autre. On s'est peut-être beaucoup trompé à ne pas reconnaître que, si toutes deux avaient acquis cet état grammatical qui les généralise par diffusion, elles avaient abandonné la proximité de leur paradigme et le sens matériel qu'il eût autrement imposé. Donc renoncé à l'omnipotence douteuse d'un sens premier et de ses éventuels prolongements formalistes, où l'authenticité et le positivisme échangent en fraude leurs prétentions, pour la valeur d'usage d'un schématisme susceptible d'une infinité de réappropriations. Se révélerait alors, corollaire de ces cohérences disjointes, un lieu philosophique encore peu fréquenté et cependant inévitable. Car les moyens analytiques sont les mêmes que les moyens d'expression ; ils dressent ensemble le théâtre et les dimensions de l'intelligence réelle.

Le leçon, la moins attendue et cependant la moins réfutable de la *Begriffsschrift,* aura été, de par sa longue et conflictuelle histoire, de troubler définitivement la synonymie constitutive de notre logique, entre discours (λόγος) et raison (encore une fois λόγος). Elle l'avait distribuée en états discrets, donc contraints aux voisinages, aux recouvrements et aux limites de leur pertinence. Restait alors à fixer un nouveau portulan pour cette *seconde navigation* où le platonisme avait joué son destin et quelque chose du nôtre. On a vu que la division kantienne, entre formel et transcendantal, n'offrait aucun appui pour autoriser une rupture qu'elle voulut conjurer, et qu'elle ne pouvait plus interdire. En revanche, dès lors qu'on y reconnaît la disjonction entre deux moments d'une opération qu'elle explicite, elle illustre l'intelligence exacte d'un processus dont Kant tirait le sens même du criticisme. Toute logique résout une double contrainte, sous l'effet de laquelle elle sera, comme Kant le disait à soi-même de la philosophie transcendantale, une « hybridation ». Car elle devait reporter sur une structure discursive et selon des moyens propres à celles-ci, les indices déterminants d'une structure objective. Et cette extériorité lui dévolue une composante de réalisme, indiscernable des possibilités d'inférence ou de discrimination qu'elle diffuse comme un (nouveau) *sensus communis.*

Aussi avait-il suffi de cette division pour que la logique perde une part de son absolu et que son opération fût disjointe de l'acte du monde. L'absence de coïncidence entre l'organisation *partes extra partes* du monde sensible, aux symétries « paradoxales », et celle, conceptuelle, du monde intelligible, avait rompu une continuité où le logos revendiquait d'être le simple relais d'une action dont il dérive, et qui le constitue. Elle avait rompu le rayon d'une lumière originaire dont la représentation (φαντασία) des Grecs réclamait la capacité à « se faire voir elle-même et ce qui est en elle ». Le rapport du formel au transcendantal, ouvrant les dimensions du premier aux synthèses de l'autre, avait dévoilé le mécanisme de la phénoménologie, inversé son sens en révélant la contrainte première des fonctions d'énonciation, et substitué enfin sa juridiction à l'alchimie des facultés. On a écrit que Kant n'avait aucune théorie du langage, faute d'avoir vu que, poursuivant les remarques de Port-Royal et de Rousseau, il avait mis un terme au règne indéfini des signes et de l'intentionnalité, et que la table des jugements affichait, en exergue de l'œuvre, la spécificité des médiations syntaxiques. En dépendaient la possibilité du criticisme, la réfutation de l'idéalisme cartésien, et son insolente réponse à Eberhard lequel, manquant le sens de la division kantienne, lui opposait de simples classifications.

Kant, rétorquant à ce trop zélé leibnizien « ce que l'on écrivait un jour dans un journal de savants : à N..., on vient, *hélas,* d'inventer un nouveau thermomètre », était donc convaincu d'avoir saisi quelque chose d'une opération qui, pour peu qu'on oblitère le naturalisme des facultés et qu'on en isole le principe, distribue les figures effectives de nos logiques, jusqu'à présent catégoriales ou quantificationnelles. Et nous sommes encore assez près d'une liberté tout récemment acquise pour devoir en éclairer la bifurcation essentielle, selon que le support discursif fut demandé à une langue naturelle, et contraint à son régime d'articulations enchâssées, ou qu'on a obtenu d'un langage symbolique une syntaxe offrant les dimensions convenantes aux objectivités dont il s'approprie le paradigme.

En conclura-t-on que le criticisme est la dernière formule de l'hellénisme parce qu'il n'a pas su, ni même voulu, concevoir la première logique des temps modernes ? Mais on se tromperait de genre en supposant une succession, comme d'époques ou de mentalités. On dira plus justement, que la « révolution dans la manière de penser » était plus circonspecte qu'il n'y parut d'abord. Kant avait préservé, étendu et clos, une syntaxe prédicative, en elle-même insensible à la révolution copernicienne qui y prend appui. Car l'organisation prédicative de l'énoncé, on l'a dit, avait déjà substitué à la réalité physique d'une perception de la chose les dimensions et aspects de sa catégorisation. Elle en remémorait l'accessibilité autant que la détermination, et celle-ci dans les conditions de l'autre. Et parce qu'elle forçait, tant bien que mal et dans ses limites, les moments corollaires d'une géométrisation newtonienne du mouvement, la déduction kantienne ne serait que plus explicite dans ses médiations, synthèses et schématismes, mais plus allusive quant à sa grammaire. Le dogmatisme s'en été trouvé vaincu en première ligne, mais Kant n'avait fait qu'éloigner, modaliser, une description du réel sur l'immédiateté de laquelle les Grecs, qu'ils aient été ou contre, ne se laissèrent pour leur part nullement duper. Car Platon avait subordonné la dialectique, et tous les savoirs qu'elle pourrait acquérir, au commerce des grands « genres » et du discours. « Nous en priver serait en effet, perte suprême, nous priver de la philosophie » (*Sophiste*, 260 *a* 5). Et s'il fallut trois écoles pour fixer la grammaire catégoriale de ce commerce, et rapporter les sensibles à leurs dimensions intelligibles, cette savante manière de « sauver les apparences » eut contre elle autant de générations de *petits socratiques*. Au reste, la devise de l'Aufklärer, que « penser, c'est juger », reprenait, si elle la déplaçait, la décision platonicienne d'identifier la pensée à ses unités les plus intégrantes. Mais ce déplacement, et la modalité critique qui le scelle, avaient suffi pour que l'ancien protreptique du réel y ait éprouvé sa ruine.

Néanmoins, la rupture est venue d'un pas de plus, quand le souci de rapporter à la générativité d'une syntaxe le raisonnement par récurrence exigea une complexité de rapports non représentable dans une langue naturelle. Et si elle affectait l'identité du penser et du dire, que l'on dira encore une fois « platonicienne » sans crainte d'un malentendu ontologique contre lequel on s'est prémuni, elle ébranlait avant tout les anciennes certitudes. D'une part, le formulaire quantificationnel se plaçait hors de la série précédente des catégorisations prédicatives. Et cette nouvelle agrégation du mathématique au discursif faisait scandale en ce qu'elle troublait le jeu habituel de l'objectivité. Elle laissait sans emploi le précepte d'évidence et le retour aux choses mêmes, qui avaient entretenu toutes les *réformes de l'entendement* et en habilitaient le *more geometrico*. D'autre part, une fois libéré de la téléologie du réel, le formulaire put entretenir le doute sur son affectation. Le rapporterait-on à l'ancienne série qu'il s'y agrégerait artificiellement, appliquant sans convaincre l'une ou l'autre des versions canoniques de l'analyse. Le laisserait-on à la constellation des écritures extensionnelles et des sciences mathématiques, qui en avaient l'usage et la charge, qu'on lui ferait avouer sur le champ l'unique motif de ses profits opératoires. On niait la rupture ou on l'exécrait, et parfois les deux ensemble.

Et cependant, la délégation platonicienne du penser au dire se trouvait reversée sur les divers foyers de nos constitutions discursives, de leurs enchâssements, et de leurs voisinages. Frege ne s'en était épargné ni la lucidité, ni le trouble : « Penser ne serait-il qu'un parler ?... La possibilité de la pensée y trouverait-elle son terme ? » Pour reconnaître ensuite que le registre quantificationnel, auquel il avait si tardivement donné un nom propre *(Hilfessprache)* ouvrait une parenthèse théorique qui écartait la syntaxe de la description et de l'existence *(Darlegungssprache)*. Qu'il était indifférent, dès lors qu'il était étranger à la grammaire d'objets et d'états provisionnellement laissée en compte, à la réciprocité des questions transcendantales et des catégories d'expérience. Ce nouveau statut l'affranchissait aussi de l'ambition d'assumer la matérialisation de la pensée pure *(reinen Denkens)* que son premier titre revendiquait. Ainsi dégagé de ses premiers engagements, et libéré en droit du piège tendu par la « traduction » du jugement d'existence, le formulaire devait être placé dans son contexte gaussien, et repris dans une tradition qui va de d'Alembert à l'école de Göttingen. On pouvait alors saisir, dans la genèse du projet idéographique, ses avatars et ses rétractations, le lent déboîtement des deux syntaxes — avant qu'elles ne fussent opposées, et alors que l'extensionnalité, encore adhérente à l'exposition d'une arithmétique cardinale, se trouvait *in statu nascendi*. Pour admettre qu'il en allait ici comme dans la constitution de l'hellénisme classique, que l'objectivité des œuvres et des savoirs manifeste une intelligence symbolique hors des éponymies originelles.

Mais on s'inquiéterait en vain de la rupture, puisqu'elle a révélé un autre rapport entre les termes qu'elle disjoint. Toute syntaxe est dans la dépendance d'un langage et de celle-ci viennent encore les singularités, recouvrements et parenthèses où se différencient styles, symbolismes et grammaires. Sous-jacente à une division qu'il fallait d'abord confirmer, matérialiser et comprendre, apparaît une historicité, cumulative et complice de choix dont la généalogie est évidente. Toutes les strates en demeurent disponibles, et toujours potentielles, sinon simultanément exercées, dans toute pensée concrète. Quelque chose se déchire ici, peut-être ce voile que Kant avait posé sur l'inaccessibilité transcendantale une fois rejeté le naturisme littéral de la psychologie grecque. On entrevoit le socle anthropologiquement immémorial de nos énonciations entendues, socle sans lequel elles n'auraient aucun sens, et qui établit une complicité de fait entre tout langage et tout autre langage. Cette historicité est en quelque sorte sédimentaire, celle que Merleau-Ponty avait d'abord identifiée dans le renouvellement de l'art pictural, parce qu'à celui-ci avait été épargné le vertige de l'immédiateté et de la présence à soi, parce que la mémoire et l'apprentissage l'obligent jusqu'au détail des gestes. Mais ici, pas de métamorphose, sinon quelques états syntaxiques discrets dont la stabilité, sans âge ni usure, esquisse une immobilité théorétique.

7. On décrira ailleurs la constitution de ces instances disjointes, qui n'en furent pas moins liées par le même propos de donner à leur choix l'universalité oublieuse, celle d'un langage autre où toutes choses

néanmoins seraient pensées, déduites, ou thématisées. Il fallait d'abord diviser les syntaxes pour éviter les paradoxes foisonnants de leur premier voisinage, et démêler contre elles-mêmes le jeu de leur composition. Or ce pas, qui conduisait hors du formalisme, avait déjà révélé leur autre face, par où elles portent les genres et les savoirs qui en ont accepté l'assiette, s'ils n'avaient contribué à l'établir. La division des logiques en appelait en fait à ces dimensions réelles, qui les constituent en phénoménologies ou formulaires. On comprendra aussi comment la dialectique stoïcienne avait déjà circonscrit cette « prose du monde », où l'histoire naturelle et l'histoire humaine se construisent sur un schème commun, articulé par les actions et causalités qui en débrouillent l'apparence.

Son énigme avait été notre point de départ. Et maintenant qu'elle affiche les dimensions suffisantes pour l'effectuation du platonisme et pour l'ample cortège de ses savoirs, on sait qu'elle tirait à soi plus de philosophie qu'il n'y paraissait d'abord. N'en apparaîtront que mieux contrastées les propriétés du formulaire quantificationnel, que sa syntaxe préservait des équations logicistes quand bien même une interprétation séduisante, et presque banale, l'y avait compromis.

On peut donc s'épargner de refaire le compte amer des antinomies et des remontrances. On a préféré mettre à l'épreuve le pouvoir analytique de la disjonction ici proposée. Puisque s'il dissipait les unes, il désarmait les autres et, retournant nos évidences, rétribue avantageusement ce à quoi, expérience ou fondement, critères logiques de l'existence ou ontologie formelle, on avait renoncé.

CHAPITRE II

LOGIQUE, HISTOIRE FORMALISATION

Et de leurs paradoxes

> Der Traum ist ausgeträumt.
> E. Husserl, 1935.

1. L'histoire de la logique, que Heinrich Scholz concevait « dans la perspective de la logique formelle moderne » (*Esquisse d'une histoire de la logique,* 1931), reçut sa méthode d'une étude publiée en 1934 par Jan Lukasiewicz dans le *Bulletin de la Société des sciences et des lettres* de Varsovie. Cette *Contribution à l'histoire du calcul propositionnel* fut connue par la version allemande que l'auteur en donna, l'année suivante, dans la revue *Erkenntnis,* créée en 1930 par Reichenbach et Carnap. Le logicien polonais y développait les arguments historiques incidents de ses *Remarques philosophiques sur les systèmes propositionnels à plusieurs valeurs de vérité* (1930). En déplaçant l'analyse d'un système logique plurivalent, destiné à contourner le déterminisme, à la reconstitution d'un antécédent bivalent supposé l'impliquer, en relevant le caractère de bivalence qui en portait toute la responsabilité, en proposant la généalogie d'une erreur qui, venant de l'Antiquité, traversait le Moyen Age, Lukasiewicz illustre brillamment le programme de H. Scholz. Car l'*Esquisse* avait argumenté son propos en renvoyant aux promesses des *Remarques* de 1930, et à la résolution logique des questions métaphysiques qu'elles annonçaient.

L'article de Lukasiewicz eut bientôt l'autorité d'un paradigme*, au sens où Ramsey put dire que la paraphrase russellienne de la « description définie » (*On Denoting,* 1905) serait un modèle pour toute analyse à venir. L'exemple fut suivi plusieurs décennies durant, et les traités où les Anciens avaient élaboré et enseigné leur logique furent confrontés aux écritures, transformations et théorèmes des *Principia mathematica.* Méthode d'interprétation qui fut généralisée par I. Bochenski à la totalité de l'histoire accessible, puis illustrée, avec plus ou moins de hardiesse, ou de prudence philologique, par toutes les monographies ou traités synoptiques qui s'en recommandèrent.

Le rôle de paradigme outrepassait, dans les deux cas, la clarification qu'on peut attendre d'une simple réécriture normalisée. L'analyse russellienne impliquait au premier chef que les deux expressions, paraphrasante et paraphrasée, ne diffèrent que d'une variation stylistique annulable en droit. Mais si l'analyse réduit aussi, et du même mouvement, les entités nominales et parasitaires de l'expression à laquelle elle est appliquée, c'est parce qu'elle en dissout l'illusoire objectivité. Ce double résultat, d'une paraphrase à la fois synonyme et réductrice, avait trouvé une première généralisation dans deux articles que Carnap publia dans la même revue *Erkenntnis. L'ancienne et la nouvelle logique* (1930) décrivait la dernière comme une extension de la première, c'est-à-dire de la « forme » prédicative à la « forme » relationnelle. A l'instar de Russell et Whitehead, et bien qu'il ait suivi l'enseignement de Frege à Iéna, Carnap minimisait la rupture introduite par la quantification, justifiant par là même une transcription des schèmes prédicatifs dans leurs corrélats quantificationnels monadiques. La « nouvelle logique » s'accommodait ainsi de l'ancienne qu'elle complétait opportunément. *L'élimination de la métaphysique au moyen de l'analyse logique du langage* (1932) récusait, par des critères syntaxiques, tous les énoncés qui, au vu de leur forme, manquaient aux réquisits imprescriptibles de la bonne formation, et partant de la signification. Passant, dans les deux articles, du mode matériel au mode formel, Carnap avait pu étendre le champ de l'analyse de la paraphrase intrapropositionnelle à la traduction intersystématique. Corrélativement, il radicalisait une critique d'inspiration ockhamienne en donnant un critère, liminaire, formel, et décisoire, de l'acceptabilité des énoncés.

En plaçant la logique dite propositionnelle au foyer de ses recherches, Lukasiewicz ouvrait à la méthode analytique une ultime généralisation. D'une part, la réhabilitation de la logique stoïcienne (présentée comme la première élaboration d'une théorie autonome, le calcul propositionnel), s'adossait aux résultats métalogiques que Lukasiewicz avait récemment établis avec la collaboration de A. Tarski (*Untersuchungen über den Aussagenkalkül,* 1930). En posant que le système contemporain s'articulait en deux disciplines aussi différentes « que l'arithmétique et la géométrie », Lukasiewicz accroissait d'autant sa capacité d'analyse. D'autre part, les propriétés algorithmiques et constructives, liées à la représentation matricielle du calcul bivalent et de sa généralisation plurivalente, annonçaient une résolution des concepts modaux en même temps que du déterminisme. Lukasiewicz avait donc réuni trois applications, souvent disjointes, de la nouvelle logique : une réécriture élucidante, la réduction de concepts métaphysiques, la constitution de systèmes logiques explicites qui en prendraient avantageusement la place. En outre, la *Contribution à l'histoire du calcul propositionnel* décelait, dans les textes stoïciens et scholastiques, un système logique qui semblait avoir contourné, à l'aube de notre histoire, les terres incertaines de la catégorie, du concept et de l'idée. La philosophie célébrait de nouvelles noces avec les sciences exactes, par le biais d'une logique téléologiquement unitaire qu'on disait encore, et indifféremment, mathématique ou formelle. Laissons cette équivoque, à dire vrai moins onéreuse que l'homonymie dont pâtit le terme même de logique et que la qualification de *moderne* ou d'*ancienne* ne saurait alléger — celle-là même que l'on tentera de démontrer ici.

Dans l'immédiat, le projet husserlien d'une *Philosophie comme science rigoureuse* (1911) — encore qu'il ait été clairement désavoué dans le manuscrit de 1935 que nous avons cité en exergue — se renouvelait dans le programme d'une *Encyclopédie des sciences unifiées,* dès lors que la *logica perennis,* identique à elle-même jusque dans ses derniers développements, apportait sa caution à la *philosophia perennis*. Que l'histoire de la logique puisse jamais établir une affinité réelle entre la logique grecque et scholastique et les systèmes postfrégéens, qu'elle avère l'antiquité des articulations vérifonctionnelle et quantificationnelle, et elle serait le maillon par lequel la chaîne des sciences exactes, maintenant appendue à la logique mathématique, serait de nouveau concaténée à la philosophie, et celle-ci honorée de cet Organon logique dont elle avait créé, à l'époque grecque, le premier état, sans manquer pour autant de contribuer aux progrès contemporains.

En retour, si la logique formelle moderne « offrait un point de vue assuré d'où cette histoire pouvait être survolée et orientée », H. Scholz en inférait qu'elle serait elle-même réconfortée de ce succès, « et cela en dépit de toutes les inhibitions qu'il faut bien prendre en compte ». L'histoire eût donc autorisé le canon analytique et, pour peu qu'il pût citer ses antécédents, il engageait dans l'Allemagne des années 30 plus que lui-même. On ne peut oublier qu'une solidarité militante, en vue de renouer avec Leibniz et écarter l'épisode transcendantal, unissait la néo-scholastique de Lukasiewicz et l'*Esquisse* de Scholz, qu'elles soutenaient par d'autres voies le propos pédagogique de l'*Abriss der Logistik* (1929), où Carnap ménageait l'accès aux méthodes et aux thèses du *Logische Aufbau der Welt*.

2. L'*Esquisse* de Scholz, tout comme la *Contribution* de Lukasiewicz, avait pris son poids et sa mesure d'une doctrine qui avait atteint un degré d'élaboration, alors estimé classique, dans les dix années écoulées. C'est dans ce bref intervalle de temps que fut démontrée l'indépendance du calcul propositionnel, que la thèse d'extensionnalité fut énoncée et que la théorie de la quantification reçut une formulation explicite — dans les *Grundzüge der theoretischen Logik,* dont Hilbert et Ackermann publièrent la première édition en 1928. Simultanément furent démontrés les premiers résultats métathéoriques par Post, Lukasiewicz, Tarski, tandis que les théorèmes de Gödel étaient plus souvent cités que véritablement connus. On ignorait Herbrand.

Les moyens de cette histoire épiphanique furent donc assemblés dans la décennie qui suivit la première guerre mondiale mais aussi entre la diffusion des *Principia mathematica* et la formation du Cercle de Vienne, dans le moment auratique du *Tractatus logico-philosophicus*. Il ne faut négliger aucune de ces deux composantes : l'intelligence toute récente des possibilités constructives d'une logique extensionnelle[1], la maîtrise de ses aspects algorithmiques dont on pouvait encore attendre une extension, et l'intention de reconsidérer toutes les questions philosophiques, y compris l'expérience, en professant un réalisme empirique (quelque *neue Sachlichkeit*)[2] dont la nouvelle logique serait à la fois le fil conducteur et la méthode de constitution. Programme suffisamment vaste et délié pour qu'on n'en perçût pas d'abord l'impossibilité, suffisamment précis toutefois pour qu'on puisse l'établir.

Dans l'intervalle, il incombait à l'historien de dissiper l'étrangeté de la nouvelle logique que ne confirmaient ni les intuitions accoutumées du locuteur, ni une quelconque géométrie — aurait-elle eu la forme rudimentaire des diagrammes dont usait Euler dans ses *Lettres à une princesse allemande* (ou celle, plus élaborée, des diagrammes de Venn) — en établissant une généalogie des invariants formels. A lui de tempérer, par une typologie historiquement graduée, la répugnance qu'opposaient à l'analyse extensionnelle aussi bien la structure sémantique des langues naturelles que l'intentionnalité, insolement obvie, de l'expérience perceptive. Les préalables historiques auraient noyé la rupture dans un développement localement inventif, et globalement continu. Ils dissoudraient l'anomalie des logiques extensionnelles dans une série d'écarts, tous acceptables de par leur modestie même.

Cette phase fut préparatoire autant qu'indispensable à une restructuration des langues naturelles, selon l'une ou l'autre des versions les plus opérantes de l'analyse logique[3]. Noam Chomsky a clairement dit, dans sa thèse miméographiée, ce qu'il devait à l'analyse russellienne,

---

1. « Die Logik est noch im Schmelztiegel », lettre de Wittgenstein à Russell, citée par K. Wuchert et A. Hubner, *Wittgenstein,* 1979.
2. Cf. John Willett, *The New Sobriety,* 1978, p. 11.
3. Cf., pour une présentation synoptique de ces emprunts, J. D. Mac Cawley, *Everything that linguists have always wanted to know about logic but were afraid to ask,* Oxford, 1981.

avant d'affilier la grammaire générative et transformationnelle à la linguistique cartésienne. Inversement, H. Scholz laissa bientôt à d'autres le soin d'écrire l'histoire qu'appelait l'*Esquisse*, pour élaborer un système logique inspiré par la sémantique de Tarski. Il fallait faire vite, et les études réunies par ses élèves sous le titre leibnizien de *Mathesis universalis* illustraient, en fait, l'histoire des mathématiques, y compris la logique mathématique. Elles récusaient la question ouverte par la logique transcendantale (voir, en particulier, *Einführung in die Kantische Philosophie,* p. 209, où Scholz oppose, ex abrupto, Gauss et Frege à Kant).

Le rejet du kantisme fut toutefois moins radical qu'il semblerait d'abord. Car la profession logiciste de Scholz et de Carnap perpétrait une intention essentielle de la philosophie critique dans le propos de constituer l'expérience à partir d'un donné sensoriel neutralisé et d'une matrice logique conductrice — sous réserve d'en redéfinir la nature. Sur ce point le logicisme de Scholz, qui en appelait aux Grecs, n'allait pas sans quelque rencontre objective avec le néo-kantisme de l'école de Marburg, déjà qualifié de *logiciste,* l'ait-il été avec une intention dépréciative et une approximation désinvolte[1]. Il le prenait de vitesse en brûlant l'étape de la synthèse subjective.

Il reste que la « nouvelle logique » avait été conçue pour un domaine spécifique. C'est par négligence, ou incompréhension de ses contraintes syntaxiques, de leurs dimensions et de ce à quoi elles donnaient accès, que cette langue formulaire fut traitée comme un formalisme, comparable à d'autres et susceptible de les normer ou de les analyser. Or, à vouloir narrer un développement sans ruptures, à vouloir contraindre des schématisations logiques ouvertement spécifiques et alternatives dans l'unité d'un « si beau et si attachant chapitre de l'histoire de l'esprit occidental », à les plonger dans la nuit d'encre du formalisme, le programme de Scholz connut les mêmes succès temporaires et les même déboires ultimes que l'analyse rus-

---

1. Cf. Oesterreich, dans Ueberweg, *Grundriss der Geschichte der Philosophie,* IV, p. 416, et H. Cohen, *Logik der Erkenntnis* ; également P. Natorp, *Die logischen Grundlagen der exakten Wissenschaften,* 1910.

sellienne. Il ne pouvait, non plus, éviter le paradoxe de Moore : si la structure de la logique formalisée réplique exactement celle du formalisme, l'opération est tautologique, donc inutile. Si les deux structures diffèrent, elle est simplement fallacieuse. A moins de le tourner comme le fit Quine, mais au prix d'une indétermination qui affecte toute traduction radicale. Ce qu'est en effet la transcription d'un système logique dans un autre, si elle ne présuppose la question. Encore moins cette histoire pouvait-elle justifier la périodisation qu'elle affiche, sinon par la recollection d'épiphanies brutales, dont l'explication répète la téléologie qui les traverse (*Esquisse,* p. 44 et 45).

3. Il est vrai que cette réécriture assimilatrice avait pour elle une tradition continuellement honorée. Ainsi Frege avait-il donné une transcription quantificationnelle des structures prédicatives de l'Analytique aristotélicienne. Le quaterne des propositions contraires et contradictoires concluait le paragraphe de la *Begriffsschrift* où Frege avait introduit la notion et le symbole de la quantification. Plus direct dans son propos d'historien, que déclarait le titre même de sa communication, Lukasiewicz s'appropriait la dialectique stoïcienne en transcrivant les modes syllogistiques de Chrysippe en thèses de la logique propositionnelle. Quelques fragments mégariques l'autorisaient à induire que les paradoxes de l'implication, récemment analysés par Lewis (*A Survey of Symbolic Logic,* 1918), avaient été discutés, en des termes analogues par les logiciens alexandrins. Exemple plus simple que le frégéen, et combien moins attendu, en devait-on conclure la précocité et la permanence des principes extensionnels ? L'argument oscillait entre une réhabilitation des Anciens et l'habilitation des Modernes.

Quelle qu'ait été l'autorité de leurs auteurs, ces transcriptions n'avaient ni la forme ni la fonction d'une démonstration d'affinité. Elles n'en avaient pas la forme, parce que les paraphrases proposées étaient strictement locales, et données à titre d'illustrations exemplaires et suggestives. Au lecteur d'extrapoler de quelques points de tangence à une conformité impeccable. Elles n'en avaient pas la fonction parce que, tout à l'inverse, l'affinité supposée était projetée sur l'écran du symbolisme (sans que l'on soupçonne son éventuel pouvoir d'artifice), donnant ainsi une lettre de crédit pour le système contemporain qu'elle illustrait d'un trope irrécusablement familier. Les « citations » grecques de Frege et de Lukasiewicz relevaient plutôt de cette stratégie toujours ambiguë, où le citant confirme l'auteur qu'il cite dans la mesure exacte où il s'y trouve confirmé. Et tout comme Frege tempérait le caractère anomal de la quantification, décrite comme une fonction de fonction, en signant son premier exposé par le quaterne des propositions aristotéliciennes, Lukasiewicz usa des exemples pris à Chrysippe et à Pierre d'Espagne comme d'un révélateur pour un calcul vérifonctionnel tardivement inventé, indépendant de la quantification, plus simple qu'elle, et inassignable directement dans l'argumentation spontanée.

Ce procédé était directement appelé par l'intention de fixer dans l'idéographie « les lois de la pensée pure » — et Boole en usa de même — puisque cette intention exclut, sauf contradiction, l'hétérogénéité historique de telles lois. Bien que Lukasiewicz ait modifié, de la manière la plus concertée, la logique grecque en construisant des systèmes plurivalents, ces derniers n'en paraissaient pas moins étalonnables sur la même échelle, qu'ils prolongeaient selon le vecteur du temps. Et si l'on en vint bientôt à concilier entre elles l'analytique aristotélicienne des termes et la dialectique du Portique comme deux parties complémentaires d'une totalité encore ignorée[1], l'argument s'apparentait à l'*Architectonique de la raison pure* : les systèmes se constituent par « *generatio aequivoca* comme des vers... D'abord tronqués, ils deviennent complets avec le temps » (*KRV*, A, 835). La téléologie immanente de la raison charpenterait une histoire où la fin et l'Ursprung se polarisent en confirmation réciproque : l'hypothèse,

---

1. Sur cette hypothèse, limitée au rapport entre la logique implicative des stoïciens et la logique des termes d'Aristote, cf. H. Scholz, op. cit., p. 58, et J. Lukasiewicz, art. cité, p. 18, trad. fr. Elle fut généralisée avec quelque imprudence par W. Kneale qui identifie les deux logiques grecques respectivement à un état rudimentaire du calcul propositionnel et de la théorie quantificationnelle ; cf. *The Development of Logic*, p. 175. La question a été reprise, et réfutée dans ses termes mêmes par M. Frede, Stoic versus Aristotelian Logic, *Archiv für Geschichte der Philosophie*, 1974.

latente dans les premiers écrits de Frege, dûment récusée quarante ans plus tard, fut posée par Scholz en principe historiographique.

La solidarité souhaitée entre l'art logique des Anciens et la nouvelle science n'alla donc pas sans réserves, que Frege fut le premier à énoncer et sans doute le seul, pour un long temps, à percevoir en toute clarté. Au § 22 de la *Begriffsschrift,* où fut introduite la règle quantificationnelle d'instanciation, Frege en déduit deux formules idéographiques qui remplacent *(ersetzen)* trois modes aristotéliciens. L'idéographie réduit les modes parce qu'elle annule la distinction entre les figures, et jusqu'à celles-ci. La quantification étant une syntaxe hétérogène à la prédication, elle ignore une classification des inférences fondée sur la place du moyen terme, c'est-à-dire ce qui spécifie, selon trois figures, la transitivité syllogistique. En revanche, l'écriture quantificationnelle suit l'une ou l'autre des transformations qui la définissent. Il fallait choisir. Ou bien on garderait l'aristotélisme logique, ou bien on ne s'en soucierait plus, mais il serait impossible *to keep its cake and to eat it.*

Engagerait-on une transcription suivie de la syllogistique dans la déduction idéographique, qu'il faudrait renoncer à comprendre la priorité de la première figure, aussi bien que l'opportunité des réductions qui systématisent une méthodologie de l'expérience *(Analytiques seconds)* et la soumettent à une procédure de décision. Bien que Frege ait proposé une représentation *(Darstellung)* idéographique des propositions aristotéliciennes, les deux systèmes se séparent avec une angulation croissante dès que la quantification se déploie selon ses règles propres. Aussi bien le quaterne aristotélicien avait-il été retranscrit dans sa distribution quadrangulaire d'usage, intrinsèquement différente de la géométrie de la *Begriffsschrift,* telle une citation dont on préserve la syntaxe archaïque. On en conclura au plus que l'idéographie s'engageait par là à respecter les rapports de contrariété et de contradiction avant même de poser aucune loi quantificationnelle. De telles lois ne sont données que dans la section suivante. Dès que l'idéographie use des règles de déduction qui lui sont propres, elle désavoue, dans le champ même de la logique monadique, une parenté de première approximation.

Ce que confirme avec éclat l'analyse quantificationnelle de l'ordre sériel et de l'induction de Pascal-Bernoulli (*Begriffsschrift,* section III).

Et si l'on objectait que la différence est de degré, que la récurrence excède la syllogistique comme la logique des relations excède la logique des termes, la remarque serait tautologique, si elle n'était captieuse. Car la récurrence est *construite* idéographiquement. La différence ne provient pas de la démultiplication des quantificateurs, ni ne se réduit à l'opposition monadique / polyadique. Elle gît en ceci que la syllogistique ignore jusqu'au principe de la quantification, indiscernable de ses règles. Et si l'on confronte les règles, les deux systèmes n'ont plus d'autre rapport que celui de l'alternative.

Qu'il soit loisible de représenter la syllogistique dans une partie décidable de la théorie quantificationnelle (Quine, *Méthodes de la logique*, § 76 à 79) peut être une preuve de consistance relative pour la première, sans qu'il faille supposer aucune identité des principes. A parler plus précisément, la méthode de décision élaborée pour les schèmes monadiques en général s'applique en particulier à ceux qui représentent, dans la logique quantificationnelle, ces raisonnements de langue naturelle que l'on identifie traditionnellement comme des syllogismes. Sous réserve donc d'une traduction quantificationnelle de l'attribution linguistique, dont Quine a montré qu'elle était possible, mais aussi radicale qu'indéterminée. Une telle analyse de la langue naturelle, comme son apprentissage socialement normé par le moyen de paradigmes valorisés, est analogue à l'art du jardinier. Lequel sait comment tailler les buissons les plus idiosyncrasiques en d'identiques éléphants (*Word and Object*, § 2, in fine).

4. Les études historiques appelées par l'*Abriss* de Scholz et l'exemple de J. Lukasiewicz[1] se multiplièrent après la longue parenthèse des années de guerre et d'après-guerre. Où l'on pourrait constater un renouveau des effets par un renouveau des causes.

L'idéographie frégéenne, sa redoutable précision, mais aussi les réserves et les rétractations de son auteur avaient été occultées pour quelques bonnes raisons, et d'autres plus occasionnelles. La contradiction qui

---

1. Son *Aristotle's Syllogistic from the standpoint of modern formal logic* fut publié en 1951 (1ʳᵉ éd.).

affectait le second système, celui des *Grundgesetze,* avait suscité la méfiance, sinon un total discrédit à l'encontre de l'entreprise. Il fallut longtemps, et principalement l'autorité de Quine, pour que l'on séparât la théorie de la quantification de l'axiome antinomique, plus encore pour que l'on reconnût l'inlassable inventivité du logicien d'Iéna, et la persévérance de ses recherches dans les vingt-cinq années qui ont suivi la publication des *Grundgesetze.* Dans l'immédiat, on lut, de préférence aux textes idéographiques, les articles conciliateurs qui devaient y introduire.

Il est non moins certain que le symbolisme des *Principia mathematica* était plus lisible que l'écriture bidimensionnelle adoptée par Frege. Mais on perdit ce que l'on pourrait tenir pour une troisième dimension de la syntaxe frégéenne, lovée dans l'appareil des lettres symboliques (grecques, gothiques et italiques sans préjudice de l'opposition entre variables et constantes) et leurs règles d'emploi. Syntaxe plus précise, au jugement de Gödel, que celle des *Principia*[1] et qui supposait déjà quelques considérations métasystématiques. On oublia aussi que l'idéographie, prise comme un tout, n'était pas un formalisme mais une syntaxe sui generis. Soit, dans les termes de Quine, une langue-théorie autonome qui, encore qu'elle ait été suggérée par quelques tournures empruntées à l'arithmétique ou à l'allemand populaire (*Fondements,* § 52), n'en avait pas moins rompu avec la syntaxe d'usage et les intuitions du locuteur. Comparativement les *Principia* s'avéraient plus conciliants dans la mesure où, ayant expulsé l'antinomie des classes, ils admirent, serait-ce dans la présentation qu'en donnèrent les auteurs dans l'*Introduction,* la notion d'*attribut,* donc un aspect intentionnel fondamental des langues naturelles apparemment importé sans violence dans la langue de référence[2].

1. Cf. K. Gödel, Russell's Mathematical Logic, dans *The Philosophy of Bertrand Russell,* 1944. Egalement, Quine, Whitehead and the Rise of Modern Logic, dans *Selected Logic Papers.*

2. Quine, *ibid.* Dans l'article Reference and Modality (1953, p. 157), Quine note que si les *Principia* admettent nommément les attributs à titre d'entités, les contextes où figurent ces attributs sont tous extensionnels en fait. Les auteurs adhèrent donc en pratique à une règle qu'ils n'épousaient pas en théorie. Cette équivoque est celle qu'entretient toute traduction formulaire extensionnelle d'une expression de la langue naturelle. Sous le couvert d'une analyse synonymique, on change en réalité de système. *Word and Object* (1960) en apporte la démonstration. Voir aussi, infra, chap. XIII.

Tout correctif qu'il soit à l'égard des langues naturelles, ce canon promettait l'absolution de Babel. Objet nouveau, assez insolite pour réveiller le souvenir de la *Characteristica universalis* de Leibniz — toujours citée en l'occasion — il éveillait assez d'intérêt pour que l'on outrepassât en pensée les limitations évidentes d'une langue artificielle, suffisamment précise pour être ipso facto sectorielle et structurellement hétérogène à toutes les langues données. Dans la Préface de la *Begriffsschrift,* Frege citant Trendelenbourg[1] avait évoqué le projet « gigantesque » de Leibniz, pour l'écarter. L'idéographie en serait au mieux une réalisation approchée, limitée au domaine des mathématiques et à la représentation des articulations démonstratives. Aussi reçut-il, vingt ans plus tard, avec la plus grande réserve le projet d'une langue universelle de communication, auquel Couturat voulut l'associer (*Wissenschaftliches Briefwechsel,* VII / 3-5, 1901). Cette lucidité, acquise par la rédaction de quatre projets idéographiques, dont deux furent jetés au panier, et autant d'ébauches d'un livre qui devait traiter de la nature de la logique, mais qu'il n'écrivit jamais, ne fut pas comprise.

Dans son *Autobiography,* Carnap rapporte son propre intérêt pour l'*esperanto*, bien avant de connaître les « langues abstraites ». Il le pratiqua, participa à divers congrès et s'entretint avec Ogden du projet de *Basic English* auquel celui-ci travaillait. Sans jamais confondre les deux types de langues artificielles, Carnap n'en tenait pas moins leur invention et leur usage pour « psychologiquement semblables ». Tous deux visent à normaliser, autant qu'à formaliser, les langues naturelles en accentuant leur neutralité informative. On peut dire que la langue internationale de communication illustrait le *principe de tolérance* dans un sens plus immédiat que la logistique de l'*Aufbau.* Une langue dépourvue d'aspects, telle le *latino sine flexione* de Peano, était, de par son intention même, culturellement syncrétique et réductrice des singularités. On touche ici au point psychologique et culturel où le formulaire avait croisé le mythe adamique d'un formalisme universel.

Il est peu douteux que le glissement de l'un à l'autre, ménagé par

---

1. Frege cite *Ueber Leibnizens Entwurf einer allgemeinen Charakteristik,* 1867.

une suite graduée de langues normalisées, n'ait été induit par le souci de donner une origine immanente à la logique mathématique la plus raffinée et le propos, complémentaire, d'épurer les langues naturelles de leurs pseudo-énoncés. Mais ces motifs convergents composaient avec le propos de dévoiler l'histoire d'un formalisme, en lui-même anhistorique, dont Aristote aurait donné le premier exemple, Kant la notion, et Frege l'instrument (Scholz, *Esquisse*, p. 22 et 24). L'histoire n'était plus que l'administration de cette leçon ; elle s'abolissait dans un tableau des « variétés » du formalisme. I. M. Bochenski avait évité, dans le titre de sa *Formale Logik* (1956), l'emploi du terme *histoire* que son traducteur anglais y introduisit (*A History of Formal Logic*, 1961). Entre les quatre variétés répertoriées (grecque, scholastique, mathématique, indienne) l'invariant subit un écart minimal pour un gradient de développement maximal. Ce lent surgissement de la forme dans la matière ductile des langues indo-européennes, procès énigmatique et clos sur lui-même, ignorait par le fait jusqu'à la possibilité d'une langue formulaire, dont l'invention ponctuerait, par rupture d'intention et de moyens, une histoire véritable. Et tout de son processus.

I. M. Bochenski argue de la permanence de quelques faits, sans soupçonner que la manière dont ils sont collectés ait pu en induire l'apparence. « On pourrait retirer l'impression que l'histoire de la logique met en évidence un relativisme doctrinal, c'est-à-dire que nous voyons naître des logiques différentes. Mais nous avons moins parlé de logiques différentes que de variétés, d'une seule logique. Cette manière de parler a été choisie pour des raisons spéculatives ; l'existence de plusieurs systèmes de logique n'apporte nullement la preuve que la logique est relative. Il y a en outre des raisons empiriques pour parler d'une seule logique. Car l'histoire montre non seulement l'émergence de nouveaux problèmes et de nouvelles lois, mais aussi, et de manière plus frappante, le retour persistant du même ensemble de problèmes logiques » (p. 14).

L'argument compose une hypothèse spéculative et une donnée de fait afin de mieux ignorer la question. Il milite pour une cause vide, à confondre un relativisme doctrinal et la possibilité de systèmes alternatifs. Aussi bien l'hypothèse « spéculative » accorderait ce dernier point. Mais la donnée de fait alléguée ne saurait non plus emporter la décision en faveur de l'unicité de la logique. Que tous les systèmes soient bordés par des paradoxes ne prouve rien; sinon que tous, et même la langue naturelle, sont soumis à des contraintes simultanément restrictives et constitutives. Bochenski évoque quelques paradoxes ressassés, tel le *menteur*, sans rien dire des intentions qui les ont suscités ni des solutions qu'ils reçurent, diverses pour chaque système[1], à seule fin de rappeler la nécessaire thérapie du formalisme. Ce en quoi le formalisme prend la place et l'héritage de la théorie normative des facultés qu'il dénie ailleurs. La tardive conversion de I. M. Bochenski à l'intuitionnisme ne contredit nullement ce repli sur l'intellect immanent[2].

5. On doit sans nul doute à ces monographies l'inventaire, parfois l'édition et la traduction, des textes anciens, médiévaux et classiques, cités fragmentairement par Prantl *(Geschichte der Logik im Abendlande)* et Risse *(Die Logik der Neuzeit)*. Entreprise collective et patiente qui pourrait répondre aux mêmes intérêts et aux mêmes nécessités que les publications, à peu près contemporaines, du *Bureau of American Anthropology,* ou que l'*Encyclopédie Bororo* des Frères Salésiens. S'y joint une autre ambition, dont Benson Mates donna la formule, à la première page de sa *Stoic Logic* (1953) : « The aim of this study is a true description of the Logic of the Old Stoa » (repris p. 3 « to give a reliable description »).

La description suppose un critère préalable de son objet, ici de ce que l'on estime relever de la logique ou n'en pas relever. A défaut de trouver explicitement et dans les textes cette *forme* que la description doit précisément faire apparaître, on y appliquera un principe de sélection dont la justification est circulaire. L'audace est simultanément rémunératrice et périlleuse. Elle permit à Mates de rectifier la lecture de quelques textes, et d'en éditer quelques autres, qui avaient échappé

---

1. On peut montrer que la solution proposée par Chrysippe au paradoxe du *menteur* diffère, toto mundo, de l'analyse tarskienne. Cf. infra, chap. XI.
2. Voir l'entretien accordé à la revue *Spirales,* mai 1981.

à l'attention de J. von Arnim. Mais en isolant la topique logique (τόπος λογικός) de son préambule explicite, le système perceptif, qui lui confère une sémantique intentionnelle et la fonction d'une phéno-ménologie au sens étymologique le plus serré de ce terme. Par la même stratégie descriptive, qui cautionne en réalité une sélection des textes, la syllogistique fut isolée du contexte de l'*Organon* (à l'exception de G. Granger)[1] et des traités physiques et psychologiques, où Aris-tote avait élaboré la phénoménologie catégoriale du changement et préparé, par une étude de l'abstraction perceptive et de la fonction du « sens commun », le schématisme des figures de la transitivité prédi-cative.

Admettra-t-on, sans présupposer la question, qu'une hypothèse sur la pérennité de la logique « formelle » puisse sélectionner les objets d'une description qui devrait, en retour, établir empiriquement cette pérennité même ? La méthode a une conséquence plus insidieuse. Qu'est-ce que dé-crire une logique, supposée être, de soi-même, une théorie formelle ? Ou bien on s'oblige à la citation des seules parties jugées les plus caractéristi-ques, ou bien on en change la syntaxe. Dans le premier cas, on écourte le travail éditorial, dans le second on *transforme,* au sens le plus littéral du terme, parce que le symbolisme de la langue cible aura soumis à son arti-culation les nervures principales du système dont il matérialise les dimen-sions et les possibilités d'écriture. Aucune solution moyenne entre ces deux cas extrêmes n'en peut alléger les conséquences.

On ne saurait empêcher, ni même vouloir, que les règles de forma-tion des expressions n'en surveillent les règles de transformation. Que le mode de représentation choisi *(Darstellungsweise)* projette ses règles dans cela même qu'il représente, Frege en prit conscience dans le temps même où il traçait l'idéographie. On n'en finit jamais d'éliminer l'implicite : les règles qui président à l'usage des signes « ne peuvent pas être représentées dans l'idéographie parce qu'elles en sont le fon-dement » (*Begriffsschrift,* § 13). On ne peut que les montrer. C'était là

---

1. G. Granger, *La théorie aristotélicienne de la science,* 1976 ; C. Imbert, Théorie de la représentation et doctrine logique, dans *Les stoïciens et leur logique,* 1978, p. 223 à 249.

prévenir qu'aucun système n'est intégralement traduisible dans un autre. Une telle traduction supposerait un isomorphisme initial qui en annulerait l'intérêt. De là vient que le projet d'une « description véridique », s'en tiendrait-elle à confirmer l'excellence des logiques anciennes par le truchement de la nôtre, altère immanquablement l'intention éditoriale. Elle l'infléchit en apologie, et pas moins en alibi.

L'incertitude de la méthode fut bientôt sanctionnée par le désaccord des « descriptions » rivales. On voudrait en attendre une approximation asymptotique des logiques anciennes, serait-ce par l'obscur effet d'une méthode procédant par essais et erreurs, si n'était que les conditions d'une approximation entre bornes assignées font précisément défaut. Evoquant le péril d'imposer aux logiques le lit de Procuste, J. Corcoran put en libéraliser l'épreuve en rappelant qu'au terme de soixante quinze années de recherches logiques, nous disposons, « sous une forme relativement développée, de centaines de langages abstraits et de logiques possibles » (*Ancient Logic and its modern Interpretations,* 1974, p. 186). Le nombre s'en réduit singulièrement si l'on tient compte de toutes les démonstrations d'équivalence, comme entre le système de la déduction naturelle (Gentzen, Jaskowski) et les présentations axiomatique (Frege, Russell) ou sémantique (Beth, Tarski) du système aujourd'hui appelé classique.

On accordera volontiers que le calcul vérifonctionnel a des propriétés algorithmiques trop singulières, qu'il fut trop récemment constitué comme une interprétation de la logique booléenne pour prétendre catalyser la logique grecque et s'imposer comme partie propre et élémentaire de tout système concevable. En retour, l'articulation propositionnelle fut trop anciennement liée aux méthodes de composition et d'enseignement des Grecs pour ne pas délimiter, encore que grossièrement, le champ des approximations possibles. Alors le balayage des systèmes logiques des Grecs par l'éventail des nôtres ne serait au mieux qu'un programme de recherche parmi d'autres, vraisemblablement le plus dispendieux. Il y manque une pierre de Rosette, et on a vu que cette demande n'est elle-même qu'une pétition de principe. La surenchère des formalismes s'entretient de cette absence essentielle.

Néanmoins, cette vaine convocation de tous les systèmes aujour-

d'hui concevables peut aider à cerner la difficulté. Que cherche-t-on ?
A montrer le modernisme des logiques grecques, ou à domestiquer la
nôtre par quelques traits d'archaïsme ? Pour ne trouver enfin que le
souci, toujours pressant, de donner une forme séquentielle, propositionnelle, à des opérations qui doivent être assez insolites pour être
adéquates à leur objet et assez proches stylistiquement d'un mode
d'expression séculairement mis à l'épreuve pour être intelligibles. Et
pourtant la rupture s'est produite, en quelque endroit difficilement
cernable. On la plaça d'abord le plus loin possible, dans les parties les
plus élaborées des systèmes modernes, théorie des types ou théories
des ensembles[1]. Aucune d'elles n'a l'appui d'un quelconque sens
commun ou d'une quelconque tradition logique. « Le sens commun a
fait banqueroute... Privé de sa tradition, le logicien dut avoir recours
à la fabrication d'un mythe. Le meilleur mythe sera celui qui engendre
une forme de logique la plus appropriée pour les mathématiques et
pour les sciences ; et peut-être deviendra-t-il le sens commun d'une
autre génération » (Quine, *Whitehead and moderne Logic*, p. 27). Mythe
que Quine sécularisa plus tard sous le nom de *mythe des objets,* et dont
il voulut faire un nouveau « sens commun » dans *The Roots of Reference*. Plus doctement dit, si ce mythe ne retient des objets que leur distribution cardinale, il n'est qu'une clause d'extensionnalité. D'où l'on
voit la vanité de rechercher le point historique où la forme grecque de
la proposition prédicative bifurquerait sans rupture dans le système
extensionnel contemporain clivé, vérifonctionnel et quantificationnel.
Ce point théorique n'est pas dans l'histoire parce qu'il marque une
option structurale, encore qu'il soit loisible d'en rechercher les motifs.
L'option intentionnelle des Grecs était de même type. Que les langues
naturelles manifestent, *ou non*, une tendance à se remodeler sur le premier et à s'extensionnaliser, la question est d'ordre anthropologique.
Elle échappe aux perspectives et aux moyens d'une histoire formali-
sante et justifie peut-être ses déboires. Ici encore, Frege avait prévenu
nos hésitations, les siennes mêmes selon toute vraisemblance, en solli-

---

1. Cf., pour la première hypothèse, Quine, *Whitehead and modern Logic,* § 7, pour la
seconde, *Set Theory and its Logic,* préface, p. VII.

citant le témoignage d'un anthropologue, A. H. Sayce — mais en faveur de l'option qu'il avait prise lui-même, celle d'une « logique des jugements », non prédicative[1].

6. Il reste que l'invention des logiques modales, temporelles, épistémiques, construites sur la base des opérateurs propositionnels et d'une réinterprétation de la quantification, a projeté dans l'actualité quelques raisonnements anciens, séculairement discutés, dont certains furent réputés éristiques, paradoxaux ou simplement obscurs. Le soutien que ces logiques « déviantes » ou intentionnelles apportent éventuellement à l'interprétation des modalités grecques compose, ici encore, avec d'autres finalités. Cette réhabilitation fut à profit réciproque. Elle ouvrait un champ d'application, en leur donnant un parrainage grec, à des langues formulaires d'un nouveau type, construites par l'adjonction d'opérateurs propositionnels modaux et dont l'usage scientifique fut longtemps tenu pour douteux ou superflu[2]. Ces logiques pallient en outre l'incapacité, provisoire ou non, du système canonique à imposer sa juridiction sur certaines fonctions incontestables des langues naturelles. Il s'est agi de délivrer du mutisme un aspect constitutif de l'expérience, sa frange d'éventualités, et de réhabiliter des tournures linguistiques, telles la modalité, le futur ou l'expression adverbiale de l'incertitude, qui s'autorisent d'*habitus* épistémologiques et moraux, ceux que les Grecs ont élaborés ou légués. Aussi bien J. Hintikka a-t-il soutenu sa propre logique de la connaissance et de la croyance (*Knowledge and Belief,* 1969) en rappelant l'origine platonicienne de ces concepts. Il n'est, à première enquête, aucun traité de logique modale qui n'en évoque le passé aristotélicien.

---

1. Cf. *Nachgel. Schrift,* p. 19, Frege renvoie au livre de Sayce, *Introduction to the Science of Language* (1881), qu'il connaissait par un compte rendu paru dans une revue de Göttinguen.
2. Jusqu'à ce que la sémantique des mondes possibles ait permis de donner un sens épistémologique à la relation d'accessibilité entre mondes possibles. Cf. J. Hintikka, *Semantics for propositional attitudes, Models for Modalities,* 1969. Les modalités eurent longtemps un rival plus heureux dans la théorie des probabilités. Sur l'exclusion des modalités, voir *Begriffsschrift,* § 4.

Cette connivence des motifs ne suppose cependant aucune continuité réelle dans les systèmes, pas même dans leur objet. L'histoire s'accommoderait plus aisément d'un schème spiralé que d'une arborescence de variétés. Si une logique grecque, considérée à un certain point de l'axe temporel, est surplombée ultérieurement par une logique modale contemporaine, celle-ci importe avec elle des opérateurs et une sémantique si abruptement sophistiqués qu'ils nourrissent le même soupçon d'un recouvrement forcé. Admettons un instant l'adéquation analytique : moins que la résurgence de problèmes logiques identiques, elle témoignerait de l'incessante sollicitation qu'exercent les langues naturelles, ou l'*habitus* dont elles maîtrisent l'expression, sur les systèmes logiques extensionnels. Derechef, la question est anthropologique. Ou bien toutes les logiques concevables sont inéluctablement soumises aux inflexions d'une conscience empirique qui les contraint avec la nécessité d'une force gravitationnelle. Elles récuseraient alors toujours sous quelque aspect la tyrannie de l'extensionnalité, pour n'admettre enfin qu'une constitution phénoménologique dont certaines variantes demeurent peut-être encore inexplorées. Ou bien les logiques s'exfolient en autant de langues objets indépendantes pour lesquelles on ne saurait supposer aucun noyau invariant, pas même le souhaiter. Ou bien encore, serait-ce que les logiques se divisent selon les deux vecteurs de cette option, que rappelle incessamment et dans l'actualité la divergence des langues naturelles et des langues formulaires ? D'une telle opposition, dont on a défini les termes plus haut (chap. Ier), il reste à montrer la réalité dans une difformité caractéristique de la représentation extensionnelle des logiques grecques. Difformité inattendue, voire paradoxale, pour les hypothèses qui ont contribué à sa mise en évidence.

On sait comment J. Lukasiewicz opposait l'*Analytique* d'Aristote à la dialectique du Portique, comme une logique des termes diffère d'une logique propositionnelle. Toutefois, précis dans son langage comme dans son symbolisme, il avait évité d'identifier la première à une partie propre, monadique, de la logique quantificationnelle. Il reste qu'il fit usage d'une quantification qu'on pourrait dire de second ordre (portant sur les termes et non sur les individus) pour représenter la nécessité du lien syllogistique[1]. Cette subtilité n'altérait donc pas dans son principe l'hypothèse d'une traduction de la syllogistique grecque, prise dans ses deux espèces, analytique et stoïcienne, mettant en jeu les deux registres de la logique contemporaine, quantificationnel pour l'une, propositionnel (vérifonctionnel) pour l'autre.

Or Quine avait établi quelques années auparavant (*Méthodes de la logique*, 1ʳᵉ éd., 1950) une procédure de décision pour la logique quantificationnelle *monadique* dans laquelle les modes syllogistiques aristotéliciens sont le plus communément « banalisés ». La réduction des schémas monadiques à des schémas propositionnels annule la nécessité de faire appel au registre quantificationnel pour représenter la syllogistique analytique, mais brouille son image avec la représentation propositionnelle de la syllogistique stoïcienne. Quant aux parties modales des logiques anciennes, elles sont représentées dans des systèmes modaux, dont aucun n'admet l'interprétation objectuelle de la quantification — celle de Frege et Quine. L'image des logiques anciennes obtenue dans les diverses tentatives de transcription, et plus évidemment encore s'il est fait appel aux concepts de la déduction naturelle ou à la notion sémantique de conséquence logique[2], se distribue donc de part et d'autre du système quantificationnel classique.

Un spectre si curieusement écartelé montre, contre l'intention première des historiens qui sont à l'origine de ces recherches, la singularité de la quantification. Si l'on ajoute que toute représentation propositionnelle de la syllogistique stoïcienne ne recouvrirait jamais qu'une partie restreinte du calcul vérifonctionnel, parce que les connecteurs stoïciens sont soumis à des conditions plus fortes que les fonctions de

---

1. *Aristotle's Syllogistic*, 1957, chap. I, § 5. Voir également G. Patzig, *Die Aristotelische Syllogistik*, 1963, chap. II, et la mise au point de G. Granger, *La théorie aristotélicienne de la science*, 1976, chap. V, § 5.

2. Cf. P. Lorenzen, *Zur Interpretation der Syllogistik*, 1954, qui propose une interprétation axiomatique, sans quantification, fondée sur une logique implicative ; J. Corcoran, *Aristotle's Natural deduction system*, 1974, qui représente le système analytique au moyen de règles de déduction qui ne supposent ni quantification, ni logique propositionnelle sous-jacente. G. Granger adopte une interprétation sémantique de la conséquence syllogistique, associée à des modèles non ensemblistes (op. cit., chap. V).

vérité usuelles[1], on mesure ici la répugnance que les logiques anciennes opposent aux principes d'une logique extensionnelle.

Laissons ici les intentions premières du programme de Scholz, trop communément partagées dans l'entre-deux-guerres et au-delà pour lui être personnellement imputées. La présentation des logiques grecques dans l'un ou l'autre des systèmes contemporains, quelle qu'en ait été le choix et parfois les réserves, ne peut écarter une double contradiction. Car elle ne peut éviter que ne se confondent finalement en une même image les deux syllogistiques postplatoniciennes dont on souhaitait, à l'inverse, fonder la différence. En outre, l'image ainsi obtenue divise les syllogistiques apophantiques et modales. Elle les distribue de part et d'autre du domaine quantificationnel, dans les marges de l'extensionnalité, dont on nierait à grand-peine qu'il porte l'essentiel d'une logique conçue pour la représentation des inférences valides des mathématiques. Déjouant l'attente, les deux systèmes, l'ancien et le nôtre, se séparent comme l'huile et l'eau.

(Une note, renvoyée à la fin de ce chapitre, *Syllogistique, catégorisation et critères d'extensionnalité,* rendra compte de ces paradoxes).

7. Il faudra donc renoncer aux hypothèses d'une histoire logiciste, et accorder une différence originaire entre les systèmes qu'elle voulait assimiler, différence que résume l'exigence d'extensionnalité et à laquelle contredit la catégorisation. On n'en conclura pas pour autant qu'un formulaire extensionnel pourrait analyser ou amender, en ignorant la prédication et l'énonciation, une première représentation « intentionnelle » — comme la science corrige les certitudes perceptives. On a dit comment le paradoxe de Moore, puis la critique quinienne de l'analyse ont eu raison de ce tour de pensée. Mais une fois qu'on y a renoncé, périt également l'hypothèse d'une histoire homogène, parce que le concept de logique flotte désormais dans l'homonymie. L'unicité d'un système, univoque, comme le seraient les *lois de la pensée,* est contredite par la singularité irrécusable des logiques requises pour les sciences mathématiques et explici-

---

1. Le conditionnel stoïcien n'est pas identifiable à l'implication matérielle, les connecteurs propositionnels ne sont pas interdéfinissables.

tables en elles. L'histoire s'effrite en possibilités alternatives, dont aucune n'a la maîtrise de l'autre, sans pouvoir non plus lui être coordonnée.

Mais ne pouvait-on savoir d'avance que l'histoire et le système, à moins qu'on ne les assimile par une hypothèse génétique venue d'ailleurs, bouderaient la conciliation ? Ces logiques intraductibles entre elles, et prises dans leur clôture, dans leur rémanence et dans leurs dimensions, pourraient recevoir quelque clarté de leur détermination anthropologique. Outre qu'elles affectent toujours la forme d'un langage, elles servent ce principe quasi transcendantal d'économie, qui entretient l'illusion d'une *logica perennis,* parce qu'il crédite chacune d'elles du plus long règne et du plus vaste domaine possibles. On ne peut en tout cas ignorer le principe déclaré des logiques grecques. Toutes les formes discursives qu'elles ont reçues, déclaratives ou inférentielles, extrapolent, sous des conditions grammaticales soulignées, ce mode originaire de connaissance, immanent à la récognition sensorielle, qu'Aristote définit comme *mimésis*.

Comportement spontané et éducable, source même de toute éducation, son moteur est le plaisir qui l'habite autant qu'il le sanctionne : « Dès l'enfance les hommes ont, inscrites dans leur nature, à la fois une tendance à imiter [par quoi ils se différencient des autres animaux] et une tendance à trouver du plaisir aux imitations... La raison en est qu'apprendre est un plaisir non seulement pour les philosophes mais aussi pour les autres hommes... Si l'on aime à voir les images (εἰχονάς), c'est qu'en les regardant on apprend, et on identifie par inférence ce qu'est chaque chose (συλλογίζεσθαί τι ἕχαστον). » Par l'effet d'une méfiance bien proche de l'iconoclasme, mais étrangère à l'hellénisme classique et relativement tardive, et par une division de l'esthétique qui nous est propre, on a éloigné de l'*Organon* la *Poétique,* laquelle donnait pour principe commun aux arts et aux sciences la formule tout juste citée (chap. IV, 1448 *b* 16). L'art pictural, auquel Aristote faisait premièrement appel, projetait dans l'explicite un procès immanent, qui se perpétue à divers degrés de complexité dans l'art poétique et dans les sciences hellénistiques.

Perception, production et reconnaissance d'images, théâtre de l'unité d'action reconnue, musée alexandrin, chaque étape demande une régression de la figuration analogique adhérente au profit d'une discursivité qui incorpore le référentiel par la catégorisation et fait prévaloir, rétroactivement, les cohérences physiques sur la donnée représentative. La phénoménologie des Grecs est tout entière dans l'effectuation de ce double transfert, qui lui vaut ses dimensions.

NOTE

SYLLOGISTIQUE, CATÉGORISATION
ET CRITÈRES D'EXTENSIONNALITÉ

On a relevé les paradoxes affectant toute représentation extensionnelle des logiques grecques, qu'on en retienne la version des *Analytiques* aristotéliciens, ou qu'on s'attache aux inférences stoïciennes. On verra plus bas (chap. V) que la catégorisation est le trait commun qui les réunit dans une même famille et les distingue des systèmes quantificationnels modernes. La même raison diversifie le mode d'objectivité auquel accèdent les logiques prédicatives, leurs arguments, et le réseau des textes et de savoirs qui s'appuient sur leur régularité syntaxique, ou la varient. On s'attachera ici aux critères d'extensionalité qui distinguent, sur leur frontière, les logiques aptes à la représentation des mathématiques et les logiques catégoriales. Les conséquences épistémologiques n'en seront que plus directes.

1. Rappelons quelques faits :
— Le caractère non extensionnel de la syllogistique se manifeste d'abord en ceci que son image n'empiète pas sur le domaine de la logique quantificationnelle « classique ». On vient de le montrer.
— Si l'on admet que la méthode proposée par Quine est non seulement adéquate pour les raisonnements de notre langue d'usage identifiés comme syllogistiques, mais encore pour le traitement analytique que leur impose Aristote[1], on constate que son image n'occupe qu'une partie du secteur logique défini par les formes vérifonctionnelles valides ou réductibles à celles-ci. La même remarque vaut pour l'image propositionnelle des syllogismes stoïciens. Reste à

---

1. Ce qui est contestable, si le syllogisme analytique exprime la causalité (*Anal. sec.,* II, chap. 11), laquelle échappe aux schémas vérifonctionnels. Dirait-on avec Russell que la causalité est une notion obsolète, qu'il faudrait étendre cette appréciation à l'ensemble des *Analytiques.*

rendre compte de cette restriction par une contrainte spécifique de la syllogistique, dont on prévoit qu'elle affecte la nature même de l'inférence.

— Le recours aux diagrammes de Venn, que G. Granger compose avec la notion de conséquence logique, définie par Bolzano et Tarski, permet de sélectionner les seules formes syllogistiques valides, à l'inverse des diagrammes booléens, coextensifs au système décidable défini par Quine. Les figures de Venn représentent des *termes,* non des classes.

— Les interprétations proposées par G. Granger et par J. Corcoran excluent tout recours à la logique propositionnelle, dont la syllogistique userait, supposait-on, sans en poser explicitement les règles. Ce par quoi la syllogistique s'avère donc étrangère à la composante primordiale de la logique extensionnelle.

— La représentation des formes syllogistiques au moyen de diagrammes de Venn, comme la méthode de Quine ou l'interprétation arithmétique de Leibniz[1], leur associe un algorithme au moyen d'un espace de représentation intermédiaire, qui n'appartiennent ni l'un ni l'autre à la logique source. Les figures données en marge de quelques manuscrits, ont une fonction syntaxique dont la géométrie n'a aucune valeur autonome[2]. Si les termes en lesquels le syllogisme est analysé ont une fonction indubitablement sémantique, ils renvoient à l'espace physique de l'expérience commune, encore qu'il appartienne au philosophe d'en articuler les principes (cf. *Mét.,* Γ 2).

Ces traits convergent moins par l'approximation d'une limite commune qu'en révélant deux singularités de la syllogistique, que chacune des interprétations signalées occulte à sa manière. D'une part le caractère non extensionnel de la syllogistique, déjà signalé par simple défaut, par l'absence d'une image dans le secteur quantificationnel de la logique cible, se révèle plus précisément comme une infraction à l'indépendance et à la primarité de la logique vérifonctionnelle. Donc par le rejet d'une partie essentielle de la thèse d'extensionnalité, que l'on résume parfois sous cette seule clause : toute proposition complexe est fonction de vérité des propositions composantes. Si les modes syllogistiques,

1. Cf. L. Couturat, *La logique de Leibniz, Modus examinandi consequentias per numeros,* cité p. 70, et l'analyse de G. Granger, op. cit., p. 145.

2. Les figures de termes reproduites par W. et M. Kneale, op. cit., p. 72, et L. Rose, *Aristotle's Syllogistic,* p. 22, sont inspirées des manuscrits du commentaire d'Ammonius aux *Analyt. prem.* Augustin rappelle les figures que ses maîtres traçaient dans la poussière (multa in pulvere depingentibus), pour expliquer, il est vrai, le traité des *Catégories* (*Confessions,* IV, XVI, 29). On analysera ailleurs ces diagrammes syntaxiques qui font prévaloir les dimensions du dire (la prédication) sur la cardinalité des classes.

dépendant des figures, ont bien la forme d'un couple de prémisses complété par la conclusion que l'on en peut tirer, cette organisation propositionnelle est le terminus ad quem de l'*Analytique,* nullement le terminus a quo des systèmes postfrégéens. Les séquences énonciatives ainsi validées satisfont à la bivalence, au tiers exclu, à la non-contradiction, mais non à l'indépendance des éléments qui les composent. On peut montrer que la constitution d'une canonique propositionnelle est également le terminus ad quem de la dialectique stoïcienne, et sous les mêmes réserves. Loin d'être primitive, la bivalence y est la propriété des seuls énoncés déterminés ; aucune composition propositionnelle ne se fonde sur la thèse d'extensionnalité, ni même ne l'illustre par occasion.

Que la forme propositionnelle du syllogisme en soit l'état ultime, comme les modes valides sont l'accomplissement des figures, c'est là une conséquence directe de la méthode analytique. L'*analusis* en son premier sens, le plus immédiat, impose que tout énoncé proposé soit décomposé en ses *termes,* sans élaboration de cette notion propédeutique et opératoire. La procédure est exposée dans les *Topiques,* dont le but est de trouver un moyen terme susceptible d'organiser les deux prémisses en une consécution démonstrative, encore que la recherche du moyen terme demande, à son tour, une classification métalinguistique des lieux. Entendue en un sens plus exact, la méthode fonde sur les enchaînements de prédicats les règles de formation des quatre modes syllogistiques de la première figure, la seule qualifiée de « conforme à la connaissance scientifique », puis les règles de transformation, si l'on considère que la réduction des deux autres figures à un mode légitime de la première établit indirectement toutes les transformations dont elle est susceptible. Capacités sémantiques, dont la nature et les fonctions régulatrices pour les énoncés qui les actualisent, ont été étudiées pour elles-mêmes dans le traité des *Catégories.*

D'autre part, et c'est là la seconde singularité indirectement réfléchie par les interprétations proposées, la première figure garde son énigme que l'on résout à l'accoutumée par l'intermédiaire d'un espace représentatif annexe. La validité des modes concluants de la première figure y est alors établie comme une équivalence vérifonctionnelle, ou directement montrée sur des diagrammes topologiques. Outre que ces espaces annexes ne sont jamais évoqués, comme on a dit, dans les *Analytiques,* ni ne le furent pendant de longs siècles, l'expédient, si heureux soit-il, ne saurait satisfaire pleinement. Dans le premier cas, l'algorithme valide également des inférences non syllogistiques, sans pouvoir rendre compte de la restriction aux seules figures aristotéliciennes. Dans le second cas, l'utilisation de secteurs topologiques fermés introduit un facteur d'opacité (de non-extensionnalité) qui rend l'algorithme opératoire en représentant les deux termes de l'énoncé par des secteurs de même type, mais ne rend pas compte de l'asymétrie de la prédication et de la fonction différente des termes sujets et des termes attributs.

On notera enfin que ces différents algorithmes ne mettent pas en jeu tous les facteurs associés dans la sémantique prédicative. Le premier ne retient que les caractères universel ou particulier, affirmatif ou négatif de l'attribution, les deux autres y joignent la singularité de la signification des termes, représentée par des secteurs topologiques matériellement distincts. Tous négligent le type catégorial associé à tout terme ou expression « sans liaison » (*Cat.*, I), qui seul justifie leur liaison avec un sujet et leur position dans une série attributive[1]. C'est précisément en tenant compte de ce dernier paramètre qu'on légitimerait l'évidence de la première figure, le caractère scientifique de ses modes universels, l'intentionnalité objectuelle de la syllogistique et, partant, la restriction qui la distingue de la logique booléenne des classes[2]. C'est aussi parce que la détermination catégoriale des termes les associe à la réalité physique, dont ils explicitent les aspects, qu'il n'est nul besoin d'un espace de représentation intermédiaire, et comme en état de lévitation, entre l'expérience physique et sa phénoménologie.

2. Seules les catégories donnent un statut d'objectivité à la souche linguistique sur laquelle sont définies, par sélection, les figures et les modes syllogistiques. Si elles ne jouent aucun rôle explicite dans l'établissement de ces derniers, c'est pour être toujours supposées. « J'appelle terme ce en quoi la prémisse est divisée, à savoir le catégorème et ce dont il est le catégorème » (*Anal prem.*, I, 24 *b* 16). Alors que la signification particulière des termes est indexée par une lettre, la pertinence catégoriale des termes est constitutive de leur notion. Qu'ils soient nécessairement objet ou moyen d'une identification catégoriale, ce trait rappelle dans la méthode analytique elle-même que toute signification différentiante s'inscrit en relief sur une organisation catégoriale, sans laquelle toute donnée descriptive se perdrait dans une information erratique. L'analyse n'écarte l'information lexicale que pour mieux faire apparaître une affinité entre la structure de l'expérience physique empiriquement donnée et celle de l'énonciation apophantique qui s'en réclame. « Quand à propos d'un homme on dit que c'est là un homme ou un animal, on dit ce que c'est et on désigne une substance ; quand à propos d'une couleur blanche on dit que c'est là du blanc ou une couleur, on dit ce que c'est et on désigne (σημαίνει) une qua-

---

1. Συστοιχία τῆς κατηγορίας (*Anal. prem.*, II, 66 *b* 27, *Anal. sec.*, I, 79 *b* 7).
2. Admettons qu'aux noms correspondent des classes, les classes complémentaires ne seraient pas définies, « non-homme n'est pas un nom ». Un terme paronyme ne spécifie des individus que par le fait « d'être dans » un sujet (*tous* ou *quelques*). *Blanc* ne sélectionne aucune classe d'individus dans l'univers du discours, il désigne (σημαίνει) une qualité (*Top.*, I, 9, 103 *b* 33).)

lité » (*Top.*, I, 9, 103 *b* 30). Et tout de même qu'on voit l'homme dans Socrate et l'universel dans l'individu, cette « physique naturelle » coordonne l'expérience, comme la « géométrie naturelle » organise la vision de l'homme cartésien.

Ainsi le *terme* ne justifie son unité sémantique, et sa fonction d'élément ultime de l'analyse, que pour démarquer dans l'*apophansis* l'économie catégoriales des phénomènes, et la position des objets par la médiation de leurs aspects. Cette structure catégoriale définit une phénoménologie universelle, pour tout objet, avant même que la syllogistique n'y circonscrive les figures et les modes de l'inférence valide. Elle se justifie de deux thèses qui constituent « l'apologie » aristotélicienne de Protagoras mais expliquent tout autant le niveau d'abstraction où sont élaborés les *Analytiques* :

a / « L'homme qui sent et qui sait est une mesure mesurée... et quand Protagoras dit que l'homme est mesure de toutes choses, cette doctrine n'a rien d'extraordinaire et n'est remarquable qu'en apparence » (*Mét.*, I, 1058 *b* 30).

b / Les catégories déterminent un système de mesure pour la connaissance. « Est mesure ce par quoi la quantité est connue... De là vient que, dans les autres catégories aussi, on donne le nom de mesure à ce par quoi primitivement chaque chose est connue » (ibid., 1052 *b* 18). Aristote précise que cette mesure est le simple selon l'ordre de la quantité ou de la qualité. C'est donc que l'unité ou la couleur blanche ne sont des mesures que pour diviser ou articuler un genre (quantité ou qualité) dont elles manifestent simultanément la fonction de référentiel. Et tout comme la première unité, « appréciable par la sensation » de manière exacte, mesure la distance ou le poids, de même ce qui est simple pour la sensation mesure tout individu eu égard à un « genre catégorial » (selon l'expression même d'Aristote, τὰ γένη τῶν κατηγοριῶν, dans le passage des *Topiques* cité plus haut). Bien que la thèse se réclame d'une analogie fondée sur le cas paradigmatique de l'attribution d'une quantité, elle souligne, avec une précision ici suffisante, comment toute unité (trait différentiel simple pour la perception) distribue la détermination catégoriale sur tous les individus qu'elle mesure, tout comme l'unité de longueur distribue la quantité sur tous les individus qu'elle mesure. De manière générale, « la mesure doit toujours être un attribut commun à toutes les choses à mesurer » (N, I, 1088 *a* 8). Où l'on voit que l'unité, ou le simple pour la perception, manifeste, outre une référence à la catégorie pour laquelle elle joue le rôle d'une unité, une relation non moins essentielle avec les individus qu'elle mesure sous le chef de la catégorie. Le terme médiatise la catégorie — ce *par* quoi il est catégorème —, qu'il distribue sur des individus — ce *pour* quoi il est catégorème.

La complétude du système, partant la perfection de la phénoménologie, est conclue d'un raisonnement physique qui égale le connu au connaissable. « Nulle sensation ne saurait nous faire défaut » (*De l'âme,* III, I, 425 *a* 12) parce que les sens sont formés des mêmes éléments que les objets qui les affectent. La condition, suffisante, est également nécessaire : « en l'absence de toute perception, on ne pourrait apprendre ou comprendre quoi que ce fût » (432 *a* 5). Il en suit que le nombre des catégories est lui aussi fini, comme le simple ou l'unité pour la sensation, puisque ce dernier est ce par quoi le genre (catégorial ou ultime) est connu.

La syllogistique préserve d'autant plus sûrement cette structure phénoménologique qu'elle fixe systématiquement les divers moyens par lesquels elle peut être étendue. La question la plus générale à laquelle elle apporte une réponse pourrait être formulée : étant donné deux mesures, comment en établir une troisième qui ménage l'extension de l'une d'entre elles ? Ou encore : comment la détermination la plus générale (celle que distribue le grand terme) est-elle appliquée, par l'intermédiaire du moyen et sous l'hypothèse de la transitivité prédicative[1], aux sujets antérieurement mesurés par la détermination (le petit terme) la moins générale ? Il est permis de penser que la première figure est précisément celle qui manifeste le plus clairement le procès transitif de la mesure, où les déterminations les plus générales sont appliquées aux individus déjà mesurés d'une détermination plus concrète, ou antérieure dans l'ordre de la sensation.

Ainsi Aristote résout-il l'apparent paradoxe, exposé à la fin du livre M, que la science est à la fois universelle dans ses moyens et cependant toujours déterminée, et même singulière, dans ses objets. « On ne peut en effet démontrer syllogistiquement que les trois angles de ce triangle-ci valent deux droits si on n'a pas démontré en général que les trois angles de tout triangle valent deux droits, ni définir l'homme que voici comme un animal, si on n'a pas défini que tout homme en général est un animal » (M, 1086 *b* 34). Ce faisant, la démonstration ne requiert aucun espace de représentation, ou d'entités, intermédiaire qui recueillerait l'exactitude et l'évidence mais laisserait indécise l'adéquation de ces étalons aux individus qu'ils mesurent. « Il n'y a aucune nécessité de supposer que l'universel est une réalité séparée des choses particulières parce qu'il signifie une chose une, pas plus qu'il n'est besoin de le supposer pour ce qui ne signifie pas une substance mais seulement une qualité, une relation ou une action. Si donc on fait une telle supposition, ce n'est pas la démonstration qui en est cause, mais l'auditeur » (*Anal. sec.,* I, 24, 8 *b* 18).

Il en suit que l'on n'a rien dit encore que de strictement descriptif à qua-

---

1. Le catégorème du catégorème est encore catégorème pour ce dont le premier est catégorème (*Cat.,* I *b* 10).

lifier la logique ancienne de prédicative ou de monadique. La prédication ne remplit sa fonction que pour associer une mesure, sensible pour nous, à un aspect physique, qui l'objective en retour et lui délègue le pouvoir de qualifier ou déterminer un individu. L'objectualité est médiatisée par l'objectivité des déterminations. L'opération est constitutive de la syllogistique comme elle l'est de la phénoménologie d'Aristote. Elle exclut aussi directement l'interprétation extensionnelle de la première : il n'y a aucune indépendance des individus par rapport aux déterminations qui les livrent à notre connaissance ; il n'y a aucune indépendance de l'ordre propositionnel par rapport à cette phénoménologie dont il incorpore les trois contraintes : la fonction catégoriale du prédicat, l'item distinctif qui la révèle comme mesure et l'assignation d'un objet qu'elle mesure.

Toute réécriture d'un schéma d'analyse aristotélicien sous la forme d'un énoncé monadique, universel ou particulier, se condamne à l'équivoque, celle d'annuler dans une grammaire de surface la plus générale, donc la plus triviale, les index d'une phénoménologie et d'une méthode sémantique parfaitement maîtrisées. Si l'histoire de la logique a quelque contenu ce sera de comprendre la genèse de cette structure prédicative, sa banalisation grammaticale, puis sa régression vers ce que l'on appellerait, à un aussi juste titre, élémentaire, fondamental ou archaïque. Lui reste cette autorité biaisée, et strictement rhétorique, pour des domaines dépourvus, accidentellement ou pour des raisons essentielles et encore indiscernées, d'une meilleure topique. Vicariance dont on peut penser qu'elle fut décrite par Kant dans l'opposition, il est vrai anhistorique et transcendantale, entre l'usage constitutif et l'usage régulateur.

3. On pouvait vérifier *directement* le caractère intentionnel de la prédication *catégoriale* dans les diverses tentatives de dissociation auxquelles la méthode analytique fut soumise aux XVIIᵉ et XVIIIᵉ siècles. C'est sous le chef de l'objectivité des idées *(Des idées considérées selon leurs objets)* que les logiciens de Port-Royal ont exposé la première critique visant, dans leur principe, les catégories aristotéliciennes. Les chefs retenus sont soupçonnés d'arbitraire, d'un arbitraire « qui n'a d'autre fondement que l'imagination d'un homme qui n'a aucune autorité de prescrire une loi aux autres ». Le nominalisme en est la conséquence immédiate, ou la menace imminente, puisque leur usage scolastique « accoutume les hommes à se payer de mots ». En lui-même, ce dernier reproche ne serait qu'un écho de la critique galiléenne du concept de *gravité,* ou plus immédiatement des ironies de Pascal dirigées contre l'horreur du vide. Si le grief a une autre portée, c'est pour avoir été dirigé contre les catégories elles-mêmes et conclu de leur arbitraire. Dès lors que le mouvement n'était plus référé à des substrats et à la capacité de recevoir des contraires, mais analysé dans des référentiels géométriques ou géométrisables, la phénoménologie catégoriale, l'entendrait-on comme système de mesures mesurantes, glissait de l'objectif à l'imaginaire, et de l'intersubjectif à l'autorité d'un seul. La critique demeure sous-entendue et comme masquée sous la légèreté d'un argument ad hominem, dont le but est d'obtenir d'autant plus aisément son effet dépréciatif qu'il en minore l'objet. Il ne s'agit, somme toute, que d'une idiosyncrasie : à la liste d'Aristote il suffit d'opposer un distique de Ramus, comme la mnémotechnique de l'un à la fantaisie de l'autre.

L'argument n'échappe à la simple polémique que pour avoir servi d'introduction à la première ébauche d'une logique du jugement, dont l'analyse et la décision relèvent d'une géométrisation de son contenu, ou d'une géométrisation de sa probabilité. Strictement incidente, la critique des catégories d'Aristote, qui ne « sont que diverses classes auxquelles ce philosophe a voulu réduire tous les objets de nos pensées », libère une nouvelle manière d'envisager le rapport des idées à leur objet. En séparant la *compréhension* des idées, c'est-à-dire leur propriété d'être simples ou complexes, de leur *étendue,* c'est-à-dire des objets auxquels elles s'appliquent éventuellement, Port-Royal ouvrait la possibilité d'analyser la première dans un espace de représentation abstrait, dont le paradigme est celui de la géométrie où la compatibilité des idées simples et leur composition peut être montrée ou démontrée. L'analyse y est donnée sans préjuger de l'adéquation, universelle ou particulière, de telles idées, simples ou complexes, aux objets qui constituent éventuellement leur étendue, encore que l'on sache a priori qu'une complexification des idées par l'adjonction d'un facteur discriminant restreint leur étendue, et qu'une analyse où le prédicat s'avère inclus dans le sujet incline à l'assentiment, sans préjuger de l'existence ou de l'universalité dont décide l'étendue.

Sous ces conditions d'évidence analytique, totale ou partielle, le jugement manifeste, serait-ce par la possibilité d'une erreur dans la position des termes, ou d'une assertion non fondée analytiquement, ce degré de liberté ménagé par l'interposition d'un nouvel espace analytique, inopérant, et même exclu, dans le référentiel catégorial. La doctrine suffit pour rendre compte des quatre formes prédicatives aristotéliciennes et de la syllogistique à l'intérieur d'une logique du jugement. Elle est également compatible avec la division *De la méthode* (livre IV), selon que le domaine est celui de la science et comporte une analyse exacte des idées, ou relève des choses humaines et pallie l'impossibilité de l'analyse par une « géométrie » des probabilités. La proportion des cas favorables et des cas défavorables y est représentée dans un espace non moins abstrait et non moins computable. Comme l'a montré Jan Hacking, *L'art de penser* de Port-Royal eut pour suite et complément l'*Ars conjectandi* de Jakob Bernoulli. C'est par de telles étapes, dont il suffit ici de signaler la première, que se sont constitués un calcul extensionnel des jugements et une analyse mathématique des concepts, en rupture avouée avec le principe de la détermination catégoriale d'un substrat par le biais de ses mesures immanentes.

Inversement, et bien qu'il ait critiqué, en des termes voisins de ceux des Jansénistes la composition rhapsodique de la liste aristotélicienne, Kant[1] restitua une théorie transcendantale des catégories, cet a priori de toute phénoménologie. Elle seule, et mieux que toute supputation sur la probabilité d'un jugement, pouvait en soutenir l'occasion et le but : la position d'un objet de l'expérience. La survivance des catégories, au prix de la logique transcendantale, met en relief sa fonction invariante de manière d'autant plus significative qu'elle s'y trouve isolée de sa structure d'origine. Elle seule modalise la structure intentionnelle de la perception en nécessité physique. Et si l'on objectait que, tout comme Kant le rappela souvent, de telles fonctions référentielles sont extérieures à la logique formelle, on ne saurait éviter l'alternative : ou bien que la syllogistique des Grecs n'entretient qu'un rapport d'homonymie avec une logique formelle, ou bien que *formalis* signifia longtemps l'inverse de ce que l'on suppose aujourd'hui, la dimension intelligible, catégorisée, de l'expérience des choses.

4. On vérifiera indirectement que la prédication *catégoriale* est un opérateur d'intentionnalité en comparant ses effets aux facteurs d'opacité référentielle, que Quine a analysés dans l'article Reference and Modality (*From a Logical Point of View*, 1953). La loi de substitution *salva denotatione* est suspendue dans quatre types de contexte : citationnels, modaux, épistémiques (où l'énoncé est sous la dépendance d'un verbe tel que : croire, penser, estimer...), et les contextes où le terme prédicatif est pris intentionnellement[2], comme nom d'une détermination sui generis, nullement pour la classe des objets qui le vérifient. Or de tels contextes s'avèrent être ceux-là mêmes où la quantification est dépourvue de sens. D'où il suit que si la loi de substitution *salva denotatione* et la quantification sont similairement affectées par les contextes intentionnels ou opaques, elles pourraient caractériser au même degré l'extensionnalité. C'est en ce sens que conclut Quine, en suggérant un lien intrinsèque et constitutif entre la quantification et la

---

1. *Prolégomènes*, § 39. On ne peut ignorer la grande diffusion de la *Logique ou L'art de penser,* dont on connaît, de 1662 à 1780, 65 éditions françaises, 13 traductions latines et 9 traductions anglaises.

2. Disons que l' « intensionnalité », ou cette présence de la signification que Quine tient pour parasitaire, est la manière dont se réverbère dans une langue formulaire l'intentionnalité épistémologique des langues naturelles et dont l'analyse quinienne ne veut retenir que la dénotation.

composition vérifonctionnelle des énoncés, qui seule admet une substitution dénotationnelle. « Peut-être les seuls modes utiles de composition des énoncés qui soient susceptibles d'une quantification non restreinte sont-ils les fonctions de vérité. Il est heureux qu'aucun autre type de composition ne soit requis en tout cas en mathématiques »[1]. L'hypothèse que la transparence référentielle est limitativement liée à la composition vérifonctionnelle des énoncés admet une preuve dans le cas où le système considéré admet la substitution *salva denotatione* des énoncés et inclut une logique des classes au sens des *New Foundations*. Quine montre alors que tout opérateur propositionnel différent des foncteurs du calcul propositionnel est un facteur d'opacité référentielle (ibid., p. 167).

Inversement on vérifiera qu'une logique catégoriale est celle où *a* / la loi de substitution *salva denotatione* n'est pas incluse à titre de loi logique, *b* / la prédication inclut un facteur modal ou épistémique, *c* / le lien entre les énoncés qui figurent dans les prémisses n'est pas vérifonctionnel. Loin d'être une catégorie universelle, définie pour tout objet, l'égalité, et partant la possibilité de la substitution, y est une relation qui affecte les seules quantités. « Ce qui, plus que tout, est le caractère propre de la quantité, c'est qu'on peut lui attribuer l'égal ou l'inégal » (*Cat.*, 6 a 27). Conséquemment, les propriétés de l'égalité des grandeurs sont données, sous le titre d'axiomes ou de notions communes, dans la troisième division des *Eléments* euclidiens. Si les axiomes de l'égalité valent pour toutes les quantités, discrètes et continues, et sont à ce titre admis de tous (en quoi les notions communes se distinguent des postulats), ils n'appartiennent pas à la structure logique du système, qu'Euclide n'explicite pas. Quant à l'identification d'un individu, elle est logiquement analysée comme une subsomption, ou récognition, d'un individu au moyen d'une détermination catégoriale. Tels les deux énoncés suivants, qui illustrent la même prédication catégoriale, celle de la substance :

C'est un homme... ...   substance seconde
C'est Darius ... ...   substance première

Auxquels on associera une récognition par le propre, c'est-à-dire par la catégorie de la qualité :

C'est le Grand Roi

---

1. *Reference and Modality*, p. 167, que l'on comparera au dernier article publié par Frege, « La composition des pensées », 1925, où l'auteur choisit d'appeler *mathématiques* les compositions de pensée qui ont la double propriété d'être vérifonctionnelles et de satisfaire la loi de substitution *salva denotatione* (*Ecrits logiques et philosophiques*, p. 234).

et, avec un moindre degré de précision, tout autre type de prédication catégoriale qui peut, occasionnellement, être une attribution propre. Et si l'on
voulait comparer ces formes à l'identité référentielle sur l'exemple frégéen :

L'étoile du soir = l'étoile du matin

il serait assurément nécessaire de paraphraser celui-ci dans un système de prédication catégoriale, par la transformation inverse de celle que Frege impose
à la forme prédicative. Soit :

Cette étoile qui apparaît ici le soir y apparaît aussi le matin.

L'identification de l'individu est obtenue par la composition, dans une
série prédicative, de manières d'êtres. Elles sont aussi autant d'occasions, ou
de mesures, pour l'observation (d'où la deixis : *Cette, ici,* le *soir,* le *matin*) dans
un champ physique qui inclut l'observant, l'observé et l'affection de celui-là
par celui-ci. Il reste que cette paraphrase, répétable à loisir dans les deux sens,
est une procédure aveugle. Elle ne dit rien des règles qui commandent, dans
les deux systèmes, le choix préférentiel de telle forme et son interprétation.
Frege assimile l'égalité à l'identité référentielle sous le chef d'une relation
d'équivalence, quand une logique phénoménologique retient, de par son
intention constitutive, une détermination catégoriale physiquement pertinente et les caractères conjugués de sa mesure et de son aperception. D'où la
nécessité de spécifier, sous la gouverne d'axiomes propres, l'égalité des grandeurs et la propriété de substituabilité qui lui est associée, comme fait
Euclide.

Par une autre conséquence de ce lien constitutif entre la détermination
catégoriale de la chose et la mesure (l'item prédicatif) qui en ménage l'accès,
les logiques grecques ont exclu la substitution *salva denotatione* des termes
attributifs. Quand Aristote distingue le *propre* de la *définition,* il implique que
ces prédicats ne sont pas identifiables sur un critère extensionnel, lors même
qu'ils « peuvent s'échanger en position de prédicat d'un sujet donné »[1]. Ils
diffèrent comme deux aspects de la chose, ou plutôt comme la borne est
essentiellement différente des chemins qui y conduisent. Plus précisément, la
définition de l'objet, parfois identifiée à l'énonciation de sa cause, constitue
un point ultime pour la connaissance. L'existence de ce terme absolu,
comme le nombre nécessairement fini des chefs catégoriaux, épargne à l'*analysis* l'abîme d'une description infinie. L'altérité de l'essence et du propre est
en outre marquée, dans la forme catégoriale elle-même, par la distinction
entre synonyme et paronyme. Seule la définition s'énonce dans une formule
nominale sans *flexion,* c'est-à-dire sans aspect temporel, sans altération

---

1. *Top.*, I, 102 *a* 19, où Aristote oppose l'attribut définitionnel *homme* au propre
grammairien. Nous adoptons pour ἀντικατηγορεῖται la traduction de J. Brunschwig.

casuelle marquant le régime et sans dérivation adjectivante[1]. La prédication synonymique des attributs définitionnels se distingue par des critères suffisamment élaborés, et précis dans leur usage, de la prédication paronymique pour témoigner que les différences phénoménologiques qui s'y reflètent, quant à la chose et quant à sa connaissance, sont constitutives du système catégorial.

Corrélativement, Aristote admet une substitution des termes prédicatifs non tautologique qui manifeste soit un progrès dans la détermination du sujet, soit le développement des implications d'une prédication donnée. « Si on veut rendre compte de la nature de l'homme individuel et qu'on le fasse par l'espèce ou par le genre, on donnera là une explication appropriée, qu'on rendrait plus précise en disant que c'est un homme plutôt qu'en disant que c'est un animal » (*Cat.*, 2 *b* 32). Complémentairement, « dire que l'homme individuel est grammairien c'est dire, par voie de conséquence, que l'homme est grammairien et que l'animal est grammairien » (3 *a* 3). Ces substitutions sont canalisées sur un arbre qui unit, dans une même structure, la subsomption des individus et la subordination des prédicats. Cette analogie concertée, où l'on voulut déceler plus tard une confusion entre deux rapports logiques différents, montre une nouvelle fois comment l'espace analytique des cohérences prédicatives est homogène à l'expérience où les objets sont donnés. L'analyse explicite l'immanent, la connaissance est elle-même une relation physique.

Il reste à établir pour quelles raisons sémantiques les syllogistiques grecques ont encore ignoré la troisième instance de la substitution dénotationnelle, dont les termes sont les unités énonciatives elles-mêmes. La confrontation est ici déterminante puisque l'établissement de ce troisième cas fut l'occasion et le but de l'article « Sens et dénotation » (Frege, 1892).

Un inventaire suffirait à montrer que ni les modes syllogistiques, ni les relations définies entre propositions (contrariété, contradiction, subalternation, conversion) ne supposent ni n'emploient la substitution *salva denotatione*, sur le seul critère d'une valeur de vérité identique. La raison de cette exclusion apparaît aussi immédiatement en ceci qu'une substitution de ce type romprait la continuité de la prédication (σύναψις)[2]. On pourrait objecter qu'on ne fait ici rien de plus que vérifier la nature non propositionnelle de

---

1. On prend ici le terme πτῶσις au sens large que lui donne Aristote. Cf. *De l'interpr.*, chap. II et III, *Poét.*, chap. XX, et *Top.*, II, 111 *b* 1 à 5, qui éclaire le texte parallèle de *Cat.*, 1 *a* 13 où le terme de *paronyme* est introduit dans une double opposition, à *synonyme* et *homonyme*.

2. Cf. *Anal prem.*, I, 23, 41 *a* 13. Aristote emploie ailleurs le terme de *sunecheia* (*Anal sec.*, II, 10, 94 *a* 8) ou de συστοιχία τῆς κατηγορίας (ibid., I, 15, 79 *b* 8).

l'*Analytique* d'Aristote, sa spécificité de logique des termes. Encore est-ce un trait qu'il faut rapporter à sa fonction : unir les déterminations les plus générales et les plus médiates aux sujets les plus concrets eu égard au référentiel catégorial qui contrôle la cohérente synonymique, ou paronymique, des attributions. Aussi bien suffit-il d'étendre le champ des syllogistiques prédicatives et de considérer la syllogistique stoïcienne, à la fois propositionnelle et catégoriale, pour attribuer le rejet de la substitution *salva denotatione* à la seule exigence de la continuité des prédications. Elle seule interdit toute substitution de ce type, tant dans la prémisse principale que dans la prémisse annexe *(proslepsis)*, sanctionnée par une faute logique spécifique. Ainsi le conditionnel :

> S'il fait jour, Dion se promène

est définitionellement faux, de par l'absence de lien entre l'antécédent et le conséquent (DL, VII, 73 : est fausse la proposition conditionnelle où l'opposé du conséquent ne contredit pas l'antécédent). Pour la même raison, tout syllogisme où la seconde prémisse ne reprend pas l'antécédent de la première, et la conclusion le conséquent de la première, est invalide, par incohérence (διάρτησις, Sextus Empiricus, *Hypotyposes,* II, 146). Dans ces deux cas la cohérence physique des prédications successives est exigée. Le sorite stoïcien extrapole une structure constitutive de toutes les variantes de la syllogistique grecque[1].

5. Ainsi l'ordonnance propositionnelle de la syllogistique réfléchit-elle l'asymétrie de la prédication, et celle-ci manifeste la priorité du sujet dans un référentiel catégorial où toutes les déterminations sont rapportées à la substance. Une même structure phénoménologique rend compte de l'absence d'une loi logique de substitution dénotationnelle dans les trois instances où l'on peut vérifier le caractère non extensionnel des logiques grecques. L'objet est identifié par une subsomption, les prédicats le sont par leur position dans une ligne catégoriale, et les modes syllogistiques par les figures.

On pourrait vouloir expliquer l'absence d'une loi d'identité pour les individus en faisant état d'une caractéristique de la forme prédicative. Si la logique grecque est monadique, elle serait par là même inapte à représenter aucune relation, serait-elle l'identité ou l'équivalence. L'argument a pour lui de référer à la structure même l'absence d'une loi de substitution, voire de suggérer un remède, qui serait l'adjonction d'une forme relationnelle à la logique prédicative. Outre que le traitement ne vaudrait que pour la première instance, la substitution des identiques, il supposerait qu'on peut

---

1. Puisqu'elle repose sur l'unité d'action — dont sa syntaxe remémore le « modèle réduit ».

corriger une logique par simple adjonction, de signes et de théorèmes afférents[1].

Ainsi formulé, le diagnostic est faux dans sa lettre et insuffisant dans son hypothèse. Non seulement la relation est une *catégorie* spécifiée, mais elle est aussi impliquée dans les démonstrations de physique, d'histoire naturelle et de morale. Pour n'en citer que les exemples les plus notoires, l'éclipse est définie par l'interposition d'un corps opaque (*Anal sec.*, II, 93 *a* 30), la vertu comme une manière d'être relative, interne ou par rapport au milieu (*Phys.*, VII, 246 *b* 4), et les genres naturels le sont par une comparaison des parties des animaux « selon le plus et le moins » (*Parties des animaux*, I, 645 *a* 10 sq.). Si l'argument a quelque vérité, c'est pour révéler une opposition, non pas entre la prédication monadique et la prédication polyadique, mais entre logique catégoriale et logique quantificationnelle, quel que soit le nombre des quantificateurs préfixés. L'option est entre la position nécessaire d'un sujet et son abolition. La substitution du couple *fonction/argument* au couple *sujet/prédicat* eut pour intention première d'effacer la détermination du sujet et sa position prioritaire (*Begriffsschrift*, § 2 et 9). Aussi bien Leibniz avait-il montré la nécessité de résoudre le système des flexions, des régimes et des prépositions afin de représenter, dans une langue sans aspects comme devait être la caractéristique, la convertibilité des relations et l'égal statut des termes qu'elle relate. Soit annuler l'opposition entre le sujet et la prédication paronyme. Mais c'était là passer d'une structure à une autre, et récuser le référentiel catégorial[2].

L'absence d'une relation logique d'identité et l'expression de toute relation par le biais d'une catégorie qui inscrit le relaté dans le régime du sujet ont bien le même principe, encore qu'il les domine toutes deux. Il gît, encore une fois, dans la structure phénoménologique de la logique catégoriale qui exige la position première d'un sujet, aspectualisé par le catégorème qui le mesure. Ce par quoi le référentiel catégorial investit la forme prédicative. Lui associerait-on une transcription quantificationnelle qu'on tirerait parti d'une grammaire de surface d'autant plus ouverte à des structurations divergentes que l'exemple choisi est élémentaire, et déjà retranscrit dans une langue non flexionnelle, notre langue naturelle contemporaine.

---

1. Un système peut avoir des états allomorphes, mais ne peut pas intérioriser sa propre négation. Kant est sans doute le plus lucide pour affirmer qu'une logique — pour lui *la* logique — ne peut admettre qu'un processus de simplification (*Logique*, Intr., § II) qu'il spécifie en gain d'exactitude, précision, distinction, et en abrégement.

2. Les différents essais de Leibniz sont cités et analysés par Couturat, *La logique de Leibniz*, III, § 13 à 15. Sur la signification catégoriale de la position, nominative ou fléchie, des termes dans les prémisses, cf. *Anal prem.*, I, chap. 36 et 37.

6. On n'a tenté jusqu'ici rien de plus que de saisir une corrélation entre l'absence d'une loi de substitution des identiques, le traitement asymétrique de la prédication et des relations, et la structure intentionnelle (ou phénoménologique) des logiques catégoriales. Il reste à montrer comment la même structure assigne explicitement à tout énoncé une modalité épistémique, et s'oppose de ce fait à la condition la plus élémentaire et la plus radicale de l'extensionnalité.

La modalité épistémique est tautologiquement présente dans le terme même *d'apophantique.* Son étymologie patente résume une hypothèse génétique, qu'Aristote rappelle à la première page du traité *De l'interprétation* et argumente dans les traités physiques, *De l'âme* et *Parva naturalia.* « Les sons émis par la voix sont des symboles des états de l'âme... identiques en tout homme, comme sont identiques aussi ces choses dont ces états sont les images. » Le symbolisme des mots n'altère donc pas le rapport d'analogie qui lie les représentations aux réalités aspectualisées qui les suscitent, le senti au sensible physique. L'apophantique peut prétendre, selon l'expression de Sénèque, « laisser parler les choses mêmes »[1]. La déclaration *(apophansis)* est donc épistémiquement modalisée par un acte perceptif sous-jacent — immédiat, mémorisé, inféré ou proleptique — sur lequel se fonde l'assertion *(kataphasis)* ou le déni *(apophasis).* Il n'y a pas de procédure de décision hors des garanties perceptives, canonisées dans une physique du changement.

On pourrait vouloir mener l'analyse plus avant et dénombrer d'autres marqueurs de la modalité épistémique, synthétisés dans la syntagmation prédicative : ainsi a-t-on montré qu'un énoncé déclaratif tel que :

Floyd broke the glass

peut être analysé comme le composé de surface de huit énoncés qui en articuleraient la structure profonde. Son équivalent explicité serait la quasi-paraphrase :

I declare to you it that it past that it happen that Floyd do cause to come about that it BE the glass broken[2].

Chaque verbe de cette chaîne, fléchi ou non, isole un des aspects, simultanément descriptif et narratif (adressé), cumulés dans le *broke* de l'énoncé initial. Mais une telle procédure manquerait doublement le propos de l'apophantique grecque. En linéarisant l'énoncé apophantique, en sept articulations enchâssées comme ci-dessus ou de toute autre manière, on ignore la correspondance voulue entre l'intentionnalité focalisante d'une récognition

1. Sur la phénoménologie stoïcienne, plus élaborée, cf. C. Imbert, *Théorie de la représentation et doctrine logique dans le stoïcisme ancien, Les stoïciens et leur logique,* art. cit. et infra, chap. III et X.

2. Bach and Harms, *Universals in Linguistic Theory,* p. VIII.

et sa réplique dans l'acte d'énonciation. On modifierait donc la logique grecque dans son économie la plus profonde, en rejetant le postulat d'une anamorphose entre la donnée *tota simul* d'un objet identifié, dans et par ses attributs, et son corrélat, le moins mutilant qu'il puisse se faire, dans un acte d'énonciation. Or c'est là un principe régulateur, qui justifie en dernier recours le primat de la définition sur toutes les autres formes apophantiques et la nécessité d'organiser les catégories en un système fini et suffisamment restreint pour être mobilisé dans un seul acte d'analyse ou de lecture. C'est en vertu de ce même principe que Chrysippe récusa l'analyse de l'énoncé en termes, réduisit à quatre le nombre des catégories et interpréta chaque prédication comme la donnée « en hypallage »[1] de plusieurs aspects catégoriaux conjoints.

En outre, en liant toute déclaration à la phénoménologie qui la fonde, selon le schéma :

$$\varphi\alpha\acute{\iota}\nu\epsilon\tau\alpha\acute{\iota}\ \mu\omicron\iota\ /\lambda\acute{\epsilon}\gamma\omicron\mu\alpha\acute{\iota}\ \sigma\omicron\iota$$

les Grecs récusaient l'hypothèse qu'un énoncé puisse être compris et assenti par une simple décomposition en énoncés élémentaires, qui susciteraient derechef les mêmes questions sémantiques. L'analyse catégoriale est directement objectuelle pour les deux interlocuteurs. Elle projette les énoncés sur l'univers phénoménal auquel les catégories donnent une « mesure », ou l'équivalent d'une mesure. Enracinant toute déclaration dans la phénoménalité objective, l'apophantique évince toute autre « attitude propositionnelle », et tout autre verbe doxique en structure profonde. Un énoncé catégorial est supposé entretenir le même rapport avec l'univers physique qu'un énoncé géométrique avec la configuration tracée dont il dégage et formule le théorème[2].

Aussi bien la paraphrase linéaire d'une structure de surface en structure profonde n'est, en elle-même, qu'une procédure liée méthododologiquement à la grammaire transformationnelle et mise à profit par l'analyse des *Speech Acts*. Elle a pour limite la question, actuellement insoluble et peut-être non pertinente, de la nature séquentielle ou non des constituants de base. En tant que méthode sémantique, elle est confrontée à l'alternative d'une analyse fondée sur une organisation casuelle latente de toutes les langues dans un système de catégories implicites *(covert categories)*, exposée dans le même recueil

---

1. Ce terme est celui même dont usa Simplicius pour exposer le système catégorial des stoïciens et rendre compte de la réduction imposée à la liste aristotélicienne. Le contexte laisse penser que ce terme, cité et mal compris, est d'origine stoïcienne (*In Aristot. categ.*, f. 16, Δ). Voir infra, chap. V.

2. Sur le principe d'une traductibilité intégrale des représentations, et la garantie qu'une phénoménologie des actions apporte à l'ordre discursif, cf. infra, chap. III.

par Charles J. Fillmore. Cette hypothèse[1] pourrait offrir à l'interprétation des logiques grecques une méthode mieux adaptée que la paraphrase propositionnelle, qu'on entende celle-ci dans un sens linguistique ou logistique.

Il en suit que l'apophantique unit description, assentiment, et adresse dans la prédication, marquée par une intentionnalité assertorique. Modalité neutre entre le possible et le nécessaire, dont la valeur de norme et d'arbitrage entre ces derniers apparaît précisément dans l'absence de marqueurs explicites. Cette insertion intrapropositionnelle de la modalité défie toute représentation au moyen d'un opératur modal propositionnel[2]. Toutefois l'assentiment, interne à l'*apophansis*, contresigne l'analyse catégoriale selon un lien que Kant a élucidé en associant la modalité du jugement aux *Postulats de la pensée empirique en général*. Sans rien ajouter à la connaissance de la chose, ils sanctionnent son adéquation empirique et, dans le cas de la simple assertion, la réalité de son objet. C'est pour les mêmes raisons que Husserl put traiter la modalisation comme une variante de la prédication (*Logique formelle et logique transcendantale*, § 13, *c*). On a pu contester une telle assimilation d'opérations formellement hétérogènes[3], le motif en est moins une réminiscence aristotélicienne complaisante que la méthode phénoménologique du traité husserlien. Elle en traverse les recherches formelles.

---

1. Cf. J. Fillmore, The Case for case, et R. Thom, La double dimension de la grammaire universelle, dans *Morphogenèse et imaginaire, Circé*, n° 8-9.

2. Cf. W. and M. Kneale, *The development of Logic*, p. 91 ; G. Granger, op. cit., § 7.2, *Le sens de la modalité* et la note 2 : « Le système du philosophe n'est pas, comme celui de Kripke, dérivé d'un calcul des propositions mais du calcul des termes que constitue le syllogisme catégorique. »

3. Cf. J. Cavaillès, *Logique et théorie de la science*, p. 45, et S. Bachelard, *La logique de Husserl*, p. 64.

CHAPITRE III

LA LOGIQUE STOÏCIENNE
ET LA CONSTRUCTION
DU RÉCIT

I

Au chapitre XV du *Traité du sublime* le Pseudo-Longin résume sous le seul concept de *phantasia* (représentation)[1] deux sources du sublime, identifiées dans les chapitres précédents, l'*eidos* et le *pathos*. Il concilie donc une hypothèse platonisante, qui reconnaît dans le sublime l'effet d'une vision transcendante de l'*eidos (Banquet)*, et l'hypothèse sophistique (ou homérique) d'une inspiration divine investissant le corps et la parole du poète *(Ion)*, en arguant d'un théorème général relevant de la physique du discours. Le terme de *représentation,* explique-t-il, « désigne communément tout ce qui, d'une manière quelconque, suggère une pensée productive (γεννητικοῦ) de discours » (XV, 1). Sans s'arrêter à une définition qu'il suppose acquise et familière, l'auteur ajoute que l'usage rhétorique et esthétique du terme est une spécification apportée ultérieurement à cette acception générale. Il désigne alors l'état d'émotion et d'enthousiasme d'où vient que l'orateur voit ce qu'il dit et le fait voir à son auditoire.

---

1. Nous avons repris la traduction reçue, en lui ôtant, dans la mesure du possible, toute connotation cartésienne ou lockienne. Au reste, ce chapitre peut être également lu comme une tentative de définition de la *phantasia* stoïcienne.

La *phantasia* est donc une vision intégralement communicable par le discours qui y trouve sa raison d'être en même temps qu'il l'explicite. Donald Russell a rappelé l'origine stoïcienne de cette doctrine[1], d'ailleurs confirmée par le contexte immédiat. Le délire d'Oreste (Euripide, *Oreste,* 255 sq.), que cite le Pseudo-Longin pour illustrer l'origine visionnaire d'un lyrisme sublime, était l'exemple privilégié des manuels stoïciens. Sextus s'y réfère dans un fragment doxographique (*Adv. math.,* VII, 245) pour analyser sur l'exemple le cas où une représentation donne naissance à une proposition (ἀξίωμα) qui n'est ni vraie ni fausse. Quand Oreste voit dans Electre une Erynie, sa représentation est partiellement juste, puisqu'elle provient d'un objet présent, et partiellement erronée puisqu'il identifie une Furie qui n'existe pas. De même Aétius, rapportant une division scolaire, évoque le délire d'Oreste pour opposer la représentation inadéquate (encore appelée phantasme) à la représentation cataleptique (*SVF,* II, 54). Enfin, Quintilien mentionne le tableau d'un *Oreste* en proie aux Erinyes pour illustrer le talent du peintre Théon de Samos : « concipiendis visionibus quas phantasias vocant, praestantissimus est »[2].

De manière générale, aux alentours de l'ère chrétienne et tout au long d'une période qui correspond au moyen stoïcisme et au stoïcisme impérial, les traités d'art rhétorique tirent argument de l'histoire et de la théorie des arts plastiques (Varron, Quintilien, Cicéron)[3] pour expliquer comment l'artiste transmet une vision, laquelle est une synthèse d'éléments empruntés à la réalité sans cependant dériver d'aucun modèle empirique. Cette vision tend à égaler la nature secrète des choses, celle que la perception n'atteint pas spontanément ; elle la révèle aux autres hommes par les moyens de l'expression, ou traduction (ἑρμηνεία). Tel est le jugement de Quintilien sur Phidias « qui

---

1. Editeur et traducteur du *Traité du sublime.* Sur l'origine stoïcienne de la thèse, cf. *On the Sublime,* Oxford, 1964, *Commentary,* p. 120 et *Ancient literary criticism,* p. 477, n. 1.

2. *Institutiones,* 12.10.6. Voir également 6.2.29.

3. Sur Varron historien de la peinture et de la sculpture, source de Quintilien, Cicéron et Pline, voir J. J. Pollitt, *The Ancient view of Greek Art,* Yale, Un. Press, 1974, p. 79-81, et, du même auteur, *Varron et les peintres latins.*

semble avoir ajouté quelque chose à la religion reçue tant la majesté de l'œuvre égalait la divinité ». De même Philostrate loue Phidias d'avoir conçu un Zeus qui n'est pas l'effet de l'imitation ni l'aveu d'une théologie anthropomorphique. La statue manifeste une force imaginative participant de la sagesse, à la fois heuristique et didactique parce qu'elle anticipe et résume dans un signe unique la fonction cosmique du dieu. « L'artiste qui cherche à imaginer Zeus le voit avec le ciel, les saisons et les astres, comme autrefois l'a tenté Phidias » (*Vie d'Apollonius*, VI, 19).

E. Panofsky a montré, dans les années 20, le caractère non platonicien de cette esthétique qui attribue à l'intellect immanent de l'artiste la conception de signes visibles[1]. Ils enrichissent la perception naturelle, l'éduquent, la portent à sa vérité et rivalisent avec la théologie. La place faite à la *phantasia*, puissance positive qui par le biais de l'art rapproche la perception humaine, inchoative, du spectacle total, physique et divin auquel elle aspire, a été reconnue, de manière vraisemblablement indépendante, par J. J. Pollitt[2]. Comme D. Russell, ces historiens de l'art pictural ont noté l'inspiration stoïcienne de la thèse.

La formule du Pseudo-Longin et ces quelques faits, qu'on multiplierait aisément en citant Lucien et Pline, montrent comment un concept propre à la philosophie du Portique avait acquis, en même temps que l'anonymat, le statut d'une évidence commune. La théorie de la représentation avait aux yeux des Alexandrins assez de vigueur et de nouveauté pour servir d'axiome aux critiques de l'art figuratif, à ses historiens et aux maîtres de l'art rhétorique. Elle offrait en effet une alternative, à la mesure des créations alexandrines, à l'hypothèse de l'imitation, serait-elle entendue au sens que lui donnait Aristote au chapitre IV de la *Poétique*. « La *phantasia* est une ouvrière plus sage que l'imitation. L'imitation ne peut en effet créer que ce qu'elle a vu,

---

1. Voir E. Panofsky, *Idea, Ein Beitrag zur Begriffsgeschichte der älteren Kunsttheorie*[3], Berlin, 1975, en particulier p. 6 à 13. La conférence fut prononcée en 1924, dans le cadre des *Vorträgen der Bibl. Warburg*.

2. Voir *Ancient view of G. A.*, p. 63 à 65, et tous les textes réunis dans le glossaire sous le terme *phantasia*, p. 201 à 205.

mais la représentation, également ce qu'elle n'a pas vu. Elle le présentera en manière d'hypothèse et par un mouvement d'anaphore à partir de ce qui est » (Philostrate, op. cit., ibid.). Elle justifie cette unité des arts et des sciences illustrée par le mouvement épistémologique continu qui traverse les images plastiques ou picturales, les planches d'anatomies, les modèles réduits astronomiques, jusqu'aux traités les plus audacieux de la théologie physique. Les premières qui, dans la perspective des *Canons* de peintres et de rhéteurs établis à Pergame et Alexandrie, sont censées avoir précédé les élaborations discursives déposées dans les livres, jettent, au moyen d'une dissociation exhibée dans le procès de l'histoire et machinée par la nature, une lumière singulière sur ce pouvoir d'appréhension synthétique qui caractérise la visée scientifique, bien qu'il soit inassignable directement. Cette faculté de vision a donc une fonction heuristique supérieure à l'abstraction et, sur ce point encore, la thèse est stoïcienne : les arts et les sciences sont comme des « sens nouveaux » qui mènent à leur perfection les sens naturels. Elle résulte d'ailleurs d'un raisonnement tout philosophique et indirect, car l'existence de représentations cataleptiques et de « prénotions » conceptuelle est inférée, en dernier ressort, de l'existence des arts et des sciences[1].

D'où l'on voit mieux le rôle de la traduction discursive des représentations. Elle analyse la qualité donnée selon ses aspects physiques, ce en quoi elle s'avère être strictement une *phénoménologie*. Loin d'être limitée à la seule position des données de conscience sans thèse d'objet, cette phénoménologie arrache bien au contraire la conscience à ses affects et, tel un argument protreptique, restaure la plénitude du signe dans l'affection. En outre, le moment discursif qui double l'appréhension représentative ouvre une possibilité réflexive et critique. C'est alors que la raison humaine prend conscience d'elle-même

---

1. Sur l'unité des sciences et des arts traités comme des « sens nouveaux », cf. Cicéron, *Premiers académiques,* II, X, 31. Egalement, Plutarque, *Vie de Démétrius,* § 1. Sur la fonction conceptuelle des prénotions, cf. V. Goldschmidt, Remarques sur l'origine épicurienne de la prénotion, in *Les stoïciens et leur logique,* Paris, 1978, p. 155 sq.

et passe par un mouvement continu de la simple analyse des représentations à leur critique, éventuellement à leur rejet. « Pour quelle fin
avons-nous reçu la raison discursive de la nature ? Pour user de nos
représentations comme il se doit (Epictète, *Entretiens*, I, XX, 5). Si
l'éthique s'enseigne, elle commence avec ce commentaire catégorial et
critique des affections humaines.

On a rappelé jusqu'ici qu'une « genèse » de droit délimite le
champ de l'activité rationnelle à partir de la représentation, tandis
qu'une analyse de fait la définit comme phénoménologie. Ce double
mouvement constitue ce que Philodème appelait la *semeiosis* stoïcienne ; Chrysippe en a énuméré les cinq formes avec le sentiment
d'en avoir épuisé les ressources (DL, VII, 79). On tentera ailleurs de
définir ces modes inférentiels à partir des moyens linguistiques retenus
pour réverbérer dans la langue quelques conditions physiques et
anthropologiques de la représentation. Donc à partir de cette *oikeiosis*
que les sens ménagent entre l'homme et la nature. Considérons pour
l'instant le maillon le plus fragile de cette déduction, l'assujettissement
des formes discursives aux signes représentatifs, en adoptant une perspective synchronique suggérée par la diaspora (et le succès) de cette
thèse stoïcienne dans les arts et les sciences alexandrins. Ainsi
recevra-t-on cette logique « spéculative », au sens scolastique et kantien du terme[1], de ses usagers mêmes.

Le prologue de *Daphnis et Chloé*, auquel on s'attachera dans la suite,
isole et traite, avec une élégance et une clarté souveraines, cette subordination du champ discursif à la synthèse énigmatique d'une image, traitée
comme un signe.

II

Le détour ne va pas sans explication. On a dit que, réservant la
systématique, on voudrait vérifier la puissance des concepts stoïciens
dans la synchronie des arts et des sciences. A charge de justifier le

---

1. Sur l'opposition spéculatif/critique, voir Kant, *Logique*, Introduction, IV :
Abrégé d'une histoire de la philosophie.

changement d'échelle et d'optique, le choix des textes et les limites de la période prise en compte.

Le traité *Du sublime* témoigne de l'autorité de la logique stoïcienne sur les arts rhétorique et poétique dans le siècle qui a précédé la seconde sophistique[1]. On multiplierait aisément les indices en consultant les traités de grammaire, les manuels de logique et les textes de méthodologie scientifique[2]. Si nombreux soient-ils, ils n'authentifieraient pas pour autant la cohérence d'un système, on veut dire : la subordination du discours (en tant que description et analyse) à un état représentatif subi ou construit. On laissera aussi toute considération de source ou de filiation au nom de la maxime kantienne que la logique est « anonyme »[3]. Dans les termes de Wittgenstein : elle prend soin d'elle-même.

Le point de vue synchronique se recommande de la manière même dont les Grecs ont créé leur logique, par une analyse régressive partant du fait et de la didactique des sciences. Ce tour ne connaît pas d'exception. L'argument platonicien tiré de l'existence des sciences fut, concurremment à d'autres, le raisonnement le plus puissant en faveur de l'anamnèse et de la position des formes. Du moins est-ce celui qu'Aristote a réfuté avec le plus de considération et celui qu'il jugea bon de rectifier[4]. Joignant les arts aux sciences, les stoïciens n'ont pas varié le principe, bien qu'ils en aient modifié les conclusions. « Quel peut être le résultat de l'art si celui qui doit

1. Voir D. Russell, *On the Sublime,* Introduction, II : *Date and Autorship.*
2. Outre les travaux de Barwick et de Robins, voir la récente étude de Jan Pinborg, Historiography of Linguistics. Classical Antiquity : Greece, dans *Current trends in Linguistics* (13, 1975), p. 69 à 126, et la bibliographie. L'article de M. Frede, The Origins of traditional Grammar dans *Historical and philosophical dimensions of Logic, Methodology and Philosophy of Science,* Dordrecht, 1977, p. 51 à 79, est un peu en retrait par rapport aux perspectives de Pinborg. Aucune conclusion ne peut être avancée, semble-t-il, avant une étude détaillée du traité d'Apollonius Dyscole, *Sur la syntaxe.* Pour la méthodologie scientifique, voir Strabon, *Géographie,* I, et les fragments du commentaire de Geminus sur les *Eléments* d'Euclide publiés par Heath. Le traité d'Archimède, *Sur la méthode,* devrait être étudié dans cette perspective.
3. Kant, *Logique,* Introduction, IX, trad. franç., Paris, 1966, p. 87.
4. Voir *Mét.,* A, 990 *b* 12, l'ensemble du livre M et la reprise de l'argument du *Ménon* dans *Analytiques seconds,* I, 1.

le pratiquer n'a pas perçu beaucoup de vérités ? » (*Acad. prem.,* II, 22). L'hypostase est déplacée des formes et des universaux aux actes de connaissance eux-mêmes. De là l'autonomie du « topos » logique, innovation et singularité du stoïcisme.

Cette perspective permettra, à défaut de la résoudre, d'instruire différemment la question d'une *histoire* de la logique, posée par Kant, traitée dans une perspective kantienne par Prantl et renouvelée par H. Scholz et I. M. Bochenski[1]. Les histoires récentes ont admis, pour l'essentiel, la division proposée par ce dernier : logique préaristotélicienne, aristotélicienne, stoïcienne, enfin logique des commentateurs[2]. Quel qu'en soit l'intérêt heuristique, cette division est contestable dans ses résultats parce qu'elle l'est dans son principe. Les deux périodes extrêmes n'ont pas d'identité réelle. La logique platonicienne, telle qu'elle est énoncée dans le *Sophiste,* est directement opposée à la dialectique éléatique. Et s'il y a un lien interne entre la dialectique de Zénon d'Elée et l'argumentation de Diodore[3], où l'on voit communément la « source » de la dialectique stoïcienne, alors tantôt la période envisagée se divise, tantôt elle en chevauche une autre. Quant à la logique des commentateurs, plutôt qu'elle n'atteste un syncrétisme de doctrine si peu vraisemblable, elle montre que le choix entre les modes *(tropoi)* aristotéliciens ou stoïciens, dont on connaissait les équivalences et leurs limites, se faisait selon la commodité. Le débat n'a pas porté sur la forme logique que l'on croit, mais sur la nature et le nombre des catégories[4]. Quant à la division principale, entre Aristote et Chrysippe, elle est moins conclue d'une confrontation des deux systèmes qu'elle n'est le résultat, prévisible d'avance, de l'assimilation de chacun des systèmes grecs à des parties complémentaires de la logique

---

1. Voir Kant, *Logique,* Introduction, II : *Abrégé d'une histoire de la logique* qui éclaire singulièrement la position qu'adopte Kant dans la Préface à la seconde édition de la *Critique de la raison pure,* trop souvent citée ; H. Scholz, *Abriss der Geschichte der Logik,* Berlin, 1931 ; I. M. Bochenski, *Formale Logik,* Freiburg, 1956.

2. I. M. Bochenski, op. cit., § 6, B.

3. Voir David Sedley, Diodorus Cronos and Hellenistic Philosophy dans *Proc. of the Cambridge Philological Soc.,* n° 203, 1977, p. 84-85.

4. Cf. la conclusion de l'*Institutio logica* de Galien et infra, chap. V.

contemporaine[1]. Elle résulte du postulat inutile, et sans grand doute faux, d'une logica perennis (l'expression est de Husserl), dont le formalisme actuel serait l'expression canonique (Scholz). La difficulté liée à la périodisation trahit une incertitude première : en liant une logique à son auteur (Aristote ou Chrysippe), ou à une école, l'historien paraît s'engager à en justifier la singularité en tenant compte du système philosophique où elle a pris naissance. Cependant que la référence extrinsèque aux articulations du formalisme contemporain contredit cette intention, et la réduit à une simple éponymie.

Peut-on concilier l'appartenance d'une logique au système philosophique qui la patronne avec sa diffusion opératoire ? Les principes stoïciens ont survécu dans les écoles byzantines et scolastiques, dans les traités de syntaxe et de rhétorique, longtemps après l'extinction du stoïcisme impérial. On doit donc admettre quelque chose comme une ingratitude des systèmes logiques qui survivent au-delà de la philosophie qui les a engendrés. Peut-être convient-il d'utiliser analogiquement la distinction proposée par Fernand Braudel[2] entre le temps bref de l'histoire politique (philosophique) et le temps long de l'histoire culturelle (celle des schèmes logiques). Mais on n'aurait là rien de plus qu'une réponse externe et factuelle à la question. Quel est le rapport des deux systèmes, le logique et le philosophique s'ils n'ont pas la même historicité ? Une logique strictement *aristotélicienne* ou *stoïcienne,* scellée dans les limites d'une philosophie ésotérique est aussi peu vraisemblable qu'un langage privé. On pensera plutôt qu'une philosophie subit sa logique autant qu'elle en explicite et accapare les intentions normatives. Et si l'on suspecte cette réponse générale et quelque peu « kantienne » à la question (« je pouvais disposer d'un travail achevé

1. Sur la fausse position de ce problème qui projette l'analytique aristotélicienne dans la logique des prédicats et la logique stoïcienne dans le calcul propositionnel, cf. John Corcoran, Remarks on Stoic Deduction, dans *Ancient Logic and its modern Interpretations,* Dordrecht-Boston, 1974, p. 169 sq. ; M. Frede, Stoic vs. Aristotelian Syllogistic dans *Archiv für Geschichte der Phil.,* 56, 1974, p. 1-32 et G. Granger, *La Théorie aristotélicienne de la science,* Paris, 1976, chap. IV et V. Cf., ici même, chap. II.

2. F. Braudel, *La Méditerranée et le monde méditerranéen à l'époque de Philippe II,* Paris, 1949, Préface, texte repris dans *Ecrits sur l'Histoire,* Paris, 1969, p. 11 à 13.

non absolument impeccable, il est vrai, des logiciens... », *Prolégomènes,* § 39), on reconnaîtra néanmoins que le mouvement de torsion au moyen duquel une philosophie ne cesse de confirmer, clarifier et justifier le type rationalité qu'elle a d'abord demandé aux arts, aux sciences et à leur didactique[1] est particulièrement sensible dans la philosophie stoïcienne. En retour, les arts et les sciences ont colporté, sans profession de stoïcisme, les structures logiques que celui-ci avaient analysées et que la conscience la plus contemporaine adopte, serait-ce à son insu, lorsqu'elle pratique la géométrie euclidienne ou lit les historiens et géographes alexandrins. Détachée du système philosophique et des exemples privilégiés auxquels celui-ci s'est attaché, elle offre in abstracto une alternative systématique à d'autres formalisations, en même temps qu'un choix stylistique potentiel. Et si l'on fait exception des logiques symboliques contemporaines, la langue dite naturelle les incorpore toutes comme autant de jeux de langage.

Nul besoin d'exposer ici la diffusion de la dialectique stoïcienne autrement que ne le laissent conclure les exemples et témoignages cités précédemment. Car la diversité des textes pris en compte ne peut qu'aider à percevoir la logique stoïcienne qu'occulte, plus que la rareté de fragments doxographiques typés, une ubiquité aveugle dans la texture du classicisme alexandrin. Le prologue de *Daphnis et Chloé* s'offre donc comme document inégalable, parce qu'il illustre, tel un artifice expérimental et à la manière d'un paradigme, une opération supposée dissimulée dans le for intérieur : la transcription analytique et discursive d'un procès représentatif[2].

---

1. On lira dans Quine une curieuse inversion de cet argument, dans la mesure où « les sentiers de l'apprentissage du langage » et de la logique doivent rendre compte de la théorisation scientifique. Voir *Ontological Relativity,* Columbia, Un. Pr., 1969, p. 78. Ce simple fait caractérise assez bien l'opposition entre les logiques spéculatives des Grecs et les logiques postcritiques contemporaines.

2. On reprendra l'analyse de ce texte au chapitre X, dans une autre perspective. Il s'agira de la diffusion « grammaticale » du platonisme par le biais de la dialectique stoïcienne, et de la constitution des genres littéraires. La traduction d'Amyot, qu'on y cite, soulignera la différence des points de vue.

III

1. En l'île de Lesbos, chassant dans un bois consacré aux Nymphes, je vis la plus belle chose que j'aie vue en ma vie : une image peinte, une histoire d'amour. Il était beau, sans doute, ce bois aux arbres épais, plein de fleurs et de frais ruisseaux ; une seule source nourrissait à la fois les arbres et les fleurs ; mais la peinture était plus plaisante encore, car avec un art merveilleux elle représentait une aventure amoureuse, si bien que beaucoup de gens, même étrangers, venaient là, sur ce qu'ils en avaient ouï dire, pour prier les Nymphes, assurément, mais aussi pour contempler la peinture. 2. On y voyait des femmes accouchant, d'autres emmaillotant des nourrissons, des enfants exposés, des bêtes qui les nourrissaient, des pâtres qui les recueillaient, des jeunes gens se faisant des promesses d'amour, une descente de pirates, une invasion d'ennemis. Je vis encore bien d'autres choses, et toutes amoureuses ; je les trouvai si belles qu'il me prit envie de faire en un écrit une copie de cette peinture. 3. Je cherchai quelqu'un qui m'expliquât le tableau dans ses détails et je composai ces quatre livres : c'est une offrande que je dédie à Eros, aux Nymphes et à Pan ; mais ce conte sera précieux aussi à toutes sortes de gens : il guérira le malade, il consolera l'homme en proie au chagrin ; celui qui aura jadis aimé y ravivera ses souvenirs ; celui qui n'a pas encore connu l'amour y trouvera son initiation. 4. Car nul jamais ne fut ni ne sera qui puisse échapper à l'amour, tant qu'il y aura beauté sur terre et des yeux pour voir. Pour nous, veuille le Dieu que nous puissions, sage nous-même, conter les amours d'autrui. (Traduction de G. Dalmeyda.)

E. Rohde (*Der griechiesche Roman und seine Vorlaüfer,* 1876) y vit un exemple d'*ecphrasis*[1], et un produit tardif de la seconde sophistique. La date avancée par Rohde (ve siècle) a été depuis considérablement avancée ; on s'accorde aujourd'hui pour fixer le terminus ad

---

1. Sur l'*ecphrasis,* l'étude la plus riche est, aujourd'hui encore, celle de P. Friedlander, *Johannes von Gaza, Paulus Silentiarius und Prokopios von Gaza, Kunstbeschreibungen justinianischer Zeit,* Berlin, 1912, Einleitung, p. 1 à 83. On y joindra l'introduction à l'édition des *Eikones* de Philostrate par Otto Schönberger, Munich, 1968, p. 17 à 20. Voir aussi, infra, chap. X.

quem avant 250[1]. Plutôt qu'il n'est lui-même une ecphrasis, laquelle constitue le corps même de la pastorale, le prologue réfléchit dans une fable préliminaire la composition romanesque. Il en donne l'occasion (la chasse), la méthode (description exégétique d'un tableau), le motif (une histoire d'amour) et la finalité (remède, consolation, anamnèse, éducation et action de grâces). A première vue, Longus recueille la tradition du « tableau animé », qui s'autorise de la description homérique du bouclier d'Achille. Familière aux poètes grecs et latins, la description d'un tableau insérée dans la narration proprement dite est tout autant caractéristique du roman alexandrin[2]. Mais pour avoir déplacé le procédé du roman à son prologue, Longus l'érige en art poétique. Il contraint la narration à l'exégèse d'une représentation dont la beauté et la richesse suscitent le récit autant qu'elles en fournissent la matière. La même intention anime le premier chapitre des *Eikones*[3] et le fragment du *Traité du sublime* déjà cité.

La priorité, il est vrai, en revient aux maîtres du Portique qui associèrent à l'ecphrasis une théorie de la prose narrative et une déontologie. La représentation est, par nature, spontanément « loquace » (ἐκλαλητικὴ ὑπάρχουσα, DL, VII, 49). L'art rhétorique et dialectique ne fait que tirer parti de ce bavardage premier : « La pensée formule ce qu'elle éprouve du fait de la représentation et l'exprime par le discours. » Le terme de λαλιά désigne communément le babil de l'enfant, la voix

1. Sur la datation approximative de *Daphnis et Chloé,* voir Ben Edwin Perry, *The ancient Romances,* Berkeley, 1967, p. 350, n. 17 ; B. P. Reardon, *Courants littéraires grecs des II*[e] *et III*[e] *siècles après J.-C.,* Paris, 1971, p. 336 ; Michaël C. Mittelstadt, Longus : Daphnis and Chloe and Roman narrative Painting, *Latomus,* 26, 1967, p. 752-761 ; les dates proposées varient entre 150 et 250.
2. Voir, entre autres, Achille Tatius, *Les aventures de Leucippé et Clitophon,* I, 1 (enlèvement d'Europe), II, 6 (Andromède et Prométhée), V, 1 (le rapt de Philomèle, violée par Térée) ; Philostrate, *Vie d'Apollonius de Tyane,* I, 25 (scènes mythologiques et historiques) ; Héliodore, *Les Ethiopiques,* I, 1 : « Le destin avait disposé sur ce petit espace mille tableaux. »
3. Philostrate précise que ses discours ont pour origine les peintures (ἀφορμαὶ τῶν λόγων, 295 K 15) leur contenu est une exégèse (ἑρμηνεύειν τὰς γραφάς, 295 K 35) et leur fin une ecphrasis savante (σαφῶς φράζοιμι, 296 K 4).

inarticulée de l'animal ou de la flûte, la conversation qui introduit l'entretien dialectique (*Euthydème*, 287 *d*) ou encore les propos enrobés du menteur (Sophocle, *Philoctète*, 110). C'est également le nom de la partie introductive de l'epideixis, ou de l'exposé sans prétention argumentative, qui circonscrit un thème et l'ébauche sans analyse (cf. les *Laliai* de Lucien). L'éducation lui confère cinq vertus rhétoriques (DL, VII, 59) : hellénisme, clarté, appropriation, construction, brièveté. Le lexique *Suidas* a retenu la liste stoïcienne, préférée au choix péripatéticien : clarté, appropriation, pureté, ornement. Sanctionnant donc l'intention stoïcienne et le privilège de la justesse de l'expression sur le plaisir de l'écoute. Soient cette *apheleia* revendiquée par la seconde sophistique, la construction qui noue dans une même période les implications du sujet, et la brièveté qui s'efforce d'en resserrer les aspects dans une vue continue. L'art de l'expression (Epictète, *Entr.,* II, XXIII, 1) transforme le bavardage en *ecphrasis,* ce compte rendu exact propre au messager de la tragédie, et cela même qu'Hermès exige de Prométhée : « dis-moi exactement chaque chose » (Eschyle, *Prométhée enchaîné,* 950). Perfection rhétorique de la parole qui fait valoir l'apparence, incline à l'assentiment et prépare l'usage des critères de la dialectique.

Les arts donnent des règles à l'exercice commun et quotidien de l'affection sensorielle. En chacun de ses points l'univers est un signe ; selon la formule resserrée de Cicéron il est partout « capable de perception »[1]. Chaque aperception singulière, pour qui sait l'interpéter, détient potentiellement la plénitude de ces tableaux « rencontrés par hasard » par les héros de roman ou le romancier lui-même. Il reste que les points épiphaniques du monde se distinguent par la qualité de qui en recueille et analyse la vision. Dieu a besoin des hommes, écrit Epictète, comme spectateur de lui-même et de ses œuvres, « non seulement leur spectateur mais aussi leur exégète » (*Entr.,* I, VI, 19). Le tableau relaie la perception non armée et prépare un commentaire à la mesure du Dieu, c'est-à-dire de la nature. Ainsi la vision représentative (pour reprendre le latin alexandrin de Quintilien) cumule les trois propriétés que Platon associait au reflet, au miroir et à l'œil. Comme

---

1. Aptior ad sensus commovendos, *De natura deorum,* II, XI.

le reflet (*Phédon,* 99 *d*) elle ménage une vision de la réalité, moins abrupte que le contact ou le simple pathos sensoriel et réduite au schème essentiel de ses traits diacritiques *(notae)*. Elle opère en outre une synthèse ou une focalisation comme le miroir, la surface polie d'un bouclier ou la pupille de l'œil. Comme le miroir (*Sophiste,* 266 *b* 9 *c* 4), elle donne une image réfléchie, sans être pourtant asservie aux limites d'un champ réflexif réel. La pensée compose en effet, comme fit Zeuxis pour peindre son Hélène, des représentations factices à partir des représentations données (DL, VII, 53), procédant ainsi par « hypothèse et anaphore ». Comme l'œil (*République,* VI, 507 *c-d*) elle unit la lumière extérieure et le mouvement propre de l'âme. Divisant l'apparence, elle détermine un objet au travers de la luminescence épiphanique. Et de même que l'œil propose à la réflexion du philosophe un paradigme de l'activité cognitive, la représentation composée sur le *pinax* est un modèle satisfaisant de la représentation intérieure. Comme le tableau, celle-ci n'est pas une chose, mais « comme une chose » (DL, VII, 69). Ici s'arrête l'analogie platonicienne. Si l'exégèse délivre la force spéculative de la représentation, elle en marque les limites. Le *lecton* a un pouvoir sémantique délégué du *phantaston*. D'où il suit que l'analyse de la représentation résume une thèse de traduction réciproque, donnée sous forme mythique dans le *Philèbe* et selon laquelle la mémoire, dans sa rencontre avec les sensibles « écrit en nos âmes des discours »..., puis, « un peintre, qui vient après l'écrivain dessine dans l'âme des images correspondantes aux paroles » (39 *a* 2, *b* 2). Le discours stoïcien est un avatar de la représentation, serait-ce au prix d'une exégèse avertie dont les maîtres du premier stoïcisme ont laissé quelques exemples. Montrant par là qu'ils tenaient pour équivalentes dans leurs méthodes et dans leurs résultats l'interprétation des noms imagés des dieux[1], celle des peintures mythologiques, la science des haruspices et la modeste interprétation dialectique des représentations quotidiennes.

---

1. Voir l'étymologie d'*Apollon* proposée par Cléanthe : le nom est interprété comme un relevé graphique des positions successives du soleil à son lever (Macrobe, *Sat.,* I, 17, 8, *SVF,* I, 540).

Sénèque rapporte au deuxième livre du traité des *Bienfaits* comment Cléanthe enseignait à ses disciples que la vertu ne saurait se soumettre au plaisir. La démonstration prend pour point de départ un tableau « quam Cleanthes sane commode verbis depingere solebat » (XXI, 69). Les vertus agenouillées aux pieds d'une figure allégorique de la *Volupté* en reçoivent ordres et conseils, et lui retournent leur hommage. La composition rappelle cet *Hercule aux pieds d'Omphale,* dont les Anciens reconnaissaient d'emblée la leçon éthique[1]. Le mouvement qui va de la volupté aux vertus et revient de celles-ci à celle-là, se clôt sur lui-même, manifestant que le plaisir impose son propre microcosme et rend ses adeptes insoucians de la vie universelle : « aliud negotii nil habemus ». La démonstration de l'insanité du plaisir (« pudebit te illius tabulae ») se conclut a contrario de cette introversion contre nature. Traversant le sens anecdotique de la scène, elle administre la leçon par une exégèse εἰς τὰ φυσικά, selon l'expression du grammairien stoïcien Chairémon[2]. De Chrysippe, on connaît le commentaire d'un tableau figurant la ronde des Grâces, où le stoïcien reconnaît un diagramme de l'échange des actes vertueux. « Parce que le bienfait forme chaîne et tout en passant de main en main ne laisse pas de revenir à son auteur » (ibid., I, III, 207). On y joindra le commentaire du *Canon* de Polyclète[3] et le titre, énigmatique, il est vrai, d'un traité : πρὸς τὰς ἀναζωγράφησεις (DL, VII, 201). Il est possible que son contenu ne soit pas étranger aux commentaires « physicalistes » des tableaux mythologiques qui émurent ses lecteurs. « Dans le traité *Sur les anciens physiciens,* il décrit

---

1. Voir Plutarque, *Comparaison de Démétrius avec Antoine,* IV. « Souvent Cléopâtre désarmait Antoine et l'attirait à soi » comme dans ces tableaux où Omphale ôte secrètement à Hercule sa massue.

2. Hiérogrammairien et égyptologue, contemporain de Cornutus, qui enseigna Néron. Il dirigea la bibliothèque d'Alexandrie. Voir *Grammatici Graeci,* II, 1, fasc. 2, 248.

3. Rapporté par Galien, *Placita Hipp. et Platonis,* V, 3. Chrysippe en tirait une définition par analogie de la santé de l'âme. Elle est dans le rapport des parties d'un tout animé plutôt que dans la mesure absolue des éléments. Sur la signification du *Canon* de Polyclète, voir E. Panofsky, *Meaning in the visual Arts,* 1955, trad. fr., Paris, 1969, p. 65, qui cite et analyse le passage de Galien.

d'une manière honteuse ce qui concerne Héra et Zeus... Il raconte, dit-on, la plus indécente de ces anecdotes qui, bien qu'il la loue pour sa signification physique, convient plus à de mauvais lieux qu'à des dieux, et que n'a enregistrée aucun de ceux qui écrivent sur les tableaux » (DL, VII, 187-188).

Dans tous ces exemples, le tableau est reçu, au mépris de son sens anecdotique et premier perçu, comme un modèle réduit des « choses physiques et divines ». L'interprète se règle sur le diagramme de l'acte plutôt que sur les personnages *(hypocrites)* qui le manifestent ; il privilégie les manières d'êtres, simples et relatives au détriment des couleurs et des qualités diacritiques qui individuent les acteurs. Le principe dominant de l'exégèse « eis ta phusika » induit ainsi un rapport d'analogie entre l'*ecphrasis* stoïcienne et la méthode qui, par le biais des catégories, associe la structure de l'énoncé aux aspects de la représentation. L'analogie fut assez puissante pour conférer, avec le statut d'une récognition, une interprétation *sémantique* à la prédication et à la subordination. D'autant qu'elle évinçait la logique strictement oppositionnelle que suggère d'abord l'organisation diacritique des affections sensibles. De là aussi résulte la fonction protreptique de la grammaire stoïcienne. Que cette analogie n'épuise pas aisément la syntaxe diversifiée de la langue naturelle, les stoïciens ne l'ont pas ignoré, si l'on en juge d'après leur effort pour dériver de l'apophantique (et du mode indicatif qui lui est grammaticalement associé) les formes rhétoriques dénombrées par Protagoras (DL, VII, 66 sq.)[1]. Mais il serait outrecuidant de mépriser la manière paradigmatique des grammairiens grecs en général, et des stoïciens en particulier, alors que nous ne possédons, aujourd'hui encore, aucune grammaire rendant compte effectivement de tous les énoncés d'une langue naturelle.

Cette analogie rappelle à point nommé, pour dogmatique qu'elle fût dans la philosophie stoïcienne, comment la longue expérience picturale et tragique des Grecs a préparé la dissociation entre le moment de la représentation et le moment judicatoire de l'énoncé qui l'analyse,

---

1. Voir DL, IX, 53. Souhait, interrogation, réponse, injonction.

et la démet éventuellement de son charme. Amateur de spectacle, c'est
le signe du véritable Athénien : cette formule n'est pas de Nietzsche,
elle est d'Héliodore (*Ethiopiques,* II, 1).

IV

Le prologue de Longus oppose deux manières de percevoir le
tableau situé au cœur initiatique du temple des Nymphes, peinture
« plus charmante » encore que le bois sacré lui-même. Mus par une
curiosité d'ouï-dire, les pèlerins conjuguent le culte des Nymphes et la
contemplation de l'image (μὲν...δέ) sans comprendre leur unité. Vision
latérale du tableau, étirée de scène en scène au gré de la distribution
spatiale. De cette perception relève la première description menée sans
art, à la manière d'une *lalia.* Longus, saisi par la beauté du tableau qui
semble interdire une interprétation triviale, interroge le hiérophante et
transforme la simple vision en épiphanie, les épisodes en destin, les
spectateurs en exégètes et les pèlerins en mystes. Pour le lecteur, le
récit se fera initiation, anamnèse ou consolation. La leçon, intempo-
relle comme l'image, s'adresse aux trois moments de la conscience et
en guérit les trois maux : regret de ce qui fut, ignorance de ce qui sera
et souffrance d'une passion actuelle. Longus, quant à lui, se libère de
la passion amoureuse par l'intelligence de ses signes et de ses fins dès
lors qu'il en est le panégyriste et l'historiographe[1]. « Quant aux
charmes de la chair, que d'autres ont pris pour but, une des filles de
mémoire les mène à leur fin » (DL, VII, 30, épigramme d'Athénée sur
les stoïciens).

Les quatre phrases composant le prologue développent toutes les
phases de l'affection et de sa libération. Vient d'abord la catalepse quasi
animale des pèlerins. Incapables d'une conscience sémiotique et de la

---

1. Cf. Epictète, *Entretiens,* II, XIV, 29. Epictète compare le monde à une foire et
ses habitants aux marchands. Bien rares sont ceux qui sont attentifs au spectacle de la
foire. La sagesse de ces derniers, qu'épargne la passion du lucre, est caractérisée par
trois actions consécutives : ils regardent, ils s'interrogent sur ce qu'ils voient, ils en
font le récit (σχολάσουσι ἱστορήσαντας).

« conduite du récit »[1], ils sont accaparés par la simple récognition de l'objet. Comparables en cela à l'oiseau qui convoitait les raisins peints par Zeuxis, ou à ces Athéniens qui accueillirent avec des cris sa *Famille de Centaures,* au mépris de l'art et du détail de l'exécution[2]. Pour de tels spectateurs, l'image est le miroir qui réplique leur passion. Viennent ensuite l'étonnement admiratif du chasseur, l'interprétation du hiérophante, le récit analytique et public enfin la guérison du lecteur par l'initiation aux choses divines : cette économie confère à l'art poétique la noblesse des disciplines philosophiques. « Seul le sage est "poète" et seul le sage est "sublime" parce qu'il sait participer à tout ce qui advient de sublime à un homme généreux. »[3] Du moins est-ce sur cette hypothèse que se construit et s'innocente l'acte littéraire.

Aussi le propos de Longus se résume-t-il dans une formule juridique : ἀντιγράψαι τῇ γραφῇ, payer un tribut à l'image en la transcrivant fidèlement. La possibilité en est d'ailleurs tacitement posée dès l'asyndète de la première phrase : « J'ai vu une image peinte, une histoire d'amour. » Sur quoi repose cet axiome de traductibilité intégrale ? Il

---

1. Voir E. Cassirer : « La différence entre le langage propositionnel et le langage émotionnel définit la véritable frontière entre le monde humain et le monde animal... », il n'y a pas une seule preuve « qu'un animal ait jamais effectué le pas décisif menant du langage subjectif au langage objectif, du langage affectif au langage propositionnel » (*Essai sur l'homme,* trad. fr., Paris, 1975, p. 50). Ce jugement traduit assez fidèlement l'intention des stoïciens. Ils ont caractérisé le langage humain par la propriété d'être « messager et interprète » comme le sont les sens — l'activité psychique la plus humble (Cicéron, *De la nature des dieux,* II, LVI, 140). Encore qu'il y en ait un usage bavard et un usage descriptif.

2. Voir Lucien, *Zeuxis ou Antiochus,* 7. Le texte de Lucien laisse entendre que les Athéniens furent sensibles à l'étrangeté du sujet auquel ils répondirent par cris spontanés (comme le cheval d'Alexandre hennissait à la vue d'un cheval peint). Insensibles à l'art même et à l'expression, ils avouent leur cécité « sémiotique ».

3. Voir Strabon, *Géographie,* 1-2, 3 : « Tout poète, au dire d'Eratosthène, vise à la séduction, non à l'instruction. Les Anciens étaient d'un autre avis. Ils tenaient la poésie pour une sorte de philosophie première, qui doit nous introduire à la vie en nous tirant de l'enfance. Ma propre école, le stoïcisme, affirme que seul le sage est poète. » Voir également DL, VII, 60 : « Une poésie est un poème qui tient sa signification de ce qu'il imite les choses divines et humaines. » La leçon est donc plaisante comme celle de l'image, mais scellée comme elle. Le commentaire dialectique la mène à l'explication. Enfin seul le sage tire tout le sublime des représentations qui lui adviennent : cf. Stobée, citant Zénon, *Ecl.,* II, 7, 11 (*SVF,* I, 216).

est posé, faute d'une preuve directe. Faute également de montrer cette genèse de droit et cependant inassignable que postule tant la structure du prologue que celle du lieu logique stoïcien, et que résume la formule du Pseudo-Longin. Longus ne donne à la vérité rien d'autre que les relais du travail analytique, corrigeant le premier récit (λαλιά) par l'ecphrasis instruite. Et si l'on demandait un argument indirect, on retrouverait l'évidence de sens commun à laquelle Cicéron recourrait après d'autres : « Et pourtant ce sont des tableaux et non de la poésie qu'il [Homère] nous fait voir. »[1] La cause est donc jugée par ses effets, le discours demande son droit à une phénoménologie épiphanique. Ainsi l'équation finale, qui égale le dit au représenté, projette à son principe un postulat : seule la représentation en tant que signe détient le pouvoir de susciter une récognition et une anticipation heuristique, où se constitue le système des énoncés et des « significations » linguistiques. Tout comme l'ensemble des théorèmes euclidiens s'appuie sur les postulats des constructions géométriques.

Cette priorité de l'image-signe se manifeste encore, et avec plus de force, dans sa beauté énigmatique. Elle ouvre, parallèlement au procès analytique, celui d'une initiation qui motive et entretient le labeur de l'analyse. Le tableau suscite l'étonnement (θαῦμα) et requiert, outre l'exégète, pas moins de quatre livres pour mener à terme la dialectisation de son contenu. Le mouvement est socratique si la méthode ne l'est pas : admiration première, exégèse du maître qui vaut un détour par les choses divines, puis ecphrasis qui porte l'apparence à sa vérité. Mais le maître n'est qu'un théologien (physicien) plus averti que le disciple, et le livre s'épuise dans la description d'une réalité immanente : ἐξεπονησάμην, écrit Longus, rappelant par l'aoriste moyen et le préfixe le lent travail de l'analyse. La forme verbale, ou plutôt son équivalent latin, a été admirablement expliquée par Pline. « Je voudrais que l'on interprétât mes intentions d'après celles de ces fameux créateurs qui mettaient à des œuvres achevées, même aux chefs-d'œuvre que nous ne cessons d'admirer, une inscription suspensive telle : Apelle ou Polyclète, y travaillait — comme si l'art était une chose tou-

_____

1. *Tusculanes,* V, xxxix, 114.

jours commencée et toujours inachevée » (*Histoire naturelle,* Préf., I,
26-27). La modestie de l'écrivain répond à la majesté de l'office d'historiographe. C'est dire que tous les arts se mesurent par rapport à la
plénitude simultanée de la nature, dont ils sont le dévoilement partiel
et analogique. Seul le double rôle de la représentation peut justifier
l'hypothèse génétique (γεννητικὸν τοῦ λόγου) et en révéler la valeur systématique. Elle unit de manière indéfectible la fonction heuristique du
modèle réduit à la force initiatique du signe. Il faut admettre le caractère épiphanique de la représentation si elle doit être un schème fiable
de la nature, et le support des définitions et théorèmes — comme le
sont la sphère d'Archimède, la figure des trois Grâces ou la
représentation du Plaisir asservissant les Vertus. En retour, le succès
heuristique des modèles réduits et, de manière générale, celui des
sciences et des arts, confirme les propriétés épiphaniques du diagramme, en supposant une cause à la mesure de ses effets. Et plutôt
que d'y voir la généralisation du sophisme des haruspices, qui confirment la valeur des signes par le succès de leur interprétation, on
reconnaît ici le raisonnement nécessairement circulaire d'une philosophie spéculative.

L'image, à laquelle Longus demande la substance de son livre,
assume à son tour les deux fonctions de modèle réduit et de signe. Le
tableau schématise et anticipe les épisodes du récit comme la vision
d'ensemble du destin (τύχην ἐρωτικὴν ἔχουσα). Le romancier dispose
alors d'une vision synoptique et la communique à ses lecteurs, comme
l'historien « se doit de faire en sorte que ses lecteurs puissent
embrasser d'un seul regard les ressorts qu'il (le destin) a fait jouer
pour produire tous ces effets ensemble » (Polybe, *Histoires,* Préf. 4).
Par sa constitution même, le tableau est l'emblème d'une capacité
synoptique, puisque les lenteurs et l'ordre linéaire de la conscience
temporelle et discursive lui sont épargnés. Il participe même de la
vision que le dieu pourrait prendre de la succession des événements :
« divinitati omnia preasens ». Qui a vu le tableau d'ensemble en sait
plus que les héros du drame, aveuglés qu'ils sont par leurs tribulations ; de même que, selon Sartre, Mauriac prend à l'égard de ses
caractères la position d'un dieu clairvoyant : « Il a choisi la toute-

connaissance et la toute-puissance divines. »[1] Mais Longus a de meilleures raisons que le romancier français.

Pris en lui-même, le prologue a l'unité d'un drame, préliminaire au drame narré. On apprend, au terme du récit, que ce prélude est en réalité le dernier épisode de l'histoire principale. L'image qui interrompt fortuitement la chasse de Longus a été dédiée par les acteurs de la pastorale. « Ils ornèrent la grotte des Nymphes, y consacrèrent des images et y élevèrent un autel à l'Amour Berger. » En réalité, l'initiative vient de plus loin encore. Ces bergers sont l'instrument d'Eros, comme le révèle l'invective de Pan aux ravisseurs de Chloé : « Vous avez arraché aux autels une jeune vierge dont Eros veut faire une histoire exemplaire » (II, 27). Ainsi le Dieu, dans la succession des événements et dans l'épiphanie de son pouvoir, a seul fomenté le drame. Il a machiné tout ensemble les amants, l'image votive et le récit, par le truchement des passions et des arts humains. De ce drame, Longus n'est que le récitant, l'image est son emblème. L'épiphanie rend compte du bon usage qui fut fait du modèle réduit.

De là découlent aussi les deux caractères du roman que la *Suidas* et la *Bibliotheca* de Photius désignent comme λόγος ἱστορικὸς καὶ ἐρωτικός. Il participe en effet de l'histoire et du genre initiatique du *Banquet*. Outre l'artifice de composition que nous venons de rappeler, la fonction initiatique du récit est patente dans les rôles conjugués de l'auteur, des héros, et des lecteurs. Longus, qui révèle le tableau puis s'efface dans son récit, est comparable à ces personnages peints de dos qui, dans les peintures de la Renaissance, introduisent les spectateurs dans la scène évangélique ou la *Sainte Conversation*. Corrélativement, les dernières lignes du prologue demandent au lecteur un acte d'assentiment et de récognition. Qu'ils se soumettent à la tribulation amoureuse et reconnaissent le pouvoir du Dieu, maintenant qu'ils en ont compris le sens. Cette confession est encore exigée des héros mêmes du drame. La pastorale s'entretient en effet de leur incapacité à reconnaître les signes de l'amour naissant et de l'obstacle qu'y opposent l'ignorance ou la mauvaise volonté des autres personnages. A l'approche du dénouement, les scènes de reconnaissance

---

1. J.-P. Sartre, *Situations,* I : *M. François Mauriac et la liberté,* Paris, 1947.

et de contrat de mariage valent comme autant d'assentiments. « Chloé comprit » est le dernier mot du récit. La pastorale s'abolit alors dans son sens physique et divin, l'image dédicacée est la confession publique de cette intelligence toute récente[1].

On reconnaîtra encore la double fonction de l'image sur quelques exemples de la peinture murale hellénistique. La fresque, ou le tableau inséré dans l'épaisseur du mur sans cadrage apparent (ἔμβλημα) imposent, plutôt qu'une irruption de l'espace mythique dans l'espace quotidien, une acculturation de celui-ci et une invitation à constituer la demeure comme temple c'est-à-dire comme *nature*. L'image est à la fois l'occasion d'un recueillement initiatique et le modèle anticipateur d'une situation toute humaine. C'est du moins ce que suggère le cycle pictural de la *Villa des Mystères* qui serait, selon les conclusions de Michaël Mittelstadt[2], contemporain de la pastorale de Longus. On en manquerait le sens si l'on voulait n'y voir que le spectacle distancié des épisodes successifs d'un rite nuptial. De ce rite, la peinture ne montre que les premières étapes chargées de leurs corrélations et attributs mythiques. La scène finale ou plutôt centrale, le mariage, n'y est pas représentée. Elle sera effectivement jouée dans l'alcôve à la porte de laquelle la fresque s'interrompt. De manière analogue, le tableau que décrit Longus ne contient pas la scène des épousailles parce qu'il est avec elle dans un rapport de contiguïté et d'hypallage. Dernier épisode de ce « destin amoureux » l'ex-voto implique l'heureuse consommation du mariage dont il est l'action de grâces en même temps qu'il

---

1. La confession (ou *recognitio*) est demandée aux lecteurs comme aux acteurs. Voir en particulier Achille Tatius, *Leucippé et Clitophon*, 1. L'auteur a décrit un ex-voto représentant le rapt d'Europe advenu dans le site même (la baie de Sidon) où, venant de débarquer, sa promenade lui fit découvrir la peinture : « J'admirais fort tout le tableau en qualité d'éternel amoureux, attachant surtout mes regards à l'Amour entraînant le taureau et je disais : Tiens, regarde comme cet enfant règne sur le ciel, la terre et la mer. Comme je disais ces mots, un jeune homme qui se trouvait debout, à côté de moi, s'écria : j'en suis moi aussi un exemple, moi qui ai dû souffrir tant de maux de la part de l'Amour. » Les romans alexandrins plus tardifs portent le titre explicite de *confession* (*Confession de saint Cyprien, Confession du Pseudo-Clément*). L'analogie entre ce dernier et la *Vie d'Apollonius* a été signalée par E. Perry, op. cit., p. 295.

2. Art. cité, n. 32.

en montre les antécédents. Cette structure une fois reconstituée, les épisodes (exposition d'enfants, descente de pirates...) perdent leur caractère d'accidents fortuits : ainsi s'opère le retour des choses humaines aux choses divines[1].

Le signe représentatif est un appel (signe) et un modèle (il ébauche une action). « En sortant de l'école, Zénon tomba et se cassa le doigt. Il frappa la terre et dit ce mot de *Niobé* : "Je viens, pourquoi m'appelles-tu ?", et il se laissa mourir sur le champ par étouffement » (DL, VII, 28). Le rappel d'une scène de la tragédie modélise l'incident au profit de la signification physico-théologique et en prépare, consécutivement, la réponse.

V

Si telles sont les deux fonctions de la représentation, son rôle dans la genèse du discours exclut toute interprétation exclusivement empirique ou psychologique. L'hypothèse génétique n'implique en effet ni le sensualisme ni la priorité d'images mentales. Mais on jugera de sa portée systématique si cette genèse de droit rend compte de quelques particularités stylistiques et logiques, le plus souvent

---

1. On ne saurait donc s'associer à l'opposition entre l'art romantique (chrétien) et classique (grec) que Heine, après Hegel, argumente sur l'exemple de la peinture : « La différence consiste en ce que les figures plastiques, dans l'Antiquité, sont entièrement identiques à ce qu'elles doivent représenter. Par exemple la vie errante d'Ulysse ne signifie rien autre chose que la vie de l'homme qui était fils de Laerte, mari de Pénélope et qui se nommait Ulysse ; le Bacchus que nous voyons au Louvre n'est rien autre chose que l'aimable fils de Sémélé, les yeux remplis d'une mélancolie audacieuse. Il en est autrement de l'art romantique. Là, les vains pèlerinages d'un chevalier ont en outre une signification ésotérique » (*De l'Allemagne,* I, p. 256). Aussi douteuse est l'interprétation du roman grec que suppose cette phrase de E. Zola : « Les jeunes gens, jusqu'à cette nuit de troubles, avaient vécu une de ces naïves idylles qui naissent au milieu de la classe ouvrière, parmi ces déshérités, ces simples d'esprit, chez lesquels on retrouve encore parfois les amours primitives des anciens contes grecs » (*La fortune des Rougon,* éd. Pléiade, p. 170). L'éditeur note que Zola avait préparé un essai sur le roman grec, où il écrit de *Daphnis et Chloé* : « épisode d'une grâce invincible... récit d'amour délicieusement conté ». Pour dire le moins, le sens initiatique d'*erotikos* y est perdu.

d'ailleurs passées sous silence. Tels sont l'usage de la deixis, la didactique du récit et le paradoxe de l'autonomie de la logique.

1 / Les remarques précédentes confirment le témoignage de Sextus
quant aux dogmes stoïciens : seule la représentation est critère de
vérité par sa propriété d'épiphanie, seule elle délègue au discours un
pouvoir synthétique et les règles de la consécution (ἀκολουθία) par sa
fonction de modèle réduit. Ces mêmes remarques justifient les objections de Sextus — sans préjuger ici de leur valeur. C'est en effet à
l'existence de représentations cataleptiques et au bien-fondé des inférences sémiotiques que s'est attachée la critique sceptique[1].

Ce faisant, Sextus se permet d'ignorer un bénéfice non secondaire
de l'hypothèse génétique en ce qu'elle déjoue le système de Protagoras. Si les énoncés tiennent leur force de la représentation qu'ils
analysent, les intentions et la personne du locuteur s'effacent au profit
de la représentation communiquée. L'interlocuteur est libre d'y
reconnaître ou non une représentation cataleptique, libre d'y voir ou
non le fondement d'une inférence, libre enfin de donner son assentiment ou de le refuser. La seconde sophistique y a trouvé la méthode
de l'ecphrasis, l'occasion de parer à une réputation ignominieuse, et
l'origine de ses prétentions philosophiques[2]. Longus souligne la soumission de l'énoncé au représenté par le fait qu'il se retire de son récit
après avoir annoncé qu'il serait une narration exégétique. Au-delà du
prologue, l'auteur ne paraît plus. Et parce que ce retrait est familier de
longue date, on oublie de demander à quelles conditions il fut possible, et recevable par le lecteur.

Le rhéteur Aelius Théon a justifié l'infinitif de narration. « La plupart des Anciens introduisaient ainsi leur fable, et c'est à juste titre
comme le remarque Aristote. Car ils ne la rapportent pas en leur propre
nom, ils renvoient à une autorité ancienne, de manière à atténuer l'appa-

---

1. Voir, par ex., HP, II, 135, 60, *Adv. math.*, VIII, 301-315.
2. Au livre I de ses *Vies de sophistes,* Philostrate identifie la sophistique à la rhétorique philosophante (480). Il donne à son école l'héritage socratique : ce en quoi elle
n'est pas « nouvelle » mais « seconde » (481). Si les sophistes n'usent pas de la
méthode dialectique, la raison en est qu'ils fondent leur exposé sur une connaissance
acquise et une « claire compréhension de ce qui est » (κατάληψιν σαφῆ τοῦ ὄντος) (480).

rence de relater des choses impossibles » (*Progym.*, 3). On doit donc tenir
le récit tout entier pour une longue période infinitive. A l'inverse, les
auteurs satiriques (Lucius, Pétrone, Lucien, Apulée) ont écrit en première personne. Cet usage se prévaut d'une convention tacite — « vous
pouvez et même devez ne pas me croire » — ce que Lucien revendique
insolemment : « Je décidai de mentir, mais avec plus d'honnêteté que les
autres, car il est un point sur lequel je dis la vérité, c'est que je raconte
des mensonges » (*Histoire véritable*, 1). Longus se recommande d'un
principe tout différent. Il n'assume pas la responsabilité de la fiction,
sans pour autant se retirer en faveur d'un premier narrateur, dont on
pourrait derechef suspecter la bonne foi ou l'intelligence. Le contenu de
la représentation, dont on sait que le Dieu lui-même est l'auteur,
l'artisan et le dédicataire, doit seul emporter l'assentiment. Le passage à
la deuxième puis à la troisième personne indique, stylistiquement et
grammaticalement, cette passation de pouvoir. Dès les premières lignes
de la pastorale, le *j'ai vu* du prologue fait place à un *tu croirais voir,* avant
que la persuasion ne soit remise, définitivement, au charme captateur
des lieux. Le flot qui borde l'île de Lesbos entretient de son ressac une
« psychagogie enchanteresse » en même temps qu'il délimite la scène et
l'érige en emblème de la vie pastorale. Longus a « laissé la parole aux
choses mêmes » (Sénèque, *De tranquillitate animi,* Prologue, 14).

La seconde personne ménageant la transition rappelait que tout
autre, situé à la place de Longus, aurait la même représentation ; il
serait à son égard, comme l'auteur lui-même, en position dative
(φαίνεταί σοι/μοι). La responsabilité du locuteur ne commence qu'avec
l'expression (λέγω) et le jugement (ἀξιόω) où la première personne
acquiert une nuance performative. « Celui qui dit : il fait jour, semble
approuver l'existence du jour » (DL, VII, 65). Ce sont là « choses qui
dépendent de nous » (τὰ ἐφ' ἡμῖν). Mais le jugement a ses règles, et de
même l'art de la parole. En ce sens l'*officium* de l'expression est anonyme en droit. Tout autre locuteur, soumis à pareille représentation et
pareillement instruit de l'art logique, s'exprimerait et assentirait de
même. Le *lekton* ne porte pas plus la trace du locuteur que l'oracle ne
porte la trace de l'haruspice. Il n'est pas une *déclaration* (ἀπόφανσις),
prise dans l'actualité de la parole et du travail de la formulation (ὅσον

ἐφ'ἡμῖν, ou, comme dit Longus, ἐξεπονησάμην), il est un *déclaré*, qui porte en lui-même, dans ses traits grammaticaux et syntaxiques, la responsabilité de l'expression (ἀπόφαντον ὅσον ἐφ' αὐτό)[1]. Cette définition, attribuée à Chrysippe (DL, VII, 65), souligne l'intention de lier l'énoncé (λεκτόν) au représenté (ἀπόφαντον) en éliminant la phrase subjective de l'énonciation (pronom personnel datif de l'affection et première personne des verbes de l'expression). Aussi bien est-elle confiée à un art impersonnel, et les cinq vertus rhétoriques (hellénisme, clarté, appropriation, construction et brièveté) assurent à l'énonciation l'anonymat d'une langue caractéristique[2]. La stratégie stylistique de Longus y satisfait au meilleur compte.

Mais on voit mal comment concilier l'anonymat des énoncés et la présence inéliminable des éléments déictiques dans la description. B. Russell y a décelé un facteur d'égocentricité, inconciliable avec les exigences d'une langue « bien faite »[3]. Cette analyse fut en partie confirmée par les linguistes. Les éléments déictiques, ou embrayeurs (démonstratifs, adverbes de temps et de lieu, modes, voix et temps) manifestent le procès de l'énonciation dans l'énoncé[4]. D'où il suit ou bien que l'intention de Chrysippe est prise en défaut parce que aucune langue naturelle ne peut éliminer la trace de l'énonciation dans l'énoncé, ou bien que les facteurs grammaticaux de l'énonciation, que les stoïciens ont étudiés avec minutie, sont versés à la traduction des aspects immanents à la représentation. Les catégories déictiques sont traitées comme des catégories phénoménologiques. La deixis ne renverrait donc ni à *mon* expérience, ni à l'acte singulier d'énonciation — cette phase subjective est éliminée avec la première personne — elle inscrit dans la gram-

---

1. Les différentes interprétations de cette formule sont discutées par M. Frede, *Die stoische Logik,* p. 32 à 40.
2. On a peu remarqué l'origine stoïcienne de ce concept, dont on connaît l'autorité leibnizienne. On en sait moins le rôle dans les deux premiers systèmes logiques frégéens et les conséquences antinomiques (cf. C. Imbert, La sémantique de Frege dans *Les langages, le sens et l'histoire,* Lille, 1976).
3. B. Russell, *Human Knowledge,* chap. IV.
4. Voir R. Jakobson, *Shifters, verbal categories and the Russian Verb,* Harvard, 1957 et E. Benveniste, L'appareil formel de l'énonciation dans *Langages,* n° 17 (1970), reproduit dans *Problèmes de linguistique générale,* II, chap. V, Paris, 1974.

maire de l'énoncé les déterminations actuelles de la représentation et en rappelle les conditions d'aperception. Ce par quoi elle est l'instrument du critère de vérité. Le sujet locuteur n'est donc que l'interprète stigmatisé de la représentation qu'il transmet, il s'abolit dans son message.

La statuaire hellénistique a illustré sans retenue cette stigmatisation du rhéteur par le contenu de ce qu'il dit, et plus encore Lucien pour qui le danseur est en fin de compte le meilleur herméneute[1]. Mais il suffit de s'en tenir à la définition de la rhétorique : « art relatif à l'ordonnance du discours continu » si elle inclut, comme en témoigne Plutarque, l'accent de la déclamation et la composition du visage et des gestes[2]. Toute cette mimique est portée au crédit de la chose représentée, elle est grammaticale et relève de l'epideixis de la chose plutôt que du rhéteur.

Cette apologie de l'impersonnalité du discours annule également les objections que Platon opposait au style indirect (*Rép.*, III, 394-396, *Gorgias*, 502 *d*), supposé dissimuler le rôle du narrateur et favoriser ses pouvoirs illusionnistes. Le discours direct a plus de franchise, parce qu'il contraint l'imitateur au sérieux de son rôle dans la mesure où, sur le modèle de la définition, il « nominalise » l'invariance des formes mesures et « adjective » leur état participé. Pour le dire en usant d'une classification proposée par Jakobson, Platon tient que l'épos et la diégésis tirent leur pouvoir des fonctions « conative » et « émotive ». Or en liant le récit à l'ecphrasis d'une représentation objective et publique (le serait-elle en droit), Longus fonde la rhétorique sur la fonction référentielle et subordonne, dans les dernières lignes du prologue, les fonctions émotive et conative à la didactique[3].

---

1. Voir *De la danse*, § 64 : Néron ayant fêté un prince du Pont qui le visitait par un spectacle de danse, ce dernier lui demanda le danseur en cadeau, afin qu'il lui servît d'interprète universel dans ses relations avec les royaumes barbares de son voisinage. Le § 65 compare le rhéteur au danseur.

2. Plutarque, *Des contradictions stoïciennes,* chap. 28, 1047 A. Κόσμον εἰρομένου λόγου καὶ τάξιν. Voir la note de H. Cherniss (éd. Loeb, 1976, p. 523). On comparera cette définition de la prose rhétorique à celle de la poésie (DL, VII, 60). La construction et l'expressivité remplacent le mètre et le rythme.

3. Voir R. Jakobson, Linguistics and Poetics dans *Style in Language,* New York, 1960, trad. franç. dans *Essais de linguistique générale,* Paris, 1963, p. 209 sq.

2 / Si le discours indirect et la prose narrative sont libérés de l'apparence sophistique, il reste à montrer comment ils satisfont aux exigences d'un exposé démonstratif.

Dans un parallèle opposant l'histoire à la poésie tragique, Aristote avait signalé les trois faiblesses de l'historiographie. Parce qu'elle s'attache aux individus, elle est moins philosophique que la tragédie, qui peint des caractères « généraux » (*Poétique*, VIII, 1451 *b* 6). Astreinte à narrer la succession d'événements circonscrits par une même période, l'histoire est privée de l'unité d'action propre à la tragédie (XXIII, 1459 *a* 20 sq.). Enfin, elle parvient rarement à assigner des causes, si du moins elle évite le sophisme *post hoc ergo propter hoc* (X, 1452 *a* 22). L'hypothèse génétique qui soumet la narration à la synopsis d'un tableau d'ensemble détruit le motif de ces critiques et donne à l'histoire politique et naturelle les moyens d'une démonstration. La vision d'ensemble révèle en effet une unité d'action, inaccessible à la perception des acteurs de l'histoire comme à celle des annalistes. Elle donne, comme le fait le diagramme d'une machine simple, le schéma d'équilibre et de mouvement de forces en conflit. Le récit peut alors emprunter la liaison faible de la succession (ἔπειτα) et de la conjonction (καί) des événements, il peut même s'attarder à nommer et décrire les individus, ces spécifications n'altèrent pas le schéma d'ensemble. Elles l'illustrent. Pas plus que les points et les tracés d'une figure particulière n'altèrent la nécessité géométrique ou statique. L'histoire traite de la consécution des actes dont les individus sont le suppôt et les événements la trace. Elle peut être « apodictique » parce qu'elle est « pragmatique » (Polybe, *Hist.*, II, III, 37). Seule la vision d'ensemble libère la connaissance des causes véritables de l'illusion des « commencements » : elle simule l'unité d'action et la nécessité du destin[1].

---

1. Polybe, *Hist.*, III, 6, 1. Hegel a reconnu dans l'histoire *pragmatique* une histoire réfléchie : « Les conditions générales, l'enchaînement des circonstances ne sont plus enfouis, comme auparavant, dans les faits particuliers, individuels, mais deviennent eux-mêmes un fait : ce n'est plus le particulier, c'est l'universel qui apparaît désormais à la surface. Il serait vain de vouloir élever des faits purement individuels à une telle universalité. Mais l'esprit de l'historien se mesure à sa capacité de développer pleinement la conjonction des faits (Introduction au *Cours de philosophie de l'Histoire* (31 octobre 1822)).

Elle aménage donc la démonstration, comme les vecteurs du tableau que commentait Cléanthe soutenaient la preuve éthique.

Il est vrai que les démonstrations de l'histoire politique ou naturelle, pour traiter d'objets plus complexes que la géométrie physique, préfèrent à l'implication le raisonnement indirect : excluant les incompatibilités (on n'a pas à la fois ceci et cela), ou énumérant tous les possibles (ou bien... ou bien), qui seront éliminés à l'exception d'un seul. Il reste que dans les trois cas l'inférence est fondée sur la cohésion nécessaire de toutes les parties d'un tout[1]. Le tableau étend aux ensembles physiques et politiques la propriété des diagrammes géométriques, sans négliger le caractère direct ou indirect des actes de récognition qui y donnent accès. Il exorcise la malédiction des perceptions disjointes, et avec elle, la grammaire de surface et l'atomisme logique du récit. Si le modèle d'action, dont la représentation est le diagramme et les individus les points singuliers, prétend fonder la continuité du récit, il exclut toute dissociation entre « l'espace des faits » et « l'espace des choses ». Et si la logique du récit réplique la consécution « cosmologique » d'un tout unifié, elle échappe à une sémantique ensembliste où sont disjoints l'ensemble des individus et l'ensemble des valeurs de vérité. Les modèles stoïciens sont des modèles analogiques.

3 / Il reste à lever un paradoxe inhérent, semble-t-il, à la structure du lieu logique que nous avons tenté de décrire. On soupçonne une contradiction entre la thèse de l'origine représentative (visionnaire, intuitive) des modes discursifs qui constituent la raison humaine, et l'autonomie de la raison.

La solution du paradoxe est dans cela même qui le suggère : le pouvoir de la représentation. « Les choses n'ont pas accès à l'âme, c'est elle seule qui se transforme et se meut vers elles » (Marc-Aurèle, *Pensées*, V, 19). La représentation est tout entière dans ce vouloir voir, vouloir croire, vouloir interpréter. Et l'on ne peut pas plus s'en affranchir qu'on ne saurait renoncer à l'*oikeiosis*, cette appropriation à la nature dont la représentation, *felix culpa*, est l'instrument subjectif. Sauf à revenir, par

---

1. Le κόσμος est la *ratio essendi* des consécutions perçues bien que celles-ci soient la *ratio cognoscendi* du κόσμος.

suicide philosophique, à la nuit des choses. La loi de la représentation est donc celle qui « est gardée dans le festin des Grecs : qu'il boive ou qu'il s'en aille » (*Tusculanes,* II, XLI). Deux conduites sont cependant possibles. Ou bien l'âme sera emportée par la suite accidentelle de ses affections qu'elle accompagnera de craintes et d'espoirs, ou bien elle jouera de la représentation contre la représentation et placera chaque aperception singulière dans le tableau d'ensemble que dispensent les sciences et les arts. Et de même que la sphère d'Archimède arrache l'éclipse à l'interprétation populaire d'un signe maléfique, le tableau que décrit Longus arrache l'affection amoureuse à l'emprise des attentes et des regrets. Il lui donne sa trajectoire normative et la formulation à l'indicatif de la physico-théologie. « Car c'est là un acte divin » (*Banquet,* 206 *c* 8). La représentation première est circonvenue par une autre, plus puissante, car personne ne refuserait la séduction du drame total et le bonheur de s'y insérer. Ce jeu n'a qu'une issue : qui perd gagne.

L'autonomie de la raison est dans la maîtrise des représentations qui l'entretiennent. Par ce stratagème, elle triomphe de la phénoménologie hasardeuse où s'engage le bavardage spontané. En ce sens, elle a un remède contre une variété « tragique » de bovarysme ou, pour garder les paradigmes des Grecs, contre le délire d'Oreste et de Phèdre. Tout comme celui d'Emma Bovary, le délire des héros tragiques se nourrit d'abord d'une perception réelle. Electre et Hippolyte en sont le motif actuel et présent. Mais la phénoménologie en est déviante. « Quel est en effet le sujet des tragédies sinon les souffrances d'hommes qui s'étonnent devant les choses extérieures parce qu'elles se montrent à eux à travers la valeur qu'ils leur donnent » (Epict., *Entr.,* I, IV, 26).

On ne s'affranchit d'une représentation qu'en en suscitant une autre. La pastorale de Longus substitue à l'*opsis* tragique un ex-voto pacifié, et aux passions des Atrides le paradigme, peut-être emprunté au stoïcien Dion de Pruse[1], d'une initiation amoureuse sans déchire-

---

1. Voir Handbuch der Altertums Wissenschaft, *Geschichte der griechischen Litteratur,* II, 1, p. 361-367. Dion de Pruse stoïcien, élève de Musonius et l'un des premiers représentants de la seconde sophistique, avait composé un *Euboikos,* louant la simplicité vertueuse de la vie agreste.

ment ni jalousie. L'inquiétude des amants se soumet au cours des saisons, ils prennent exemple et leçon des troupeaux commis à leur surveillance. Le dernier paragraphe laisse entendre que le théorème physique a eu raison de la pathologie et des « jeux de bergers ». A la dernière ligne, le récit se résorbe dans son sens initiatique. Les amants ont signé de leur aveu la démonstration.

CHAPITRE IV

LA DISSIDENCE
DES PREUVES

Leibniz, Kant, Frege

> La logique prend soin d'elle-même. Il nous faut
> seulement observer comment elle s'y prend.
>
> Wittgenstein,
> *Carnets,* 13 octobre 1914.

1. On s'accorde à voir dans la *Begriffsschrift,* ce court traité publié à Iéna en 1879 par un jeune professeur d'analyse diplômé de Göttingen, quatre innovations qui scellent la naissance de la logique moderne. Frege y avait exposé de facto, sous les espèces inédites d'un système *génératif* et à partir de quelques formules primitives ayant valeur d'*axiomes,* la première syntaxe *quantificationnelle.* De celle-ci venait aussi une définition de la *succession immédiate (nachfolgen in einer Reihe),* exempte d'une quelconque intuition spatiale ou temporelle. Aussi a-t-on pu dire de ces quelque 90 pages et 133 formules, qu'elles constituaient la plus importante monographie jamais écrite dans le domaine de la logique[1]. Serait-ce que, outre ces résultats et quelques autres, elle en avait varié le genre et déjoué l'énigme ?

Pour l'historien, usant de ses droits et devoirs d'état, il sera clair

1. Voir la note introductive à la traduction anglaise de la *Begriffsschrift* dans *From Frege to Gödel,* A Source Book in Mathematical Logic, J. van Heijenoort (ed.), 1967.

que de la *Begriffsschrift* au premier théorème de Gödel qui, un demi-siècle plus tard, démontrait la complétude de la quantification du premier ordre avec constante d'égalité, des écritures frégéennes à la *Beweistheorie,* du premier formulaire quantificationnel aux *Methods of Logic* (W. V. Quine, 1952), enfin de l'image syntaxique de la récurrence aux théorèmes de limitation, s'enchaînent, sans épargner ni le paradoxe ni l'inattendu, la mise au point d'un système génératif sur la désignation duquel — calcul ou formalisme ? — on ne pouvait qu'hésiter, puisqu'il était sans précédent. Il lui rendra en toute équité un parrainage *(Frege-type system)* que la diffusion des *Principia mathematica* avait longtemps réservé à Russell. Car ce système avait été exactement singularisé dès l'origine : par l'articulation hiérarchique de ses symboles, par les transformations qui le définissent, par les preuves qu'il habilitait avant même qu'on en ait établi (ou seulement envisagé) les propriétés « métamathématiques ». Mais alors on isolera d'emblée cette théorie quantificationnelle (ce que Frege ne fit pas avant les *Recherches logiques,* quarante années plus tard[1], dans ces années 20 ou d'autres logiciens le faisaient indépendamment) au prix d'une double obscurité. Car rien n'apparaîtra de la chaîne des raisons qui ont conduit Frege à la création d'une écriture pour laquelle il fallait tout inventer, jusqu'aux signes typographiques et à la mise en pages. Et

---

1. Désormais on désignera comme suit les écrits de Frege, éventuellement leur traduction française :

Bg.	*Begriffsschrift,* Iéna, 1879.
Gr.	*Grundlagen der Arithmetik,* Breslau, 1884.
Gg. I, II	*Grungesetze der Arithmetik,* Iéna, 1893, 1903.
KS	*Kleine Schriften,* recueil d'articles publiés par Frege dans diverses revues et rassemblés par Ignacio Angelelli, Darmstadt, 1967.
LU	*Logische Untersuchungen,* Trois recherches logiques, publiées entre 1916 et 1923 dans *Beiträge zur Philosophie des deutschen Idealismus.* Les premiers paragraphes d'une quatrième Recherche, inachevée, ont été publiés dans *Na. Sc.*
Na. Sc.	*Nachgelassene Schriften,* Hambourg, 1969.
Wi. Br.	*Wissenschaftlicher Briefwechsel,* Hambourg, 1976.
Fondements	*Fondements de l'arithmétique,* trad. fr., Paris, 1969.
ELP	*Ecrits logiques et philosophiques,* trad. fr. des principaux articles de G. Frege, Paris, 1971.

l'antinomie, qui condamnerait la seconde version de ce même système produite par l'adjonction de quelques signes et axiomes, apparaîtra comme une aberration induite par le préjugé d'un seul. Elle ne délivrerait aucune leçon, hormis celle de son existence, et n'appellerait aucun autre amendement qu'un formalisme ad hoc. Elle ne serait au mieux qu'une illusion liée, dans la version qu'en donna B. Russell, à la notion vernaculaire de classe. Or la *Begriffsschrift* n'était pas une logique des classes, et Frege s'en était d'emblée et fort lucidement défendu, contre Boole, Venn et Schröder[1].

On peut aussi s'attacher à l'ordre analytique dont se recommande la *Begriffsschrift,* et au problème qu'elle avait pris en charge. Sur l'un et l'autre, Frege s'était expliqué : « Tel fut mon cheminement : j'ai tenté de rapporter l'ordre sériel à la consécution logique, afin de poursuivre ensuite jusqu'au concept de nombre » (*Vorwort,* p. X). Il est vrai que l'opuscule de 1879 n'effectuait que la première étape où il sera loisible de cerner, dans un texte dont le symbolisme déconcerte encore le lecteur s'il ne l'irrite, l'usage d'emblée parfait des fonctions et des règles quantificationnelles qui s'y inventaient. Loisible encore de ne pas tenir compte de l'adjonction d'un axiome aux conséquences antinomiques, puisqu'il était lié à la seconde partie du programme, la définition du concept de nombre cardinal. Néanmoins, on ne pourra pas exclure l'équivalence postulée entre concept et preuve qui détient tout le sens du projet, en suscite les moyens et donne à la *Begriffsschrift* son sens littéral *(écriture conceptuelle)* en même temps que son titre. « J'entends par contenu conceptuel, ajoutait Frege dans cette même *Introduction,* cela seul qui importe à la preuve, et cela doit demeurer présent à l'esprit si l'on veut ne pas se tromper sur ce qui est au cœur de mon langage formulaire. » A nous de comprendre comment le même principe allait produire une logique quantificationnelle, qui le dénoncera en fin de compte, et en couvrir pour un temps l'extension frauduleuse.

---

1. Cf. Kritische Beleuchtung einiger Punkte in *E. Schröder Vorlesungen über die Algebra der Logik,* 1895, *KS,* p. 193.

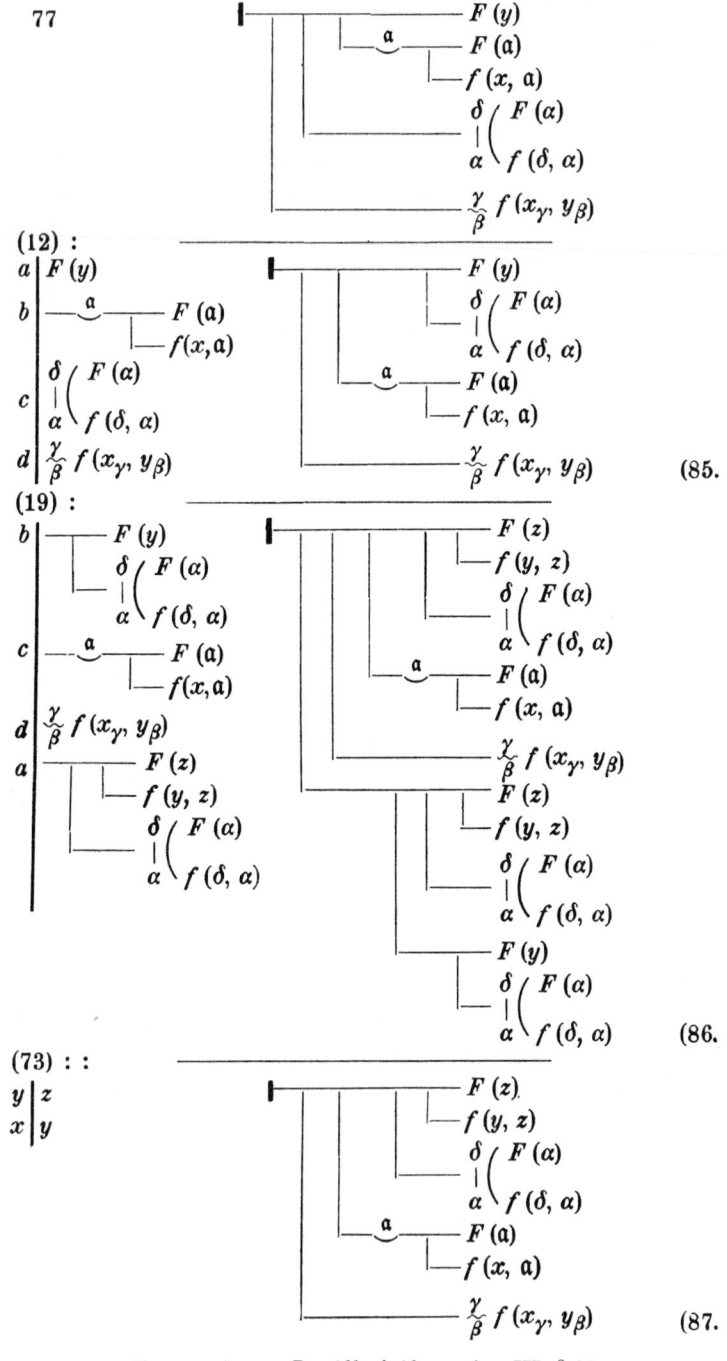

77

(12) :

(85.

(19) :

(86.

(73) : :

(87.

FIGURE 1. — *Begriffsschrift,* section III, § 27

Le terme de *Begriffsschrift* doit donc s'entendre en trois sens, solidaires entre eux. Titre du court traité publié en 1879, il désigne aussi, à la manière d'un nom propre, le symbolisme bidimensionnel (figure 1) et ses règles de transformation — ce que l'on appelle encore *idéographie,* sur l'anglais *ideography* qui, proposé par Jourdain, reçut l'accord de Frege. Il implique enfin une équivalence entre le conceptuel et l'inférentiel qui livre, sans nul doute, le premier à la syntaxe du second, mais suppose en échange que les concepts arithmétiques fussent indiscernables des preuves qui nervurent la discipline.

En 1879, Frege appliquait cette hypothèse aux notions topologiques, corrélées entre elles, d'*ordre,* de *récurrence,* et de *biunivocité.* Essentielles pour toute analyse du nombre naturel, elles étaient alors référées à une théorie générale des séries *(Einiges aus einer allgemeinen Reihenlehre).* Or, bien que l'expression des relations d'ordre, et des propriétés d'inférence qui leur sont associées, dépende le plus immédiatement des moyens offerts par la quantification polyadique, celle-ci se trouvait dissoute entre les deux notions directrices, le concept et la preuve dont elle était chargée d'effectuer, et d'abord de montrer, le réel commerce. Identifiée techniquement à la *généralité* des logiques classiques, cette banalisation de la quantification était à la mesure du service que Frege en attendait. Car elle devait à la fois matérialiser et effacer les conditions d'une hypothèse aussi impériale qu'une clause transcendantale, cette indiscernabilité du conceptuel et de l'inférentiel dont la *Begriffsschrift* donnait une version effective et limitée. Sans qu'il fût encore clair qu'elle lui donnait déjà une invisible clôture.

Ce qui valut à la logique quantificationnelle in statu nascendi d'être dissimulée sous une triple enveloppe. Introduite dans la dépendance d'une théorie générale des concepts, elle les priverait en fait de leurs propriétés canoniques d'usage, y compris leur statut de *repraesentatio discursiva,* dans l'instant même où ils seraient représentés par des fonctions logiques véhiculant leur propre régime syntaxique. Prise dans un système génératif créé pour épouser la démarche naturelle de la preuve et de la pensée, il faudrait aussi reconnaître que celui-là leur imposait à l'inverse son cours, ses transformations et ses propres limitations. Enfin, Frege en avait inscrit la syntaxe sur un

graphisme bidimensionnel qui, s'il offrait la rigueur et la visibilité de
sa géométrie, devait aussi maintenir la priorité du jugement dans un
système qui en avait déjà exclu le support syntaxique, et condamné
l'épistémologie.

Cette lente réduction d'une hypothèse directrice aux dimensions
analytiques qu'elle produit effectivement, est cela même que Frege
apprendrait à ses dépens, cela aussi qu'il avouerait en toute modestie
dans son *Journal*. Ses dernières *Recherches logiques* en tireraient les premières conséquences, renonçant à l'architecture idéographique comme
à la représentation *(Darstellung)* de quelconques lois de la pensée. En
quoi il fut le premier dans le diagnostic, comme il l'avait été dans
l'invention. On demandera donc comment la théorie de la quantification allait démanteler le système idéographique — hypothèse et
bidimensionnalité confondues — alors qu'elle en avait été l'instrument et le complice. Car ce démantèlement, pour peu qu'on veuille
comprendre ce qu'il sanctionne, et la manière dont il manifeste et
diversifie l'opération logique elle-même, s'avéreront plus éclairants
que le ressassement des antinomies : protéiformes et toujours les
mêmes néanmoins, ne disant rien de plus que leur littérale contradiction, symptomatiques et récurrentes comme une fièvre quarte, et non
moins obscures dans leur cause.

2. L'hypothèse directrice était donc d'identifier le contenu conceptuel à cela seul qui importe à l'inférence. Ce principe qui nomme et produit la *Begriffsschrift* résultait d'une classification des propositions scientifiques eu égard au type de preuve où elles s'inscrivent. Frege renonçait
donc à un critère fondé sur l'a priori d'une forme prédicative universelle
comme à la division kantienne, entre analytique et synthétique, qui y
prenait appui. Il écartait aussi toute démarche psychologique qui, si elle
renseigne sur la manière dont on apprend à compter, ne dira rien sur la
nature des énoncés arithmétiques, rien de l'objectivité qu'ils déposent ni
de la générativité dont ils relèvent, rien donc de leur pertinence scientifique. L'hypothèse était néanmoins parfaitement compatible avec une
théorie kantienne des sources de connaissance, Frege ajoutant en note
qu'aucune activité intellectuelle ne serait possible sans une affection sen-

sorielle ; et il exposera plus tard une théorie des sources de connaissance qu'il n'a jamais démentie[1].

Cette procédure sert une question posée autant à l'activité logique qu'à l'activité arithmétique. Elle tente de filtrer leur spécificité hors du tumulte d'une connaissance effective. Il fallait donc considérer jusqu'où on pourrait mener une activité conceptuelle, spécifiquement cognitive, à partir des seules procédures d'inférence. La question directe, sur la nature de l'arithmétique, en levait une autre, indirecte, quant à la nature de la logique. L'expérience ici tentée allait montrer, contre elle-même, pourquoi elles étaient indissociables.

Ainsi, loin de nier le contenu spécifique de l'arithmétique, Frege se proposait d'en analyser effectivement les concepts, du reste ici bien choisis, pour que leur soient associés des raisonnements indubitablement typiques de l'arithmétique — en cette fin du XIXe siècle. Ainsi put-il subordonner l'induction de Bernoulli à la propriété d'une fonction héréditaire, et la construire partir de fonctions quantifiées jouant le rôle de *definiens*.

Quelles qu'aient été les limites de ce premier succès, il demeure qu'une conjecture venue de Gauss, quant au caractère strictement rationnel de l'arithmétique, et entretenue par le récent développement de la topologie et de la théorie des nombres[2], serait mise à l'épreuve d'une construction logique effective. Elle le serait par le truchement d'une hypothèse posant l'équivalence entre quelques concepts suffisamment pertinents pour être pierre d'épreuve, et les lois les plus

---

1. *Bg.*, p. IX et *Na. Sc.*, p. 286, où un article daté 1924-1925, et destiné à la revue dirigée par Bruno Bauch et Hönigswald sous le titre « Erkenntnisquellen der mathematik und der mathematischen Naturwissenschaften », confirme le kantisme résiduel de Frege.

2. Cette conjecture se lit dans une lettre de Gauss à Olbers, « la géométrie ne doit pas être située au même rang que l'arithmétique, qui est purement a priori, mais plutôt au voisinage de la mécanique ». Sur ce point, voir infra, l'Appendice à ce chapitre. Dedekind avait publié *Stetigkeit und Irrationalen Zahlen* en 1872 et publiera *Was sind und sollen du Zahlen* en 1886. Dans une préface ajoutée à la deuxième édition de ce dernier ouvrage, il traçait un parallèle élogieux entre sa propre définition de la chaîne et l'ensemble des définitions au moyen desquelles Frege avait caractérisé la suite des cardinaux naturels dans les *Fondements* (1883), en application directe des théorèmes de la *Begriffsschrift*.

générales de l'inférence dont la *Begriffsschrift* avait entrepris une exposition dégagée des contraintes d'une articulation propre aux langues naturelles *(Wortsprache)*. L'ensemble avait donc le même caractère expérimental que l'hypothèse. Ce que Frege n'a jamais dissimulé dans ses écrits publiés. Et surtout pas à lui-même comme le montrent les inédits et quelques fragments de son *Journal*.

Ainsi se composent une *conjecture* (qui avait pour elle l'expérience du *Princeps mathematicorum* et le refus partagé par la majorité des mathématiciens des synthèses de l'intuition subjective kantienne) une *procédure* sommée d'être effective — une logique quantificationnelle — et une *hypothèse* chargée d'accorder l'une à l'autre, selon laquelle les concepts arithmétiques seraient effectivement analysables dans les termes de cette procédure. Hypothèse dont on aura au moins déjà compris combien, quoi qu'on en ait dit, elle était peu *platonicienne*. Hypothèse qu'il serait prématuré de dire *logiciste,* sinon d'un logicisme diffus et largement partagé, parce que la nouvelle logique où se ferait l'expérience n'existait pas encore et qu'elle s'avérerait partie intégrante des mathématiques. Plus encore parce que la quantification allait transformer les termes de la question proposée. C'est à cette hypothèse, maillon faible de cette stratégie indirecte, qu'on s'attachera dans la suite.

3. Sa complexité se trahit dans le sous-titre de la *Begriffsschrift* : « une langue formulaire de la pensée pure construite sur le modèle de l'arithmétique » (l'allemand fait voir un « enchâssement », donc une dépendance, sur lequel on reviendra : *eine [der arithmetischen nachgebildete] Formelsprache des reinen Denkens*). Car si le titre accordait une priorité emblématique au conceptuel, le sous-titre l'inverse, annonçant une écriture formulaire où chaque ligne marquera le pas discursif qui conduit du vrai au vrai. En outre, un second écart s'était ouvert entre les intérêts de la « pensée pure » et ce formulaire *imité* de l'arithmétique qui les prend en charge. Singulière « imitation » où se joue, en fin de compte, la viabilité du projet. Elle peut se prendre en deux sens, qui ont joué conjointement. D'une part, Frege ayant exclu tout emprunt matériel, telle l'opération d'addition ou de multiplication, pour représenter à l'instar de l'algèbre logique un rapport entre concepts ou propositions, il n'avait

voulu retenir que la relation syntaxique entre *fonction* et *argument* avantageusement substituée à l'analyse prédicative. « On voit aisément
comment cette manière de comprendre un contenu comme fonction
d'un argument s'avère efficace pour représenter le conceptuel *(begriff-
bildend wirkt)*. » Ce que l'on vérifiera sur les définitions[1]. En suivant
d'autre part un régime de transformations, ou d'inférence immédiates
par substitutions, qui justifiait le passage d'une formule à une autre sans
atteinte à leur syntaxe immanente, Frege pouvait vouloir approximer à
la fois l'écriture arithmétique et le cours de la pensée de l'arithméticien.
Cette générativité manifeste, tout associée qu'elle était au choix syntaxique, renforcerait la capacité du système à analyser une arithmétique
dont elle épousait le cours.

Aussi Frege ne pouvait-il éviter le cercle, et ne pas demander à l'arithmétique d'analyser l'arithmétique, qu'à une condition. Il fallait que les
lois logiques et la syntaxe où elles s'expriment fussent, en tant que « lois de
la pensée », valables pour toute connaissance, donc *particulièrement* pour
l'arithmétique. Celle-ci n'aurait eu que le singulier avantage de mieux
laisser apparaître une organisation épistémologique ordinairement
voilée dans les astreintes d'une langue naturelle. Restait à faire apparaître
les lois logiques là où elles jouaient le plus exactement. L'écriture *idéographique* serait leur représentation *(Darstellung),* et les formules obtenues
d'une procédure générative qui n'avait encore jamais été mise en évidence contribuaient à leur successive concrétion *(Verdichtung)*.

Et cependant l'hésitation traversait le premier succès, par le fait
même de cette brutale concrétion. Il y avait eu changement d'état sans
transition, comme il y avait eu changement de support, de syntaxe, de
lois et de mode d'inférence. Car le syllogisme aristotélicien recevait à
grand-peine une image idéographique laborieusement comparée aux
figures et modes de l'Ecole[2]. Frege s'efforçait de ne pas choisir entre les
promesses de l'idéographie et la membrure de l'ancienne logique.

De là son argumentation constante. Elle est de fait : car il est peu contestable que l'idéographie avait une puissance analytique supérieure à

1. Cf. figure 3 et, infra, § 8.
2. Cf. supra, chap. II, p. 58.

l'algèbre de la logique. Frege montrait sans peine sa capacité à définir des notions topologiques, telles la limite, où l'algèbre de Schröder était proprement inefficace. Il put la défier, et montrer que ce symbolisme postbooléen ne pouvait différencier deux propositions contradictoires entre elles. Frege ne s'en inquiétait pas moins du statut de son système. Parce que celui-ci outrepassait l'ancienne logique en même temps que l'articulation prédicative avait été écartée, et que la logique quantificationnelle n'avait encore déterminé ni ses preuves, ni ses dimensions, ni son propre contrat d'objectivité, il lui apparaissait tantôt comme une logique provisionnelle et non encore entièrement dégagée d'une formulation en gésine, tantôt comme une méthode, tantôt comme la réalisation partielle du projet leibnizien, et parfois comme le perfectionnement de la logique kantienne à laquelle il conviendrait d'ajouter le jugement d'existence. Pâtissait des mêmes incertitudes l'hypothèse qui devait approprier non seulement le conceptuel à l'inférentiel mais encore la syntaxe quantificationnelle à un problème entièrement posé et articulé au sein de l'épistémologie classique (c'est-à-dire kantienne) : qu'est-ce qu'un nombre, *concept, objet* ou *jugement* ? La théorie de la quantification souffrirait encore longtemps d'un ancien commerce entre logique et épistémologie, tout juste confirmé par le criticisme et le naturalisme voilé des facultés transcendantales. L'antinomie fut la péripétie d'une laïcisation. La syntaxe quantificationnelle, et toute autre avec elle, y perdrait l'immédiateté et l'universalité qui avaient valu à la logique d'être identifiée — par métonymie prudente ou par droit de naissance, peu importe ici — à l'exercice de la pensée.

4. La *Begriffsschrift* ne fut pas comprise, et la méprise fut véhémente. Tannery trébuche sur la traduction d'un titre, emblème d'une hypothèse qu'il n'identifie pas, et Venn se perd dans l'invective[1]. Schröder objectait que la logique des jugements, qu'il veut lire dans les formules de la

---

1. Ces comptes rendus de lecture ont été réunis par T. Ward Bynum, *Conceptual notation and related articles,* Oxford, 1972. On connaît aussi les annotations marginales de Husserl, les remarques de Peano et celles de Russell (Appendice A aux *Principles of Mathematics*).

Begriffsschrift, trahissait le titre où s'annonce une logique des concepts. Arguant de l'algèbre des classes, qui modélise les équations booléennes et leur double interprétation, propositionnelle et conceptuelle, il en conclut que Frege aurait manqué une procédure de décision parce qu'il avait manqué le formalisme, et les deux ensembles pour avoir renoué avec la part la plus contestable des projets leibniziens, le projet d'une *caractéristique universelle.* Frege répondit, pro domo, que Leibniz avait souhaité insérer la caractéristique dans le calcul, citant à l'appui un *Addendum ad specimen calculi universalis.* « Cette tentative montre qu'il avait bien dans l'esprit la *lingua characterica,* bien que, ce faisant, il n'ait établi aucun lien avec les efforts qu'il déployait par ailleurs en vue d'une représentation des contenus. »[1] Comme le relevait Frege, l'essai n'eut pas de suite. Il n'est pas malaisé de comprendre pourquoi. Les obstacles auxquels ont cédé l'inventivité de Leibniz pourront éclairer à contrejour la manière dont Frege, s'autorisant quand il le fallut de ce fragment publié par Erdmann, a cru pouvoir les contourner.

Dans le texte évoqué, Leibniz propose deux représentations pour le quaterne des « propositions aristotéliciennes » :

Formes aristotéliciennes :	*1re symbolisation leibnizienne :*	*2e symbolisation leibnizienne :*
Tout A est B	A non B est *non ens*	AB = A
Quelque A n'est pas B	A non B est *ens*	AB ≠ A
Aucun A n'est B	AB est *non ens*	AB ≠ AB *ens*
Quelque A est B	AB est *ens*	AB = AB *ens*

que l'on traduira :

des A qui ne soient pas B, il n'y en a pas	les AB sont les A
des A qui ne soient pas B, il y en a	les AB ne sont pas les A
des A qui soient B, il n'y en a pas	les AB ne sont pas des AB qui existent
des A qui soient B, il y en a	les AB sont des AB qui existent

---

1. *Na. Sc., Booles rechnende Logik und die Begriffsschrift,* daté 1880-1881. Voir, en particulier, p. 10 à 14. Frege avait connaissance de l'édition Erdmann (1840) où figurent les textes cités : le *Non inelegans specimen demonstrandi in abstractis* et les *Addenda ad specimen calculi universalis,* dont le troisième ici évoqué : *Difficultates quaedam logicae.*

Ens et *non ens* y sont des constantes, mais aussi des opérateurs qui contribuent à déterminer les termes A, B..., comme des variables « caractéristiques ». Les deux écritures leibniziennes montrent un conflit syntaxique entre cet opérateur et l'opérateur usuel : la copule, ou l'égalité, conflit que révèle le déplacement de la négation principale. Une représentation quantificationnelle élémentaire résout cette agrammaticalité :

$$\neg(\exists x)\,(Ax\ \&\ \neg Bx) \text{ qui équivaut à } (\forall x)\,(Ax \supset Bx)$$

$$(\exists x)\,(Ax\ \&\ \neg Bx)$$

$$\neg(\exists x)\,(Ax\ \&\ Bx)$$

$$(\exists x)\,(Ax\ \&\ Bx)$$

On pourrait y voir une indication sur le cheminement de pensée qui a conduit Frege à l'invention des fonctions logiques et des quantificateurs. Mais le seul fait que Frege ait voulu citer ce fragment leibnizien révèle le *double bind* qui pesait sur son propos, propos qu'il a lui-même choisi de présenter en termes leibniziens, tant dans l'Introduction de la *Bg.* que dans la polémique qui l'opposait à Schröder. Ou bien on gardera l'intégralité de la syntaxe prédicative, et les termes sont munis par principe d'une valeur caractéristique, ils disent quelque chose de quelque chose. Mais on n'accède pas à la représentation des relations et règles d'inférence propres aux mathématiques. Ou bien les termes sont délivrés, en tant que caractères susceptibles d'une libre combinatoire ou de sommations comparables aux opérations mathématiques élémentaires, d'une syntaxe prédicative, mais on perd cette intégration dans une assertion qui leur donne l'objectivité et articule une combinatoire potentiellement infinie. Le suffixe *ens (non ens)* devait y pourvoir. Leibniz n'en donne aucune expression syntaxique satisfaisante. Frege invente une syntaxe qui devait préserver, sur d'autres dimensions, l'intégration des fonctions dans une unité susceptible d'être vraie (ou fausse). En quoi la quantification se trouvait en conflit latent avec un opérateur de jugement, au reste simplement parasitaire et sans conséquence dans la *Bg.* (laquelle n'introduit aucune équation entre valeurs de vérité). En quoi, également, Frege était conduit, comme on le verra, à répéter quelque chose de la manière dont Kant avait résolu l'intégration du mathématique au discursif — problème qui traverse, sans réponse, tous les essais logiques de Leibniz.

> La proposition ne peut être l'image d'un fait que
> dans l'exacte mesure où elle est articulée logique-
> ment.
>
> Wittgenstein, *Tractatus,* 4.032.

5. Frege défendant Leibniz, contre ses continuateurs autorisés, se défendait lui-même. Si l'on écarte l'argument d'autorité, qu'aurait-il gagné à évoquer la conjonction promise de la *lingua caracterica* et du *calculus,* éléments en attente de leur cohérence ? Rien, sinon d'avoir joué d'une promesse contre une autre, la sienne, qui liait *par hypothèse* le conceptuel au démonstratif ou s'y essayait, se donnant comme un allomorphe réussi de « l'immense projet » de Leibniz, effectif, et limité encore à quelques notions qui l'apparentaient à l'*analysis situs* ? La réponse à Schröder surprendra moins dès qu'on y aura reconnu la stratégie de Kant, limogeant Eberhard de quelques insolences. Dont celle-ci : qu'à dire vrai « la *Critique de la raison pure* pourrait bien être l'apologie de Leibniz, fût-ce à l'encontre de partisans dont les éloges ne l'honorent guère ». Quel problème, sous-jacent aux essais leibniziens, aurait donc reçu cette élaboration criticiste qui, parce qu'elle l'explicitait, avalisait quelque chose de son précédent état ? Et comment la logique transcendantale y apportait-elle sa médiation ? Quelle connivence lie ces textes où Kant cite Leibniz, et Frege l'un et l'autre, pour donner visage à un processus où la connaissance exhibe son travail dans des structures syntaxiques de complexité croissante ?

On cherchera donc, en priorité, à identifier la question muette qui aura reçu son identité et sa bonne position de ses métamorphoses — travail expérimental où se côtoient les essais leibniziens, les écrits précritiques, la logique transcendantale et les trois états des écritures quantificationnelles. Et s'il s'avère que l'infléchissement que lui avait donné Kant dévoilait quelque chose de la manière dont se constitue une logique, il libérerait aussi le sens propre des écritures quantificationnelles, que leur mise au point dépouillerait, à la longue, des intentions tutélaires et des parrainages éponymes. On comprendrait aussi le chemin inéluctable de cette lente et constante méditation où une intelligence neuve doit, quoi qu'il en puisse coûter, s'implanter sur les dis-

cursivités antérieures et composer avec les structures anthropologiques (ou cognitivistes) sur lesquelles se trame la générativité des
preuves et se déposent les canons de l'intelligible.

Si la *Réponse à Eberhard* n'évoquait pas la caractéristique, elle en
avait traité de facto, Kant soupçonnant son censeur de ne pas avoir
compris ce qui distingue un principe *logique* (formel) d'un principe
transcendantal (matériel). Or c'est sur cette différence, posée en principe
dès les premières lignes de la *Réponse,* que se trouvaient maintenant
réparties les conditions sous lesquelles Kant expose son analytique de
la connaissance. De l'algèbre de la logique, potentielle dans le *Non
inelegans specimen demonstandi in abstractis* où Leibniz associait caractères
conceptuels et opérations arithmétiques, Kant avait très tôt écarté la
chimère : « la logique n'est pas une algèbre »[1]. Cette thèse, particulièrement insistée dans les *Leçons de logique,* n'y eût été que la remarque
prudente et bien propre à un enseignement propédeutique que l'on a
crue, si ne s'y réverbérait le sens le plus immédiat du criticisme. Car en
refusant l'arithmétique des caractères, Kant impliquait que les
concepts, en tant qu'ils composent leur pouvoir de représenter avec
un mode d'organisation discursif *(repraesentatio discursiva),* étaient les
témoins muets, et problématiques quant à leur objectivité, des opérations réelles de la connaissance. Il rappelait aussi, avec la même
réserve qui lui fit retarder jusqu'à l'*Essai sur le mal radical* l'introduction des grandeurs négatives en philosophie, les conséquences des
thèses soutenues dans la *Dissertation* de 1770, lesquelles opposaient les
principes du monde sensible et du monde intelligible comme ceux de
la géométrie et de la connaissance par concepts.

Ici comme ailleurs, Kant avait donc exclu la composition directe
du conceptuel et de l'opération mathématique — ce dont l'addition
algébrique des « caractères » n'était que l'illusoire syntagme. Car si les
parties du monde sensible — et l'espace offrait ici mieux que le temps
sa typique à l'argumentation de Kant — admettent l'inclusion, le

---

1. Cf. *Leçons de logique,* Introduction, II, p. 19 : « La logique n'a rien d'un art universel d'invention non plus que d'un organon de la vérité ; ce n'est pas une algèbre à
l'aide de laquelle se laisseraient découvrir des vérités cachées. »

recouvrement, la juxtaposition ou la symétrie mais aucune division en parties simples, et si le monde intelligible compose son unité de substances simples et de leur hiérarchie, alors les opérations définies sur l'un d'entre eux répugnent à l'autre. La symétrie qui applique la main droite sur la main gauche s'avérant inconceptualisable elle révélait le dilemme qui interdisait une philosophie de la nature : il n'y a de connaissance de la nature que mathématique, et cette mathématique expulse la philosophie naturelle à laquelle la première prétend conduire. Le conflit demeurerait insoluble tant que l'on chercherait une transaction entre le mode composition propre à l'un et le mode composition propre à l'autre. Il s'évanouirait sous deux conditions, qui sont l'essence même de la logique transcendantale.

D'une part, le paradoxe des objets symétriques stigmatisait les limites de la « caractéristique ». « Entre des solides parfaitement semblables et égaux mais non superposables, comme sont la main gauche et la droite (conçues selon la seule extension) ou bien des triangles sphériques pris de deux hémisphères opposés, il y a une différence telle qu'il est impossible de faire coïncider leurs limites bien qu'ils puissent être substitués l'un à l'autre si l'on s'en tient à tout ce qui est formulable par des caractères, lesquels sont intelligibles à l'esprit par le langage » (quae notis menti per sermonem intelligibilibus, effere licet, section III, § 15, C). Cette incapacité condamnait le principe des indiscernables *(eadem sunt qui substitui possunt salva veritate)* et sa prétention à honorer un contrat d'expression entre le discursus et l'intuition. Le paradoxe impliquait moins l'irréductibilité du géométrique et le surcroît d'évidence par où il l'emporte sur les nomenclatures conceptuelles que l'incompétence de la technique des « caractères ». Il joue en effet à décevoir de manière obvie une traduction que la caractéristique n'effectue qu'à moitié, s'efforçant de donner une représentation des contenus singuliers du sensible tels qu'ils fussent recevables *per sermonem* par l'esprit. Quant aux objets symétriques, ils ne sont ni imperceptibles ni indicibles. Ils ont leur construction et leur théorème. Le paradoxe n'est donc qu'un flagrant délit d'incompétence, car il revient au même individu de percevoir la symétrie de ses mains, de la comprendre géométriquement, et de constater la limite d'une transcription « caractéristique » — dont la même *Dissertation* avait relevé la connivence avec une épistémologie scholastique de l'abstraction. Leibniz, analysant les concepts en caractères et les preuves comme des opérations mathématiques définies sur les caractères, supposait une homogénéité de droit, en fait proprement chimérique. Comme le montraient divers essais, il n'avait jamais pu formuler l'équation de ce calcul[1]. Il restait à trouver le bon dénominateur commun. Car la géométrie, euclidienne ou cartésienne, attestait par le fait qu'il était possible de représenter les déterminations *sensibles* par équations et théorèmes.

D'autre part, la *Phénoménologie* que prévoyaient les dernières pages de la *Dissertation,* et la lettre à Marcus Herz qui suivit de peu, annonçaient une autre élaboration du problème révélé par les objets symétriques. Mais il fallut encore inverser une hypothèse pluriséculaire. Car il ne s'agira plus de reconnaître l'intelligible dans le sensible (et tel était le sens du σώζειν τὰ φαινόμενα), donc en épousant le point de vue du sensible, mais d'intégrer dans une structure intelligible — ce *sermo* premier donné, et point de départ de l'*Anthropologie* kantienne — les singularités et continuités du sensible. Ce qui serait encore peu vraisemblable, si Kant ne prenait son appui sur le « déjà là » d'un commerce, attesté par l'acte de connaissance le plus humble et confirmé par la plus élémentaire proposition euclidienne. De la phénoménologie, Kant inversait le sens et gardait l'affiche. Y reconnaissant cette première inscription grammaticale du sensible dans l'intelligible, il en dévoilait le ressort. Il se placera désormais au point d'effectuation de ce commerce, dans le *déjà là* d'une première syntaxe sans origine, suffisante néanmoins pour porter l'hypothèse d'un double point de vue, pour reporter sur la carte de l'intelligible (table des jugements) la carte du sensible (table des catégories) et montrer sous cette double contrainte (table des principes) la possibilité de l'expérience.

6. On a peu remarqué comment le *jugement synthétique* s'était approprié le paradoxe des objets symétriques. Car le même énoncé, inanaly-

---

1. Tel avait été précisément l'objet du *De continentis et continentibus,* et du *Specimen calculi universalis,* dont l'*Addendum* déjà cité.

sable selon la caractéristique, n'est qu'un cas singulier de synthèse mathématique dans une syntaxe du jugement. Ce changement de dimensions logiques, dont la première *Critique* suffit à peine pour déployer toutes les conséquences, effectuait ce dont Kant avait long-temps poursuivi la métaphore. La *Monadologie physique* (1756) l'avait fait dans le goût baroque : « Les griffons ne semblent-ils pas pouvoir être plus facilement unis à des chevaux que la philosophie transcen-dantale à la géométrie ? » Un paragraphe de l'opus postumum dit crû-ment la difficulté :

> Le titre de l'ouvrage immortel : *Isaaci Newtoni philosophiae naturalis Princi-pia mathematica* paraît en défaut dès le début. Car, pas plus qu'il n'existe de principes philosophiques des mathématiques, il n'est possible à la mathéma-tique de fonder une philosophie — à moins qu'une production de l'esprit ne soit destinée, sous le nom de philosophie transcendantale, à mettre au monde une espèce nouvelle *(animal hybridum)*.

Or, tel fut le rôle de la synthèse, et de la fonction du jugement supposée l'effectuer, que d'offrir un dénominateur commun aux opé-rations mathématiques et aux concepts discursifs, que d'en prévoir l'enchâssement dans l'unité du jugement d'expérience. Elle le fait loin de la chimère des choses, au plus proche si l'on veut des produc-tions naturelles. Le même fragment ajoutait : « La mathématique est une sorte de branche de l'industrie, la philosophie un produit du génie. » Non qu'il faille y voir (seulement) quelque chose comme une comparaison des mérites, mais plutôt une reprise des termes mêmes en lesquels d'Alembert avait divisé les productions de l'esprit — arts, sciences, techniques — arguant du génie chaque fois qu'une invention venait rompre la continuité des œuvres et la généalogie des facultés. Le génie est aussi cette ruse de la nature qui suscite les formes sous lesquelles elle accepte d'être pensée. Au reste la *Critique* oubliera ces pensées à soi-même. Elle commence au-delà de ce plan où la table des fonctions du jugement a déjà intercepté, à la manière d'un registre généalogique *(Stammregister)*, un pouvoir de synthèse dont elle dénombre les effets.

TABLE LOGIQUE DES JUGEMENTS

1

Selon la quantité

Universels
Particuliers
Singuliers

2	**3**
Selon la qualité	*Selon la relation*
Affirmatifs	Catégoriques
Négatifs	Hypothétiques
Infinis	Disjonctifs

4

Selon la modalité

Problématiques
Assertoriques
Apodictiques

TABLE TRANSCENDANTALE
DES CONCEPTS DE L'ENTENDEMENT

1

Selon la quantité

Unité (la mesure)
Pluralité (la grandeur)
Totalité (le tout)

2	**3**
Selon la qualité	*Selon la relation*
Réalité	Substance
Négation	Cause
Limitation	Communauté

4

Selon la modalité

Possibilité
Existence
Nécessité

TABLE PHYSIOLOGIQUE PURE DES PRINCIPES UNIVERSELS
DE LA SCIENCE DE LA NATURE

1

Axiomes

de l'intuition

2	**3**
Anticipations	*Analogies*
de la perception	de l'expérience

4

Postulats

de la pensée empirique
en général

FIGURE 2. — *Prolégomènes à toute métaphysique future,* § 21

Il demeure que ce dénominateur commun — commun non aux deux règnes et à leurs objets mais à leurs principes et à leurs énoncés — substituait aux « deux mondes » de la *Dissertation* les « deux points de vue » de la *Critique,* et les engageait dans le commerce d'une syntaxe où se hiérarchisent les synthèses sous l'ultime intégrant de la modalité. Considérons un instant la table des fonctions logiques du jugement (figure 2) ; il n'est pas malaisé d'y voir la trace d'une « hybridation ». Le mode de composition que Kant impose, la linéarisation des fonctions que supposerait un jugement d'expérience effectif, est celui, de droite à gauche, propre aux écritures fonctionnelles mathématiques. Mais l'ultime intégrant, la modalité dont la valeur est proprement critique, est strictement discursif [1].

Ainsi Kant, substituant la synthèse à l'opération, jouait Leibniz contre lui-même [2]. Car cette linéarisation (ou factorisation), souvent préférée par Leibniz lui-même à la notation exponentielle, infléchit le calcul vers la syntaxe, celle-ci dût-elle déconcerter les divisions aristotéliciennes en usage. En développant sous quatre chefs l'instance de la prédication, Kant le réconciliait aussi avec ses adversaires jansénistes. Car s'il empruntait au mathématicien le principe d'une sommation finie du continu, donc d'une multiplicité sensible ramenée à une détermination intelligible, il accordait à *L'art de penser* les quatre fonctions du jugement, assignables dans la syntaxe du verbe. En elles, et particulièrement dans la modalité, se trahit l'opération qui compose « l'objet de nos pensées » avec la « manière de nos pensées ». De cette chimère les jansénistes avaient donc donné la première image grammaticale, et proposé la première analyse « raisonnée ». Or cette syntaxe du jugement, parce qu'elle affecte la théorie du signe et ruine la

---

1. Soit, schématiquement : Mod. [rel. (quant. (qual.))].
Selon la correspondance qui associe la table logique aux *Premiers principes métaphysiques de la science de la nature,* la modalité correspond à la *Phénoménologie.*
2. Sur la théorie leibnizienne de l'expression, voir G. Granger, Philosophie et mathématique leibnizienne, *Revue de métaphysique et de morale,* 1981. Sur la genèse des sommations infinitésimales et du calcul intégral voir Marc Parmentier, *Naissance du calcul différentiel* (1989), où les principaux textes leibniziens sont traduits et les notations analysées.

caractéristique, détermine quelque chose comme un nouvel équilibre entre le sens et l'objectivité, entre le contenu et la position de chose. Elle le faisait en proposant une relation, si neuve alors et tant vilipendée depuis, entre l'extension et la compréhension des termes, soumise dans le jugement à une arithmétique des probabilités[1].

On sait que Kant n'a jamais renoncé à voir dans la logique « quelque chose comme une grammaire générale ». Or loin que cette affinité dût lui être comptée à défaut, elle devait introduire une analytique libérée de la grammaire de surface et, particulièrement, de la caractéristique. A la vérité, cette logique générale première donnée et indiscernable d'une grammaire est une évidence intouchée par le *retournement* criticiste. La *Dissertation* avait constaté que l'intelligible est accessible *menti per sermonem,* donc ne se connaît lui-même que par le truchement du langage. Cette médiation, dégagée du *sermo,* deviendra le premier énoncé criticiste et l'autre face de la réfutation de la psychologie rationnelle. Kant confirmait l'inscription discursive de la connaissance, y compris la connaissance de soi. Elle ne pourra jamais que réfléchir sur son propre tissu grammatical sous peine de n'être que le « spectateur » de ses représentations. Aussi, faute de pouvoir accéder au « soubassement » de la

---

1. Sur la composition de *L'art de penser,* et l'alternance des livres « impairs » (I et III) consacrés aux termes avec ceux, « pairs », traitant du jugement (II et IV) où se déterminent l'usage des premiers et la méthode de la science, voir infra, chap. VII.

La distinction entre l'objet et la manière des pensées — évidente révision de l'analyse cartésienne développée dans la troisième Méditation, ouvre la seconde partie de la *Grammaire* : « Et ainsi la plus grande distinction de ce qui se passe dans notre esprit est de dire qu'on y peut considérer l'objet de notre pensée, et la forme ou la manière de notre pensée, dont la principale est le jugement : mais on y doit encore rapporter les conjonctions, disjonctions et autres semblables opérations de notre esprit, et tous les autres mouvements de notre âme, comme les désirs, le commandement, l'interrogation, etc. » De cette observation dépend l'analyse des parties du discours qui fait suite.

On sait que *L'art de penser* (II, 2) — dans un livre « pair » — cite à la lettre le chapitre 13 de la *Grammaire générale et raisonnée,* où sont dénombrées et analysées les quatre fonctions associées au verbe, dont la modalité de l'assertion. Arnauld s'était plu à souligner que l'emprunt était textuel.

Sur la diffusion de la logique janséniste, en français, en latin, et en anglais, voir le catalogue des éditions établi par P. Clair et F. Grimal, en avant-propos de leur propre édition critique (1965).

mémoire, et pour ne pas spéculer à l'aveugle comme le fit Descartes
« sur ce qui persiste dans le cerveau des traces qu'y laissent les sensations
éprouvées », il reste à laisser faire la nature, et reconnaître d'abord les
états discrets et stables du langage. L'*Anthropologie* confirmait les *Leçons
de logique,* et toutes deux contresignent le seuil de visibilité que ménage le
tableau des fonctions logiques du jugement — ce point de départ
« généalogique » de l'analytique transcendantale. On n'oubliera non
plus que, de tous les inventaires du *je pense* ouverts par la deuxième
Méditation cartésienne, *L'art de penser* d'Arnauld avait procuré une
leçon qui fut intégralement reçue par la philosophie des Lumières.
Leçon non moins entendue dans la formule où Kant resserre la devise de
l'Aufklärung : « Penser, c'est juger. »

Kant avait donc très vite abandonné l'irréalisme d'une représentation immédiate par « caractères », et ses promesses apophantiques. La
Dissertation avait soupçonné la métaphore complice de l'abstraction,
sous l'autorité de laquelle les « caractères » et les concepts ectypes réitéraient — ingénument ou faute de mieux — le réalisme physique du
Traité de l'âme. A Eberhard, Kant se suffit de donner une leçon de vocabulaire : « On n'abstrait pas un concept comme marque *(Merkmal)*
commune, mais on fait abstraction de la diversité de ses usages »
(*Réponse à Eberhard,* B note 1). La Critique prendrait son départ in
medias res, là où depuis toujours le fait de la connaissance implique ce
mixte d'intelligible et de sensible. A charge d'analyser cette hybridation
de fait qu'est le concept, *repraesentatio discursiva* (selon les termes des
Leçons de logique — traduction ni voilée ni dénoncée de la φαντασία λογική
des stoïciens) et prototype de toute phénoménologie. Cela même qu'il
fallait expliquer, et où il était déjà évident que l'inférence et la description (ou de quelques autres termes qu'on veuille désigner ce couple)
avaient partie liée. Aussi la seule question philosophique pertinente
était-elle d'en comprendre les moyens et les limites, et c'est à ce réajustement que conduit la manière criticiste.

Kant avait pris son second départ dans cette immanence — l'image
discursive des sensibles dans les intelligibles, plus entêtée, c'est-à-dire
plus fondamentale que les paradoxes de la symétrie — où se règle immé-
morialement l'intelligence des choses. Le point nouveau était d'avoir

remarqué qu'elle est déjà supposée par la géométrie. Désormais le problème du rapport de l'intelligible au sensible était posé en termes homogènes : entre la *grammaire générale* et une mathesis dont le régime symbolique le plus récent laissait soupçonner, dans la sommation des grandeurs comme dans les axiomes de l'*analysis situs,* son affinité avec la première. Kant mettait au point les certitudes de Leibniz : « Une partie du secret de l'analyse consiste dans la caractéristique. » Le mathématicien ajoutait : « C'est-à-dire dans l'art de bien employer les notes dont on se sert. » La logique transcendantale allait tenter de lever le sceau de ce pragmatisme d'initié.

Néanmoins, de ce nouveau lieu analytique la place avait été ménagée de longtemps, depuis que la division cartésienne entre la pensée et l'étendue avait invalidé les anciens symboles. Elle l'était dans l'œuvre précritique, entre l'Anthropologie « physiologique » que Kant refusait d'écrire, convaincu de l'échec de Descartes — c'est-à-dire du Traité de l'homme — et l'*Anthropologie du point de vue pragmatique,* qui suffirait à un enseignement populaire. Non que la logique transcendantale apportât le chaînon manquant, restituant quelque continuité comme entre le *Traité de l'âme* et celui *De l'interprétation.* Kant n'est jamais revenu sur la césure entre pensée et étendue. Elle sera au contraire si vivement maintenue qu'il n'envisagera jamais leur rapport sous l'hypothèse d'un contact, fût-il interne et subtil comme un point pinéal, fût-il externe et multiple comme un panoptique d'impressions. La singularité de l'exposition transcendantale surprendra moins quand on y aura reconnu une nouvelle phénoménologie, singulière en ceci qu'elle prend pour hypothèse la rupture et la non-traductibilité apophantique, qu'elle s'inquiète d'une équation de droit, posée en principe critique avant d'être formulée dans son fait, entre un intelligible (libéré des termes, des caractères et de toutes les variantes du sermo scholastique, mais non moins discursif) et un sensible (plus proche d'un plan de représentation cartésien où toute réalité sensible aura son image en équivalents de dimensions que d'un espace concret, muni des six directions aristotéliciennes et de ses lieux naturels). Phénoménologie néanmoins, qui restitue la vérité de ses précédents, bien que tout, ou presque, des paramètres antérieurs ait changé. La priorité y sera donnée au discursif. Aucune instance singulière — participation, perception ou de quelque autre manière qu'on l'entende — où s'avérerait un commerce réel des deux ordres ou une traduction exacte parce que d'avance machinée, n'esquive le problème ou n'anticipe la solution. Mais le système des dimensions (moments du jugement et synthèses de l'intuition) entre lesquelles l'accord serait passé, défaisait les correspondances antérieurement établies entre l'analytique catégoriale et l'articulation des choses. Pour les accorder derechef il y faudrait une équation d'un nouveau genre, entre l'expérience (discursive) de l'objet et l'objet (esthétique) de l'expérience, scellée du principe suprême de la pensée empirique en général. Kant n'en accomplissait pas moins le projet annoncé aux dernières lignes de la *Dissertation,* et confirmé, un quart de siècle plus tard, par la dernière division des *Premiers principes métaphysiques d'une science de la nature,* dédiée à la Phénoménologie. La science de la nature était réfléchie dans ses théorèmes et ces derniers munis de leur modalité. Kant invitait la connaissance « à se détourner des objets vers elle-même pour découvrir et déterminer, au lieu de la dernière limite des choses, la limite de son pouvoir propre, abandonné à lui-même »[1]. L'analytique transcendantale avait précisément relevé ce défi, et toute phénoménologie, passée ou à venir, s'y trouvait conviée à vérifier les dimensions de sa syntaxe.

7. La *Critique de la raison pure* s'était substituée à l'impossible jointure entre une anthropologie physiologique inaccessible et une anthropologie pragmatique. Celle-ci recevait l'équation transcendantale dans l'aval de son extension à l'expérience. Parce qu'elle la rejoignait aussi dans l'amont de son principe, dans l'identité jurée de la langue et de la pensée.

La logique s'en trouvait réhabilitée dans tous ses droits et plus encore. Non certes le jeu scolaire et morose des figures de termes sur la fausse subtilité desquelles un bref traité de 1762 n'avait pas eu de mots assez durs. Mais quoi donc ? Kant n'en dit pas plus quand il élève une logique, allusivement caractérisée par l'éponymie d'Aristote,

---

1. On a cité les dernières lignes de la *Remarque générale sur la phénoménologie,* qui conclut les *Premiers Principes métaphysiques de la science de la nature* (1786).

au rang de science, d'emblée parfaite, inaffectée par la révolution copernicienne — ce seuil obligé pour toute autre. En serait-elle l'instrument ? Et si jamais elle se trouvait être dépositaire ou initiatrice de ce double point de vue (qui en est le sens exact), il lui reviendrait alors d'avoir dès l'origine mis le sensible à charge de l'intelligible.

On ne tirera donc pas argument du retournement d'éloge dont a bénéficié Aristote — cet Aristote évoqué en Préface, absent du corps de la *Critique,* et dont l'enseignement est dissous dans la « logique générale ». Loin d'y chercher quelque contradiction littérale et de peu d'intérêt, on y verra une pénétration exacte de l'opération grecque, Kant y eut-il brutalement résumé un siècle de mise au point, entre la première grammaire du *Sophiste* et la « grammaticalisation » des catégories achevée par le stoïcisme[1]. Au reste cette « simplification », et celle que lui-même avait pratiquée dans l'écrit presque vindicatif de 1762, éliminant les figures et les modes du syllogisme comme Copernic les épicycles ptoléméens, est le seul processus historique qui pût, à son regard, affecter la logique. L'*Esquisse d'une histoire de la logique* rejoignait la Préface en réitérant l'enfouissement discursif de la logique : elle est immédiatement systématique mais indirectement accessible, dépourvue d'évidence, et non algébrique[2]. Ainsi la table des jugements rétribuait-elle de son placard l'anthropologie physiologique qu'elle supplée.

Le paradoxe de cette nouvelle distribution de l'analyse en fonctions logiques sera que, suffisante pour résoudre toutes les questions critiques, elle laisse toutes choses inchangées, n'introduit aucune nouvelle preuve, et pas même le contrôle d'une syntaxe effective pour le jugement d'expérience. Les quatre fonctions suffisent aux fins du criticisme. Il faut donc penser que la *complétude* et la *perfection* où Kant plaçait

---

1. Voir infra, chap. V, et cette remarque de V. Goldschmidt : « Si l'on considère les différentes manières, non seulement de concevoir, mais aussi de constituer les catégories, il semble bien que la ressemblance doctrinale des catégories stoïciennes avec celles d'Aristote soit assez superficielle, mais que la façon de les établir ne soit pas sans analogie de structure avec la déduction kantienne » (*Le système stoïcien et l'idée de temps,* n. 3, p. 19).

2. Cf. Introduction aux *Leçons de logique,* § IV. Sur la stabilité d'un système dont Kant affirme l'achèvement et la complétude voir, infra, § 8.

l'excellence de la logique générale révèlent ces fins autant et plus que la thématique de la possibilité de l'expérience. La *complétude* kantienne est interne, puisqu'une même division conduit des jugements aux catégories et aux principes, guide l'analyse des illusions dialectiques, donne son protocole au jugement réfléchissant et structure l'exposition des concepts de la raison pratique. Elle est externe, puisque la même table organise les *Premiers principes métaphysiques de la science de la nature,* et Kant en a fait argument[1]. L'analytique jouit donc d'une double complétude « expérimentale » — la seule qui ait eu sens avant la démonstration gödelienne, et que Herbrand accordait à la logique des *Principia mathematica*. La seule encore que l'on puisse raisonnablement considérer pour une logique adhérente à une langue naturelle, et mesurer à la famille de ses usages canoniques. Celle enfin qui, permettant à Claude Lévi-Strauss de mettre en correspondance les marques oppositionnelles de trois masques de la côte nord-ouest, les mythes associés, et les cérémonies du potlatch, confirme la prégnance des *Mythologiques* en même temps qu'elle résout l'énigme laissée en compte des peintures faciales *caduveo* et outrepasse les limites de l'analyse juridique du don. Enfin la complétude interne rejoint la complétude externe, et montre sa *perfection,* dans le tableau encyclopédique sur lequel s'achève l'œuvre critique[2].

Kant pouvait répondre à Eberhard qu'il n'y a ni besoin ni possibilité d'un nouveau thermomètre. L'analytique des fonctions du jugement levait l'obstacle qui avait porté et laissé Leibniz au seuil d'une invention syntaxique. Reprenons l'*Addendum* déjà cité. Le suffixe « agrammatical » *ens* (ou *non ens*) résorbe son incongruité dans la

---

1. « Cette table renferme intégralement tous les concepts élémentaires de l'entendement, même la forme d'un système de ces concepts dans l'entendement humain, et par suite < ... > donne leur direction et aussi leur *ordre* à tous les *moments* d'une science spéculative comme j'en ai fourni une preuve » (*Critique de la raison pure,* § 11). Une note de Kant renvoie aux *Premiers principes métaphysiques...*

2. Voir le dernier paragraphe de l'Introduction à la *Critique du jugement.* On sait que, de la première version de ce texte à son état définitif, Kant a déplacé ce tableau, d'abord inséré dans l'avant-dernier paragraphe, à la fin. Il signalait l'édifice critique de ce cartouche (à la manière dont l'arbre des facultés achevait, mais sans conviction, le *Discours d'introduction à l'Encyclopédie,* où d'Alembert avait reconnu l'échec d'une organisation systématique et véritablement encyclopédique ?).

modalité, qui détient la dimension analytique supplémentaire. La table kantienne *montre* la solution, avec la même aisance qu'elle résout la preuve ontologique. Si l'essai *D'un unique fondement d'une preuve de l'existence de Dieu* avait établi de longue date que l'existence n'est pas un prédicat, avant même qu'un chapitre de la dialectique ne s'attache à la réfutation de l'argument anselmien les tables initiales avaient décidé de son statut : qu'elle est une modalité, dépendante et rectrice des déterminations d'expérience sur lesquelles elle s'appuie à la manière d'un opérateur « enclitique ».

Or si l'analytique ne fonde aucune effectivité syntaxique nouvelle — laissant même explicitement sur sa marge la singularité des « formules arithmétiques » qui ne sont pas à la vérité des « axiomes de l'intuition »[1] — de quelle effectivité sous-jacente procède-t-elle au nom de laquelle elle fixe le catalogue des jugements, rectifie celui des catégories et donne aux uns et aux autres les règles de leur usage ? La déduction affirme, plus que l'identité entre l'unité analytique et l'unité synthétique de la conscience, la priorité de la seconde : « Ce n'est donc qu'au moyen d'une unité synthétique possible, pensée auparavant, que je puis me représenter l'unité analytique (...) L'unité synthétique de l'aperception est donc le point le plus élevé auquel on doit rattacher tout l'usage de l'entendement, la logique même tout entière, et après elle la philosophie transcendantale. »[2] Kant mettait ici à jour, principe de la correspondance appliquant la table des catégories sur la table des jugements, ce qui régit l'économie propositionnelle des langues naturelles dans leur usage cognitif : l'intégration du procès énoncé dans les déterminations et moyens de l'énonciation. Or si le ressort en avait été confié au verbe, et

---

1. Exception que Kant caractérise mais ne résout pas : « On ne doit donc pas nommer axiomes, mais bien formules de numération, des propositions de cette nature (car autrement il y aurait une infinité d'axiomes). » Kant, dans ce paragraphe, où il énonce et commente le premier Principe de l'expérience : *Des axiomes de l'intuition,* oppose la généralité de la construction du triangle (avec trois lignes, dont deux prises ensemble sont plus grandes que la troisième, on peut tracer un triangle) à la formule où le nombre est produit « d'une seule manière », telle $7 + 5 = 12$.

2. Cette note, appendue au § 16 de l'*Analytique transcendantale* accentuant le point entre la première et la seconde rédaction de la Déduction.

la fonction distribuée entre les modes de la prédication (κατηγορίαι), Kant ne pouvait l'étendre aux propositions qui en sont dépourvues (les équations) sans en reporter l'exercice sur une autre instance — l'intégration des catégories dans les fonctions du jugement, sous le gouvernement et le contrôle de la modalité. Pour les mêmes raisons, tous les jugements étant dans la dépendance de la modalité, la deixis se trouvait levée, ou plutôt réservée, et modulée par les trois degrés : du possible, du réel et du nécessaire. De la modalité dépend la position de l'objet, comme la réfutation de l'idéalisme est un appendice aux *Postulats de la pensée empirique en général*.

8. Toute phénoménologie avait joué du même ressort, et Kant le retrouvait en effet. En le libérant de ses premiers suppôts grammaticaux, il en atteignait l'économie générale. De là qu'il put en abstraire l'exercice, en établir la table, et lui donner son ultime extension. Se dévoile ici un autre sens de l'argument de complétude : tant que serait maintenu le rapport de la pensée à la langue qui l'effectue — on veut dire l'hendiadyn platonicien qui a ouvert notre tradition philosophique, φρονεῖν καὶ λέγειν (*Phèdre*, 266 *b* 4) — l'unité propositionnelle s'avérerait l'intégrant maximal. Kant en avait, en toute lucidité, épuisé les dimensions. Cette limite, qui frappe toutes les « philosophies de la conscience », lesquelles préfèrent l'immédiateté sémantique de l'énonciation à l'effectivité syntaxique de preuves étrangères aux capacités des langues naturelles, rétribuait en déficit une phénoménologie catégoriale de l'objet d'expérience. Mais elle scellait le lien entre énoncé, concept et objet, et la correspondance « projective » qui unit les trois tables kantiennes.

Ainsi, la logique transcendantale surprendra moins quand on y aura reconnu la solution d'un problème cartésien, celui de l'objectivité et de l'inventaire de nos idées, par une méthode non cartésienne. Kant en avait tourné la solution métaphysique, pour mieux en suivre le fil : que toute idée aurait l'objectivité que lui confère une évidence égale à celle d'une vérité mathématique. Le détour par la logique transcendantale retirait le concept de son usage pressant en inscrivant sa singularité objective dans un jugement, et une structure de preuve, qui lui donnent une légitimité constitutive. La démonstration prenait son départ

de la deuxième Méditation, et de l'inventaire des modalités — asser-
tives ou suspensives — du *cogito*. « C'est-à-dire une chose qui doute,
qui conçoit, qui affirme, qui nie, qui veut, qui ne veut pas, qui imagine
aussi et qui sent. » Suivant ici une lecture janséniste de la méditation
cartésienne, Kant n'omettait aucune des conséquences de l'inscription
discursive de ce qui n'est plus *idée* mais *connaissance*. « Si une connaissance doit avoir une réalité objective, c'est-à-dire se rapporter à un
objet et avoir en lui signification et pertinence *(Sinn und Bedeutung)* il
faut que l'objet puisse être donné de quelque façon. » Cet étirement des
conditions d'objectivité, sous bénéfice d'une analyse sémantique
curieusement dédoublée, retiendra moins pour l'écho (direct ou indirect) qu'il recevra dans la sémantique frégéenne que pour révéler les
conditions d'une phénoménologie postcartésienne, d'une reconceptua-
lisation du monde sensible et de ses qualités premières. Là où le discursus enchaînera à son avantage la matière d'évidences soupçonnées.
Non tenu de s'abolir dans sa fonction représentative, il explicite les
conditions requises pour une position externe de son objet. Ainsi se
trouvait divisé le σημαίνειν des phénoménologies grecques, et archaïsée
toute phénoménologie restreinte aux intentionnalités d'un système de
signes. Kant avait résolu l'idéalisme cartésien comme Chrysippe l'idéalisme platonicien : en grammaticalisant sur une composante discursive
obvie, et cette fois modalisée et indélébile, la suite finie des catégories
de l'objectivité. La modalité, de par l'asymétrie qu'elle introduit,
dénonçait cette correspondance intégrale entre le discursif et le représentatif — qui avait été la manière critique des stoïciens. Elle serait
désormais le principe de leur nouveau rapport. Représentant la synthèse subjective du temps dans la chaîne discursive, et le schème de
toute liaison des phénomènes, Kant y situait l'*homogénéité* de la
catégorie et du phénomène, de la conscience et des choses[1]. S'y fixait
désormais la transaction « phénoménologique ». Donc lieu propre du
cogito — là où « la simple conscience, mais empiriquement déterminée,

---

1. C'est dans le premier chapitre de l'*Analytique des principes,* « Du schématisme
des concepts purs de l'entendement », que Kant définit cette sémantique discursive
dont relève l'objectivité des concepts de l'expérience.

de ma propre existence prouve l'existence des objets dans l'espace hors de moi » *(Deuxième postulat de la pensée empirique en général)*. Mais il est vrai que, détenteur des marques de l'énonciation — celles de la première personne et d'un présent incessamment reconduit — il insinuerait en chacune de nos pensées, non la certitude d'une existence absolue, mais le principe de l'équation phénoménologique.

Mobilisant toutes les articulations assignables dans une langue naturelle — et on pouvait s'en remettre à l'examen scrupuleux des maîtres des Petites Ecoles — Kant avait épuisé la fonction de l'entendement dans cette syntagmation du sensible. Le criticisme se nourrit de cette exacte phénoménologie : un surcroît de sensible eût ouvert crédit au visionnaire, un surcroît d'intelligible eût entretenu le combat métaphysique. La correspondance des tableaux, qui articule la première *Critique* et y approprie les deux autres, est de soi preuve réitérée de complétude, elle est aussi l'indice d'une naturalité qu'elle manifeste à la manière d'une constante newtonienne. La quadruple division des fonctions du jugement, partout distribuée dans l'œuvre critique, lui donne, au mépris de l'ordonnance linéaire des livres et des chapitres, une homogénéité aussi peu troublée que ne l'est un champ gravitationnel par l'architecture cloisonnée des édifices, leurs étages, chambres et corridors.

Ainsi Kant pouvait-il à bon droit répondre à Eberhard qu'il avait pris sur lui de lever l'obstacle de la caractéristique. Mais il lui fallait placer délibérément l'accent sur l'interprétation subjective et transcendantale des principes leibniziens. Les fichtéens en ont retenu cette seule leçon que privilégiait la polémique, en dédaignant la leçon grammaticale[1]. On pouvait hésiter en effet, et négliger longtemps encore le déroutant tracé de la première table kantienne. Jusqu'à ce que Benveniste, et quelques autres, concluent une histoire venue des premières apophantiques et des premières grammaires. Et parce qu'elle révélait, de différentes manières, la priorité du propositionnel dans l'usage descriptif, cognitif, phénomé-

---

1. « Avez-vous lu la réponse de Kant à l'écrit d'Eberhard : *Sur une plus ancienne critique qui doit rendre toute nouvelle critique superflue* ? Elle verse beaucoup de clarté sur la *Critique de la raison pure,* et plus encore sur les gauchissements et insinuations perfides d'Eberhard » (Fichte, à Weisshuhn, 1790).

nologique de la langue, ils ont dévoilé l'arcane grammaticale qui avait régi l'appropriation philosophique de l'objectivité, depuis le dialogue platonicien et les premiers essais d'une langue *logoidès*[1]. Kant n'en avait pas moins, le premier, analysé rigoureusement le système de l'énonciation, et tenté de desserrer sans les détendre les conditions singulières que les significations discursives imposent, et proposent, à l'objectivité.

Cette demi-mesure, Kant déniant lui-même avoir fait ou voulu faire autre chose qu'une carte simplifiée de l'aristotélisme, éclairait d'autant mieux le processus dont naît une logique qu'elle l'avait saisi à l'arrêt. De ce point de vue — celui que ménage l'Analytique kantienne — se déterminent le sens des catégorisations grecques et du genre phénoménologique en son entier et, de l'autre côté de sa frontière, l'inassimilable extensionnalité des formulaires quantificationnels. Là où rien, pas même une correspondance structurale, ne peut mettre en rapport les concepts fondamentaux de l'expérience et les disciplines qui divisent la science du mouvement. Là où cesse, avec cette affinité systématique qui fut son meilleur argument, tout rapport de « fondement ». Là où les preuves s'étaient définitivement écartées de nos catégorisations endogènes.

> Eschyle disait que ses tragédies étaient les reliefs du festin d'Homère.

9. Laissons ici ce que le criticisme avait d'ultime, ce pourquoi Kant choisissait une logique « close et achevée ». Demeure le triple avertissement qu'il donnait : sur la nécessité des médiations discursives, sur l'épuisement du compromis phénoménologique, et sur ce que l'un et l'autre enseignent quant à la manière dont se constitue une logique.

---

1. Cf. le chapitre précédent et infra, chap. V. Aux textes de E. Benveniste qui y sont cités, on joindra *Fondements syntaxiques de la composition nominale* (t. II, chap. XI) où le linguiste relève un métamorphisme où l'expression syntaxique est transformée en expression nominale, la prédication verbale étant devenue implicite. « Ainsi se constitue notamment un répertoire vaste, toujours ouvert, de composés descriptifs, instruments de la classification et de la nomenclature. »

La première *Critique* ouvre sur une *Théorie transcendantale des éléments* qui interrompait brutalement les manières philosophiques antérieures. Rien ici qui fût comparable à l'éloge de la vue et de l'ouïe qui mêlent leurs voix dans le prélude grandiose de la *Métaphysique* aristotélicienne. Rien non plus qui évoquât le début, dramatiquement retardé, de la *Méditation cartésienne,* où la Leçon de Ténèbres du doute rehausse l'éclat de la première certitude, et exalte l'unique chemin ouvert par le *cogito.* Rien, sinon cette manière de juriste qui n'a pas fini de surprendre son lecteur. Kant renonçait aussi à la vertu protreptique de telles entrées. Mais l'aridité de l'exposition choisie était essentiellement propice à montrer la singularité du problème logique que les deux autres voies avaient résolu par prétérition. Car elles avaient choisi un point singulier où l'une des deux composantes qui déterminent ce problème se trouvait annulée. D'un côté le préalable d'un donné intuitif, de quelque nature qu'on le suppose, sur lequel le discursif règle ses consécutions ou ses anamnèses, avait été le sens univoque des *Introductions à la philosophie* où communiaient toutes les écoles philosophiques de l'Antiquité païenne. De l'autre, l'introduction cartésienne réglait sur la seule économie intellectuelle sa méditation confirmant, par une hypothèse ayant pour elle la réduction des lieux à l'équation de leurs coordonnées, la toute-puissance de l'ordre des pensées. L'économie discursive et l'économie mathématique coïncidaient dans cet ordre des raisons, dont le nexus réel admet en droit que le lien entre les natures simples fût lui-même une nature simple. La vérité mathématique et ses enchaînements immédiats distribuaient un paradigme auquel l'argumentation cartésienne avait apporté la garantie indirecte de la véracité divine.

Dans les deux cas un unique régime de composition pouvait prétendre donner sa règle à l'autre, quel que complexe que pût s'avérer le catalogue des liaisons réelles. Kant interrompait brusquement un affrontement que, Leibniz interrogeant Locke et l'*Essai sur l'entendement humain,* avaient contraint au dialogue. L'*Esthétique* et l'*Analytique,* pour être juxtaposées dans l'exposition critique, posaient pour la première fois la question d'un rapport qui n'était ni décidé ni récusé : en attente de légitimité. Elle posait la question de droit, non le fait de cet accord dont témoignait suffisamment l'existence de jugements mathématiques, de surcroît synthétiques. Appelés à témoigner chacun à leur tour, Galilée, Torricelli et quelques autres viennent dessiner par points disjoints une trajectoire dont Kant cherche la dynamique sous-jacente. Ainsi la philosophie critique, analysant le *déjà là,* est-elle sans premier moment, sans origine, sans certitude exemplaire, et se voulut telle. Elle n'en poserait que plus clairement la question qui la détermine, celle de la médiation discursive, *per sermonem.*

Tout ensemble, Euclide — ou le premier géomètre, « qu'il s'appelât Thalès ou comme l'on voudra » — la réalité discursive de ses preuves, la possibilité encore vraisemblable, entre Newton et Gauss, de rapporter toutes les mathématiques ultérieures à une géométrie d'ordre supérieur mais non intrinsèquement différente de l'euclidienne, autorisaient l'analyse et l'achèvement d'un processus si clairement attesté. Que les catégories fussent les noms propres de ce point de rencontre entre les synthèses mathématiques et les fonctions du jugement, et Kant avait atteint, de l'intérieur de l'analyse discursive, le principe de son objectivité. Le jugement déposait sur quelques constantes la marque de ses opérations. Hypothèse si nécessaire cependant que la troisième *Critique,* en quête de son exercice pur, sans contrainte d'objet, recueille dans le jugement de goût — « clé de voûte » du système ou *cogito* kantien — la certitude de ses quatre fonctions[1].

Aussi, l'absolu d'une logique venue d'Aristote, la limite tracée par l'analytique kantienne, les puissants arguments naturalistes qui l'accompagnent, ne seraient objectables que si une invention syntaxique y apportait un défi de fait. Dans l'immédiat, l'analogie entre les fonctions du jugement et les synthèses transcendantales, entre celles-ci et les fonctions mathématiques engagées dans la représentation des mouvements gravitationnels, supposait deux restrictions, bientôt transgressées. Dès le début du siècle, Gauss avait affranchi la géométrie de ce contexte d'aperception que lui imposait l'esthétique transcendantale. Et à mesure que la physique se dérobait à l'universa-

---

1. Voir infra, chap. VIII.

lité d'une gravitation newtonienne, elle désavouait les concordances que Kant avait établies entre les *Premiers Principes métaphysiques d'une science de la nature* et la phénoménologie de l'expérience. D'autres analogies furent proposées, entre les principes transcendantaux et la physique mathématique, qui renonçaient délibérément au préfixe logique, à l'économie grammaticale inscrite dans la première table, à l'effectivité des fonctions de synthèse catégoriale et d'embrayage que Kant avait su y déposer. Choix désastreux puisque, par absence d'effectivité des deux termes de l'analogie, le postkantisme ne pouvait éviter les complaisances du « comme si ». En outre, pour avoir lié la certitude de l'assertion à la complétude des fonctions logiques, et celle-ci à la modalité, Kant avait fermé l'ouverture probabilitaire dont avait su jouer la mathématique janséniste[1].

La phénoménologie ayant ainsi rompu tout contrat plausible avec l'effectivité de la connaissance scientifique, elle ne pouvait que reprendre indéfiniment, sous le mode de l'authenticité ou du soupçon, la « question en retour » de l'hellénisme. Quant à la table kantienne — elle ou ses instances hétéromorphes — elle recueillerait alors quelque chose de l'incompréhension opposée moins d'un siècle plus tard à l'écriture idéographique. Elles déconcerteraient une phénoménologie littérale, dévouée à l'apophantique originaire, et néanmoins prise au jeu de « cette inversion remarquable du rapport originel entre la science et la logique dans les temps modernes »[2].

La logique transcendantale, prise entre une hypothèse liée à l'usage cognitif, catégorial, des langues naturelles et les arguments naturalistes

---

1. Est-il besoin de dire que les vues éthiques du jansénisme le conduisaient dans un autre chemin que le criticisme, lui-même compatible avec *La religion dans les limites de la simple raison* — s'il n'y était d'emblée objectivement engagé. Mais le point est ailleurs, il est de rendre sensible aux conditions sous lesquelles la phénonologie grecque fut révisée entre Descartes et la fin du XVIIIᵉ siècle, afin de préserver le sens commun, l'expérience et les choses. Il fallait donc définir un autre contrat d'objectivité entre un état discursif de la pensée et les fonctions et dimensions sous lesquelles une science définit son paradigme. Dans cette recherche d'un compromis entre grammaire générale et *mathesis universalis,* la probabilité janséniste laissait plus de liberté (ou montrait plus de perspicacité) que la modalité du jugement.

2. Husserl, *Logique formelle et logique transcendantale,* p. 4.

(ou si peu naturalistes comme on voudra) de la critique du goût, menacée par l'ambiguïté d'un terme simultanément convié à nommer une faculté, le jugement, et à instituer une première et irrémissible syntaxe, céderait à un argument qui avait été aussi le sien : l'argument du *déjà là*. Elle devrait céder à ce qu'elle n'avait pas prévu, la possibilité d'une invention syntaxique immanente aux mathématiques, à leur démonstration et à leur singularité extensionnelle. Alors l'histoire du cartésianisme épistémologique, qu'elle pensait achever en la réintégrant dans l'ancienne famille phénoménologique, serait réinscrite dans un conflit plus vaste qu'elle n'avait pas résolu, pas même soupçonné. Le conflit demeurait ouvert entre une économie discursive, et ses développements stylistiques propres, et les syntaxes de démonstration et d'exposition déposées par le mouvement à peu près continu de la complexité mathématique. Une autre ligne se dessinait, joignant Pascal à d'Alembert et à Gauss, qui laisserait sur sa gauche la phénoménologie criticiste.

Car le souci de produire une logique effective, et de la produire aux dimensions d'une arithmétique cardinale (fût-elle élémentaire) allait entrer en contradiction avec les conditions sous lesquelles Kant avait fixé son nouveau contrat d'objectivité. Encore fallut-il l'avatar d'une contradiction manifeste, et la restriction des nouvelles ambitions, pour que devinssent évidentes la singularité des systèmes phénoménologiques si longtemps absolus et, par contraste, la générativité des systèmes extensionnels.

> Pour ne pas m'exposer aux reproches de formuler une critique mesquine à l'égard d'un esprit vers lequel nous pouvons tourner un regard d'admiration reconnaissante, je crois devoir également mettre en relief notre accord, qui l'emporte de beaucoup.
>
> *Fondements de l'arithmétique,* § 89.
> Ce que les mathématiques doivent à Kant.

10. Les définitions établies dans la *Begriffsschrift,* dont celles de l'hérédité et de la récurrence qui ont tant joué pour sa notoriété, devaient être à la fois le paradigme et la pierre de touche de l'hypothèse primordiale. *Pierre de touche,* car leur convaincante élimination de tout élément intuitif, et la cohérence des 133 formules dans le tissu desquelles elles s'inscrivaient, apportaient une première garantie à une conjecture sur le caractère strictement « rationnel » de l'arithmétique, comme on disait alors. La conjecture, on l'a dit, était venue de Gauss et réactualisée par les développements plus récents de la théorie des nombres. Frege avait pu se proposer d'expérimenter jusqu'où on pourrait avancer en recourant aux seules procédures d'inférence. A cela se réduit donc le « platonisme » qu'on a voulu dire, ce logicisme diffus, provisionnel, et invérifiable tant que le système où il serait éprouvé se réduirait à l'ébauche d'une expérience de pensée. Mais on sait maintenant combien les essais leibniziens d'une langue caractéristique avaient perpétué et, de génération en génération ravivé, leur promesse scellée. B. Russell n'a pas dérogé à la tradition du patronage leibnizien[1]. Frege était trop averti du piétinement de ses premiers essais pour déclarer mieux qu'une conviction négative : « Plus les mathématiques doivent refuser les secours de la psychologie, moins elles peuvent nier leur rapport étroit à la logique. Et je partage l'opinion de ceux qui tiennent pour impossible de les séparer » (*Fondements,* p. 121). Or les définitions de la *transmission héréditaire d'une propriété* et de l'*ordre sériel,* n'utilisant rien d'autre que les symboles primitifs de l'idéographie à la syntaxe desquels elles s'intégraient immédiatement, montraient par le fait une indiscernabilité du logique et du mathématique. Donc, pour le dire dans les termes d'une épistémologie kantienne alors seule disponible, l'intégration du conceptuel dans les seuls éléments requis pour l'inférence. Ces définitions seraient aussi le *paradigme* du projet entier. Car rien ne semblait devoir arrêter un processus syntaxique tout juste emprunté à une arithmétique qu'il élucidait.

Il suffira donc de montrer le poids d'une *syntaxe,* que Frege disait avoir empruntée à l'arithmétique, dans les définitions idéographiques pour que s'éclaire le lien entre concept et preuve, où se résumaient

---

1. *A Critical exposition of the philosophy of Leibniz* fut publié en 1900. Leibniz demeure la constante référence des *Principles of mathematics.*

§ 24.

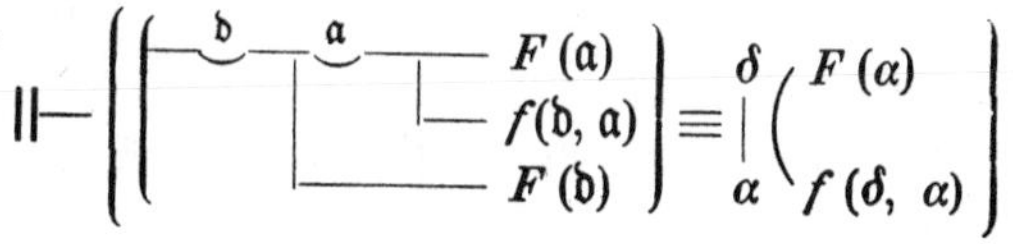

$$\vdash \left(\left[\begin{array}{c} \rule{1.5cm}{0.4pt}\overset{b}{}\rule{0.5cm}{0.4pt}\overset{a}{}\rule{0.5cm}{0.4pt} F(a) \\ \rule{0.5cm}{0.4pt} f(b, a) \\ \rule{2cm}{0.4pt} F(b) \end{array}\right) \equiv \overset{\delta}{\underset{\alpha}{|}} \left(\begin{array}{c} F(\alpha) \\ f(\delta, \alpha) \end{array}\right)\right) \qquad (69.$$

Cette proposition se distingue des jugements considérés jusqu'ici en ceci que des signes y figurent qui n'ont pas encore été définis. C'est elle qui en donne la définition. Elle ne dit pas : « la partie droite de l'égalité a le même contenu que la gauche » mais bien : « elle doit avoir le même contenu ». Il en suit que cette proposition n'est pas un jugement, et n'est donc pas non plus un *jugement synthétique*, pour le dire en termes kantiens. J'en fais la remarque parce que Kant tient tous les jugements mathématiques pour synthétiques. Or si (69) était un jugement synthétique, il en irait de même pour toutes les propositions qui en dérivent. Mais on peut éliminer toutes les notations introduites par le biais de cette proposition, y compris elle-même qui (n')est (que) leur définition : rien n'en suit qui n'ait pu être déduit sans elle. De telles définitions n'ont d'autre fin que de procurer un allégement purement externe en stipulant une abréviation. Outre cela, elles distinguent un assemblage de signes particulier de la masse des assemblages possibles, de manière à procurer un point d'appui solide à la représentation *(Vorstellung)*. Et quand bien même l'allégement dont j'ai fait état ne serait guère sensible, compte tenu du petit nombre de jugements qui seront explicités ici même, j'ai retenu cette formule pour sa valeur d'exemple.

Bien que (69) ne soit pas originellement un jugement, elle en acquiert immédiatement le statut. Car dès que la signification des nouveaux signes a été stipulée, elle est définitivement acquise, et la formule (69) a donc valeur de jugement. Celle d'un jugement analytique toutefois, parce qu'elle ne fait droit à rien de plus qu'à ce qui a été déposé dans les nouveaux signes. On a indiqué ce double aspect de la formule en redoublant le tiret de jugement*. Aussi, eu égard aux dérivations qui suivent, on peut traiter (69) de la même manière que les autres jugements.

* Le tiret de jugement *(Urteilsstrich)* est le trait vertical qui figure au début de la formule (69) et s'y trouve redoublé. Ce que l'on remarquera plus aisément encore si l'on compare la formule (69) aux exemples (formules 85, 86 et 87) de la figure 1, p. 122 *(N.d.T.)*.

FIGURE 3

Begriffsschrift, section III, § 24

alors le logicisme de Frege et son adhésion au projet leibnizien d'une caractéristique. Il suffira aussi de montrer comment la poursuite du projet et l'introduction ultérieure de symboles et de propriétés sémantiques, tous liés à l'usage du signe d'égalité et au pouvoir synthétique de « récognition » que lui attribue Frege, réintroduisaient une épistémologie phénoménologique dans un système qui en niait les principes. Dès lors le projet, cédant au *focus imaginarius* de l'intentionnalité et malgré quelques précautions « criticistes » ici inefficaces, avouera sa déviance dans une équation aux conséquences antinomiques.

(Ce qui, curieusement, semblerait vérifier deux thèses kantiennes qu'on a trop souvent contestées : d'abord qu'une logique contient dès l'origine la totalité de son règlement, et n'admet qu'un procès de simplification, non de surcharge ; ensuite, que le système « prédicatif » régissant le rapport du sens à l'objet, était aussi strictement clos que Kant l'avait prédit.)

11. La définition idéographique a un double statut (figure 3). Double, comme ces figures complémentaires, tantôt canard et tantôt lapin, que n'a pas dédaignées Wittgenstein.

D'une part la définition pose une équation entre signes, stipulant que le signe simple, à droite du signe d'équivalence, *doit avoir* le même contenu que l'ensemble des signes écrits à gauche. Sa valeur est celle d'une abréviation, elle distingue un syntagme de la multitude d'autres syntagmes possibles et lui donne un équivalent plus satisfaisant pour la représentation. (On remarquera, sur la figure 3, que le symbole construit par Frege est bien choisi pour rappeler qu'il s'agit d'une propriété héréditaire.) Outre cela, le contenu qui transite du signe complexe au signe simple est l'ensemble des conditions sous lesquelles une propriété est transmise d'un élément à son successeur, conditions stipulées dans les termes fondamentaux de l'idéographie et énoncées dans la partie gauche de la définition. Ce dont témoigne l'introduction d'un nouveau registre de variables (les minuscules grecques, « variables syntaxiques ») qui doivent permettre de retrouver sans équivoque possible la syntaxe développée que le symbole simplifié abrège. Gödel a voulu relever la précision des écritures frégéennes. D'autre part, cette identité entre le definiens et le definiendum une fois posée, la définition peut, et doit, être lue comme une proposition idéographique, vraie au même titre que les autres, susceptible d'entrer dans le jeu des substitutions qu'autorise la grammaire du système. Ces deux conditions intègrent parfaitement la définition à ce dernier. Et si l'on peut regretter que Frege contracte en une seule formule la définition proprement dite, en elle-même opération métalinguistique, et l'intégration du nouveau symbole dans les démonstrations, l'opération est claire. Sa manière souligne la thèse qu'elle illustre, l'homogénéité entre le contenu de la démonstration et la démonstration elle-même.

La difficulté vient ensuite, quand bien même n'aurait-elle pas de conséquence dans la *Begriffsschrift*. Si le *definiendum* n'est qu'une concrétion de signes syntaxiques, dont on fait en sorte qu'il n'en oblitère pas l'articulation, le « concept » ainsi produit est totalement dépendant de la syntaxe qui le porte. Frege peut bien identifier la fonction (ou la classe de fonctions) ainsi définie comme une *propriété qui se transmet dans la f-série,* il demeure qu'elle sera étrangère à la syntaxe habituelle des propriétés (avoir un contraire, avoir un degré, c'est-à-dire admettre un comparatif et un superlatif...). Qu'elle devra également renoncer au régime de la prédication, où tout concept inscrit en droit son bon usage : subsumer un individu, être subordonné à un concept plus général ou admettre un concept subordonné[1]. Si donc il y a une analyse idéographique de la « propriété héréditaire », elle pourrait bien avoir inscrit le défini dans un régime syntaxique singulier qui en écarte tout autre, écarte plus encore l'épistémologie dont cet autre régime était l'instrument, le dépositaire ou l'induc-

---

1. On sait que Wittgenstein reprochera au calcul défini dans le *Tractatus,* sur quelques hypothèses communes à Frege et à Russell, de ne pas tenir compte, et de ne pas pouvoir tenir compte de la « grammaire des couleurs », essentiellement du système d'oppositions et de degrés propre aux sensibles, pour lequel l'hexagone des couleurs procure une image synoptique. Mais ce calcul avait développé toutes les implications d'une extensionnalité dont Wittgenstein avait été le premier à déceler et exposer le fonctionnement.

teur. Les dimensions grammaticales ici acquises — essentiellement celles de la quantification au moyen desquelles Frege pouvait en effet définir des notions qu'il arrachait à leur paradigme spatial ou temporel — se payaient sur-le-champ d'une syntaxe qui imposait son régime d'inférence, et définissait ses propres conditions de vérité. Frege n'ignorait pas ce contrat et, faisant valoir l'appartenance immédiate de la formule définitionnelle au contexte de l'idéographie, il l'inscrivait dans le régime de substitutions et de transformations où elle déploie une efficacité mesurée à sa pertinence. Mais la question ne fut jamais posée de la singularité de ce nouveau régime, de la possibilité d'une logique qui ne fût pas partie propre, conséquence, implication ou généralisation d'une logique en droit universelle[1].

Il serait peu de dire que la propriété héréditaire n'est le « caractère » (Merkmal) d'aucun objet, et ne figure dans aucun « calcul » autre que les inférences propres à un système quantificationnel. A la vérité Frege avait su déployer une propriété insolite, sur une syntaxe qui ne l'était pas moins, en libérant la première de son statut de détermination intermédiaire entre la subsomption et la subordination : à la fois caractère d'un objet et premier état d'une conceptualisation qui l'inclut dans une chaîne prédicative. D'emblée, il touchait donc à cet opérateur phénoménologique immémorial et l'avait sacrifié à la syntaxe quantificationnelle, ici montrée pour la première fois. Tel devait en être le prix. Mais en contrepartie, il aurait fallu renoncer au terme général de propriété, à lui et à tous ceux qui introduiraient leur équivocité dans l'idéographie et serviraient d'alibi pour des adjonctions parasitaires.

Alors, et comme le laissait entendre le sous-titre de la Begriffsschrift (Un langage formulaire imité de l'arithmétique), Frege n'aurait donc défini une propriété arithmétique qu'en empruntant et portant à l'effectivité les dimensions syntaxiques déjà ébauchées dans l'usage des fonctions arithmétiques ? Une syntaxe locale eût imposé son

---

1. Voir sur ce point Burton Dreben et J. Van Heijenoort, Introductory note to Gödel 1929, 1930 and 1930a, dans l'édition des œuvres complètes de Gödel, t. I, p. 44.

régime, induite par une longue histoire et le développement de potentialités inscrites dans les premiers symbolismes de l'algèbre. Frege, qui avait multiplié les brouillons préparatoires, n'ignorait pas le défi qu'elle posait. Il fallait choisir : ou bien la quantification livrait, de par ses lois adhérentes aux symboles qui les explicitent et de par l'impossibilité de les exprimer en dehors de ce symbolisme, une syntaxe générale dont l'autre, prédicative, serait une dépendance. Et telle fut bien l'hypothèse adoptée par l'identification ultérieure entre *concept* et *fonction,* laquelle cristallisait hors du système catégorial une intuition kantienne, comme on a vu. Et la philosophie analytique ouverte par Russell ne pensera pas autrement. Ou bien, il faudrait reconnaître l'identité distincte de deux syntaxes dont les fonctions et le rapport, tardivement compris et non sans le désenchantement d'une antinomie, appelleraient une analyse philosophique que le kantisme, par le biais duquel Frege donnait sens à l'intégration de la preuve et du concept et gardait fidélité à son titre, devait longtemps encore exclure.

Or Frege supposait un cheminement du déductif à l'arithmétique et explicitait en fait la syntaxe de la seconde. Ainsi l'effectivité de ce premier système quantificationnel et les possibilités de définition qu'il avait ouvertes avaient d'emblée un tour paradoxal, ou équivoque. Car il dissociait les intentions phénoménologiques du projet de la réalité de son analyse. Si la définition de l'hérédité et de l'ordre sériel était bien indiscernable des dimensions syntaxiques où elle trouve son expression, ce succès logique avait déjà dénoncé l'intention épistémologique. Il prenait parti pour le sous-titre du traité contre son titre, et laissait suspendue la manière dont il fallait entendre « pensée pure ». Ne désignait-elle qu'une capacité d'inférence entièrement décontextualisée, à la manière dont, depuis Thalès, la mathématique s'était libérée de la perception en éliminant de ses preuves les marqueurs d'actualité ? Ou n'était-ce que le mythe idéaliste d'une pensée, et d'une grammaire, leurrées par leur propre opération ?

Hörte damit nicht die Möglichkeit des Denkens
auf ?

Frege, *Na. Sc.,* I, p. 289.

12. Ainsi le point obscur n'était pas dans les marges, applications
ou adjonctions du système. Il était au foyer de ce livre, et là même où
la quantification, irréprochable en son premier état et dans ses premières applications, cherchait son sens et hésitait sur son nom. Frege
le variera quatre fois : généralité, concept de second niveau, fonction
de second ordre, enfin langage de secours *(Hilfssprache)*[1]. En quoi, il
retraverserait toute l'histoire de la logique, s'adossant tour à tour au
canon aristotélicien, aux équivalences qui avaient été le ressort de la
déduction kantienne, et à l'arithmétique dont il avait emprunté la syntaxe. Pour rejoindre enfin sa propre dissidence et admettre l'hétérogénéité des syntaxes effectives.

On laissera donc ici l'histoire de la quantification — à la fois si singulière dans l'effraction syntaxique qu'elle opère, et si intimement liée
à l'histoire propre des mathématiques, puisqu'elle libérait les dimensions discursives latentes depuis le XVIIᵉ siècle dans les écritures algébriques et les premiers états de *l'analyse cossique.* Puisqu'il fallut plus
d'un demi-siècle pour que les règles en soient explicitées, à peine
moins pour qu'elle fût pourvue de ses métathéorèmes, et beaucoup
plus pour que le régime d'enchaînements, de preuves et de capacités
analytiques qu'elle avait introduit fût exploré.

D'autres hésitations, plus visibles encore que liées aux précédentes, avaient accompagné l'usage du signe d'égalité. Symbole
dont l'interprétation était d'autant plus déterminante que, tenu
depuis le XVIIᵉ siècle pour le signe distinctif des énoncés mathématiques, Leibniz puis Kant avaient lié son analyse à la possibilité
d'une logique commune aux propositions et à l'équation. Frege en
variera l'interprétation et jusqu'à l'écriture. Régi d'abord par une
règle de substitution *salva significatione* (on échange des signes qui ont

1. Sur les états successifs du système frégéen, voir l'Appendice.

même « contenu »), tel avait été son usage dans la définition. Il lui incombera, dans la seconde version du système, de mettre en rapport le sens *(Sinn)* et la dénotation *(Bedeutung)*[1]. Cette analyse était, à deux égards, plus subtile que la précédente. D'une part elle suppose la division du « contenu » de pensée, par quoi Frege désignait originellement une signification propositionnelle globale, un énoncé, maintenant réparti entre un sens discursif et sa valeur de vérité (vrai ou faux). D'autre part elle en généralise l'usage à toutes les unités de la syntaxe idéographique ayant statut d'objet. « $a = b$ » indiquera que deux sens différents, attachés aux signes a et b qui peuvent eux-mêmes être complexes, renvoient au même objet, qui peut être une valeur de vérité. Cette règle aurait donc eu le curieux privilège d'introduire dans le nouveau système un rapport entre le mode de donation des objets, au moyen de symbolismes, de descriptions et sens différents, et leur position dans l'objectivité extérieure au langage. Ainsi avait-elle réintroduit dans une syntaxe qui avait répudié prédication, articles définis et modalités, une *équation phénoménologique,* maintenant déposée au cœur du projet frégéen, et confiée à la syntaxe de l'égalité. Derechef se légalisait, dans la langue et son protocole, un rapport entre la détermination de la chose et sa position. Ultime et tragique hommage que Frege rendait à Kant puisque cet usage de l'égalité introduirait la chimère d'une convergence d'intentionnalités dans un système qui en avait exclu les ressorts grammaticaux — l'énonciation et ses marqueurs syntaxiques. La loi V des *Lois fondamentales de l'arithmétique,* à partir de laquelle l'antinomie sera engendrée, associait dans une équation, à une écriture quantificationnelle banale, des objets que cette équation était censée déterminer.

Le caractère intentionnel (ou *phénoménologique,* au sens où cette détermination est celle d'une grammaire pour une organisation mentale dont elle est solidaire) de la sémantique frégéenne, bien qu'implantée sur une syntaxe dont les règles de substitution sont strictement extensionnelles, est confirmé de multiples manières. Outre le

---

1. Sur la traduction de ces termes, voir Alonzo Church, *Introduction to mathematical Logic,* § 1 et notre Introduction à *Écrits logiques et philosophiques.*

fait qu'elle a permis toutes les conciliations entre une forme modérée de l'*analyse* russellienne et la phénoménologie husserlienne des premières *Recherches logiques,* Frege en avait ainsi décidé. Car l'égalité devait avoir le trouble privilège d'introduire dans une syntaxe de fonctions et de substitutions, donc entièrement décontextualisée, un « jugement de récognition ». Frege interprétait donc son propre système comme une phénoménologie critique, et pour les mêmes raisons cette fois soutenues d'une comparaison explicite avec Kant, interprétait une quantification monadique comme un jugement d'existence[1]. Et il suffit de ce moment sémantique pour réintroduire toute l'épistémologie phénoménologique antérieure[2]. Mais tout n'était-il pas venu du souci de répondre à une question venue de l'univers perceptif par des moyens qui l'ignoraient totalement, et de vouloir accommoder les questions et les réponses ? En distinguant, une quarantaine d'années après les *Fondements de l'arithmétique,* entre le langage où la question sera exposée *(Darlegungssprache)* et le langage de secours où elle sera traitée *(Hilfessprache),* Frege s'était libéré de cette sémantique du concept et de l'objet où, à lire son journal, il voyait désormais l'origine de son échec dans une construction idéographique du nombre cardinal.

La sémantique frégéenne, où plus d'un phénoménologue a trouvé argument, et plus d'un philosophe du langage la technique de son analyse, n'aurait *en soi* rien de condamnable si elle n'ignorait précisément la singularité mathématique et l'étrangeté des syntaxes appelées à en matérialiser la différence. Si elle ne brouillait cela même qu'elle avait voulu élucider. Si elle n'avait eu *en fait* la conséquence d'inscrire une contradiction dans le système frégéen. Conséquence dont on ne méconnaîtra pas le bon usage, puisqu'elle fut seule capable de faire reconnaître en fin de compte la propriété d'extensionnalité que portait déjà dans ses inférences la syntaxe quantificationnelle. Ce pour quoi $2 + 2 = 4$.

---

1. Voir, en particulier, *Fondements,* § 53, 89 et 104.
2. Sur cette réintroduction sémantique d'une épistémologie phénoménologique, de la chose et de ses prédicats, on analysera plus bas les critiques de Wittgenstein, au chapitre XIII. Voir aussi *Tractatus logico-philosophicus,* 5 . 6331.

Des remarques précédentes on conclura aussi que le rapport entre ces systèmes prédicatifs qui ont séculairement porté notre rationalisme et les écritures quantificationnelles n'est pas d'analyse, puisque, ainsi que Moore s'amusait à le remarquer, *ils ne disent pas la même chose*. Qu'il n'est pas non plus de traduction, puisque la cohérence exige qu'une syntaxe exclue l'autre. Mais qu'on aura par là libéré la possibilité de modéliser autrement une situation à laquelle la description « naturelle » introduit. C'est-à-dire lui substituer la structure mathématique qui en serait le meilleur analysant, et associer à celle-ci l'économie syntaxique qui en sera le meilleur répondant. Ce rapport, « annelé », relayé, et par là tout expérimental, n'apparaît lui-même limité que par deux contraintes essentielles. La première est la cohérence intrinsèque des modèles mathématiques et leur efficacité. La seconde serait la nécessité, encore opaque et non moins constatée, où se trouve une intelligence humaine de parcourir les étapes antérieures de ses représentations sensorielles, de ses discursivités potentielles et de leurs contrats d'objectivité successifs. Fallût-il les composer et les varier. Fallût-il multiplier les « secondes navigations », et sacrifier à nos stratégies de réalisme tant les immédiatetés constituantes, que l'analytique des traductions « radicales ».

APPENDICE

GOTTLOB FREGE — 1848-1925

Mathématicien allemand, petit-fils d'un négociant de Hambourg, qui fut consul de Saxe dans cette même ville, Frege passa son enfance à Wismar, où ses parents dirigeaient une école secondaire. Son frère cadet, Arnold Frege, s'illustra dans les lettres.

Après la mort de son père, Frege entreprit à Iéna des études de mathématiques supérieures. Bientôt remarqué par Carl Ernst Abbe, c'est sur son conseil et avec son aide qu'il alla préparer son doctorat à Göttingen. Abbe avait soutenu de son initiative et de ses fonds personnels la Fondation Zeiss, à qui l'on dut, entre autres, la construction du premier *Planetarium* sous la République de Weimar. Abbe souhaitait donner à son université cette excellence mathématique qu'appelait le développement de l'industrie locale, et particulièrement de l'optique de précision. Il envoyait donc son meilleur disciple prendre ses titres dans l'université la plus renommée, où prévalait encore, vingt ans après sa mort, l'enseignement du *Princeps mathematicorum* Carl Friedrich Gauss (1777-1855).

Plus que tout autre, et avec une fermeté de propos dont témoigne sa correspondance avec le Berlinois Alexander von Humboldt, Gauss avait en partie résolu l'aporie de d'Alembert en constituant d'importants secteurs de la physique expérimentale sur des fondements mathématiques établis avec une rigueur alors inégalée : astronomie, géodésie, électromagnétisme. L'intention directrice de ses travaux se réfléchit, *pars pro toto,* dans la démonstration générale que Gauss sut donner du *théorème de d'Alembert* et dans la représentation géométrique, longtemps méditée comme on sait, de l'arithmétique des imaginaires. Gauss avait donc su déplacer l'*Encyclopédie* de l'impossible unification du savoir dans ses concepts à l'unité, désormais vraisemblable, d'une constitution mathématique de la physique.

La thèse de doctorat, que Frege soutint à Göttingen en 1873, *Sur une représentation géométrique des figures imaginaires dans le plan,* relève directement de la mathématique gaussienne, tant par la nature du problème que par la précision de son traitement. L'année suivante, Frege présenta une thèse d'habilitation auprès de l'Université d'Iéna, où il introduisait de *Nouvelles méthodes de calcul fondées sur une extension du concept de grandeur.* Traitant du calcul des fonctions, Frege généralisait la méthode de Gauss selon un principe comparable à celui que Riemann avait appliqué au concept de grandeur géométrique dans son mémoire *Sur les hypothèses qui servent de fondement à la géométrie* (lu devant Gauss en 1854, ce mémoire avait été publié en 1867 par Dedekind, dans la collection de la Société royale des sciences). L'allégeance déclarée aux problèmes et aux méthodes légués par Gauss, l'investigation longanime des deux questions majeures auxquelles s'attachaient les thèses : la représentation dans le plan *(Darstellung)* et le calcul, sont le fil conducteur de l'œuvre logique à venir. Elles sont aussi son occasion la plus obvie.

La seule lecture de l'*Habilitationsschrift* de Frege avait emporté la décision des membres de la commission, sans qu'ait pu y nuire un exposé oral entravé par une réserve et une contention d'esprit dont Frege, selon divers témoignages, ne se départit jamais. Nommé chargé de cours *(privat-dozent)* à l'Université d'Iéna, Frege assura jusqu'en 1879 un enseignement beaucoup plus lourd et diversifié que ne le supposait son titre, suppléant le professeur d'analyse, Snell, que la maladie avait brutalement invalidé. C'est cependant dans ces conditions difficiles qu'il rédigea l'opuscule où toute la logique mathématique ultérieure allait prendre sa source et reconnaître son paradigme, la *Begriffsschrift* (1879). La même année, Frege fut nommé professeur assistant *(extraordinarius)*, sur des fonds procurés par la Fondation Zeiss. Dans son rapport, Abbe soulignait que la *Begriffsschrift* n'était qu'un produit latéral *(Nebenprodukt)* des recherches de Frege, si étonnant fût-il par sa précocité. Jusqu'à l'âge de la retraite, Frege donna dans cette même Université d'Iéna un enseignement dont la diversité apparaîtra à la seule lecture de ses thèmes principaux : géométrie analytique, géométrie synthétique, théorie des fonctions d'après Riemann, équations différentielles, intégrales abéliennes, analyse algébrique, théorie des nombres, mécanique analytique, mécanique newtonienne... Participant régulièrement, du moins dans les premières années de sa carrière universitaire, aux travaux des sociétés savantes, il y donna plusieurs conférences sur des sujets aussi variés que le concept d'infini, les théories électromagnétiques d'Ampère et de Grassmann, et la géométrie projective. Rien d'étranger toutefois aux recherches qui avaient fixé le génie de Gauss. A partir de 1883, Frege donna un cours public consacré à la *Begriffsschrift* et à l'analyse des concepts fondamentaux de l'arithmétique. A en juger par les témoignages convergents de R. Carnap (*Autobiography*, p. 5-6) et de G. Scholem (*Walter Benjamin. Histoire d'une amitié*, p. 33 et 62), cet enseignement fut peu suivi. Mais il affecta de manière indélébile, et déterminante pour leur œuvre propre, des esprits aussi différents que ceux-là. Cette curieuse association, d'une vocation professorale unanimement appréciée de ses disciples et d'une recherche sur la logique mathématique excentrée par rapport aux intérêts de la communauté mathématique locale, valut à Frege la méfiance, et parfois le désaveu, de ses collègues. En 1896 Frege fut nommé professeur *(ordinarius)* à titre honoraire. L'honorariat avait l'avantage de laisser à son titulaire plus de temps pour ses propres recherches, et ce titre fut aussi celui de son protecteur Ernst Abbe. Il n'est pas impossible que Frege ait préféré l'honorariat, cette promotion lui étant offerte dans une période de grande activité, dans les années mêmes où il rédigeait le second volume du grand œuvre, *Les lois fondamentales de l'arithmétique*. La Fondation Zeiss lui assura une retraite honorable.

Cette biographie élémentaire devait évoquer la carrière de ce mathématicien gaussien de formation et de doctrine qui créa, préalable bientôt devenu essentiel, un instrument d'analyse et de représentation du raisonnement mathématique, désormais requis dans l'administration de toute preuve élaborée, des questions de *fondement* au traitement informatique des problèmes numériques. Cette langue formulaire, qui est de soi une théorie axiomatisée et démonstrative, devait affecter jusqu'au concept même de la logique, et toute théorie du langage à venir. Ce par quoi l'œuvre de Frege est également philosophique et fut, d'emblée, reconnue comme telle. Œuvre entièrement orientée par un propos dont on peut énoncer la forme initiale dans les termes mêmes de Gauss. « C'est là le propre des mathématiques modernes, en quoi elles s'opposent à celles de l'Antiquité, que nous disposions, avec le langage symbolique et la possibilité de fixer de nouvelles appellations, comme d'un levier par le moyen duquel les arguments les plus complexes sont réduits à une procédure mécanique. La science y a infiniment gagné en richesse, mais à voir comment l'affaire est habituellement conduite, elle a autant perdu en beauté et en solidité... J'exige pour ma part que dans tout calcul, dans toute procédure conceptuelle, on garde la conscience des conditions initiales, et qu'on ne considère jamais les résultats d'une procédure mécanique comme acquis, au-delà de ce qui est clairement stipulé » (lettre à Schumacher, du 1ᵉʳ septembre 1850). Frege ne cessa, pendant quarante années, d'en réfléchir les implications, qui tiennent aux principes mêmes des mathématiques et de la connaissance, et d'en remanier la réalisation matérielle avec une détermination que la découverte d'une antinomie invalidant le second système de la *Begriffsschrift* n'avait que temporairement affectée. En témoigne une abondante correspondance scientifique, échangée avec Russell, Hilbert, Husserl, Wittgenstein, Jourdain, Péano, Couturat, que Frege prit le soin de mettre en ordre et de confier à l'historien des sciences Darmstaedter. En témoigne encore l'ensemble des inédits, dont une partie échappa aux destructions de la dernière guerre, confiés par Frege à son fils adoptif avec ces mots : « Tout n'est pas d'or, mais il y a de l'or dedans. »

Il est vrai qu'avec le temps Frege se replia dans la solitude, sans rien perdre d'une affabilité dont témoigna Wittgenstein, qui lui rendit plusieurs visites et lui adressa le manuscrit du *Tractatus logico-philosophicus*. Frege intervint sans succès pour sa publication. Invité par Russell à Cambridge, il retarda le voyage, puis y renonça, comme il avait décliné l'invitation de Coururat au Congrès de Philosophie de 1900 (sur lequel on consultera l'*Autobiographie* de B. Russell), et celle de Hilbert qui le convia à plusieurs reprises à participer aux travaux de son séminaire de Göttingen. De l'homme, Russell témoigna en ces termes : « Lorsque je pense à quelque acte d'intégrité ou d'élégance, je m'aperçois qu'il n'est rien, à ma connaissance, qui supporte d'être comparé à la manière dont Frege s'est consacré à la recherche de la vérité. L'œuvre d'une vie entière était sur le point d'être achevée, la plus grande part de son travail avait été ignorée au bénéfice d'hommmes infiniment moins capables, le second volume était prêt pour la publication et, convaincu que la proposition fondamentale de l'ouvrage était erronée, il répondit avec une sérénité intellectuelle attestant à l'évidence que tout sentiment de désappointement personnel était surmonté. C'était là presque surhumain, et le signe convaincant de ce que peuvent les hommes, s'ils se consacrent au travail créateur et à la connaissance, délaissant des efforts plus grossiers pour dominer et se faire connaître » (lettre à J. Van Heijenoort, du 23 novembre 1962). Ce jugement pourrait équilibrer les lignes amères, nationalistes, bismarckiennes, mais aussi inquiètes d'un christianisme social, personnel et primitif, que Frege confia à son *Journal* dans les derniers mois de sa vie, c'est-à-dire dans la période sombre de la République de Weimar. Frege rêva, lui aussi, d'une *Vie de Jésus,* comme Cantor dans l'intermittence de ses mathématiques de l'infini actuel. On n'oserait dire si ce retour à une forme narrative archaïque, à un récit absolu et naïf, était un tribut de modestie, une anamnèse cathartique après l'effondrement du projet logiciste, ou l'autre forme d'un même défi.

L'œuvre de Frege fut d'abord occultée par l'originalité de sa méthode, lors même que le propos d'une construction rationnelle de l'arithmétique, sans aucun appel à quelque intuition que ce soit, était une opinion partagée, eût-il le premier tenté d'en accomplir l'intention. La thèse logiciste se lit, énoncée incidemment, dans la correspondance de Gauss : « Je suis chaque jour plus convaincu que la nécessité de notre géométrie ne peut pas être démontrée, du moins ni par un entendement humain, ni pour un entendement humain... La géométrie ne doit pas être située au même rang que l'arithmétique, qui est purement a priori, mais plutôt au voisinage de la mécanique » (à W. Olbers, printemps 1817). Dans le courant du siècle, l'hypothèse d'une constitution purement a priori de l'arithmétique avait, de par les progrès de l'algèbre, perdu en dogmatisme ce qu'elle avait gagné en vraisemblance. Aussi bien la question apparaissait-elle sous un jour technique, celui d'expliciter ces « lois de la pensée » dans un système discursif où cette construction serait effectuée. Rompant avec les méthodes du logicisme algébrique (Grassmann, Schröder), le premier traité de Frege parut d'autant moins intelligible que la complexité syntaxique de son écriture bidimensionnelle en entravait la lecture, au sens le plus matériel du terme, pour qui n'en avait pas perçu l'opportunité. Or, c'est précisément cette opportunité qu'occultaient alors les méthodes du logicisme algébrique. La *Begriffsschrift* méritait la remarque que Wittgenstein mit en préface au *Tractatus* : « Peut-être ce livre ne sera-t-il compris que de celui qui aura déjà pensé lui-même les pensées qui y sont exprimées — ou au moins des pensées semblables. » Exigeant de son lecteur quelque affinité préalable avec ce dont elle traite, l'œuvre de Frege a d'abord pâti des hasards de sa découverte et des conditions de sa lecture.

Si le premier opuscule n'avait obtenu que des comptes rendus maussades ou franchement critiques, à une exception près, le second ouvrage (*Fondements de l'arithmétique,* 1884) passa quasi inaperçu. Le premier éloge d'autorité vint de Bertrand Russell, après la lecture du livre vers lequel

convergeaient les publications antérieures (*Lois fondamentales de l'arithmétique,*
t. I, 1892). Russell, lui-même averti par Péano, à qui Frege avait envoyé son
ouvrage sans que le mathématicien italien en ait pris la mesure, consacra aux
Doctrines logiques et arithmétiques de Frege l'appendice A des *Principles of
Mathematics* (1903). Russell y analysait les points de divergence qui l'opposaient à Frege quant à l'articulation logique du système, soulignait la contradiction qui affectait une des lois frégéennes et soulevait quelques paradoxes
concernant la théorie de la signification. Quelle qu'ait été la qualité de
l'hommage russellien, le ton était pris. De longtemps, on ne voulut connaître de Frege que l'échec du logicisme et une théorie de la signification
qui, pour subtile qu'elle soit, pouvait entretenir les controverses qui allaient
bientôt mobiliser la philosophie du langage. L'attention se déplaça désormais des écrits techniques, exposés dans l'idéographie même, aux publications en langue naturelle : *Fondements de l'arithmétique* (Iéna, 1884, réédités
par les soins de H. Scholz en 1938, traduits en anglais par J. L. Austin
en 1950), et divers articles, où Frege exposait les principes de son idéographie, mais avec tous les gauchissements qu'implique la présentation en
langue naturelle de cela même qui avait été conçu pour en rompre la juridiction absolue. C'est dans le commentaire de ces textes, bientôt préférés au
paradigme russellien de l'analyse, que se confirma la philosophie analytique
anglo-saxonne. Les plus significatifs d'entre eux avaient été traduits en 1952
par P. Geach et M. Black, dans un recueil régulièrement réédité depuis.
C'est encore dans cette mouvance que M. Dummett consacra, en 1973, un
volume massif à la *Philosophie du langage* de Frege, aspect de son œuvre
désormais le plus populaire et pédagogiquement privilégié. Simultanément
toutefois, l'œuvre proprement logique recevait un nouvel éclairage, d'avoir
été réhabilitée par A. Church (*Introduction to mathematical logic,* 1956), et plus
encore par W. V. O. Quine qui, de par ses propres recherches, en plaça le
centre de gravité et le point d'innovation absolue dans la théorie de la quantification. Il est vrai que, dès les années de l'immédiat avant-guerre et après
l'échec de la *Construction logique du monde* (R. Carnap, 1928), le foyer de la
recherche s'était déplacé des thèses réductionnistes des *Principia mathematica*
(B. Russell et N. Whitehead, 1910) au système logique qu'elles mettaient à
l'épreuve. Où il apparut bientôt que, malgré ses limites, la *Begriffsschrift*
avait, sous divers aspects, et notamment celui de la rigueur syntaxique,
l'avantage[1]. Cette autre histoire, qui introduit aux questions les plus contemporaines, a été retracée de manière exemplaire dans un volume qui met en

---

1. Cf. K. Gödel, Russell's Mathematical Logic, dans *The Philosophy of Bertrand
Russell,* 1951 ; W. V. O. Quine, Whitehead and the Rise of Modern Logic, dans *The
Philosophy of A. N. Whitehead,* 1941.

évidence une problématique non linguistique et sur laquelle nous reviendrons : *From Frege to Gödel, A Source Book in Mathematical Logic* (J. Van Heijenoort, 1967).

Sans prétendre isoler l'œuvre de ses prolongements, divergents comme on a dit, on tentera d'en fixer les intentions et les articulations majeures en suivant l'ordre, immanent, de sa publication :

1. *Begriffsschrift, une langue formulaire de la pensée pure, imitée de la langue arithmétique,* Halle, 1979. Si le sous-titre se prête aisément à la traduction, le titre oppose une difficulté qui tient à la chose même ; on en verra bientôt les effets dans toute l'œuvre frégéenne, et jusque dans les ultimes fragments inédits. Afin de ne pas la confondre avec une simple question de vocabulaire, ni vouloir l'y réduire, on s'en tiendra désormais aux conventions suivantes : *a |* Le terme *idéographie* désignera le système de signes inventé par Frege et dont il donna deux versions, en 1879 et en 1891. On se conforme ainsi à l'usage le plus répandu, et en quelque sorte authentifié par Frege lui-même, puisqu'il admit l'équivalent anglais *(ideography)* proposé par E. B. Jourdain. On souligne, ce faisant, le caractère le plus évident de ce système, celui d'être une écriture qui ignore les deux articulations des langues naturelles et déjoue leur segmentation grammaticale en phrases prédicatives (*Begriffsschrift,* par opposition à *Wortssprache*) ; *b |* On désignera par *Begriffsschrift,* pris comme nom propre, l'opuscule de 1879.

La véritable difficulté revêt un double aspect. D'une part, Frege y proposait un système effectivement fondé sur le primat de la structure interpropositionnelle, donc opposé en cela à toutes les logiques antérieures : analytique des termes (Aristote) ou analytique des concepts (Kant). Ce faisant, le titre choisi, *Begriffsschrift,* annonçait un calcul fonctionnel généralisé et hiérarchisé, incluant dans un raccourci audacieux le *concept* de la logique kantienne, les fonctions de vérité, les quantificateurs, les prédicats n-aires, les fonctions d'ordre supérieur et les fonctions de termes — pour ne nommer ici que les fonctions encore répertoriées actuellement et sans prétendre à une description exhaustive et technique (voir, sur ces notions, A. Church, op. cit., § 0.2 à 0.6 ; S. C. Kleene, *Mathematical Logic,* 1967, § 28). De là une apparente oscillation entre deux points de vue, propositionnel et conceptuel, ceux-là mêmes que la logique de Boole mettait en alternative et dont Frege prétendait précisément assurer l'intégration « organique ». Et le nœud du problème était effectivement dans ce rapport du propositionnel au quantificationnel, pour lequel Frege ne disposait encore que d'une expression métaphorique. A la vérité, traitant le *concept* comme un cas particulier de fonction, Frege tentait de rédimer Kant par Gauss et de représenter, dans un calcul fonctionnel englobant, l'économie de toute preuve. L'arithmétique, ici « imitée », était à la fois un schème d'inférence à parfaire, et une science dont il serait possible d'expliciter tous les éléments. C'est par cette fidélité à l'usage et aux équations de l'arithméticien que Frege choisit d'articuler l'idéographie sur la césure propositionnelle, visant, malgré la présentation axiomatique, ce que l'on appela plus tard la *déduction naturelle* (G. Gentzen, 1934). L'ambition d'une telle tentative et son point de départ brouillaient une tradition logique figée en évidence. Ils furent l'objet de patientes et multiples justifications (cf. *Sur le but de l'idéographie,* 1882, et la correspondance avec Jourdain). Dans un fragment inédit, daté de 1919, Frege reconnut l'équivoque de son titre : « Je ne pars pas des concepts afin de construire sur cette base des pensées [id est : propositions]. Bien plutôt, c'est par une décomposition de la pensée que j'obtiens les composants de celle-ci. A cet égard, mon idéographie se distingue des constructions similaires, dues à Leibniz et à ses successeurs — en dépit de son nom que je n'ai peut-être pas choisi de la manière la plus convenante. » Il est possible que ce choix ait été induit par Trendelenburg. Le terme de *Begriffsschrift* figure dans les premières pages de ses *Historische Beiträge zur Philosophie* (1867) dont Frege a cité le premier essai, *Ueber Leibnizens Entwurf einer allgemeinen Charakteristik.* On ne saurait y voir une source. L'emprunt d'un terme insolite mais déjà sollicité souligne d'autant plus la nouveauté absolue de la solution. Elle devait remédier à l'épuisement des logiques conceptuelles et catégoriales, dans la servitude desquelles s'entêtait le XIXᵉ siècle, et le néo-kantisme aussi bien que l'aristotélisme renaissant (cf. Th. Ziehen, *Lehrbuch der Logik,* 1919, § 40). C'est en ce sens que Frege créa la logique mathématique, adaptée au type des preuves de l'arithmétique, et déductive comme celle-ci.

D'autre part, si l'idéographie est libérée des contraintes de la parole, elle récusait aussi bien la structure prédicative et le système associé des aspects et des déictiques qui en canalisent la sémantique. Elle annulait donc l'épistémologie phénoménologique qu'ils véhiculent, et le type de rationalité et d'objectivité dont ils extrapolaient l'évidence de la familiarité à l'absolu. Or, si précises qu'aient été les stipulations syntaxiques de l'idéographie, Frege n'avait pas spécifié les règles de substitution afférentes aux articulations choisies, ni déterminé les limitations internes d'une écriture fonctionnelle. A supposer « une langue formulaire de la pensée pure », Frege posait un nouvel absolu, écartant aussi bien l'éventualité d'un contrôle métalinguistique que la singularité épistémologique d'une langue quantificationnelle. On reviendra plus bas sur les divers états de cette langue formulaire ; il suffisait d'indiquer ici à grands traits les intentions resserrées dans un titre elliptique, dont l'obscurité n'avait cependant rien d'arbitraire ni de négligé. Ce que l'on a montré dans les pages précédant cette note.

Quant aux résultats établis dans la *Begriffsschrift,* ils sont d'ordre technique et d'ordre méthodologique. Les premiers ont infléchi sans retour le développement de la logique mathématique au XXᵉ siècle ; ils ont aussi, dans une certaine mesure, affecté le statut des sciences mathématiques elles-mêmes en associant à toute démonstration non plus la figure, où se déposent l'intuition et la construction du problème, mais l'espace de contrôle de sa preuve. Si la *Begriffsschrift* put être tenue pour le texte le plus important de toute l'histoire de la logique, ses résultats techniques justifieraient à eux seuls ce jugement. On citera quatre d'entre eux, où se réfléchit l'apport essentiel de ce bref traité. Frege y donnait le premier exposé d'une *théorie de la quantification* assez générale pour inclure le second ordre. Ce système, totalement inédit, ne connut guère de modification dans la suite, si ce n'était que les règles de substitution demeuraient implicites. Il fallut attendre le traité de D. Hilbert et W. Ackermann (*Grundzüge der theoretischen Logik,* 2ᵉ éd., 1938) pour qu'en soit donnée une formulation exacte. La réserve est d'importance : si peu contestables qu'aient été les substitutions opérées dans le corps des preuves de la *Begriffsschrift,* l'absence de telles règles laissait ouvertes la possibilité de substitutions tératologiques et l'écriture parasitaire de formules antinomiques dont a souffert la deuxième version. En second lieu, la troisième section expose une définition logique de la notion de suite mathématique, c'est-à-dire analysée avec les seules ressources de la quantification polyadique. Dedekind a reconnu l'équivalence entre cette construction et sa propre définition de la *chaîne* (*Was sind und sollen die Zahlen,* 1887, p. IV). Sur cette base, Frege put également déduire l'induction de Pascal-Bernoulli, où Poincaré voyait encore, en 1904, le procédé fondamental, spécifique et indéductible, de la science mathématique (*Sur le raisonnement mathématique, La science et l'hypothèse,* chap. Iᵉʳ). En troisième lieu, la *Begriffsschrift* est le premier système où les dérivations sont obtenues par le seul usage de règles syntaxiques appliquées aux axiomes, sans aucune intervention de raisonnements intermédiaires en langue naturelle. Ce par quoi elle fut le paradigme de tout système génératif et le point d'ancrage de la *Beweistheorie* à venir. Une table, à la fin de l'ouvrage, présente la généalogie synoptique de tous les théorèmes, ou formules idéographiques, obtenus à partir des axiomes. Enfin, cette langue idéographique est fondée sur une forme approchée du *calcul propositionnel.* Faute d'une distribution de vérité associée aux connecteurs du calcul aujourd'hui classique, il revient au jugement d'assigner la valeur de vérité des formules simples et complexes.

Quant à la méthode, Frege sut résoudre l'aporie leibnizienne de la caractéristique, dont la combinatoire associée se perdit dans le « labyrinthe de l'infini », en limitant les propriétés descriptives de l'idéographie — ce en quoi elle est aussi une *lingua caracterica,* aux seuls traits pertinents pour la rigueur de la déduction — ce en quoi elle est un *calculus ratiocinator.* « J'ai exclu de l'expression tout ce qui est indifférent au regard de la déduction. » Loin que la preuve se constitue à partir des contenus qui l'enchaînent, c'est désormais l'économie générale de la preuve qui en singularisera les éléments. Deux éléments seront dits identiques, ou distincts, selon que la substitution de l'un à l'autre laisse ou non inchangée la rigueur de la démonstration. Un tel critère n'est pas extensionnel (substitution *salva veritate*), il est méthodologique. En subordonnant l'analytique (théorie des éléments) à la stratégie d'ensemble de la preuve, Frege achevait la critique kantienne de la monadologie. Mais il intériorisait l'exigence critique dans la logique, en subordonnant la connaissance à ses conditions d'accessibilité : la formulation explicite d'une preuve.

2. *Les Fondements de l'arithmétique, recherche logico-mathématique sur le concept de nombre,* Breslau, 1884. Le livre, rédigé en langue naturelle, est une enquête préparatoire, mais aussi une introduction à une arithmétique analysée, exposée et déduite avec les seules ressources d'un système quantificationnel — ou, pour user d'une expression due à Quine, dans les limites d'une langue-théorie. Frege avait pu mesurer l'étrangeté de l'écriture idéographique aux réticences de ses lecteurs. Son propos fut alors de montrer, en analysant la notion de nombre cardinal, la nécessité d'une langue qui déjouerait l'autorité et la structure prédicative des langues naturelles. Il justifiait par là le primat du jugement d'existence, établissait un lien entre cardinalité et quantification, et illustrait schématiquement la structure des preuves que de telles innovations syntaxiques et sémantiques autorisaient. Considérés sous cet aspect, les *Fondements* sont la première pièce d'une longue série d'articles, de préfaces, et de notes qui doublent les écrits idéographiques. Ils tentent d'en justifier la singularité en y introduisant par des exemples donnés en langue naturelle, mais aussi, selon toute apparence, les plus aisément commutables en langue idéographique. L'intention outrepasse de beaucoup la pédagogie. On y saisit sur le vif l'effort de Frege pour se persuader lui-même d'une relative homogénéité, ou, à défaut, d'une différence tolérable entre l'économie familière des langues naturelles et les exigences d'une preuve extensionnelle. Tâche plusieurs fois abandonnée et reprise, au terme de laquelle Frege aura définitivement archaïsé la logique classique, et tout ce qui, par son effet, fut lentement grammaticalisé et sémantisé dans les langues naturelles. Cette lente autocritique d'évidences inconsciemment assumées parcourt la totalité des *Inédits* et du *Journal* de Frege (voir ci-dessous). Pour s'en tenir maintenant aux écrits publiés, les *Fondements,* et tous les textes analogues qui reprennent la même question sous différents aspects, ont analysé chacun leur tour les points critiques par lesquels on jugera d'une langue extensionnelle, encore que Frege n'en ait jamais donné la formule complète. Telles sont l'existence, l'identité pour la substitution, la dénotation (cf. *Sens et dénotation,* 1891), enfin la définition vérifonctionnelle du calcul propositionnel, objet des ultimes *Recherches logiques.* C'est alors que Frege, renonçant à démontrer la compatibilité immé-

diate et analytique entre langue naturelle et idéographie, reconnut à la langue quantificationnelle le statut d'un instrument prothétique *(Hilfessprache)*, d'usage local, adjoint à la langue naturelle *(Darlegungssprache)* quand la nature des questions traitées l'impose. On reviendra sur ce point dont il fallait évoquer ici la problématique sous-jacente afin de prévenir toute méprise. Les *Fondements* n'effectuent pas une analyse du nombre cardinal dans les limites de la langue naturelle, ni une réduction de celui-là à un a priori de langue et de sens communs. Ils en manifestent bien plutôt l'incongruité. On sait que Husserl renonça à rédiger le second volume de sa *Philosophie der Arithmetik* après la lecture de Frege. L'objection qu'il entendait n'était pas celle du psychologisme, souvent alléguée et d'un repentir bien aisé, mais la preuve que la phénoménologie naturelle, la « conscience mondaine », était incapable de constituer le nombre cardinal et les lois arithmétiques, à moins d'en appeler au *deus ex machina* de la synthèse subjective.

L'ouvrage a deux parties. La première est un examen historique et systématique des définitions reçues, tant du nombre que des opérations arithmétiques élémentaires. Frege réfute avec la même aisance l'empirisme et le formalisme, les définitions génétiques et l'appel à une intuition sui generis. La critique culmine au troisième chapitre, où Frege met au débat l'aporie de l'unité, toujours supposée et jamais définie. Il y prépare la définition du nombre cardinal, objet du dernier chapitre, en spécifiant l'unité comme chef d'individuation. L'unité n'est pas un objet, c'est un concept, par la médiation duquel une même réalité empirique sera dite *une* armée, *trois* régiments, *dix mille* fantassins. En ce sens, l'unité est « un concept qui délimite précisément les objets qu'il subsume » (§ 53). La seconde partie ébauche les étapes d'une arithmétique cardinale, y compris le premier cardinal infini.

Le point de retournement est donc la définition du nombre cardinal, dont Frege a su montrer la parenté avec une quantification existentielle. Soit l'énoncé : *il y a dix chevaux*. Il détermine l'extension du concept *cheval,* tout comme la construction existentielle : *il y a des chevaux*. Celle-ci affirme que l'extension du concept *cheval* n'est pas vide ; celui-là y apportait une précision supplémentaire, en laquelle Frege crut trouver la possibilité de définir le nombre cardinal à partir de la quantification. Le nombre sera dit une classe d'équivalence entre concepts (sous réserve qu'il s'agisse de concepts-unités), équivalence dans le sens où on peut mettre leur extension en correspondance biunivoque. Frege modelait sa définition sur l'exemple géométrique de la direction d'une droite : la direction d'une droite, donnée dans l'espace euclidien, est la classe d'équivalence de toutes ses parallèles. Retenons la succession logique des notions : quantification existentielle, extension, correspondance biunivoque, nombre cardinal. A ce point Frege rejoint ici la dernière section de la *Begriffsschrift* : les cardinaux sont les éléments qui vérifient la relation d'ordre et l'inférence de Bernoulli précédemment définie. Mais la construction implique que l'on considère l'ensemble de tous les concepts, ou de leurs extensions, quotienté par une relation d'équivalence. Sous cette forme elle portait en soi la possibilité d'un énoncé antinomique, encore qu'il ne puisse être explicité comme tel que dans la construction idéographique effective, ici ébauchée. Le point obscur est la notion même d'extension de concept, anodine dans la logique de Boole, antinomique dans un système quantificationnel, comme le montra l'antinomie russellienne des classes (1902). A la décharge de Frege, on dira sans doute que l'antonomie invalidait toute théorie naïve, non axiomatique, des ensembles, celle de Cantor et de Dedekind tout aussi bien. Mieux encore, Frege n'introduisit la notion spécieuse d'extension qu'avec scrupule, ce dont témoigne une note appendue au § 68 des *Fondements*. Au reste l'argument général s'autorisait plus de l'analogie géométrique que d'une construction idéographique remise à plus tard. Toute l'œuvre à venir fut subordonnée à la résolution de cette obscurité.

Pour l'instant, Frege rencontrait Cantor, jusque dans la concomitance de leurs publications. Les dernières pages des *Fondements* soulignaient l'accord avec les *Grundlagen einer allgemeinen Mannigfaltigkeitslehre* (1883). Sans taire quelques réserves de méthode, Frege confirmait, au terme de sa propre recherche, la priorité du nombre cardinal (la *puissance* cantorienne) et la légitimité des nombres infinis d'ordre supérieur (les *alephs* cantoriens). Ils eurent aussi les mêmes adversaires. Si certains d'entre eux n'appartiennent à l'histoire que pour leur mauvaise querelle, Cantor a vilipendé le « positivisme académique » de l'école de Kronecker (*Gesammelte Abhandlungen,* 1890), expression que reprit Frege dans le compte rendu de cet ouvrage. Frege fut donc l'un des premiers à lire et à confirmer Cantor. Mais la divergence des méthodes fut irréductible ; elle est déjà dans le sous-titre de ces publications parallèles. La « recherche mathématico-philosophique » de l'un (Cantor) était incompatible avec la recherche « logico-mathématique » de l'autre (Frege). Cantor fit un compte rendu maussade et injuste, au dire même de Zermelo, des *Fondements de l'arithmétique* ; Frege fit plus tard une analyse impatiente des *Abhandlungen* cantoriens de 1890. Sans s'attarder sur les références de Cantor à la monadologie physique de Leibniz et aux Pères de l'Eglise, Frege attaquait directement les procédures de définition par abstraction dont Cantor usait libéralement ; ce qui confirme en retour le prix que Frege attachait à la notion gaussienne de classe d'équivalence *(Theorie der Congruenzen)*. La diversité des méthodes retentit sur la signification du terme *Fondements* dont elle affectait définitivement l'univocité. Si Cantor greffait les mathématiques sur la théologie, et le réalisme de l'infini actuel sur une citation de l'Epître aux Corinthiens, la méthode de Frege ne touchait à la philosophie que par ses conséquences, d'autant plus efficaces qu'elles mirent en cause ses moyens d'expression séculaires et révisaient le criticisme kantien avec une rigueur qui devait en fin de compte l'abolir. Mais il demeure que, dans les deux cas, le point aporétique fut celui de la greffe : de l'infini actuel sur l'infini théologique, d'un système quantificationnel sur une logique phénoménologique. C'est-à-dire de l'intelligibilité d'une doctrine pour laquelle l'entendement réclame quelque précédent, le réconfort d'une anamnèse.

Si la *Begriffsschrift* apportait une alternative, effective parce que effectuée, aux projets leibniziens d'une langue caractéristique, les *Fondements* opposaient à Kant trois objections qui, loin de mettre en cause le « fil conducteur » de la logique, accentuent la nécessité d'une détermination discursive de la pensée. En premier lieu, Frege récuse la fonction de l'intuition temporelle dans la synthèse arithmétique, et jusqu'à cette synthèse. Sa critique achevait celle que Gauss opposait à l'*exposition transcendantale du concept d'espace*. En second lieu, Frege sut montrer la faiblesse de la logique kantienne dont la partie formelle n'admet que les opérations booléennes tandis que la logique transcendantale suppose un jugement d'existence *(Existentialsatz)* dont la première ne donne ni la forme ni le contexte d'inférence. Or si la *Critique de la raison pure* n'en admettait qu'un usage empirique, le premier postulat de la seconde *Critique* en exemplifiait l'usage a priori. C'est en analysant les conditions sous lesquelles l'existence peut être inférée que Frege put compléter, sans hypothèse transcendantale, la réfutation kantienne de l'argument anselmien (cf. *Fondements*, § 88, 89, 53). Dans la même volée, Frege put résoudre l'aporie criticiste de la *déduction* des concepts. Si la quantification donnait un nouveau sens et ouvrait un nouveau champ à la construction conceptuelle *(Aufbau der Begriffe)*, les *Fondements* effectuaient, sur l'exemple de la direction d'une droite et de la classe d'équivalence, la promesse de la *Begriffsschrift*. Enfin, Frege levait, en même temps que l'invariant de la logique formelle, l'invariant catégorial qui le réplique. Il invalidait alors cette limitation du savoir à l'expérience possible qui spécifie la phénoménologie criticiste.

Mais cette relève du kantisme était à son tour soumise à la possibilité d'une logique ayant les propriétés génératives d'une langue-théorie, cela même qu'évoquait le paradigme de la langue arithmétique. Laissons ici la faiblesse, signalée plus haut, de la construction singulière des *Fondements*. Il reste que la présentation axiomatique de l'idéographie, cette invention frégéenne jamais contestée et souvent reprise dans les systèmes ultérieurs (dont, au premier chef, les *Principia mathematica* de Russell et Whitehead), brouillait définitivement la distinction du formel et du transcendantal. Dans un article inédit (1924-1925), rédigé à la demande du néo-kantien Bruno Bauch, Frege dénombrait trois sources de connaissance : l'affection sensorielle, la topologie de l'espace et du temps, et le langage. Les deux premières donnent leur contenu aux sciences physiques et géométriques, la troisième détient le principe d'une logique générative. On a contesté, depuis l'échec du positivisme logique, la possibilité d'isoler les données sensorielles (cf. Quine, *Les deux dogmes de l'empirisme*, 1951), et Frege d'ailleurs n'y prétendait pas non plus. Quarante années après les *Fondements*, l'article projeté apportait une ultime révision au criticisme : il en sapait l'architectonique. Par l'effet d'une simple rencontre objective, Frege accomplissait donc cette « mise en relation avec le langage » qu'appelait de ses vœux Walter Benjamin, dans une note inspirée par la lecture de Hermann Cohen *(Kants Theorie der Erfahrung)* et destinée à balayer les temporisations prudentes du néo-kantisme de Marburg (cf. W. Benjamin, *Sur le programme de la philosophie qui vient*, 1917).

3. *Les lois fondamentales de l'arithmétique, exposées et déduites dans le système de l'idéographie (begriffsschriftlich abgeleitet)*, t. I, 1893 ; t. II, 1903. « J'exécute ici un projet que j'avais déjà en vue quand je rédigeai la *Begriffsschrift*, en 1879, et dont je me suis ouvert dans les *Fondements de l'arithmétique*, en 1884. » Frege a donc tenu à rappeler, au début d'une longue préface méthodologique, la continuité de son propos ; expliquant aussitôt que le retard apporté à son accomplissement était dû à une révision de l'idéographie. Pour l'essentiel, Frege y apportait trois modifications, non indépendantes, qui infléchissaient concouramment l'idéographie dans le sens de l'extensionnalité, sans que ce réquisit ait été énoncé comme tel et, encore moins, atteint (sur la thèse d'extensionnalité, cf. Wittgenstein, *Tractatus logico-philosophicus*, 4.4 et 5). *a* / Après avoir distingué le *sens* d'une expression de sa *dénotation*, Frege put caractériser, *b* / Une relation d'identité assez générale pour être définie dans tout contexte, y compris entre les signes propositionnels dont la référence est une valeur de vérité, et *c* / Les signes nouvellement introduits pour désigner les *extensions* de concept, c'est-à-dire les domaines de définition (ou *graphes*) d'une fonction. Frege les avait exposées, illustrées et argumentées dans trois articles, publiés séparément au cours des deux années qui ont précédé l'impression des *Lois fondamentales* : *Fonction et concept*, 1891, *Sens et dénotation*, 1892, *Concept et objet*, 1892. Pris conjointement, ces trois articles introduisaient deux nouvelles lois idéographiques. La première, tacitement liée à la définition même de l'identité, écarte les ambiguïtés de la synonymie au profit de la substitution *salva veritate*, formule leibnizienne qui reçoit ici, pour la première fois, les conditions exactes de son application. La seconde affirme l'identité des graphes de deux fonctions (év. concepts), lorsque celles-ci prennent la même valeur pour les mêmes arguments ; elle sera la *loi V* de la seconde idéographie. Ces deux lois confirment et généralisent la distinction fondamentale entre le *concept* et l'*objet*, dont le statut, originellement épistémologique, est maintenant inscrit dans la syntaxe et dans la sémantique de l'idéographie — tout comme la forme prédicative matérialisait l'épistémologie phénoménologique des

Grecs. La longue Préface des *Lois fondamentales* énonce en outre le réquisit de la complète détermination des concepts, dans la mesure où il est exigé que l'on puisse décider, pour un objet quelconque, s'il tombe ou non sous un concept donné. Cette exigence de totale détermination, sur laquelle reposait en partie l'assimilation d'un concept à une fonction, était une condition sine qua non pour la *loi V*, et il suffit à Russell d'énoncer un seul cas d'indétermination pour invalider celle-ci par une dérivation antinomique. Ce dont on lira l'histoire immédiate dans les lettres qu'échangèrent Russell et Frege entre 1902 et 1904 (cf. également B. Russell, *My Philosophical Development*, 1959, et pour le lecteur de langue française, l'histoire critique de sa résolution dans les *Remarques sur la formation de la théorie abstraite des ensembles* de J. Cavaillès, 1938). Quant à la réponse que Frege donna à l'objection de Russell, elle apparaît moins dans l'Appendice du tome II des *Lois fondamentales*, où l'auteur proposait une simple modification de la loi V pour réparer une erreur qui semblait alors locale et d'ordre strictement technique, qu'elle ne se construit, pièce à pièce, dans la longue méditation que Frege appliqua, inlassablement, à la réfection de l'idéographie et dont témoignent le volume des écrits inédits ainsi que les trois *Recherches logiques*. Il suffit de dire ici que la réponse immédiate de Frege, proposée à titre d'hypothèse, était inopérante. La loi V, maintenant limitée à une simple implication, affirmait que si deux fonctions ont même valeur pour les mêmes arguments, alors leurs graphes sont identiques, sans que l'on puisse admettre la réciproque. On a pu montrer que cet appendice, rédigé dans la hâte pour être joint au second volume déjà sous presse, ne résolvait pas l'antinomie (cf. Quine, *On Frege's way out, The Ways of paradox*, 1966). Au reste, Frege ne reprit pas cette ébauche, suspectant, quelle que soit la forme qui puisse lui être donnée, le principe même de la loi V.

Les *Lois fondamentales* furent donc la matérialisation et l'épreuve d'une conjecture, largement partagée, inclinant en faveur du caractère analytique et a priori de l'arithmétique. L'hypothèse, et la nécessité de l'éprouver dans une construction explicite, avait des raisons historiques — c'est-à-dire prises de cette histoire relativement autonome que suscite le développement interne d'une science. On ne sollicitera pas directement le sens du terme *analytique,* qui n'a d'autre fonction que de renvoyer à une méthode d'analyse, spécifiée à chaque fois selon le système qui la met en œuvre. Prise dans son intention la plus générale, la conjecture suppose que l'arithmétique n'est pas empirique, c'est-à-dire ni d'une empiricité immédiate ni obtenue par induction. Et Frege en cela dut réfuter tant le mathématicien Moritz Cantor, l'algébriste E. Schröder que J. S. Mill (*Fondements,* § 21 à 25). Elle suppose encore qu'elle ne relève d'aucun acte de synthèse subjectif, pas même d'une synthèse transcendantale. Dans un sens plus précis et proprement frégéen, le caractère analytique des lois de l'arithmétique implique qu'elles puissent être dérivées dans une procédure démonstrative dont les axiomes ou principes ne sont pas eux-mêmes de nature arithmétique, ni empruntés à aucune expérience. C'est donc résiduellement, et par exclusion d'une autre source nommable, qu'on les dira *logiques*. En outre, la démonstration était d'autant plus souhaitée que la diversification des géométries, à l'époque de Gauss et par Gauss lui-même, ôtait son caractère absolu à la définition géométrique du nombre comme rapport, définition où l'héritage d'Euclide avait été intégralement repris par Newton. Enfin, et sans même rappeler le mouvement d'arithmétisation de l'analyse, le *nombre arithmétique* et la simple possibilité de nombrer ont un domaine beaucoup plus vaste que la géométrie ou l'expérience géométrisable, puisque tout ce qui peut être pensé tombe sous son gouvernement, qu'il s'agisse ou non d'une réalité étendue. Cette dernière remarque, propre à Frege, montre combien, à son sens, l'objectivable et le nombrable coïncident, combien l'un et l'autre s'identifiaient dans la racine même du pouvoir de penser, dans sa structure originelle et irréductible.

Ainsi, la constitution pas à pas des lois arithmétiques, où Frege mit ses contemporains au défi de faire mieux (t. I, Préface), devait décider la conjecture, en expérimentant la possibilité d'une preuve. La tentative n'eut jamais ce ton dogmatique que suppose le terme de *logicisme* dont on l'affubla plus tard. Pour cette évidente raison que le rejet de l'intuition empirique ou géométrique ne fut pas une simple soustraction, dénudant la forme logique dans la simplicité de son état antérieur et, à peu de choses près, aristotélicien. L'idéographie visait une *construction* explicite des concepts arithmétiques, encore qu'elle n'ait pas le sens que lui donna plus tard l'*intuitionnisme* brouwérien, ni n'assume les restrictions que celui-ci imposa à l'usage du tiers exclu et à la théorie classique de la quantification[1]. La tentative de Frege se joua, en son ordre, sur une exigence analogue à celle dont Gauss s'ouvrit à W. Bolyai : « Pour traiter méthodiquement de la géométrie dès l'origine, on ne pourra éviter de démontrer la possibilité d'un plan » (6 mars 1832). Frege mit à l'épreuve la possibilité d'une représentation idéographique du concept de nombre et, ce faisant, la possibilité de l'idéographie elle-même, de ces nouvelles dimensions syntaxiques dont il n'apparut pas d'abord qu'elles détruisaient la fonction *caractéristique* sollicitée.

L'échec fut, autant et plus que la réfutation d'une conjecture « logiciste », le démembrement d'une question de langue commune en une pluralité de problèmes qui en dévalorisaient la formulation immédiate et *naïve*. Cette

---

1. Sur le constructivisme de Frege on lira F. Bachmann, *Frege als konstruktiver Logizist,* 1935, reproduit dans *Frege und die moderne Grundlagenforschung,* éd. Ch. Thiel, 1975 ; pour un usage non intuitionniste du terme de *construction,* voir la définition de la paire ordonnée en termes ensemblistes, telle que l'expose Quine, *Word and Object,* 1960, § 53.

question — qu'est-ce qu'un nombre ? — avait une nécessité interne à l'histoire de la science mathématique, que confirme le titre, quasi contemporain, de Dedekind, *Was sind und sollen die Zahlen ?*. On entend ici par « naïf » (comme dans l'expression « théorie naïve des ensembles ») moins le fait qu'elle fut formulée dans des termes de sens commun, puisque tant la construction de Frege que celle de Dedekind s'en échappaient bientôt, que la résurgence d'une enquête de type phénoménologique. Questions d'ontologie et de signification, sur la nature (εἴ ἐστι) et sur l'essence (τί ἐστι) qui réanimaient un aristotélisme méthodologique, sans dogme ni catégories (*Anal. soc.*, II, 1), et l'illusoire pérennité d'un accord spontané entre les réponses possibles et les questions intrépides. Où l'on suppose toujours que la construction proposée pourrait être homogène et adéquate à la question de départ. Or, la recherche d'une théorie arithmétique, où les opérations élémentaires et les nombres eux-mêmes seraient définis, a récusé aussi sûrement que la *Dialectique* kantienne toute illusion d'homogénéité entre l'économie de pensée où se formule la question inductrice et l'économie de pensée où s'effectue sa résolution. L'échec des *Lois fondamentales* fut donc celui de cette hypothétique continuité ; mais il contribua éminemment à la distinction des problèmes et à la conscience des ruptures.

Citons trois de ces problèmes, pour s'en tenir à ceux dont on trouvera quelque indice dans les derniers écrits de Frege. La question des *fondements* de l'arithmétique se déplaça de la définition des nombres cardinaux « naturels », où l'essentiel de l'analyse frégéenne fut le plus souvent préservé, au système dans lequel elle est effectuable. Cette voie de recherche conduisit aux métathéorèmes dits « de limitation » des années 1930. Par implication, et rompant désormais avec toute métaphore architectonique, la recherche de lois antérieures à l'arithmétique, où celle-ci trouverait sa légitimité, le céda à diverses tentatives visant à fixer la frontière entre le mathématique et le logique (cf. Quine, *Set, Theory and its Logic,* 1963). Plus généralement, l'enquête épistémologique sur l'objet de connaissance fit place à une analyse de la référence, et les théorèmes sémantiques apportèrent une alternative à la théorie de la preuve. Ces trois questions, bien que non explicitées dans les termes convenant à leur formulation contemporaine, animent les dernières recherches de Frege, et les textes inédits plus ouvertement que les textes publiés.

4. *Sur les fondements de la géométrie* (1903-1906) : La publication de la conférence de Hilbert (*Fondements de la géométrie,* 1900), prononcée à l'inauguration du monument dédié à la mémoire de Gauss et Weber, donna à Frege l'occasion de reprendre une correspondance scientifique, dont les premiers échanges avaient eu pour objet la langue symbolique. Frege fut d'autant plus enclin à faire valoir ses objections qu'il avouait avoir travaillé à une axiomatique de la géométrie. Hilbert se déroba bientôt à la corres-

pondance et en refusa la publication que souhaitait Frege. De ces cinq articles, les deux premiers (publiés en 1903) sont une simple analyse critique de l'opuscule de Hilbert ; les trois autres reprennent avec quelque impatience les mêmes objections, en réponse aux attaques de Korselt qui avait cru nécessaire d'outrer le formalisme hilbertien pour le mieux défendre. Il serait inutile d'évoquer un dialogue mal engagé, et plus mal terminé encore, si le bien-fondé des objections de Frege n'avait été longtemps méconnu. On leur accorde maintenant une conscience exacte de la méthode axiomatique, Frege demandant en particulier que les axiomes soient formulés dans une langue-objet assez précise pour que les démonstrations appendues aux axiomes y puissent être explicitement formulées.

La correspondance, maintenant partiellement publiée, s'engagea sur la méthode et la terminologie de Hilbert. Si les deux mathématiciens récusent les définitions *génétiques,* Frege n'admet que les définitions éliminables, dont la fonction est, strictement, celle d'une abréviation. Hilbert souhaite définir un concept par une liste finie d'axiomes, qui en fixent le sens contextuellement et en délimitent l'usage. Frege soupçonnait ici un passage illégitime de la non-contradiction d'un concept à l'existence de l'objet correspondant. Il soupçonne aussi la confusion entre le premier ordre (énumération des caractères constitutifs d'un concept) et le second ordre (la quantification existentielle de ce même concept). Ce qui, en l'espèce, assimilerait le mathématique au logique et contredit l'appel à « ces faits liés de notre intuition » sur la base desquels Hilbert construit son axiomatique. En outre, la méthode brouille toute distinction entre définition et axiomes, en sorte que ces derniers sont dits *vrais* par position, sans que soit assigné le (ou les) domaine d'objets qui le vérifient. Quant aux définitions, Hilbert en conjugue deux types, sous le nom d'*explication (Erklärung)* et de *définition* proprement dite. Or l'explication ne fait qu'isoler un concept, dont la définition proprement dite est axiomatique. Frege souligne ici une collusion entre une détermination propédeutique, qui précède la langue mathématique elle-même sans lui appartenir, et cette langue-objet en laquelle les démonstrations seront effectuées. Les mêmes objections atteignent les preuves d'indépendance et de non-contradiction. Loin de pouvoir être directement associée aux schémas d'axiomes hilbertiens, la preuve de non-contradiction demande, outre la définition d'un modèle, la spécification des schémas d'axiomes en une théorie du premier ordre que ce modèle satisfait. Si Frege eut tort de récuser toute preuve syntaxique de non-contradiction, dont Gödel devait donner en 1930 le premier exemple, il demeure que de telles preuves ne peuvent être données pour toutes les théories mathématiques. Quand elles existent, elles seront formulées dans une langue explicite, incommensurable avec les schémas d'axiomes hilbertiens.

Sous le réseau des objections et des réponses, où l'audace et la fécondité des idées hilbertiennes l'ont d'abord emporté sur les incertitudes méthodologiques, on reconnaîtra trois exigences dont Frege avait acquis le sens à ses propres dépens : la nécessité de marquer la frontière du logique et du mathématique, celle de spécifier la langue-objet dont l'exposition doit être préalable à l'exposition géométrique elle-même, celle enfin de substituer une théorie de la référence à la phénoménologie élaborée de Hilbert, qui associait une axiomatique aux « faits liés de notre intuition », sans traiter pour lui-même le médium symbolique et discursif où l'axiomatique s'énonce et développe ses preuves. Et l'objection atteint aussi bien ce que l'on appela plus tard le *programme* formaliste de Hilbert.

5. *Recherches logiques :* Trois études parurent sous ce titre *(La pensée, La négation, La composition des pensées),* partie d'une série interrompue par la mort. Elles furent publiées dans les *Beiträge zur Philosophie des deutschen Idealismus,* où Frege tenta, à la requête de Wittgenstein, de faire paraître le *Tractatus.* Le trait patent de ces articles est l'abandon de l'écriture idéographique bidimensionnelle, cette réticulation graphique où Frege avait tenté de fixer les *lois de la pensée,* d'en donner simultanément le tableau et la méthode. On sait, par le catalogue d'une correspondance aujourd'hui perdue, que les lettres échangées entre Frege et Wittgenstein dans les années où furent rédigés le *Tractatus* et les *Recherches logiques* portaient sur le dénombrement des concepts logiques fondamentaux. La critique des symboles primitifs de l'idéographie et de leur organisation contextuelle en lois prépare la structure et le style du *Tractatus,* où Wittgenstein a resserré à l'essentiel ses objections (cf. 4.431, 4.442, 5.132, 5.521). Critique dont le principe apparaît plus vif encore dans le *Prototractatus,* et jusque dans son titre primitif : *Der Satz (La proposition).* C'est en effet sur la base explicite d'un calcul propositionnel autonome que s'est effectuée l'analyse extensionnelle des lois logiques. Aussi bien, les *Recherches logiques* définissent-elles les liaisons propositionnelles par des fonctions de vérité associées, à l'exclusive de toute logique du jugement et lois de la pensée. En quoi l'idéographie était-elle solidaire de celles-ci ? En quoi l'extensionnalité propositionnelle en a-t-elle défait l'armature ?

Groupés sous le titre de *Recherches,* ces articles manifestent le dernier état d'une méditation poursuivie un demi-siècle durant, scandée par trois essais d'une idéographie dont Frege ne publia que deux versions (1879 et 1892), et six ou sept ébauches d'un traité de logique dont Frege ne se satisfit jamais (voir les *Nachgelassene Schriften,* 1969). Ces *Recherches* doivent être lues dans la suite de ces préalables inachevés : ils révèlent le point obscur de l'idéographie et son statut provisoire. Frege en avait escompté l'élucidation de sa logique et les moyens de la construction effective d'une arithmétique, y compris les nombres réels. Or la défaillance conjuguée de ces deux justifications, par les prémisses et par les conséquences (qu'il est permis de comparer à la *déduction* subjective et la *déduction* objective de la philosophie critique), a plus atteint l'idéographie que ne l'avait fait l'antinomie elle-même. Celle-ci n'était en fait que la sanction du statut provisoire et de la fonction médiatrice de l'appareil idéographique. On reviendra plus bas sur la dernière arithmétique frégéenne, dont les *Recherches logiques* analysent, à nouveaux frais, les prémisses discursives.

Le point obscur de l'idéographie était clairement avoué dans le premier opuscule de Frege. Il gît dans la notion même de représentation *(Darstellung)* des lois logiques. Celles-ci ne sauraient être totalement explicitées parce que le système graphique qui les incorpore leur emprunte déjà quelque chose dans le choix des signes et des syntagmations dont il use. « Ces règles (d'écriture) et les lois de la pensée dont ces règles sont les images *(Abbilder)* ne peuvent pas être exprimées dans l'idéographie pour cette raison précisément qu'elles en sont le fondement » *(Bg.,* II, 13). En 1879 Frege interprétait le graphisme idéographique comme une simple et anodine prétérition de l'exprimé dans l'expression, sans que soit contestée l'autonomie d'une logique insensible aux contraintes d'un système d'expression dont elle prétend, à l'inverse, régir l'articulation. Il est vrai que ces *lois de la pensée* avaient le statut d'un postulat ; leur contenu fut suspendu à une enquête dont Frege ne vit jamais le terme. Les divers articles où Frege confronta ses essais idéographiques aux tentatives rivales de Leibniz, Boole, Schröder, Péano, où il compara l'idéographie aux langues naturelles, et les langues naturelles entre elles, témoignent de son souci de déterminer quelque invariant strictement logique et diversement réfléchi dans les unes et les autres. Frege admettait que toutes ces réalisations ne soient pas intertraductibles pour ce qu'elles donnaient des « lois de la pensée » une image plus ou moins grossière (et l'idéographie est en ce sens plus déliée que la logique booléenne), voire déformée par les articulations rhétoriques ou les conventions propres à des systèmes de communication adressée. Cette exégèse minutieuse des langues naturelles, sur la structure desquelles Frege lisait les recherches anthropologiques contemporaines et dont il sollicita quelques exemples (cf. *Fondements,* § 52), et l'examen des symbolismes contemporains révèlent la question qui en entretient l'application et parfois la pugnacité (cf. *Sur l'idéographie de M. Péano et la mienne,* 1896 ; *Kleine Schriften,* p. 220). Sa réflexion se partageait alors entre la recherche d'une *logique pure,* principielle et en quelque sorte adamique, prébabélienne, et la constitution axiomatique d'une écriture nécessaire et suffisante à l'exercice du raisonnement mathématique. Le *Traité de logique* dont Frege atermoya, d'année en année, la rédaction devait établir cette impossible suture entre l'une et l'autre. Le retard avoue la priorité des langages constitués sur l'éventuelle logique constituante. D'où il vient que, faute d'être la présentation dans l'intuition des lois logiques (au premier sens kantien de *Darstellung*), les essais idéographiques n'en pouvaient être que le schématisme (deuxième sens kantien). L'antinomie a montré qu'ils n'en furent jamais que le symbole (troisième sens kantien de *Darstellung*, cf. *Critique du Jugement*, Intr., § VIII).

C'est dans un fragment tardif que Frege mit en cause son ineffectuable prémisse. « La pensée n'est-elle pas elle-même un langage ? Comment est-il alors possible que la pensée entre en conflit avec le langage ? Ne serait-ce pas là un conflit où la pensée entre en lutte avec elle-même ? Et la possibilité de la pensée ne trouve-t-elle pas ici sa limite ? » (1914-1915). Cette question, non répondue, pourrait certes être comprise comme un repli sur le criticisme et sur une nouvelle formule des conditions de possibilité de la connaissance, comme une mise en dimension de la pensée par les articulations obligées d'un langage. Toutefois, à retenir l'invention d'une structure quantificationnelle, qui ne fut récusée ni de Frege ni de ses postérités, à lire le contenu même des *Recherches logiques,* où s'élabore une langue extensionnelle à la mesure des inférences « mathématiques », ce langage est mis aux dimensions de l'objectivité qu'il déclare, du moins n'a-t-il de structure constitutive que pour lui prendre ses règles. L'effondrement de la subjectivité transcendantale s'arrête au point précis où la pensée (le langage) peut intérioriser de nouvelles dimensions, et accède à de nouvelles mesures. Cet ultime mouvement est plus pascalien, et janséniste, qu'il n'est kantien. La langue s'invente et s'archaïse au même pas que la méthode. La substitution des langues fait de l'obstacle un moyen ; ainsi l'art de la navigation sut-il user « du vent pour aller contre le vent » (*La science justifie le recours à une idéographie,* 1882). Résolution de la question kantienne de la déduction par son renversement : le méthodologique l'emporte sur l'analytique, dont il détermine les articulations, et se subordonne le formel. Frege s'en expliquait ainsi dans une lettre à Hilbert (du 1ᵉʳ octobre 1895) : « La voie qui conduit naturellement au choix d'un symbolisme me semble être la suivante. Lorsqu'on engage une recherche avec des mots et que l'on éprouve la lenteur, le caractère diffus et l'imprécision d'un tel langage comme un obstacle, on sera conduit à inventer une langue de signes où la recherche pourra être menée avec plus de clarté et de précision. Donc : d'abord le besoin, et sa satisfaction vient ensuite. Il serait en revanche bien moins fructueux de produire d'abord un symbolisme et de lui chercher ensuite des applications. Il se pourrait que la langue symbolique créée par Boole, Schröder, Péano se soit fourvoyée de la sorte. »

Les *Recherches logiques* s'attachent à cette seule logique immanente à un langage, et en répertorie toutes les formes d'inférence valide. Frege définit des compositions propositionnelles élémentaires, et toutes les combinaisons dont elles sont susceptibles, pour un langage dont les énoncés peuvent être dits vrais ou faux indépendamment du contexte. « On les appellera compositions de pensée mathématiques. » Lors même que Frege définit les conditions d'un langage extensionnel, il le qualifie par son domaine paradigmatique, celui dont il énonce éminemment la syntaxe. Dans un tel langage, qui n'est pas limité à une partie propre de la langue naturelle et pour lequel Frege conçoit des développements symboliques, telle la quantification, le concept de vérité est primitif. « Ce qu'est le vrai, je le tiens pour indéfinissable. » Cette brève remarque d'un inédit daté approximativement de 1906 (17 *Kernsätze zur Logik*) caractérise assez exactement la perspective sémantique de ce système propositionnel, dont les règles sont de formation ou d'inférence, en l'absence de tout axiome. Cette ultime logique a donc bien renoncé à cette autorité inassignable que Frege demandait, avant le tournant du siècle, aux « lois de la pensée ».

En prenant maintenant pour terme de comparaison un tel langage, dont Frege requiert l'extensionnalité, langage canonique quant à sa fonction d'expression pour les mathématiques *(Darlegungssprache)*, y compris les développements annexes *(Hilfssprache)* qui en diversifient les possibilités analytiques et opératoires, on peut considérer le projet idéographique dans la perspective critique qui fut celle même de Frege. Il ne suffira donc pas de rappeler répétitivement un échec qui fut aussi l'épreuve clairement assumée d'une hypothèse. L'effet, pour inattendu qu'il ait été, fut de dissocier, à la manière dont un prisme optique divise la lumière blanche, le faisceau de réquisits incompatibles où se composait la vraisemblance, sinon la banalité, du *logicisme,* dans le dernier quart du XIXᵉ siècle. Frege fit de l'échec plus qu'une preuve d'impossibilité ; il sut préparer les moyens d'une nouvelle objectivité, cette *neue Sachlichkeit* dont toute la pensée moderne revendique, à quelque égard, le patronage.

A consulter le registre des Conférences de la *Schiller-Universität,* on constate que Frege enseigna, plus et plus longtemps que toute autre matière, la géométrie différentielle et analytique. On trouvera, déposé aux Archives de la même université, le manuscrit d'une conférence sur lequel Frege a tracé les figures qui supportaient son exposé avec une précision et une virtuosité qui semblent défier les possibilités d'une représentation graphique dans le seul plan d'une feuille de registre. La constance et la maîtrise du géomètre, encore attestées par la controverse avec Hilbert, insèrent donc l'épisode idéographique dans une méditation qui l'outrepasse de part et d'autre. Aussi bien, l'idéographie ne devait-elle être que l'instrument et la préface d'une arithmétique rationnelle. Le point de départ fut, on l'a dit, une thèse universitaire où Frege généralisait le concept de grandeur, bien en deçà de la dichotomie intuitive du continu (géométrique) et du discret (arithmétique). Le point d'aboutissement est dans ce fragment de 1925, pure profession de géométrie gaussienne, où Frege prend pour donnée primitive d'une arithmétique encore à construire le plan de représentation des nombres complexes. « Je l'appelle le plan de base *(Grundebene)* » *(Neue Versuch der Grundlegung der Arithmetik)*.

Replacé dans le contexte de cette géométrie d'ordre supérieur, mis en série avec d'autres recherches analytiques et topologiques, on percevra plus aisément les finalités que devait satisfaire le plan idéographique. Offrant un espace de construction pour un enchaînement régulier et normé de signes, il géométrisait la langue caractéristique qui en acceptait les dimensions. Acceptons un instant le propos leibnizien que Frege citait encore en 1879, l'idéographie visait alors une représentation analytique des articulations de la preuve, comme la géométrie analogique des Grecs visait l'*eidos* des choses. Elle mettait donc en jeu une hypothèse héritée des Grecs, ce legs alexandrin d'une logique qui, selon l'expression stoïcienne, « laisserait parler les choses mêmes ». Considérée sous le second aspect d'une « langue formulaire de la pensée pure », l'idéographie corrigeait la table kantienne des jugements, dont Kant avait souligné l'organisation « mathématique » *(Critique de la raison pure, Anal. transc.)*. Celle-ci était encore caractérisée dans les *Prolégomènes* (§ 39) comme une orbite circulaire, à laquelle contraint l'application d'une force subie, et d'autant inconnaissable. « C'est toujours le même fil conducteur qui, comme il doit toujours être conduit par les mêmes points fixes, déterminés a priori dans l'entendement humain, constitue constamment un cercle fermé. » Cette succession d'images, de la table et de l'orbite, plus suggérées que véritablement posées et dont la fonction semble être de se corriger l'une l'autre, assimilait alors le catalogue systématique des formes logiques primitives à une structure « naturée » qui participe déjà, a parte ante du domaine privilégié, la physique mathématique, dont elle devait guider la déduction. Simultanément, et comme pour satisfaire une intention inverse de la précédente, cette table accueillait les articulations prédicatives de la langue, ajoutant aux divisions reçues de l'analytique grecque une rubrique modale qui en relativise la phénoménologie. La table kantienne composait donc, à la manière des quartiers d'un blason, ce qui relève d'une pensée donnée sous des contraintes analogues à celles d'une « grammaire générale » *(Logique,* Introd.), et ce qui relève d'une affinité, non moins nécessaire, entre la première et le système de connaissance dont elle préfigure la possibilité. La logique kantienne était alors la conjonction donnée, encore qu'elle-même inconcevable, de ces deux contraintes ; elle supposait donc cette finalité logique de l'entendement dont la *Critique du Jugement* devait résoudre l' « énigme ». En outre l'idéographie s'imposait de maîtriser le vecteur intentionnel de la connaissance, en inscrivant le schème de l'objectivité dans l'*ordre* des fonctions, précisément le second *ordre* de la quantification. Intention la plus fragile, mise en rivalité dans la seconde idéographie avec une théorie de la référence et que les *Recherches logiques* ont écartée en prenant pour départ, avec l'indéfinissabilité du vrai, sa contraposée. Le plan idéographique s'abolit ici dans un système de règles d'inférence, dès lors que Frege renonçait à ces « lois de la pensée » qui devaient en être « la règle et le compas ». Et dans la mesure où ces règles surveillent la syntaxe de la preuve, Frege leur applique désormais une métaphore de géométrie appliquée : elles en seront du moins l' « équerre » (*Zahl,* 1924).

Le dernier essai de Frege faisant appel, on l'a dit, au plan de représentation des nombres complexes, récusait, pour sa part, la priorité du nombre « naturel », de ces cardinaux finis dont les *Fondements* avaient su montrer comment et pourquoi leur ensemble, infini, vérifie l'énoncé de récurrence. Induits par l'expérience comptable la plus familière, celle du négoce, et munis par elle du statut d'objet, Frege doutait maintenant qu'un tel *investissement* de la pensée, pour séculaire qu'il soit, puisse offrir une base suffisante à l'arithmétique, laquelle doit d'emblée énoncer des principes suffisants à tout ce qui sera ultérieurement démontré. En partant du plan gaussien des nombres complexes, donc sans retour à une quelconque intuition kantienne comme on fut tenté de le dire, il estime alors pouvoir démontrer, comme par surcroît, les lois arithmétiques élémentaires. Ce dernier état de la réflexion de Frege sur l'arithmétique, renonçant à une constitution progressive du savoir par extensions successives, est en plein accord avec les raisons pour lesquelles il avait abandonné, au terme du deuxième tome, la rédaction des *Lois fondamentales.* Plus dirimante que l'antinomie, à laquelle Frege avait cru trouver une échappatoire et dont il savait qu'elle atteignait également les résultats de ses contemporains, fut l'impossibilité de construire les réels sur la théorie, acquise, des cardinaux finis. Frege n'avait pas alors d'alternative à la procédure dedekindienne des *coupures*, qui équivalait à une définition *implicite* du continu (*Stetigkeit und Irrationalen Zahlen,* 1872). Comme en témoigne une correspondance triangulaire entre Frege, Wittgenstein et Jourdain, le premier ne s'inquiéta jamais que de cet obstacle-là, comme si le risque d'une construction logique ne valait d'être pris qu'à la mesure des résultats escomptés.

Il fallut plus que le scandale d'une antinomie logique pour que soit démontrée l'irréductibilité de l'arithmétique à ce qui est syntaxiquement démontrable (théorème d'incomplétude), et pour que soit démontrée l'irréductibilité de la logique quantificationnelle à ce qui est démontrable vérifonctionnellement (théorème de non-décidabilité). Mais il fallut l'évidence idéographique de l'antinomie pour que de telles questions, avant même d'être répondues, aient pu être légitimement posées. C'est bien à ce degré d'effecti-

vité, celui même qu'appelait la conjecture de Gauss sur le caractère strictement rationnel de l'arithmétique, qu'il faut comprendre les rétractations de
Frege et ses ultimes ébauches.

Averti par la très médiocre diffusion de la *Begriffsschrift,* Frege crut devoir
admettre qu'il serait peu lu. Dans la Préface des *Lois fondamentales,* il fit un bref
décompte de ses lecteurs potentiels. « Au reste, l'audience et les perspectives de
mon livre sont franchement restreintes. Il faut exclure les mathématiciens qui,
s'ils tombent jamais sur une expression logique telle que "concept", "relation",
"jugement", penseront : "metaphysica sunt, non leguntur", et tout autant ces
philosophes qui, au vu d'une formule, s'écrieront : "mathematica sunt, non
leguntur". Et le nombre des uns et des autres n'est certainement pas le
moindre. » Depuis, les mathématiciens ont lu Frege, s'arrêtant peut-être trop
tôt à l'appendice de ce même livre, où Frege prit soin de construire, lui-même et
à ses dépens, l'antinomie potentielle de son second système idéographique. Les
philosophes le lurent ensuite. Ils s'arrêtèrent le plus souvent aux articles sémantiques, écrits en langage naturelle, pour y renouveler, selon l'occasion ou
l'humeur, le vieil espoir d'une analyse *correcte, enfin correcte,* de la langue naturelle, ou la chasse ockamienne aux entités nominales. Lecture analytique, qui
n'a guère survécu au paradoxe de Moore, pierre d'attente avant que Quine ne
développe les implications positives d'une langue quantificationnelle (*Word and
Object,* 1962).

On voudrait, pour conclure, citer quelques conséquences, les plus radicales du projet idéographique et les effets dissociateurs de ce qui fut, provisoirement, compris comme un échec.

Laissons le plan idéographique pour ne considérer maintenant que les
arborescences linéaires que dessine chaque formule, une fois qu'on en aurait
effacé les symboles littéraux (figure 1, p. 122). On y découvrira le diagramme
simplifié d'un réseau électronique d'ordinateur, isomorphe à une logique vérifonctionnelle. Effaçons encore les lignes pour ne garder que le système des
embranchements principaux et secondaires. Si l'on indexe les sommets par
une numérotation alphabétique, on obtient alors une épure de cette ponctuation numérique par laquelle Wittgenstein voulut indiquer le « poids logique »
respectif des propositions du *Tractatus* et le point exact de leur insertion. Syntaxe avouée du *Tractatus,* elle en dément l'aspect aphoristique aussi sûrement
que chacune des propositions déjoue le tour périodique du *beau* style. Frege
jouait ici contre Kraus, comme Kraus jouait contre le style, trop affable, de
Heine. « Soit dit en passant, il est absolument nécessaire que la numérotation
décimale de mes propositions soit imprimée conjointement, parce qu'elle
seule donne au livre la clarté et la vue d'ensemble *(Übersichtlichkeit)* souhai-
tables. Sans cette numérotation, il ne serait qu'un incompréhensible fatras »
(Lettre de Wittgenstein du 6 décembre 1919, à Ficker, alors éventuel éditeur

du *Tractatus*). On y a reconnu le terme même par lequel Frege justifiait le choix d'une distribution bidimensionnelle de l'idéographie.

A suivre la première indication, le schéma d'un réseau électronique n'est encore que l'application la plus grossière de la syntaxe frégéenne. L'articulation quantificationnelle fut une matrice pour une famille de langages, libérés du modèle des langues naturelles, de complexité hiérarchisée, et dont ni le catalogue ni l'analyse ne sont, à ce jour, achevés. De tels langages sont, en particulier, devenus langue commune pour l'exposition mathématique. En outre, l'idéographie fut le premier exemple d'une grammaire formelle, générative et transformationnelle, paradigme pour toutes les langues artificielles et hypothèse de travail pour le traitement des langues naturelles.

A suivre la seconde indication et cet usage, le premier historiquement et le plus inattendu, qu'en proposa Wittgenstein, le modèle frégéen délivre la langue *naturelle* de l'articulation prédicative et périodique. Elle l'affranchit aussi bien de la fonction phénoménologique que l'apophantique grecque lui avait associée.

DEUXIÈME PARTIE

Mises au point

CHAPITRE V

CATÉGORIES, APOPHANTIQUE, ÉNONCIATION

I

Il serait hasardé de traiter abruptement des catégories stoïciennes, cette question maudite des historiens et des logiciens — pour quelques raisons, bonnes et moins bonnes, qu'on rappellera plus bas. Aussi évoquera-t-on d'abord quelques données ayant trait à la constitution d'un système de catégories. On en spécifiera ensuite le sens eu égard à l'économie stoïcienne, sa logique et le rapport de celle-ci à l'éthique et à la physique. Dans ce contexte, quatre aspects déterminent la question.

1. Si l'on rapproche quelques exemples ménagés par l'histoire, on peut saisir sur le fait le processus de formation d'une logique. On comprendra aussi l'intérêt philosophique qui y fut associé, plus exactement comment il fut le lieu même de la philosophie. Une logique, au sens grec qui a perpétué ses directives, s'est imposée comme la grammaticalisation d'une inférence où se récapitulent les continuités naturelles. Processus lent, hésitant, cheminant par rectification des premières ébauches et sélection « orthologique » (*Sophiste,* 239 *b*), elle résulte de deux mouvements convergents. D'une part, la preuve sera constituée comme telle pour être arrachée à sa première adhérence, déplacée de son thème à sa syntaxe, inscrite dans les constructions fondamentales de celle-ci d'où elle vaudra universellement. Eurent cette fonction inductive (que signale indirectement le mouvement cyclique liant le dernier chapitre des *Analytiques seconds* au premier chapitre des *Analytiques premiers*) la grammaticalisation de la preuve causale, à la fois mathématique et physique, que Thalès avait inventée sur le *paradigme* de l'éclipse. Eurent le même rôle, mais en accentuant la médiation mathématique, le raisonnement probabilitaire pour la logique de Port-Royal, ou la récurrence pour la logique quantificationnelle frégéenne. D'autre part, il était demandé qu'un système discursif, le plus souvent la langue naturelle, se prêtât sans trop d'artifice à cette grammaticalisation. Réquisit qui allait de soi quand les sciences, naturelles et mathématiques, s'inventaient et s'enseignaient dans le médium de l'usage. Il est vraisemblable que les premiers recueils d'*Eléments* préeuclidiens furent diffusés sous la forme de demandes et de réponses, genre dialogué dont on sait le bonheur philosophique à venir.

De cette rencontre, les bénéfices furent longtemps réciproques. D'un côté la preuve se constitue comme telle d'être séparée de ses conditions singulières et originelles. Sa généralisation l'institue en rationalité. De l'autre, la langue qui l'accueille, assumant l'ordonnance de la preuve à la racine même de ses modes énonciatifs, accroît ses possibilités d'inférence et de décision jusqu'aux tours rhétoriques qui répètent en écho une puissance empruntée, s'ils ne mettent à profit la générativité des tropes fondateurs. Plutarque ne pouvait mieux louer l'éloquence de Périclès dont il affirmait qu'il « trempait sa plume dans la physique ».

2. Pendant longtemps ce processus eut son lieu et sa perfection dans la langue d'usage, en capturant les ressources jusqu'à épuisement, tout comme s'il s'agissait de la mise à jour d'une rationalité fondamentale et autonome, d'un surgissement de la pensée dans (et contre) la langue. Ainsi, par un mouvement inverse et complémentaire, furent appropriées à la grammaticalisation de l'argument la prédication et l'aspectualité (Aristote et Stoïciens), l'adverbe modal (Port-Royal puis Kant), le performatif (Hegel), l'opération ouvrant à chaque fois un nouveau domaine de rationalité pour une langue alors arrachée à ses démarches de *sens* commun. La transaction, on l'a vu, fut poursuivie au-delà de ses

limites raisonnables, quand l'inférence souhaitée ne pouvait plus être représentée dans la syntaxe d'une langue naturelle. Alors l'emprunt des propriétés grammaticales de la langue d'accueil a bientôt viré en correction, allant de déceptions en incongruités. Ainsi Frege avait demandé à une tournure peu usitée de l'allemand parlé une préfiguration de la cardinalité et de l'existence, tandis que Russell n'hésita pas à récuser une grammaire d'usage invalidée par les indexicaux. Et il suffit de cette extrapolation au-delà du vraisemblable pour révéler une constante anthropologique, explicitée dans une des plus cohérentes versions de l'analyse russellienne. Quine a misé sur cette tendance à accaparer la syntaxe la plus intégrante (ou, en en variant le repère philosophique : « synthétique », ou « synoptique ») pour y loger le commun de l'expérience[1]. Laissons l'analyse anglo-saxonne, demeure le souci de ménager pour une langue, et au bénéfice de l'intelligence qui lui est immanente, l'accès à la preuve la plus opérante dans la science estimée directrice.

3. Aussi longtemps qu'une logique fut définie dans une langue naturelle, elle manifestait l'autorité et le surplomb de la détermination externe sur la langue qui y prête sa grammaire, par un triple effet. D'abord la grammaire induite est normative, corrigeant à l'occasion des expressions fautives. Ainsi Aristote, en quelques passages de *Métaphysique* A et de la *Physique,* put-il stigmatiser l'ambiguïté des philosophes « pré-socratiques » et, à l'occasion, l' « archaïsme » de Platon. Quelques fragments stoïciens semblent parfois vouloir gérer la grammaire d'usage avec une minutie de pédagogue. Ensuite, le souci de privilégier les formes syntaxiques les plus aptes à réverbérer les preuves, arguments et objectivités physiques, eut un effet de constitution quant à la prose, dont il faudrait ici considérer la transformation de l'*histoire* aux *traités* physiques et théologiques. Il est peu de dire qu'Aristote inventa le genre du *traité,* lors même qu'il publiait des dialogues, et que les Stoïciens ont fixé des règles stylistiques dont les contraintes, et les bonheurs, sont visibles, entre autres, dans l'élo-

---

1. Cf. W. V. Quine, *World and Object,* et C. Imbert, *Quine, logique et épistémologie,* « Critique », n° 395, 1980.

quence juridique ou les *Histoires* de Polybe. Enfin, il était impliqué dans ce même processus que, la preuve une fois versée au compte d'une logique discursive, cette preuve ne manquerait pas d'y déployer toute sa générativité spéculative. (Qu'on veuille bien considérer un instant le lien entre les derniers livres de la *Physique* d'Aristote et les livres K et Λ de la *Métaphysique*.) Ces effets, d'abord confondus parce qu'ils étaient conjointement voulus, furent dissociés dans la suite, au fur et à mesure que la formule de preuve désirée était plus onéreusement réfléchie dans la langue philosophique. S'il est permis de tirer une ligne droite sur une histoire évidemment sinueuse, la *spéculation* s'est retirée sous la *constitution* (Kant), et celle-ci sous la simple *grammaire* analytique. Mais le canon était alors disjoint de ce à quoi il devait être appliqué, et la catégorisation impossible.

Ce faisant, l'élaboration de la preuve et de l'argument avait forcé les ressources du dialogue, Platon y versant l'apologie, l'argumentation juridique, et la manière des géomètres. Elle ne put atteindre son exactitude sans de successives éliminations, pour s'approprier la fonction cognitive (ou référentielle) du langage, y subordonner les autres, exalter enfin l'énonciation en témoignage et le locuteur en messager. La logique grecque sut faire coïncider la syntaxe prédicative, la sémantique du sujet *(topic)* et de son commentaire catégoriel *(comment)*, et les fonctions apophantiques[1]. De là que l'objectivité lui emprunta les marques du présent et l'appareil de la *deixis*, de là aussi que les formes canoniques de l'inférence ont approprié à leurs fins les possibilités d'expansion du syntagme prédicatif. Le syllogisme trace un chemin sélectif parmi toutes les associations prédicatives admises comme *comment*. Ces conditions, dont les *Topiques* aristotéliciens ont donné le premier inventaire, définissent la famille des logiques grecques. En elles se réfléchissent le régime d'expression et le pouvoir analytique qu'en attendait le socratisme.

---

1. Pour un tableau des fonctions du langage, voir R. Jakobson, *Essais de linguistique générale,* I, chap. 11, p. 214 à 220. Sur la composition des trois points de vue : morphosyntaxique, sémantico-référentiel et énonciatif-hiérarchique, voir Claude Hagège, *La structure des langues,* chap. II et le tableau de la p. 28.

4. Cette capture des formes d'énonciation par la syntaxe de la preuve, la mise en place des phrases prédicatives dans un contexte d'argument potentiel, ont contribué à la constitution de l'*objectivité* à laquelle s'est dédiée la philosophie grecque. Non que l'on néglige ses fins morales et politiques évidentes, bien au contraire. Mais elles furent, ou devaient être atteintes en versant à la décision éthique les critères et inférences habilités par la preuve physique. Ainsi dans le dialogue platonicien la question préalable (qu'est-ce que la sagesse ?) intervient avant que soit répondue la question initiale (Charmide est-il sage ?). La décision, arguant de la nature des choses mêmes (τὰ ὄντα ὡς ἔστι), serait ainsi substituée à la préférence *(Gorgias)* ou à l'argument d'autorité *(Protagoras, Théethète)*. Que l'objectivité ne soit pas donnée avec l'affection, qu'il y faille un détour *logique,* et qu'il soit d'emprunter les modes de décision et d'inférence des physiciens, Platon le dit sans détour dans ces lignes du *Phédon* qui signent l'acte de naissance de la logique grecque : « Craignant d'être aveuglé de l'âme en regardant dans la direction des choses avec mes yeux, ou en entrant en contact avec elles par chacun de mes sens, j'eus l'idée que je devais chercher refuge dans les *logoi* et envisager en eux la vérité des êtres » (*Phédon,* 99 *d*). Où le mot λόγος, et de là que nous ne le traduisons pas, désigne à la fois la raison physique et son équivalent discursif à venir : définition, mais aussi énoncé ou syllogisme de la cause. Il annonçait une logique des genres et des participations dont le *Phédon* ébauchait, et le *Sophiste* corrigerait, la première tentative.

Le sens des catégories fut de réussir là où la dialectique de Platon s'était épuisée, de classer l'ensemble des prédicats sous un nombre fini de déterminations physiques, dessinant une continuité qui se déploie comme cause. Il fut d'intégrer la qualité sensible, différentielle et première pour nous, sous un aspect lui-même pris dans la compacité d'une *kinésis,* dont il est un moment caractéristique et fragmenté. « Quand à propos d'une couleur blanche, on dit que c'est du blanc ou une couleur, on dit ce que c'est et on signifie (σημαίνει) une qualité » (*Topiques,* I, 9).

Or les prédicats physiques ne se subordonnent ni ne s'excluent à la manière des genres et des espèces. Leur mode d'association est défini par le traité des *Catégories* en deux préceptes indissociables. Le premier (chap. III) a trait à la consécution des termes du syllogisme : *le prédicat du prédicat est prédicat du sujet.* Le second serait induit des chapitres (IV à IX) où sont caractérisés tour à tour les principaux chefs catégoriaux. On pourrait établir leur réseau en un tableau montrant que (par exemple) une *qualité,* première donnée, est ensuite explicitée comme *passion, action, manière d'être,* éventuellement comme *relation* entre l'agent et le patient (ainsi la vertu est spécifiée, dans la *Physique,* par ses points d'application : de qui et envers qui ?). Ces deux canons règlent le rapport des prédicats, entre eux et d'eux et à leurs suppôts, en substituant le syllogisme physique (causal) à la définition platonicienne, et la catégorisation à la participation. Se dessinent alors les chemins syllogistiques, où l'analyse suit la nécessité des consécutions physiques et dont les *Analytiques seconds* varient les applications. Ainsi, arrachant l'exemple du *Phédon* à sa lecture platonicienne, le syllogisme de l'éclipse énonce la cause en analysant une qualité (la lune *éclipsée*) en une relation (interposition d'un corps opaque). Une perception, nôtre et liée à notre position terrestre, est convertie en une autre, potentielle et compatible avec la première : si nous étions sur la lune, explique Aristote, nous percevrions l'éclipse. Le *dioti* serait un *oti,* le syllogisme avantageusement remplacé par un énoncé apophantique, et celui-ci dirait à la fois la cause et la définition. Le phénomène y serait d'emblée catégorisé dans la complétude de ses aspects. Cas singulier, où la cause physique et l'explication géométrique coïncident, Aristote n'en donnait pas la formule générale qui eût accordé, dans l'a priori d'une syntaxe uniforme, définition, énoncé et développement syllogistique. Le stoïcisme en a déchiffré la règle simple en appropriant les déterminations catégoriales aux fonctions hiérarchisées dans l'énonciation. Mais au prix d'une autre analyse de la prédication.

II

L'exemple de l'éclipse montrait que l'explication d'un phénomène pouvait être de même niveau que son aperception, que l'intelligence du pourquoi se fait sans rupture avec la déclaration du phénomène perçu puisqu'une autre position de l'observateur dans l'univers, plus favorable, transformerait la cause en fait. Il n'est donc aucun besoin de rompre le cours apophantique pour y insérer la parenthèse d'une définition d'essence, pas plus qu'il n'est nécessaire d'en briser l'unité pour insérer un moyen terme et produire la cause, ce qu'exige la figure (σχῆμα) du syllogisme aristotélicien. Dans le cas de l'éclipse, il eût suffi pour en dévoiler la cause qu'elle fût perçue, et dite, comme une position relative de la lune, aucunement comme sa qualité. Supposant qu'un observateur situé sur la lune *percevrait* l'éclipse, Aristote suppose aussi qu'une scénographie physique et géométrique organise le champ perceptif, et impute les données sensibles à des objets engagés dans des mouvements, allant d'un lieu vers un autre et modifiant leurs aspects dans le temps. Ce dont la présence des sensibles communs dans l'indissociable proximité des sensibles propres est l'inscription psychologique. L'apophantique, qui n'est que la déclaration du sens commun est donc liée de fait à un référentiel physique. En y employant le nom et le verbe, elle les approprie déjà à une catégorisation physique sans laquelle elle serait incapable de discerner l'objet de son état et d'en dire l'actualité. Ainsi un mouvement, inverse à l'ordre des traités réunis dans l'Organon, organise l'énoncé sur le modèle des questions physiques et l'apophantique sur la catégorisation. En liant la dialectique à son préalable perceptif, et l'énoncé (λεκτόν) à la représentation qui y insinue le schème de ses aspects, le stoïcisme achevait à la fois un mouvement esquissé dans l'Organon et la grammaticalisation de la définition platonicienne — où Platon, faut-il le rappeler, voulait que les termes enchaînés comme des noms, réfléchissent dans leurs proximités et leur contenu, la réalité des essences physiques (*Sophiste*, 268 *c* 7) et de leurs relations.

On montrera dans la suite l'exacte inscription des catégories stoïciennes dans la syntaxe où s'analyse la causalité. Le but serait atteint si on y faisait *voir* les catégories, pierre de discorde pour les commentateurs anciens et scandale pour les interprètes modernes. Il le serait mieux encore si ce point de fait contribuait à spécifier les logiques grecques comme *phénoménologiques*.

1. Ecartons trois débats qui ont obscurci la question. Le premier eut trait à la place des catégories dans l'enseignement stoïcien. Relèvent-elles de la physique ou de la logique ? Outre que la question n'a guère de sens quand elle s'adresse à une pensée (dite) *dogmatique,* elle risquerait de méconnaître l'organisation, combien systématique, de la doctrine stoï-cienne. Celle-ci ne requiert aucune division en chapitres et rubriques, disons à la manière de l'*Encyclopédie* hégélienne, s'affirmant plutôt comme un système *réellement* solidaire, dont aucune partie, telle la dimension d'un volume, ne peut être ni pensée ni enseignée séparément. *Ingens corpus philosophiae* disait Sénèque, répliquant l'image de parties organiques dont la dénomination (μέρη) ne pouvait ignorer le titre aris-totélicien des Μέρη τῶν ζῴωων[1]. Le second débat devait indirectement, mais aussi vainement, fortifier la cause du premier. Quand, à l'instiga-tion de J. Łukasiewicz, on a proposé une reconstruction proposition-nelle, donc extensionnelle, des preuves stoïciennes, il fut urgent d'épurer la doctrine de tout appareil catégorial. Mates s'en est témaire-ment prévalu. Il revient à M. Frede d'avoir ultérieurement montré que si les péripatéticiens n'ont rien objecté au syllogisme stoïcien ils contes-taient la simplification à laquelle les logiciens du Portique avaient soumis les catégories aristotéliciennes. On considérera dans un instant le texte de Simplicius où le grief est exposé sans ménagement.

Demeure une troisième objection, qui réduirait les catégories stoï-ciennes à une finasserie d'école : on n'en pourrait trouver, dans les textes transmis, ni usage ni mention. Quant au fait, de Lacy a répondu, citant divers passages, pris dans Epictète et Marc Aurèle, où l'usage est peu contestable[2]. Ce faisant, en ce combat d'arrière-garde pourrait bien se jouer l'essentiel de l'affaire, et les fins ultimes d'une théorie catégoriale. Partons donc des écrits de ces stoïciens tardifs, seuls textes de première

---

1. Cf. Plutarque, *Des contradictions des stoïciens,* 1035 E, citant Chrysippe quant à la nécessité de considérer simultanément les trois parties du système. « Il ne faut pas, quand on entreprend l'étude de la logique, laisser là le reste, mais il faut en prendre autant qu'il est permis. » On sait que les stoïciens comparaient les parties de la philo-sophie à celles d'un animal vivant, d'un jardin et de ses fruits, ou encore d'un œuf (DL, VII, 40).
2. P. de Lacy, *The Stoic Categories as Methodological Principles,* 1945.

main et d'une certaine ampleur que la tradition manuscrite ait préservés. Ils illustrent, autant et mieux que les fragments les plus techniques, la machinerie dialectique de la morale stoïcienne que résume excellemment la formule d'un grammairien, à l'occasion instituteur de Néron : ἑρμηνεύειν εἰς τὰ φυσικά. Interpréter nos représentations dans le sens où elles rejoignent l'économie générale de la nature. Il est donc demandé que la perception elle-même soit d'emblée, et si nativement, instruite de la physique, qu'elle lui emprunte le canon de son énonciation. L'argument vaut contre le cynisme, qui annule la gloire du monde comme il casse l'écuelle ; il délègue au sujet de la perception la responsabilité de la bien commenter, et d'en décider exactement. L'exercice suppose que les prédicats physiques maîtrisent les préférences, que par ce biais l'éthique soit prise dans les raisons de la physique.

Que cette catégorisation ait été la trame même du style stoïcien, ce ne serait encore qu'une étape, si déterminante qu'elle ait été, dans la création d'un style philosophique. On lui doit donc d'avoir aplani ce lieu d'analyse et d'écriture, où Kant a pu trouver l'exemple d'un usage « constitutif » qui se pensait de droit naturel. Il fut aussi, et sans aucun doute, ce contre quoi se sont définies d'autres possibilités : le jugement d'expérience, le jeu de langage, où cette expression désenclavée de l'apophantique qu'ébauchent les derniers textes de M. Merleau-Ponty[1]. (Donc en s'y adossant autant qu'ils s'y opposaient.) Chrysippe, au reste, poursuivait le propos platonicien (σκοπεῖν ἐν τοῖς λόγοις τὴν ἀλήθειαν) de constituer la discursivité en instrument de (meilleure) visibilité. Il le fit sur la voie où Aristote s'était engagé dans ces traités savants (« ésotériques ») où le petit nombre apprenait comment les catégories sont le fil conducteur d'une exposition « analytique » pour le temps, le lieu, la cause et le mouvement. Or la constitution catégoriale du *Traité* (πραγματεία) portait aussi l'intention la plus déclarée de l'activité philosophique. En déterminant le quotidien de nos aperceptions selon le mode d'expression et d'inférence de la physique, en joignant pour la première fois les extrêmes, l'Organon, y compris l'apophantique, avait éloigné

---

1. Voir *infra,* pour Kant, chap. VII, pour Merleau-Ponty, chap. XI, pour Wittgenstein, chap. XIII.

d'autant ce *muthologos,* dont Aristote pourchassait les vestiges dans les
« métaphores » platoniciennes. Mais cet aspect négatif n'est encore que
l'envers de l'invention catégoriale, c'est-à-dire d'un nouveau commerce
confié à une langue - sens commun, où le mouvement grammaticalise-
rait ses aspects et ses consécutions, où la perception, mise à l'école de
l'apophantique, convertirait ses représentations en la reconnaissance des
« choses mêmes ». Le rapport entre le sensible et l'intelligible y avait
trouvé sa première solution grammaticalisée c'est-à-dire a priori, à
laquelle Platon avait lui-même contribué. Moment heureux, où la caractéristique physique était compatible avec une langue naturelle, et où
chaque assertion de celle-ci relèverait, dans la minutie de son dire, de
l'ordre des choses. On y saisit comment la définition de l'expérience
dans les catégories d'une physique universelle est indiscernable par *principe* d'une inscription des mêmes concepts physiques dans les coordonnées « ptolémaïques » de l'énonciation.

2. Dans son *Commentaire aux catégories d'Aristote,* Simplicius présente la doctrine stoïcienne en des termes bien faits pour en souligner
la différence :

« Quant aux Stoïciens, ils ont jugé bon de réduire le nombre des genres
premiers. Pour certains, ils les tiennent pour sous-entendus dans cette réduction. Leur division retient quatre chefs : sujets, qualités, manières d'être et
manières d'être relatives. Il est évident qu'ils laissent de côté le plus grand
nombre *(id est : des genres aristotéliciens),* en particulier la quantité, mais aussi
ce qui est dans le lieu et dans le temps. Et lorsqu'ils se figurent que la
manière d'être inclut les choses de ce genre, arguant que *hier, au Lycéen, être
assis, être chaussé,* tout cela relève de la disposition (διάκειται πῶς), on répon-
dra d'abord que, ces déterminations différant grandement entre elles, c'est de
manière bien confuse qu'on les réfère à un chef commun, la *manière d'être.* En
outre, admettrait-on cette manière d'être comme détermination commune,
c'est avec le sujet et avec la quantité que se fera au mieux l'accord. Car sujet
et quantité sont aussi dans une certaine disposition » (*SVF,* II, 124, 369).

La traduction proposée ne pouvait être qu'un compromis, Simplicius forçant les notions stoïciennes dans un contexte péripatéticien
pour soutenir son propre grief : celui d'une réduction arbitraire des
chefs aristotéliciens. Il pousse à l'absurde la contraction stoïcienne des

genres premiers (mais s'agit-il encore de cela ?) pour réduire, sous l'alibi de l'*accord,* les catégories à une seule, la manière d'être.

En un sens il reprenait les objections inlassablement faites au style stoïcien : arguments brefs, économie des moyens, goût de formules serrées jusqu'au paradoxe. Mais son argument en laisse voir une raison syntaxique, laquelle allait à contre-courant de la sémantique aristotélicienne. L'argument final, qui met en relief le principe de l'accord, fait apparaître, contre lui-même, que l'unité déterminante pour la catégorisation stoïcienne n'est pas celle des *termes* en lesquels s'analyse la prédication, mais la manière dont la *fonction* prédicative elle-même répartit la syntaxe de l'énoncé selon l'accord, la voix (πῶς ἔχειν, à quoi Simplicius substitue parfois διάκειμαι) et le régime (πρὸς τί). C'est encore au verbe, support des quatre fonctions prédicatives, que se réfèrent les adverbes de temps et de lieu, la quantité, l'actif et le passif.

On ne demandera pas à ce texte plus de technique qu'il n'en avoue. Tel quel, il est suffisamment précis pour éclairer l'intention stoïcienne. Comme le confirment d'autres témoignages, en particulier le traité des *Genres de l'être* (Plotin, *Ennéades* VI, 1), les catégories « verbales », qu'Aristote désignait par une forme infinitive (ἔχειν), sont ici données sous la forme d'un participe fléchi (ex. : πῶς ἔχοντα, πρὸς τί πῶς ἔχοντα). Ces participes gardent trace de la question qui délimite, avec les réponses souhaitées, les unités syntagmatiques pertinentes, et montrent qu'elles ont été converties à la détermination de l'objet. On ne saurait indiquer plus clairement, dans un système qui relève les fonctions syntaxiques sur les paradigmes de leur usage, comment les fonctions d'énonciation ont été mobilisées par la constitution de l'objectivité, ici de l'objectivité physique.

La suite des catégories stoïciennes, loin de reproduire une classification sémantique, exhaustive et sans recouvrement, comme semblerait le demander Simplicius, définit une syntagmation hiérarchisée, dont un système de parenthèses pourrait être une expression recevable :

$$\left[\left\{ \left[\text{(sujet) qualité} \right] \text{ manière d'être} \right\} \begin{array}{l} \text{manière d'être} \\ \text{relative } (\pi\rho\grave{o}\varsigma\ \tau\acute{\iota}] \end{array} \right]$$

Mais on n'oubliera pas qu'il s'agit d'une structuration des choses dites (λεκτά) et signifiées (σημαινόμενα). Le schème doit être lu comme un système de coordonnées mobiles, tour à tour fixé en chacun des points de l'univers où la nature s'individue en objets et affecte la perception. Les mêmes repères distribueront leur cohérence sur une chose perçue, un événement familial, historique, ou cosmologique. Chaque usage inscrit un objet dans un récit, fragment possible d'un plus vaste récit. Cette propriété *fractale* pourrait même caractériser la structure la plus générale d'une catégorisation.

La grammaire stoïcienne, naturalisant les représentations sous des catégories propres à distinguer des états et des aspects de mouvement, ne ménageait d'autre loquacité, et d'autre manière de décider, que conformes à la scène physique dont elles épousent le dessin. Le lien entre l'éthique stoïcienne et le préalable de sa dialectique apparaîtra si étroit qu'on tiendrait pour vain de vouloir discerner entre ce qui est cause et ce qui est effet.

3. On a vu que la divergence entre les catégories péripatéticiennes et les catégories stoïciennes n'était pas celle de leur liste mais de leur principe. La syntaxe catégoriale organisera l'inférence, tout comme l'analyse en termes régissait, pour sa part, les figures du syllogisme péripatéticien (*Analytiques premiers,* livre I, chap. 1). Des cinq modes fondamentaux (τρόποι) établis par Chrysippe il suffira de rappeler le premier, et de le faire à l'aide d'un exemple dont la pertinence est confirmée par la citation répétée qu'en fit Sextus.

Si quelqu'un (τις) se promène (περιπατεῖ), il se meut (κινεῖται) ;
Or celui-ci (οὗτος) se promène ;
donc celui-ci se meut.

On ne peut éviter que le français trahisse le grec, et que la banalité des termes y masque la réminiscence platonicienne. La prémisse majeure est une variante des exemples proposés dans le *Sophiste* (263 *a*) où il s'agit de définir la plus petite unité apophantique, et la vérité de l'énoncé sous l'hypothèse de la participation. Contre toute apparence, cette prémisse n'est aucunement triviale. Car elle réfère la promenade non pas au simple déplacement (φορά), mais à la physique prise dans son objet essentiel : le mouvement. La *kinêsis* est en effet la matière de la *Physique* d'Aristote et le critère de son champ, elle était aussi l'un des grands genres du *Sophiste*. La prémisse assume donc plusieurs fonctions. Outre qu'elle inscrit sans médiation l'anecdote de la promenade dans la physique universelle, en la caractérisant comme mouvement, ce report s'effectue dans l'ordre canonique des déterminations catégoriales. La manière d'être (πῶς ἔχει) révélant une détermination fondamentale après que le trait singularisant, et premier perçu, de la promenade en ait préparé l'accès. La seconde prémisse y ajoute, avec la détermination du sujet (οὗτος) l'actualité que seule assure une perception actuelle. La conclusion communique l'actualité de l'antécédent au conséquent. Elle fait aussi que le sujet, *celui-ci,* vous ou moi, accède en chacune de ses plus quotidiennes activités à la vaste scène du monde. Ainsi se trouvaient explicités dans les seules dimensions de l'apophantique l'ordre hiérarchique des concepts, le rapport de ces déterminations aux substrats qui les actualisent et le moteur de l'inférence qui produit la conclusion. Ce moteur est unique, il réside entièrement dans l'économie solidaire et continue des aspects ou des états du mouvement.

Il importait à l'enseignement que l'exemple fût strictement paradigmatique, c'est-à-dire réduit aux fonctions simultanément catégoriales et syntaxiques qu'il illustre. Un autre syllogisme, aussi communément cité que mal compris confirme l'analyse stoïcienne de la participation :

S'il fait jour, il fait clair (εἰ ἡμέρα ἔστι, φῶς ἔστι) ;
or il fait jour ;
donc il fait clair.

L'exemple est plus subtil, puisque l'actualité de la seconde prémisse est marquée par le seul *tempus praesens,* également requis pour le théorème de la prémisse majeure. A défaut de marque déictique explicite, la particule illocutoire *(or)* y pallie par son emphase. L'exemple est aussi plus démonstratif, parce que le passage de la perception à la scène cosmique se fait par le déploiement intégral des

catégories stoïciennes, progressant d'une qualité (ποῖος, le jour,
comme le précise d'autres textes étant susceptible de degrés, et
contraire de la nuit), à la lumière astronomique, ce corps solaire dis-
pensateur pour nous de toute visibilité et de toute couleur qui explicite, par son lever et son coucher, une manière d'être relative (πρὸς τὶ
πῶς ἔχει). D'autres exemples, et tout autant l'analyse des autres modes
démonstratifs, illustreraient la manière dont la syntaxe catégoriale
structure les prémisses de l'argument et répartit ses fonctions en épousant la syntaxe du verbe.

On aura pu remarquer que la division des prémisses traite à part
les déterminations successives de la manière d'être et son actualité. Si
la première relève de la mémoire (λῆμμα, θεώρημα), l'autre en appelle
à l'actualisation que lui apporte la perception. La syntaxe verbale les
établit dans ce rapport que Jakobson a décrit comme *shifting*
(embrayage)[1]. Ainsi les deux prémisses dissocient, par les marques
grammaticales et la ponctuation illocutoire, le cheminement de l'inférence. Traitant séparément le progrès des déterminations et la valeur
d'actualité associée aux marques indexicales, la catégorisation stoïcienne avait donc approprié à ses fins la syntaxe de l'énonciation. La
simplification de son catalogue tient à ce qu'il exploite une fonction
grammaticale supplémentaire, abolie ou simplement négligée dans
l'analyse péripatéticienne, fonction en vertu de laquelle l'apophantique se trouvait habilitée de plein droit à l'exercice philosophique.
Un peu plus de grammaire, dira-t-on, et un peu moins d'essences
accomplissaient la dialectique platonicienne ? Plus exactement, la syntaxe stoïcienne résolvait un problème que Platon avait posé sous le
titre de *participation* et auquel elle avait apporté les dimensions
convenantes, y jetant la grammaire du verbe et les premiers éléments
d'une syntaxe logique.

---

1. *Essais de linguistique générale,* I, chap. IX : « Les embrayeurs, les catégories verbales et le verbe russe ».

III

Ces quelques faits viennent à la rencontre d'une hypothèse de
E. Benveniste sur le rapport entre *Catégories de pensée et catégories de
langue* (1958). L'exemple avait été pris des catégories d'Aristote, et
l'article suscita plus de méprises que d'objections. Benveniste ne s'y
est pas attardé, laissant bientôt Aristote, la langue, et la pensée — tous
pris dans une théorie de l'être et du connaître dont il souhaitait précisément transformer les termes. Il n'a cessé, dans la suite, de porter à la
conscience et d'analyser *L'appareil formel de l'énonciation* (1970). Entre-
temps, divers articles avaient mis en rapport cette structure d'énonciation, en cours d'identification, et la catégorisation de l'expérience (*Le
langage et l'expérience humaine,* 1965). Tous liaient l'organisation sémantique propre à la langue et la syntaxe de l'énonciation (*Sémiologie de la
langue,* 1969, *La forme et le sens dans le langage,* 1967).

Il n'est aucun besoin de forcer le sens de ces textes, qui ouvraient une
voie de recherche non encore entièrement parcourue, pour que
s'ébauche un parallèle heuristique : entre cette reprise tenace d'une question d'école qui a conduit Benveniste des catégories aristotéliciennes à
l'appareil formel de l'énonciation, et le cadre syntaxique que les Stoïciens ont substitué à la sémantique des *genres de l'être,* telle qu'on l'enseignait au Lycée. Il revient à Chrysippe d'avoir introduit dans l'analyse
logique l'instance de l'énonciation, eu égard à laquelle il y a des énoncés
(λεκτά) complets ou incomplets, simples ou complexes[1]. L'unité d'énonciation intègre les parties du discours selon des fonctions enchâssées que
nous avons brièvement décrites plus haut. C'est en ce sens que la logique
stoïcienne n'est pas une logique des termes. Elle n'en est pas moins catégoriale et prédicative et, de ce fait, éloignée *toto mundo* d'un calcul extensionnel des fonctions de vérité[2].

Quant au parallèle tout juste ébauché, on en touche bientôt la
limite. Ayant pris acte de la structure d'énonciation, les Stoïciens en
avaient d'emblée accaparé les ressources au bénéfice d'une phénomé-

1. DL, VII, 63.
2. Voir supra, chap. II.

nologie, au sens intégral et originaire de ce terme. D'une part, l'énonciation, qui n'apparaît jamais comme telle hors de la catégorisation qu'elle impose à l'énoncé, devait avoir la transparence exigée du message. D'autre part, toujours liée à une représentation, elle n'en doit pas plus altérer le contenu que le prêtre d'Apollon ne saurait falsifier l'intention du Dieu. Son office s'achève en élucidant une représentation où tout est donné en même temps. Encore est-il de son ressort de dire l'objet en acte, d'user des catégories d'énonciation pour traduire son actualité. L'énonciation rend à l'objectivité ce que la représentation lui a donné. Tel est le sens de la structure du lieu logique (τόπος λογικός), placé dans la dépendance d'une théorie de la représentation initiale. De cette ordonnance strictement phénoménologique dans la succession de ses épisodes, la formule serait : φαίνεταί μοι, λέγω σοι. Où l'impersonnel du phénomène précède l'énonciation en première personne, et en définit l'office.

Sans avoir jamais été posé comme tel, l'appareil de l'énonciation avait donc été accaparé pour articuler la singularité de chaque message perceptif (ou idéalement perceptif) dans les termes d'une structure d'inférence et de décision. A ce point d'appropriation de la langue à la preuve causale, et à la « vue d'ensemble » qu'elle impose, *sauver les phénomènes* est un précepte entièrement grammaticalisé. Ils sont sauvés en effet, aussitôt qu'énoncés dans les termes où ils seront catégorisés, associés dans la chaîne des causes occasionnelles ou habituelles, pris dans le tissu de l'expérience. L'appareil de l'énonciation se trouvant mobilisé pour le « faire voir » de la chose[1], le parallèle heuristique tout juste ébauché doit être reconsidéré. A ne pas omettre l'étape de la phénoménologie *critique,* on gagnera de comprendre pourquoi la contribution de l'énonciation à l'objet énoncé ne pouvait être d'emblée visible, au prix de quelles transformations dans l'analyse de la langue elle fut enfin identifiée, et comment Benveniste fut conduit à ce détour qui passait par les catégories d'Aristote.

---

1. « On raconte aussi qu'Homère était aveugle. Et pourtant ce sont des tableaux et non pas de la poésie qu'il nous fait voir » (Cicéron, *Tusculanes,* II, XXXIX, 114).

1. A défaut de pouvoir éliminer cette constitution *dialectique* d'un message échangé dans les moyens obligés d'une langue naturelle, il restait à en prendre le gouvernement. On montrera ailleurs comment le discours direct des dialogues platoniciens, la position de l'analytique dans le dialectique, propre à l'*Organon,* autant que le rapport du *schème* au *trope,* enfin la dialectique stoïcienne furent autant d'étapes au service d'un même dessein, dessein que les figures métaphysiques associées ne parviennent pas à brouiller. Ce que l'on a appelé l'éclectisme alexandrin, et non moins la pédagogie conciliante du Portique, ne furent que la manifestation d'un propos qui, pris à son terme, n'avait aucun mystère, ni pour les Stoïciens qui revendiquèrent le platonisme, ni pour la seconde sophistique qui en a tiré l'exacte leçon, ni pour les doxographes qui ont, fort intelligemment, réélaboré en termes clairs une *filiation* tourmentée. Dans la perspective stoïcienne, trois décisions avaient permis d'approprier l'énonciation à la phénoménologie de l'objet. La première prit la forme d'une thèse de traductibilité intégrale entre les représentations et les modes discursifs associés. Elle place donc ces derniers sous le contrôle d'une mémoire empirique ou géométrique qui retient les solidarités physiques. La seconde fut de donner priorité aux formes non marquées de l'énonciation : troisième personne, *tempus praesens* ou parfait accompli, mode indicatif, tels en seraient les plus évidents exemples. Alors le contraste était suffisant, à l'égard des formes marquées de l'énonciation, pour cerner le *statut* d'une représentation objective, et tenter d'en codifier les invariants. Enfin, ce même choix de la troisième personne et du mode indicatif à valeur descriptive, a permis un déplacement des questions dialectiques, déterminées par l'attente des interlocuteurs, aux questions physiques, attachées à la définition et à la cause des choses et des événements. Les catégories ont pour premier office de mettre en correspondance les questions physiques et les prédicats[1]. En

---

1. Minio Paluello, dans son introduction à l'édition des *Catégories,* a mis hors de doute la forme *interrogative* des termes catégoriaux. On y comparera *Anal. sec.,* II, chap. I. La même remarque vaut pour les catégories stoïciennes. Il semble que l'on doive à la tradition néoplatonicienne, donc dans une certaine mesure aux commentateurs d'Aristote, d'avoir accentué l'interprétation ontologique des catégories.

bref, la première condition pose une *apophantique,* la seconde l'existence
d'*objets* indépendants, la troisième pose un système fini de catégories par
l'usage desquels la définition et la preuve seront des processus achevés,
aptes à fournir des critères de décision.

2. La *phénoménologie critique* y prit l'occasion et la matière du « retournement copernicien »[1]. La seconde thèse, qui libère les objets intentionnels hors du contexte et du dialogue, fut la première touchée. Entre la
conviction que l'existence n'est pas un prédicat et la démonstration
qu'elle n'est rien d'autre qu'une modalité de l'assertion, entre le premier
doute d'un Kant encore dogmatique et la dernière certitude de la philosophie transcendantale, s'échelonnent les opérations critiques déterminantes. L'*apophantique* et sa neutralité supposée furent à leur tour mises
en suspicion quand fut irrévocable la divergence des principes du
monde sensible et du monde intelligible, la symétrie intuitive de l'un et
l'asymétrie discursive de l'autre. Enfin, la déduction des catégories à
partir de fonctions du jugement définissait un nouvel appariement entre
les déterminations physiques distribuées dans l'intuition et la forme
conceptuelle que leur impose une conscience discursive. Kant avait
substitué la synthèse à la traductibilité apophantique, constitué l'objet
sous les directives des principes de l'expérience, soumis à modalité le
rapport *phénoménologique* entre l'intuition et l'économie discursive de la
preuve physique.

Liant les catégories aux synthèses du jugement, Kant en avait
incontestablement résolu l'énigme — au prix d'une autre. Comment les
fonctions du jugement prenaient-elles en charge cette opération qui lie
la décision à la signification d'un énoncé, et celui-ci à la position d'un
objet déterminé ? Dans la pensée classique, le jugement interrompait,
d'une chiquenaude, la course infinie de l'analyse. La nécessité de cet artifice, son interprétation hésitante, entre le libre-arbitre et l'évidence,

---

1. Sur le rapport entre la déduction des principes de l'expérience et le plan des
Premiers principes métaphysiques de la science de la nature, en particulier entre la modalité
et la *Phénoménologie,* cf. J. Vuillemin, *Physique et métaphysique kantienne,* en particulier le
tableau I, p. 29. Voir aussi supra, chap. IV, p. 141.

prouvaient par la négative qu'aucune algèbre des concepts ne pouvait établir leur objectivité, au-delà de ce que promet la simple cohérence de leurs caractères. En réponse, et sous le titre des *fonctions du jugement,* Kant avait su réapproprier à la preuve d'existence l'appareil de l'énonciation, ici saisi dans l'*assertion*[1] — sous réserve d'en redistribuer les moments selon les contraintes de la physique newtonienne. L'énonciation devait alors disparaître dans le pur service de l'objectivité : on ne peut voir *à la fois* le réalisme empirique et l'idéalisme transcendantal.

3. Contrainte de mesurer ses intentions à ses moyens, la phénomé-nologie touchait ici à ses limites que confirment, soit à l'intérieur du système, soit de son bord extérieur, l'analyse criticiste et l'analyse lin-guistique. L'appareil de l'énonciation fut invisible comme tel, tant que ses formes furent indispensables aux fonctions cognitives et au propos réaliste de la phénoménologie classique. Non pas que ces derniers y soient réductibles, comme un artefact à la cause qui en entretient l'illusion. Mais l'énonciation fut versée à l'objectivité, perdue dans son effet, catégories comprises, aussi longtemps que la langue naturelle fut sommée d'exprimer et de transmettre l'objectivité scientifique. Comme le montrait aussi l'article de Benveniste, le XIXᵉ siècle avait perdu le sens des catégories sans avoir identifié — et Benveniste, dans l'article de 1958 ne s'y référait pas encore — l'appareil de l'énoncia-tion. De sa découverte, on pourrait alors suivre les conditions et les étapes dans l'œuvre du linguiste.

On y verrait d'abord la marginalisation des usages prioritairement cognitifs de la langue[2]. Plus profondément, et c'est de là que partit

1. « Outre les formes qu'elle commande, l'énonciation donne les conditions nécessaires aux grandes fonctions syntaxiques... Moins évidente peut-être, mais tout aussi certaine est l'appartenance de l'*assertion* à ce même répertoire » (E. Benveniste, *L'appareil formel de l'énonciation, Problèmes de linguistique générale,* t. II, p. 84.
2. Traitant des signes de l'énonciation, Benveniste écrit : « Ils ne pouvaient prendre naissance ni trouver emploi dans l'usage cognitif de la langue » (ibid.). Ce qui vaut en droit mais suppose leur récente désaffectation. A la page suivante, il cite Malinowski pour avoir identifié un cas virtuellement pur d'énonciation dans ce que l'anthropologue a décrit sous le titre de *fonction phatique.*

l'enquête, l'épuisement de la phénoménologie critique laissait la pensée et les choses dans une correspondance vague qu'il revenait à la
langue de déterminer. L'image saussurienne, des sons et des choses
arbitrairement divisés et arbitrairement associés, menaçait de valoir
aussi pour le rapport des pensées et des choses si la langue ne venait y
apporter une ordonnance sémantique, celle même qui trouve ses
unités dans l'énoncé, et sa forme dans l'énonciation[1].

L'entreprise de Benveniste supposait enfin qu'ait été médité l'échec
d'une phénoménologie résiduelle qui, ayant mis entre parenthèse le
monde et omis le commerce obligé de l'apophantique avec la grammaire
de l'énonciation, ressasse une intentionnalité de droit, « antéprédica-
tive ». Comme le souvenir du membre fantôme tourmente le *cogito* de
l'amputé.

1. Voir les études complémentaires, et contemporaines : *Sémiologie de la langue*,
1969, *La forme et le sens dans le langage* (1967).

CHAPITRE VI

LA VÉRITÉ D'ARISTOTE
ET LA VÉRITÉ DE TARSKI

1. Lorsque furent connus le théorème de Tarski et sa méthode, on put penser que *Le concept de vérité dans les langages formalisés*[1] avait levé de facto les objections de principe que le *Tractatus* semblait opposer aux procédures métalinguistiques. Il parut aussi bien que Tarski avait résolu une aporie frégéenne : « ce qu'est le vrai, je le tiens pour indéfinissable »[2]. Proposant une méthode générale à l'occasion d'un problème singulier, il offrait un nouveau *paradigme* d'analyse. Comme l'exemple russellien de la *description définie*, la formule de Tarski (convention (T)) éliminait un composant opaque de la langue naturelle, d'un usage guère moins trivial que l'article défini que visait Russell :

(T) : « il neige » est *vrai* si et seulement si il neige.

Or dans les deux cas, la paraphrase était moins une thérapie de la langue naturelle — laquelle règle par ses propres moyens, tels le contexte, l'usage ou l'opprobre, les éventuels paradoxes que sa grammaire autorise — qu'elle n'avertit des conditions hétérodoxes imposées par une

---

1. La version polonaise (1933) fut publiée en 1936 en allemand. Nous suivrons ici la version anglaise de 1956, complétée d'une postface et d'importantes notes additionnelles, *Logic, Semantics, Metamathematics,* p. 152 à 278.
2. Cf. *Kernsätze zur Logik* (daté 1907) et la première *Recherche logique.*

langue formulaire, artificielle, et privée de cette police naturelle. En ce sens l'analyse de Tarski est plus qu'une traduction, elle propose une construction. Ce que Quine a démontré des pseudo-analyses russelliennes vaut a fortiori pour le *concept de vérité* que définit Tarski. Aussi bien, celui-ci avait-il accordé que le concept de vérité n'est pas définissable quand il s'agit d'une langue naturelle. La procédure avait une autre limite : lorsque les langages considérés sont d'ordre infini. Et cette limitation fut l'objet même du théorème de Tarski.

Ce faisant Tarski voulut contribuer, fût-ce par des méthodes insolites, à l'analyse d'un « problème purement philosophique ». Sans l'épuiser sans doute, comme en témoigneraient les articles postérieurs où Tarski en considère exclusivement deux espèces : la vérité dans les langues naturelles et dans les langages formalisés. Toutefois, la restriction ne fut qu'une concession apparente, Tarski tenant les langues formulaires pour des formalisations des langues naturelles, et celles-ci pour le dépôt originaire des notions intuitives que le formalisme honore quand il les dépouille de leur ambiguïté. Ce système biface, intuitif et formel, parcourrait donc tout le champ de la vérité. Laisserait-on ces hypothèses et l'univocité postulée du concept de vérité, il restera que l'analyse tarskienne éclaire le problème de la vérité par deux biais moins attendus : elle avoue de facto les traits spécifiques, voire la priorité de la vérité selon l'usage des langues naturelles ; elle montre à l'évidence le poids des articulations du medium discursif, et l'obstacle des substitutions associées, dans toute procédure de vérification des énoncés. Traitant du problème converse de la modélisation, le mémoire de 1936 lui donne sa détermination critique dans la manière convenant aux langues formulaires : langues qui ne formalisent pas la langue naturelle pour la raison même qu'elles la pallient, et dont aucune expérience possible ne contrôle ni les preuves ni les règles de transformation.

Ces remarques seraient-elles avérées que l'analyse de Tarski prendrait une signification bien différente de celle que lui valut le contexte des années 30 et dont Popper est le témoin impavide[1]. Le théorème de

---

1. Cf. *La quête inachevée,* chap. XX.

limitation préservant sa signification invariante eu égard aux logiques d'ordre supérieur qui en sont l'objet propre, le *Warhrheits-Begriff* quant à lui élucide moins « le contenu effectif et permanent d'une ancienne notion » qu'il n'en distribue la problématique au gré de systèmes disjoints et, parfois, alternatifs. La notion de vérité n'en sera pas pour autant livrée à l'historicisme, que visait l'article contemporain d'Horkheimer (*Sur le problème de la vérité*, 1935). Elle sera mise aux dimensions du système discursif qui en définit la prégnance et l'usage. Ce qu'impliquait, en fait, la notion de *Darstellung* qui, au tournant du siècle, occupa la place vide de la constitution transcendantale. Pour ne citer ici que l'exemple frégéen, une écriture effective et comme telle amendable expose les contraintes simultanées, et en quelque sorte négociées, d'une structure objectuelle et d'une inférence discursive qui la parcourt. Cette *montée sémantique* propre aux langues formulaires, strictement écrites[1], est l'antécédent aveugle, du moins peu analysé jusqu'à présent, de tous les théorèmes métalinguistiques. D'où l'on prévoit déjà qu'une différence de la *Darstellung,* manifestée dans l'articulation d'une écriture linéaire, dans les règles de substitution, dans les inférences qu'elle libère et contrôle, emporte avec soi une différence dans la définition et dans le comput de la vérité. Mais si la différence est claire dans son principe, elle devient contentieuse dans ses effets, quand une langue canonique irradie ses formes paradigmatiques sur l'économie *stylistique* des langues naturelles, revendiquant tout à la fois leur contrôle et leur inspiration : la roue d'Ixion des philosophies analytiques.

A tenir compte de ces dimensions les plus matérielles, on peut donc rompre la dialectique circulaire de l'intuitif et du formalisé et plus encore la mainmise de celui-ci sur celui-là. On se trompe de mot et de concept quand on désigne par *formalisme* une langue formulaire dont les règles de formation et de transformation (substitution et détachement) sont initialement solidaires des inférences, des preuves,

---

1. Cf. G. Frege, *Begriffsschrift,* II : *Darstellung und Ableitung einiger* Urtheile des reinen Denkens, et l'article « Ueber die Wissenschaftliche Berechtigung einer *Begriffsschrift* », trad. fr. dans *ELP,* p. 63 à 70.

voire des définitions, qui peuvent y être conduites et celles-ci, encore qu'à un degré variable, des ensembles d'individus qui les satisfont ou les vérifient. S'ouvre ici un chemin médian entre l'atomisme logique, que sous-entend la convention (T) et les vérités d'expériences incommensurables, dont on déduirait le relativisme culturel par défaut d'invariants transcendantaux : la roue d'Ixion de l'historicisme.

Aussi bien suivra-t-on deux préceptes immanents à la méthode de Tarski. A caractériser une forme énonciative par ses articulations/substitutions, on illustre la *montée sémantique,* encore que Quine, qui inventa le terme, ne l'y restreigne pas. En outre, le sens le plus immédiat du mémoire de 1936 fut de lier la quasi-définition de la vérité d'un énoncé donné à la *structure d'ensemble* du langage dont il relève. Ce que confirme la simple teneur des résultats :

— on ne peut ni donner une définition sémantique du *vrai* pour les langues naturelles ni même empêcher que son usage soit contradictoire (ce dont témoignerait le paradoxe du *Menteur*) ;
— il y a une définition sémantique du *vrai* pour les langages d'ordre fini à partir de la notion de satisfaction ;
— on ne peut donner une définition sémantique du *vrai* pour les langages d'ordre infini (théorème de Tarski). Y pallie une *science du vrai* que Tarski ne précise pas. D'après l'article « Truth and Proof » (1963), on peut penser qu'elle est la substance même de la *Beweistheorie.*

Toutefois Tarski ne suit pas de tels préceptes dans leur entière conséquence. D'une part la montée métalinguistique se recommande de la distinction scholastique entre *suppositio formalis* et *suppositio materialis* qui vaut, en toute rigueur, entre signifiant et signifié[1]. Réduisant l'énoncé aux seuls items de son graphisme, le précepte scholastique gagnerait à la Pyrrhus : il annule les articulations/substitutions sur les-

---

1. Distinction qu'enseigne a contrario le pseudo syllogisme : « mus est syllaba, mus edit caseum, ergo syllaba edit caseum », version moderne de la leçon stoïcienne, elle-même enseignée par le biais d'un sophisme imputé à celui qui récuserait la distinction : tu dis char, donc un char sort par ta bouche.

quelles s'appuie précisément la technique des assignations de valeurs. (Et ce coup de force inconsidéré eut son juste prix dans le paradoxe de Grelling.) En particulier, l'ordre d'un langage se définit sur la base des articulations (c'est-à-dire les substitutions et les quantifications corrélatives) que sa grammaire autorise. De même le formalisme pictural ne se dit tel qu'à mettre en évidence l'articulation plane des aires colorées, sans abonder imprudemment dans le cynisme de l'huile amorphe et des pigments broyés. « Se rappeler qu'un tableau avant d'être un cheval de bataille, une femme nue ou une quelconque anecdote est essentiellement une surface plane recouverte de couleurs en un certain ordre assemblées » (Maurice Denis, 1890). Traitant des langues naturelles, Tarski en considère de fait la césure propositionnelle mais hors du contexte où elle articule une période, une inférence ou manifeste une modalité énonciative. Chaque énoncé, pris isolément, est alors soumis à l'acceptation tacite de l'atomisme logique. Par l'effet même de cette traduction, le prédicat qualifiant un énoncé de *vrai* est alors expulsé de la langue dans la métalangue. La langue naturelle s'en trouve obérée d'un prédicat parasitaire par le fait même qu'elle était tacitement soumise au modèle d'un langage « non sémantiquement clos », où n'apparaît ni le concept de *vrai*, ni quelque fonction sémantique à partir desquels il pourrait être défini. Privée de sa phénoménologie interne, de sa structure énonciative, mais aussi de ces redondances dont relève le plus souvent l'attribut vrai[1], la langue naturelle, une fois traitée selon les exigences de la convention (T), n'est plus alors qu'une suite d'exemples dépareillés, arrachés aux expressions bien formées d'une logique propositionnelle, mais sans connecteurs, sans matrice d'évaluation associée, incapable même d'honorer le principe de bivalence puisqu'elle autorise un énoncé antinomique, simultanément vrai et faux, et grossièrement comparable, on le montrera plus bas, à la formule grecque du *Menteur*.

---

1. Cf. Frege, *Sens et dénotation,* trad. fr., p. 110 : l'affirmation de la vérité réside déjà dans la seule forme de la proposition affirmative. La déclarer en sus *vraie* est ou bien une redondance ou l'effet d'une exigence du contexte : preuve, hypothèse, insistance...

La mémoire de Tarski avait donc une triple intention : *critique,* à l'égard de la langue naturelle qu'il accable d'une nouvelle défaillance ; *analytique,* puisque la procédure métalinguistique proposée construit le (nouveau) sens du prédicat *vrai* pour les langages formulaires d'ordre fini ; *systématique,* puisque la méthode démontre sa limite pour les langages d'ordre infini et que cette progression réplique l'ordre pédagogique le plus usuel : du propositionnel au quantificationnel et du premier ordre aux ordres supérieurs. L'*Introduction to logic and to the methodology of deductive sciences* conduit du même pas le progrès de la connaissance et la formalisation des langues naturelles[1]. La logique propositionnelle en est l'invariant et l'opérateur ; le déficit des preuves possibles par rapport aux vérités énonçables mais non démontrables en marque la limite. Il rappelle le statut *idéal* de la vérité : « The notion of a true sentence functions thus as an ideal limit which can never be reached, but which we try to approximate by widening gradually the set of provable sentences » (*Truth and Proof,* 1969). Le paradoxe du *Menteur,* présenté rétroactivement comme une antinomie grecque et, ce faisant, pérenne, serait cette épine dans la chair dont s'entretient le progrès.

A traiter une langue formulaire comme l'ultime effet d'une formalisation séculaire et celle-ci comme un purisme philologique, ou l'effet d'un soupçon généralisé contre la strate discursive de la connaissance, il se pourrait qu'on manque la question et qu'on en interprète les techniques impeccables dans la morale d'une épistémologie épuisée. Il fallait toutefois en rappeler l'intention, qui fut pour beaucoup l'évi-

---

1. 1941 et 1946. La traduction française est de 1960, et la version originelle polonaise de 1936. La quantification y est présentée en deux sections : théorie des classes, puis théorie des relations ; elles ménagent une traduction de bon aloi entre la syllogistique grecque et le fragment monadique d'une logique du premier ordre. La langue quantificationnelle est opératoirement présente, encore que son interprétation soit brouillée. Sur cette opacité, voir W. V. Quine, *Meaning and existential inference, From a logical point of view,* p. 160, où est montrée la spécificité des lois quantificationnelles. Elles ne formalisent pas une intuition des langues naturelles, elles sacrifient la continuité à la créativité. Sur l'histoire traversée de la quantification, voir Warren D. Goldfarb, *Logic in the twenties : The nature of the quantifier, The Journal of symbolic logic,* 1979.

dence des années 30[1]. Elle anime le plan et la démonstration tripartite de Tarski : on demande à la langue naturelle une notion intuitive de la vérité pour la lui ravir bientôt, non sans la convaincre d'une antinomie. Ainsi l'ancienne théologie prouvait-elle l'existence de Dieu par le consentement universel dont l'évangélisation accomplit l'attente, et en expulse le démonisme. Tarski approprie à cette dialectique le moment négatif de l'antinomie du *Menteur* « as a kind of evil force with a great destructive power »[2].

Quelle qu'ait été la force de ce schème banal et pacifiant, il ne saurait dissimuler pour autant le problème sémantique dont la solution et l'invention reviennent à Tarski, moins encore l'état de la question qu'il suppose.

2. La première partie de son mémoire, d'intention exotérique, ébauche une thématique du vrai. Elle convoque l'intuition, le for intérieur et le témoignage transhistorique, en l'espèce une formule aristotélicienne dont la généralité n'engage pas. Les deux autres parties (II et III), techniques, introduisent non sans une rupture minimisée sous le chef d'une simple formalisation, les conditions précises, imposées par les langues formulaires quantificationnelles, sous lesquelles le problème sera traité et diversement résolu : par la notion de satisfaction et ses méthodes délibérément non aristotéliciennes. Quine résume excellemment ce report de la question : « La définition de la *vérité* en termes de satisfaction est vraiment facile : être vrai, c'est *être satisfait par toutes les suites.* Tout le travail de construction passe dans le concept de satisfaction » (*Philosophie de la logique,* p. 62).

Prenons cependant le détour de cet historique de la vérité, encore qu'en fausse position puisque, précisément, le présupposé d'un concept intuitif de la vérité est son point aveugle. Tarski y enracine

1. Voir supra, chap. II.
2. *Truth and Proof.* Tarski poursuit : « We have managed to tame the destructive energy and harness it to peaceful, constructive purpose. » On trouvera cet article dans *L'Age de la science,* n° 4, 1969, p. 279 à 301.

une dialectique de la formalisation par le truchement de l'antinomie du *Menteur*, scellée dans l'appareil même de l'énonciation phénoménologique : sa discursivité propositionnelle. On confirmerait sans doute, et toujours par l'argument du consentement universel[1], qu'un énoncé est vrai s'il correspond à la réalité. Mais l'équation est menacée de circularité, dès que l'on abandonne une situation épistémologique simple, puissamment paradigmatique, où l'intentionnalité de la connaissance se rédime d'un signe, d'une causalité, éventuellement d'une mémoire, et dans tous les cas d'une perception directe ou médiatisée. Si l'on abstrait ce schème de « l'intuition » qui lui donne autorité, si l'on extrapole ce sens commun de la vérité en théorie de la correspondance, la définition se réciproque en pétition de principe. Et l'on ne saurait parer à la remarque agacée de Frege : qu'est-ce qu'un fait, sinon une proposition qui est vraie ? (*Recherches logiques*, I : *La pensée*).

Aussi bien Tarski a-t-il dit sa méfiance à l'égard d'une traduction positiviste de la convention (T) et d'une interprétation littérale de la correspondance. En quoi la définition aristotélicienne est-elle préférable, « plus claire et moins ambiguë » ?

Dire de ce qui est que cela n'est pas, ou de ce qui n'est pas que cela est, c'est faux ; mais dire de ce qui est que cela est et de ce qui n'est pas que cela n'est pas, c'est vrai (*Mét.*, Γ, 1011 *b* 26).

Tarski ne le dit pas ; il faut donc entendre, par défalcation, une intuition dont ni le positivisme, ni une caractéristique « leibnizienne » ne donnent la mesure. Outre le réalisme évident de la formule d'Aristote, on y reconnaîtra le principe d'une relation asymétrique : l'être précède l'énonciation vraie et tous deux la connaissance que nous en prenons. Cette dernière précédence est aussi le moteur, on l'a vu, de la formalisation « provisionnelle » de Tarski, que répliquent les théorèmes de limitation. Sans méconnaître pour autant le retour de cette immémoriale méfiance à l'égard de l'ordre discursif que réveillait l'obsolescence du contrat grec : l'analytique prédicative et la séman-

---

1. Tarski, *The Semantic Conception of Thuth, Philosophy and Phenomenological Research*, vol. IV, 1944, § 17.

tique catégoriale[1]. La profession de foi formaliste de l'Ecole polonaise, que ne décrit pas suffisamment son traitement sémantique des langues formulaires par matrices et modèles, proposait ici un nouveau contrat d'objectivité dans l'ombre portée de la tradition thomiste. Option tracée, sinon imposée, par le rejet même des implications « mystiques » du *Tractatus*, lesquelles répondaient, à leur manière, à l'extensionnalité liée à la définition tabulaire des fonctions de vérité. Non seulement parce que celle-ci semblait asservir tout appareil discursif rigoureux aux tautologies propositionnelles, mais encore parce que l'énoncé isolé, simultanément dépouillé de la sémantique catégoriale et des *fonctions de choix* de la grammaire quantificationnelle, appelle, et défie tout à la fois, le positivisme des faits. (Existe-t-il cependant une telle strate discursive, en quel sens sera-t-elle antérieure à l'engagement quantificationnel et au « mythe » quinien des objets ? Privé de toute intentionnalité assignable, l'énoncé ne fait plus expression. Le calcul *propositionnel*, tardivement thématisé, fut bien la pierre d'achoppement de la logique frégéenne, aurait-on jusqu'à présent négligé d'en suivre les conséquences jusque dans l'antinomie qui invalide la seconde *Begriffsschrift*[2]. Mais on s'inquiéta plus tôt des effets que des causes, hormis Wittgenstein dont le *Prototractatus* fut primitivement intitulé *Der Satz*).

Il reste que le sémantisme des Grecs ayant épuisé ses évidences, il en appelait un autre, pour une intuition et un sens commun (ou ce que l'on suppose tels) formés à cet écolage, et qui réclamaient leur dû. Tarski restitue donc l'ordre exact de la tradition quand il substitue au consentement universel la formule de *Métaphysique,* Γ 7, citée plus haut. Mais il en évoque le pouvoir sans en dire l'élaboration catégoriale, d'autant plus exacte qu'elle avait requis un siècle et reçut sa

---

1. On sait que la tentation misologique est celle de Cébès et Simmias (*Phédon,* 89 *c*), mais aussi celle qu'éveille l'état natif de la pensée, « qui est de sa nature loquace » (opinion stoïcienne, apud. DL, VII) ; son remède fut cette *deuxième navigation* où s'engage le Socrate du *Phédon*, la validation du logos comme forme de plein droit *(Sophiste)* et les procédures catégoriales de l'école stoïcienne.

2. C'est-à-dire la loi V des *Grundgesetze der Arithmetik*. Sur l'économie des trois systèmes frégéens, cf. ici même, infra, chap. IV, Appendice.

forme canonique de l'école stoïcienne, avant de s'investir dans l'inconscient de la grammaire. Théetète n'en savait pas si long, qui se fie à la vérité de Protagoras ; Parménide non plus, qu'aucune intuition ne peut déconsidérer puisqu'elle ne saurait, non plus, l'habiliter[1]. Mais qu'en est-il si le sémantisme de la proposition est indépendant de celui des termes ? Qu'en est-il lorsqu'il n'opère plus la cristallisation du sémiotique en sémantique, lorsque l'assertion n'est pas la simple marque d'une assignation catégoriale mais s'autonomise dans un calcul vérifonctionnel dont Tarski et Łukasiewicz ont montré l'indépendance et l'antériorité (didactique) par rapport à l'ordre quantificationnel, et la simplicité algébrique ? Hypothèse de traduction entre les langues naturelles et les formulaires extensionnels, c'est à ce titre qu'il reçut l'éponymie trompeuse de calcul *propositionnel* et entretint l'artifice d'une analyse thérapeutique des langues vernaculaires. L'antinomie du *Menteur* mit du sel dans l'entreprise en réveillant, avec un esprit de sérieux que n'y mirent pas les Grecs, l'antique menace. Mais tous les menteurs, depuis le Crétois, ne mentent pas de la même manière. Ici l'histoire importe, et on y viendra plus bas.

C'est donc par l'effet d'une même hypothèse, d'autant plus agissante qu'elle fut longtemps tacite, que la quantification fut la nouvelle *analytique*, que la traduction se fit énoncé par énoncé, que le calcul propositionnel fut l'opérateur de l'atomisme logique et le concept de vérité l'invariant transsystématique de ces équivalences plus ou moins autorisées par l'argument du *formalisme*. Tarski, fort du consentement universel et plus encore d'une tradition réaliste, attendait l'accord des philosophes : il reçut les réserves de Hilbert et Bernays. Car si une langue formulaire détermine d'autant plus exactement ses conditions d'assignation et les propriétés des preuves qui s'y

---

1. Sans pour que pour autant, la possibilité et l'intelligence des concepts parménidiens échappent ni à notre mémoire philosophique (ce dont témoigne Heidegger, cf. Moira, dans *Was ist Denken*) ni à une étude anthropologique (cf. M. Détienne, *Les maîtres de vérité dans la Grèce antique*, Paris, 1967, chap. VI, et la note méthodologique 6, p. 5).

déploient (et c'est là l'objet propre des théorèmes métalogiques), le concept de vérité emporte avec lui une signification culturelle et anthropologique — et dans notre tradition, *philosophique*, que la multiplication des systèmes discursifs, naïfs ou mathématisés, met en évidence sans pour autant en résorber la fonction.

3. On précisera plus bas en quel sens le concept tarskien de *satisfaction,* et partant, de *vérité,* n'est pas réaliste quoi qu'il en ait. En quoi n'est-il pas non plus aristotélicien ?

Le texte que cite Tarski conclut une argumentation exotérique qui vise, en Protagoras, toute procédure sophistique et introduit à la détermination ontologique du tiers exclu. Il est parallèle en cela à l'exposition dialectique d'autres traités, s'il n'était que le sophiste ne reçoit ni ne peut recevoir la même attention que les physiciens. De ceux-ci, les affirmations, contraintes par la réalité même, peuvent être corrigées mais non réduites à l'illusion : ce savoir-là est d'expérience ; il se catégorise, il ne s'invente pas[1]. Mais la manière sophistique se réfute par simple incompétence : « quant à ceux qui ont disserté de la manière d'entendre la vérité, ils le font par simple ignorance des méthodes analytiques » (1005 *b* 2 à 4). Aussi bien le contexte immédiat du texte aristotélicien dont se recommande Tarski rappelle-t-il l'articulation prédicative de l'énoncé et, ce faisant, la réduction aux termes — sens le plus exact de ἀνάλυσις. Ce qu'implique encore la contrainte de signification, à laquelle aucun interlocuteur ne peut se soustraire. « Le point de départ... est de requérir de l'adversaire non pas qu'il dise que quelque chose est ou n'est pas... mais qu'il signifie quelque chose, pour lui-même et pour autrui » (1056 *a* 18-21). Cette contrainte sémantique des termes et de leur composition régit la vérité de l'énoncé sans encore la déterminer. Le vrai se décide par l'actualité et la prégnance des chefs catégoriaux qui déterminent la chose à la façon d'une mesure (I, 1052 *b* 23). Ainsi l'axiome de Protagoras vire en son contraire. « Et quand Protagoras dit que l'homme

---

1. Cf., entre autres textes, *Mét.*, A, 984 *a* 18 et, pour une position de principe, *Ethique à Nicomaque,* VI, 1142 *a* 16, où la connaissance physique est liée à une expérience lentement acquise.

est la mesure de toutes choses, il entend par là l'homme qui sait et l'homme qui sent ; et cela parce qu'ils ont respectivement la sensation et la science, qui sont, disons-nous, la mesure des substances (ὑποκείμενα). Un tel propos n'est qu'en apparence excessif » (I, 1053 *b* 37).

Cette ultime *Apologie* de Protagoras, prononcée au livre Iota, donc au sein du système catégorial constitué et non plus au cours de son préambule aporétique, enveloppe une première résolution du *Menteur*. Si l'énoncé gît tout entier dans la composition des termes, sous des contraintes catégoriales qui en surveillent le rapport et les assignent à titre de mesures, toute attitude propositionnelle, tout préfixe déclaratif est mis hors champ de l'apophantique. Et s'il n'y a pas d'énonciation, il n'y a pas non plus moyen ou occasion d'y insérer la tromperie. Aristote ne nie assurément pas la chose ou le fait du mensonge, mais la procédure analytique l'annule. Une fois que le menteur est contraint à la grammaire d'un dire prédicatif, son interlocuteur exerce de plein droit une *analusis* qui ne laisse aucun reste, aucun vecteur d'énonciation dans l'énoncé. Corrélativement, hors du domaine de l'apophantique qui, seul, est sous la pleine maîtrise des Analytiques, l'énoncé paradoxal du *Menteur* sera traité à la manière d'autres paradoxes de la même famille, comme le serment de qui jure de se parjurer ou l'aveu de cet esclave qui obéit en désobéissant, puisque son maître lui en a donné l'ordre (*Réfut. Sophist.*, 25, 180 *b*). Dans tous ces cas, « rien n'empêche que le discours ne soit faux au sens absolu et vrai à quelque point de vue, ou pour une chose déterminée ». Cette réponse, un peu hâtée, n'en annonce pas moins la possibilité d'un autre traitement du paradoxe, en termes d'actes et de promesses là où, à son tour, la méthode analytique est mise hors jeu. Encore que la stigmatisation des procédures sophistiques et de l'argumentation topique ait été le lieu même de son élaboration.

L'apophantique pour sa part est contrôlée par les récognitions qu'elle autorise : positions d'objet par le biais de ses déterminations catégoriales. Elle définit une phénoménologie parce qu'elle développe une instance de la *mimésis* : celle où sont inséparables la production d'images, dont s'autorise quasi étymologiquement l'*apophansis* qui les déclare, et la récognition qui rédime l'image par l'objectivité à laquelle celle-ci introduit. Car si les hommes « prennent du plaisir à voir des images c'est parce qu'en les contemplant ils apprennent et déduisent (συλλογίζεσθαι) ce qu'est chaque chose »[1]. L'asymétrie de la prédication manifeste la priorité de l'objet de la connaissance par rapport à la connaissance que nous en prenons. Elle scelle l'identité entre la mesure prédicative et la récognition qu'elle induit dans l'auditeur. La lecture reproduit exactement la facture, sans laisser entrée aux ambiguïtés de l'énonciation ou de l'interprétation. Tel est du moins le statut des énoncés scientifiques répartis entre deux paradigmatiques : les attributions universelles et les attributions particulières. Les unes résultent d'une preuve antérieure ou d'une induction, les autres éventuellement d'une perception ; mais aucune n'altère la structure phénoménologique invariante. Tout énoncé est analysable en droit, il est l'intégrant d'une articulation prédicative. Sa vérité est celle d'une attribution catégoriale, elle implique une mesure effectuée ou effectuable. Comme le montrerait aussi clairement la définition des modes syllogistiques valides à partir des figures de termes : il n'y a pas de rapport d'inférence qui ne soit un rapport entre prédicats. Mais cette coïncidence syntaxique est fondée dans la sémantique des termes, organisée par les *marqueurs* ou les *indicateurs* catégoriaux dont les *Topiques* avaient fait l'inventaire, quand bien même ils n'en savaient donner la théorie[2].

4. La dialectique stoïcienne a préservé et étendu ce parallélisme exact entre le système des attributions catégoriales et la typologie des cinq tropes d'inférence. Cette nouvelle correspondance est au principe de la complétude dont Chrysippe créditait son système (DL, VII, 79). Enrichissement si considérable qu'il permit une résolution du *Menteur* sous la gouverne des seuls principes syntaxiques. Le paradoxe tombe sous le coup d'une *consequentia mirabilis,* elle confond l'objecteur en lui

---

1. *Poétique,* IV, 1448 *b* 14-16. Nous avons suivi la traduction de V. Goldschmidt, *Temps physique et temps tragique chez Aristote,* p. 258.
2. On comparera les textes cités plus haut du livre I de la *Mét.* à *Topiques,* I, 9, avec les notes de J. Brunschwig. Ce chapitre montre, le plus clairement, comme l'indicateur catégorial est conjoint à la signification comme la trace grammaticalisée ou lexicalisée d'une détermination physique, ce pourquoi il est comparable aux *déterminatifs* des écritures hiéroglyphiques.

faisant avouer cela même à quoi il objectait. Mais loin d'être la réfutation ad hoc d'une objection prononcée du seuil de la sophistique, elle
manifeste, sur ce cas extrême et marginal, la garde la plus secrète de
l'objectivité analytique. Celle même dont se défausse la logique extensionnelle, tarskienne, ouverte de ce fait à une nouvelle aporie et tout
autant contrainte à y opposer de nouveaux théorèmes sémantiques.
Mais on dira plus bas comment toute certitude discursive, déposée
dans un inventaire de formes, se réclame d'abord d'une tromperie
qu'elle débusque, d'un paradoxe systématique, récurrent comme le
Menteur, qu'elle se doit d'arraisonner, aussi longtemps qu'elle n'a pas
déposé ses principes dans le statut, convenu, vraisemblable et
éprouvé, d'une axiomatique. Que la construction de Tarski se soit
recommandée d'un préambule de ce type pourrait être la constatation
empirique d'un état de choses tout aussi empirique : parce qu'il n'est
aucune table a priori de toutes les logiques possibles. Plus précisément, dès lors qu'une écriture systématique, de celles que l'on dit
« bien faites », agrège à ses pouvoirs de représentation une articulation supplémentaire, une possibilité de substitution inédite, elle ouvre
sa garde à de nouveaux paradoxes qu'aucune autre considération,
hormis une vigilance interne, indiscernablement technique et théorétique, ne peut éliminer. Cette déontologie que prend sur soi un style
nouveau, ouvert sur l'épuisement des formes anciennes, est contenue,
on l'a dit, dans l'aphorisme de Wittgenstein : « La logique doit
prendre soin d'elle-même. »

Rappelons d'abord la résolution stoïcienne du *Menteur*, due à
Chrysippe[1] :

a / Si tu mens, tu mens ;
b / Si tu ne mens pas, tu mens (en disant que tu mens) ;
c / Or tu mens ou tu ne mens pas (tel est ton défi) ;
d / Donc tu mens.

---

1. Cf. Cicéron, *Premiers Acad.*, II, XIII, 95-96, *De divinatione,* II, 11 ; Plutarque, *De
recta ratione audiendi,* 43 C, *De communibus notionis,* 1059 B, 1070 C, et les notes de
H. Cherniss, ad locum.

L'argument vient au secours du *principium dialecticae,* selon quoi toute énonciation est vraie ou fausse. A suivre la classification stoïcienne (DL, VII, 69-70), ce principe vaut pour les seules énonciations déterminées, comme le montre aussi bien l'argumentation du *De Fato.* On ne suppose ici aucun principe formel de bivalence posant que tout énoncé (séquence syntaxiquement complète, substituable à toute autre dans toutes les occurrences d'une preuve formalisée) est vrai ou faux[1]. Car c'est l'art même de la dialectique (et seul « le sage est dialecticien ») que d'analyser un énoncé jusqu'au point où la décision est emportée par le simple effet de la détermination. En l'espèce, Chrysippe donne une leçon d'analyse au menteur qu'il convainc de mensonge. De la proposition initiale, *je mens,* prononcée par le menteur à la conclusion de Chrysippe : *tu mens,* la différence est double, outre la banale commutation des personnes qui relève des contraintes explicites de la conversation et s'effectue à un niveau égal de détermination. On passe en effet d'une proposition apparemment déterminée (dans sa forme) mais ambiguë dans sa vérité, à un énoncé réellement déterminé parce que dépourvu d'ambiguïté. En outre, la vérité du menteur lui est enseignée par son maître, qui lui inflige la leçon de ce qu'il est en effet : rien d'autre qu'un menteur révélé à lui-même, dans l'instant même où il ne voulait être que l'histrion d'un rôle qu'il quitterait indemne et triomphant. Il est vraisemblable que Cicéron, qui rapporte Chrysippe avec une intention de dérision et emploie tantôt la première personne et tantôt la seconde, jouant le menteur contre le stoïcien, a manqué le point, mutilant l'argument avec moins de rudesse, mais aussi sûrement, que Plutarque citant le paradoxe à la troisième personne du style indirect.

La structure de l'argument est connue, et fut vraisemblablement commune à diverses écoles sinon populaire. Cette *étonnante inférence* (pour garder l'appellation scholastique : *consequentia mirabilis*) eut sa place dans des discours protreptiques. Recueillie dans les *Fragments*

---

1. Ce que semble ignorer J. Łukasiewicz, *Contribution à l'histoire du calcul propositionnel,* VII, et *La syllogistique d'Aristote,* § 23 et 62.

aristotéliciens, elle apparaît aussi dans les *Entretiens* : qui demande s'il doit étudier la philosophie (la logique, dans la version stoïcienne), doit d'abord étudier cette discipline pour savoir s'il faut, oui ou non, s'y décider[1] ; argument exotérique, qui double sur leur propre terrain les procédés étourdissants des sophistes, dont l'*Euthydème* caricature quelques exemples. Toutefois l'argument de Chrysippe ne convertit pas, il réfute et humilie l'objecteur. (Mais l'analyse prend un autre sens, qu'on dirait freudien s'il n'y avait une intervention violente du maître de l'analyse, quand celui-ci contraint le dénégateur à dire ce qu'il dit trop bien, tout en affectant de ne pas le dire : qu'il ment en effet. Le paradoxe n'est plus qu'un *laspsus* homonyme).

Ce nouveau protreptique, inversé, terrassant, compose deux procédés de la dialectique platonicienne, mais aussi de la *Topique* d'Aristote, comme on l'a dit plus haut. Et c'est en cela qu'il appartient encore au genre maïeutique. Par un premier effet, évident, Chrysippe emporte, avec la réfutation, la honte du menteur démenti comme faisait l'argument entreptique du *Cratyle*[2]. Mais la stratégie même de l'inférence tire à soi le trop naïf menteur en faisant entendre cette voix intestine, « à l'instar du bizarre Euryclée », le ventriloque (*Sophiste,* 252 *c* 6), par quoi l'ambiguïté se tourne en aveu. Cet aveu est démontré, il est obtenu dans les termes mêmes de celui qui voulait s'y dissimuler. Tout se joue en effet sur la modalité d'assertion de *je mens* qui, pour être simplement constatée par l'interlocuteur *(tu mens)* dans la position des prémisses, est arrachée dans la conclusion à l'ambiguïté narcissique d'un locuteur, qui donne et reprend ce qu'il dit. L'analyse factuelle et physique précipite le leurre dans sa matérialité d'acte, comme Marc Aurèle réduit la pourpre, ou plutôt l'effet de pourpre, à sa matière : le suc d'un coquillage écrasé. Sans doute n'y a-t-il pas ici uniquement une mesure du sens par sa matrice catégoriale mais il y a bien un renvoi du proféré à l'aloi du message, au système physique qui lie la parole au sujet, lui-même physique, de son élaboration. Si la voix et la

---

1. *Aristotelis fragmenta,* 51, Rose ; Epictète, *Entretiens,* II, XXV.
2. Cf. V. Goldschmidt, *Essai sur le « Cratyle »,* p. 45.

pensée — qui n'est jamais sans image[1] sont dans un rapport d'anamorphose analogique, seuls les Stoïciens ont établi que l'énonciation est un segment propre du système phénoménologique, une manière d'être relative (πρὸς τὶ πῶς ἔχειν) du locuteur. Or il n'y a pas d'ambiguïté dans les choses, la relation existe ou elle n'existe pas. C'est bien ce fait-là dont décide l'analyse de Chrysippe : incapable d'effectuer le dire vrai ou faux, celui qui ment régresse de l'acte à la qualité — ὁ ψευδόμενος. Il est exclu du grand commerce de la parole où la Nature achève son procès d'existence, et se réfléchit dans les représentations dont elle reçoit l'écho comme sa preuve. « Dieu a besoin des bêtes qui ont l'usage de leurs représentations, mais aussi de nous qui avons l'intelligence de cet usage... Il a introduit dans le monde l'homme spectateur de lui-même et de ses œuvres, non seulement leur spectateur, mais leur exégète. »[2] Entre le mensonge et cette herméneia, la différence est celle du bavardage (λαλιά) à cet énoncé déterminé et bivalent (λόγος) que Chrysippe mit au principe de la dialectique.

Laissons ici la parénèse d'Epictète et l'entretien catéchétique. Il réfléchit suffisamment l'intention de Chrysippe pour y introduire. Sous l'espèce d'un argument marginal, l'énigme du *Menteur* auquel il consacra un traité bientôt enseigné dans les écoles, Chrysippe apportait l'ultime garde dont dépend la simple possibilité d'un espace discursif, d'une phénoménologie honorant « ce qui est tel qu'il est », cette exégèse ou herméneia des apparences, où se rencontrent, en deçà des polémiques, les trois philosophies athéniennes. La théologie d'Epictète n'est, à la vérité, qu'un épisode ajouté à la dernière page du *Sophiste* et, par là, l'ultime réponse à une question platonicienne. Celle même que les éditeurs alexandrins ont précisément désignée dans le sous-titre du dialogue : *genre logique.*

Le parricide de l'Etranger imposait aux Eléates, mais aussi comme règle et moyen de la « philologie », le droit de caractériser tout être

---

1. Comparer *De l'âme*, III, 6, et la notion stoïcienne de φαντασία λογική : représentation discursivement élaborée, par quoi se définit la pensée (DL, VII).
2. Cf. Epictète, *Entretiens,* II, XVII, 34.

par ses prédicats participés, essentiels ou contingents, ces *non-êtres* qui abondent autour de l'*être* ; encore que Platon use ici d'un langage dont Aristote a dit impatiemment l'archaïsme[1]. Ayant ainsi transgressé la poétique éléate, Platon soutient l'économie dialectique par deux arguments visant le statut même de l'unité énonciative. L'un habilite le tissu énonciatif et l'articulation propositionnelle par une conséquence de la communion des formes (κοινωνία τῶν εἰδῶν). « Vois donc comme il était opportun tout à l'heure de mener bataille contre ces gens et de les contraindre à tolérer le mélange mutuel... Pour garder le discours au nombre des genres de l'être. Nous en priver serait, perte suprême, nous priver de la philosophie » (260 *a*). Le second place les images fiables, celles de l'imitateur savant, en parallèle avec ces images naturelles que produisent les dieux, comme sont les reflets sur un plan d'eau ou « l'ombre que projette le feu quand les ténèbres l'envahissent » (265 *c* 1). A son tour, l'analytique aristotélicienne, catégoriale, prit sous son contrôle la césure prédicative, et c'est au titre de cette nouvelle maîtrise qu'Aristote stigmatise les « difficultés archaïques » du *Sophiste*. Quant à l'adéquation sémantique de l'image, elle est confiée à la récognition qui sanctionne l'imitation (*Poétique*, IV, texte cité). Mais cette adéquation n'est pas spécifiée pour l'herméneia dont relève chaque énonciation. Elle n'est que globalement référée à cette anamorphose analogique, ébauchée dans le *Traité de l'âme* et brièvement rappelée dans les premières lignes du *De interpretatione*. Or c'est bien dans cet écart, entre la certitude immédiate du sens commun qui pense et dit ce qu'il perçoit *(De l'âme)* et les productions de la *Poétique* qui, pour universelles et cathartiques qu'elles soient, ne prétendent pas à la vérité, pas même à la vérité historique, que le menteur jette son défi. Il menace le champ entier des unités discursives, celles que l'herméneia catalogue sans que l'Analytique ne les maîtrise. En témoigneraient les hypothèses d'Aristote sur les énoncés modaux, leurs implications et leurs contrariétés, exposées mais non entièrement décidées, et

---

1. Aristote, *Mét.*, N, 1089 *a* 2, qui vise explicitement le *Sophiste* et l'argumentation qui s'achève en 258 *d*. Sur ces textes, voir V. Goldschmidt, *Temps physique et temps tragique chez Aristote*, p. 178.

l'aporie des propositions *futures contingentes,* qui ne sont ni vraies ni fausses. La vérité aristotélicienne ne s'assure donc que par la réduction aux termes, et pour ces seuls énoncés dont traitent les livres *Analytiques.* L'*Organon* aristotélicien était donc menacé non seulement par ces propositions non analysables, rebelles à la résolution en termes dont la formule paradoxale, *je mens,* n'est que l'exemple, mais encore par l'insertion tacite d'un préfixe d'énonciation en place de la limpide et tacite effectuation de l'*apophansis* — la forme non marquée et canonique de la déclaration.

Tout le procédé de la logique stoïcienne est commandé par l'évidence que l'unité de l'énonciation n'est éliminable ni *anthropologiquement,* ni *culturellement,* ni *techniquement.* C'est là en quoi on a pu la qualifier, fort grossièrement, de propositionnelle (d'où nous écartons l'équivoque du sens contemporain). Le premier point est trop évident pour qu'il vaille d'être argumenté, encore que les Stoïciens aient été les premiers à qualifier l'énoncé par sa « complétude » (λεκτὸν αὐτοτελής, DL, VII) plutôt que par sa propriété d'être vrai ou faux. La complétude désigne ici l'exigence d'un invariant anthropologique universellement attesté. Le second est d'une évidence historique, alexandrine. Dès lors que le savoir est véhiculé et médiatisé par les livres en prose — fait relativement nouveau, et assez déterminant pour que Platon s'y soit intéressé — on ne saurait ignorer cette unité d'écriture et d'enseignement qu'impose l'articulation propositionnelle, plus impérative dans le cas de la lecture que dans un dialogue réel où toutes les incidentes sont autorisées. Aussi bien, la conversion à la philosophie s'obtient maintenant par les livres : ceux que l'on lit (Zénon) ou ceux que l'on écrit (Chrysippe). Mais la raison *technique* demeure la plus convaincante. Car les *Éléments* euclidiens, et particulièrement les notions communes ou axiomes, ne se soumettent pas mieux à la résolution en termes que certaines formules réputées sophistiques. Résoudrait-on celles-ci cas par cas, que la menace se généralise : tout terme est de soi ambigu, et Chrysippe en multiplia les preuves. Et si l'ambiguïté se lève par le contexte, il sera celui d'une proposition déterminée, pour laquelle il y a un critère de vérité ou de fausseté, une décision sensorielle, une inférence légitime ou un consensus.

Telle fut la cohérence de la logique stoïcienne, pourchassant pièce à pièce toutes les incidences possibles de l'erreur ou du mensonge, souci qui se reflète dans l'ordre même de l'exposé de Dioclès, traitant successivement des propositions simples, des complexes, des inférences, des modalités et des sophismes (DL, VII, 68 à 83). Pour chacune d'elles, Chrysippe donne un critère de vérité ou une réfutation générique, affrontant donc l'état propositionnel de tout savoir et la vibration d'erreur ou de mensonge qui le menace. Le dialecticien dispose d'un critère de vérité qui, pour supposer la traduction intégrale et réciproque des discours énoncés en représentations, remet à la responsabilité de l'auditeur la charge de l'assentiment. Quant au *je mens,* il ne peut évincer un préfixe épistémologique qu'il assume a priori, et que le menteur répète dans l'instant même où il dit rompre le contrat apophantique. En quoi il n'énonce rien d'autre que son refus de dire autre chose que cette infraction[1]. Et cette bravade n'échappe pas à « l'étonnante inférence » qui valut à Chrysippe son renom. « Beaucoup pensaient que s'il y avait une dialectique chez les dieux, ce serait celle de Chrysippe. » Mais il n'y en a pas, les dieux laissant aux mortels le soin de battre en monnaie l'articulation discursive qu'ils leur ont donnée.

En identifiant l'assertion et la détermination catégoriale, l'une et l'autre matériellement confondues dans l'articulation prédicative, les Stoïciens avaient unifié l'analytique et l'apophantique, la critique des énoncés et leur constitution. L'asymétrie de la structure prédicative répartit les deux conditions de l'actualité et de la détermination entière ; le jugement qui les compose n'a pas plus de jeu ni de libre arbitre qu'ils n'en ont, pris séparément ; les articulations anthropologiques du bavardage (λαλιά) sont mobilisées sans reste par les déterminations catégoriales ; celles-ci offrent à l'interlocuteur un droit de contrôle sur la facture même de l'énoncé et sur ses promesses de vérité. Mais la vérité relève de ses conditions non de la sincérité. Considéré pour la substance même de ce qu'il dit, l'interlocuteur n'est pas vérace ou menteur. Il est sage ou fou, selon qu'il accomplit bien ou mal les clauses du contrat phénoménologique, selon que les caté-

---

1. Cf. infra, chap. XI, p. 366 à 368.

gories commutent exactement les dires avec les faits, selon que l'assertion n'est que le *momentum* public de cette équivalence.

5. Le contrat phénoménologique fut dénoncé en même temps que
l'objectivité des catégories et l'intentionnalité d'une prédication asymétrique. On sait comment le principe d'une chaîne analytique d'idées
claires prit la place des paradigmes de prédication et des syllogismes
qui y sont appendus. Mais la nouvelle logique suivit avec retard
l'aveuglement des évidences catégoriales et le doute généralisé à
l'égard des données sensorielles. Ainsi l'analyse cartésienne du
morceau de cire offrait-elle, au-delà du contexte d'argumentation qui
en détermine le sens premier et comme un corollaire implicitement
effectué par le lecteur, un contre-exemple suffisant à ruiner toutes les
tables catégoriales. Il déboutait le protocole de leurs questions comme
une accusation sans objet. Et il suffisait d'un tel contre-exemple pour
habiliter, à l'oreille du lecteur entendu, la critique janséniste : « On
regarde ces catégories comme une chose établie par la raison et sur la
vérité au lieu que c'est une chose tout arbitraire, et qui n'a de fondement que l'imagination d'un homme qui n'a aucune autorité de prescrire une loi aux autres » (*La logique ou l'art de penser,* I, chap. III). Si
on néglige ici la forme ad hominem de l'argument, il atteint à
moindres frais, comme le contre-exemple cartésien, l'économie discursive de la phénoménologie grecque, et la neutralisation de l'énonciation dans l'énoncé que visait, et obtenait, l'analytique catégoriale.

Fondée sur un autre comput, la nouvelle analyse dut vaincre une
nouvelle misologie. Sans même revêtir la forme d'un paradoxe, la
menace d'une tromperie généralisée est plus inquiétante que l'argument du menteur ; elle affecte cette fois le sujet même de l'assertion.
« On a toutes les peines du monde de tirer de la bouche des hommes
cette confession si juste et si conforme à leur condition naturelle : Je
me trompe et je n'en sais rien » (Id., *Discours,* I). Aporie strictement
accordée à une logique du jugement, et que l'analytique cartésienne (et
même leibnizienne) des idées claires et distinctes ne suffit pas à
résoudre. La question se dédouble en effet, supposant maintenant le
contrôle de deux dimensions : adéquation des idées à la nouvelle dis-

tribution des phénomènes dans les dimensions d'un espace cartésien, instance du jugement pour les cas, multiples et pressants, où cette représentation cartésienne avoue sa limite. La première occasion d'erreur est écartée par l'évidence propre à ce domaine où la matière étant identifiée à son prédicat principal, toutes ses propriétés sont représentables comme autant de proportions géométriques, simples ou composées. Solution qui soumet le comput de l'énoncé aux dimensions de la chose pour un espace de représentation donné, mais laissait la décision des propositions métaphysiques aux analogies d'une méthode, et les pseudo-certitudes de la vie organique à leur vraisemblance marginaliste : il est plus sage d'accepter le risque de l'hydropisie que de renoncer à sa propre soif.

La nouvelle économie logique se diversifie, opposant trois gardes, ou trois garanties, pour trois domaines où l'analytique n'a pas le même succès : l'analytique conceptuelle pour les idées métaphysiques, le calcul des dimensions pour les objets d'expérience, les inférences provisionnelles pour les mœurs et la survie. Et c'est bien pour maîtriser ce domaine résiduel, métaphysique et moral, où la science n'est pas « tirée de l'objet même », que Port-Royal conçut cette géométrie « d'ordre supérieur » que délimite les axiomes de la probabilité. Parce qu'il ne reste rien, ou presque, des certitudes anciennes (économie empirique de la mémoire, bonne foi des sens et mesures catégoriales) la stratégie de l'analyse se répartit maintenant entre la combinatoire des idées simples et la géométrie cartésienne des proportions. Mais les incertitudes de la première méthode, bientôt involuée dans le labyrinthe de la monadologie, et les limites de la seconde, ont imposé, autant que la nature propre du troisième domaine, un ordre strictement propositionnel, non analytique, hors phénoménologie, et livré au seul jugement : matière offerte à la théorie janséniste de la décision probabilitaire.

6. On voudrait ici pouvoir généraliser. Associée à une langue naturelle, toute procédure *analytique* est indirecte. Faute d'avoir regard sur la facture d'un énoncé, elle définit, pour une langue d'usage donnée et pour un choix singulier de ses articulations pertinentes, des

fonctions sémantiques en vertu desquelles les unités intégrantes, les *propositions,* seront dites vraies ou fausses. Ces fonctions sémantiques sont autant d'hypothèses de traduction qui appliquent l'énoncé sur l'objectivité qu'il prétend décrire. Telles furent bien les catégories-mesures des logiques grecques, adéquates à une phénoménologie, ou les « idées claires et distinctes » que requiert un espace cible cartésien. Il est alors équivalent de dire que la science impose à la langue naturelle, serait-ce avec retard et prudence, des conditions sémantiques séculairement révisées, ou que le lecteur impose à l'énoncé reçu les conventions de sa traductibilité. Toute procédure analytique entretient cependant comme son reste une tromperie endémique, laquelle affecte potentiellement tous les énoncés qui échappent à l'analyse canonique et prétendent cependant à la bivalence de l'erreur ou de la fausseté. Mensonge, illusion, tromperie : la menace en perdure, sans même qu'il soit besoin de la matérialiser dans un énoncé paradoxal. Aussi les logiques *critiques* (et la manière probabiliste de Port-Royal tombe sous ce chef), ont-elles approprié la vérité à la décision et la décision à la condition de la preuve. Sous couvert d'une analytique, la méthode de vérité s'inverse, elle détermine un espace de représentation dont les césures et la topologie, les points objectuels et les déterminations phénoménales, sont a priori et formellement accordés avec les possibilités inférentielles de la langue canonique. Cette inversion se vérifie encore, et mieux que par une quelconque doxographie du transcendantal et de la « révolution copernicienne », dans le statut même de la *Phénoménologie* critique. Quand le système n'admet ni apophantique de droit naturel, ni critère de vérité, la phénoménologie prend la modalité complexe des preuves de la physique mathématique — aussi longtemps qu'elles s'y prêteront[1].

On ne saurait cependant convaincre le mémoire de Tarski des mêmes intentions, encore que le premier chapitre assimile l'aporie d'un énoncé indécidable, construit pour les besoins mêmes de la démonstration, au prototype grec du *Menteur*. Loin, en effet, de remanier l'analytique jusqu'à ce qu'elle maîtrise la pseudo-contradiction ou expulse l'énoncé

---

1. Cf. supra, chap. IV, p. 141.

parasitaire du champ des énoncés bien formés, la formule paradoxale de
Tarski met en évidence une famille d'énoncés qui ne sont ni éliminables
ni traitables analytiquement, à l'instar d'autres énoncés prédicatifs dont
ils partagent cependant la grammaire de surface.

Soit l'énoncé :

> *La phrase écrite en italiques sur cette page est fausse.*

Il ne peut être décidé analytiquement puisque toute assignation de
valeur aux parties de l'énoncé, quelles qu'elles soient, est annulée dans
le simple renvoi au bas de casse du typographe. Il ne peut non plus
être éliminé, pas plus qu'aucun de ses congénères, puisqu'il emporterait avec lui tout usage du terme *faux,* et de son antonyme *vrai.* Il
interdirait particulièrement trois usages de ces pseudo-prédicats qui
révèlent, mieux que l'exemple aporétique dont s'autorise Tarski, son
véritable propos, lequel est de montrer le caractère métalinguistique et
cependant essentiel de la qualification *vrai.* L'énigme ainsi signalée est
maintenant localisée dans cette retraite hors de l'apophantique, intrinsèquement différente cependant de la simple distanciation modale.
Soit les trois exemples de Tarski :

> La première phrase écrite par Platon est vraie ;
> Tous les énoncés d'un certain type sont vrais ;
> Toutes les conséquences d'énoncés vrais sont vraies ;

Le premier est un énoncé privé d'une quelconque phénoménologie
donnant prise à l'analyse ; il met entre parenthèses jusqu'au contrat
d'énonciation. Il est privé, aussi bien, de tout contexte de preuve ou
même de tradition. Phrase que personne n'a peut-être jamais lue, abandonnée à l'existence suspecte d'une fumée dont le feu est éteint, ou brin-
dille d'un *jardin d'Adonis.* Dire que cette phrase platonicienne est vraie
(ou fausse) est une assignation par crédit, simulant la dernière étape, d'un
procès de vérification dont ne subsiste que le rite ultime. L'exemple a
pour fin de séparer la distribution de vérité, qui achève le comput
logique, de la simple subsomption (ou participation) que devait exiger,
selon toute vraisemblance, un énoncé platonicien typique. Les deux
autres exemples tarskiens paraphrasent allusivement, l'un, un théorème
de métalogique (complétude sémantique), l'autre, la définition tars-

kienne, elle aussi métalogique, de la notion de conséquence. Pris
ensemble, ils suggèrent par le fait, que la distribution de vérité, et tout
calcul qui en détient la maîtrise, est une opération différente de l'assignation des valeurs aux termes, et que la composition de ces phases s'effectue
dans un langage qui n'est langue-objet pour aucun des deux systèmes
qu'il compose. Il est alors équivalent de qualifier ce dernier de métalangue ou, hypothèse duale, de considérer les deux langues-objets ainsi
appariées comme des constructions annexes, intermédiaires obligés pour
dissocier deux opérations successives que la langue naturelle, prise dans
sa forme usuelle où l'attribution de vérité est indiscernable de la simple
énonciation, ne peut ni ne doit dissocier. Le langage naturel accomplit
alors une double fonction sémantique qu'aucune langue-objet quantificationnelle, aucun formulaire, ne peut effectuer avec ses seules ressources : il subsume et assume dans le même instant. Ou encore, il décrit
et reconnaît, il pose et il asserte, il assigne et il décide. Là est l'intentionnalité, ce *focus imaginarius,* où se constituait la phénoménologie grecque.

C'est en ce sens que toute logique apophantique catégoriale (et l'on
désigne par là le champ de la logique grecque, indépendamment des
divergences d'école, et sous l'assomption tacite de ce procès de simplification que Kant fut sans doute le premier à reconnaître et assurément le
premier à poser en principe)[1], est une logique propositionnelle. Mais dès
lors que pour une écriture quantificationnelle les assignations de valeur,
affectant toutes les variables, doivent être effectuées et computées avant
que la valeur de vérité puisse être décidée, dès lors que cette assignation
n'est pas toujours effectuable et que l'effectuation en est cependant
demandée comme un préalable par le préfixe de quantification, alors les
deux opérations ne coïncident plus. La sanction d'une suite d'opérations
n'est pas l'une d'entre elles. Admettons qu'elle soit, par convention,
identifiée à l'une d'entre elles, ou que la relation de satisfaction pour une
formule quantificationnelle soit représentée dans la langue-objet, alors
un raisonnement élémentaire y reproduira bientôt une antinomie « russellienne »[2]. Le paradoxe de Tarski n'est pas la résurgence du péché ori-

1. Cf. Introduction aux Leçons de *Logique,* § II, *Abrégé d'une histoire de la logique.*
2. Cf. W. V. Quine, *Philosophie de la logique,* chap. 9, p. 70.

ginel de toute langue. Ajouté au mode d'emploi (sémantique) d'un formulaire, il avertit des précautions d'usage.

7. Reprenons la convention (T), qui n'est pas, on l'a vu, une opération aristotélicienne, et qui ne règle l'usage du concept *vrai* que pour
les langages formalisés, non « sémantiquement clos », d'ordre fini
— c'est-à-dire pour lesquels il existe potentiellement une métalangue
en laquelle la paraphrase de type (T) est possible. En quoi résout-elle
une aporie frégéenne ?

La convention (T) établit une suture entre les formules d'une
langue-objet quantificationnelle, elle-même associée par des procédures
d'assignation explicites à un modèle (éventuellement des modèles) où
les fonctions d'assignation appliquées aux variables d'individus et de
prédicats prennent leur valeur, et ces mêmes formules, considérées
maintenant comme des unités et associées à une valeur de vérité. Elle
certifie, par l'intervention d'un épisode de l'argumentation sémantique
effectué en langue naturelle, que ces deux opérations non seulement
sont distinctes mais encore ouvrent sur deux algèbres différentes : l'une
sur une algèbre définie pour un modèle à chaque fois singulier, l'autre
sur une algèbre booléenne, celle des fonctions de vérité. Elle rompt
donc cette unité « organique » que Frege avait cru pouvoir établir entre
les deux structures, quantificationnelle et vérifonctionnelle, lors même
qu'il en découvrait et affirmait la différence[1].

Lien organique qui fut précisément la pierre d'achoppement des
deux idéographies frégéennes. Que le vrai soit indéfinissable n'excluait
pas que la notion fût introduite dans un système logique à titre de ces
éléments premiers sur la base desquels les autres seront ensuite introduits (construits ou déduits). Telle fut l'option que Frege retint dans les
deux premières idéographies[2], encore qu'il y ait associé des statuts et des
symbolismes différents. Ce *vrai* qui fut désigné en 1879 sous le titre
général de prédicat *(fonction)* eut en 1892 le statut d'un *objet* : objet singulier puisqu'il était le graphe d'une fonction qui admet sa propre exten-

1. Cf. *Sur le but de l'idéographie*, 1882, trad. fr., p. 79 ; et le projet d'article, contemporain, *Booles rechnende Logik und die Begriffsschrift, Nachgelassene Schriften*, p. 19.
2. *Begriffsschrift*, 1979, § 2 et 3 ; *Grundgesetze*, 1892, I, § 10.

sion comme argument. Aussi bien cette curieuse fonction, qui unissait la partie propositionnelle et la partie quantificationnelle de l'idéographie et lui gardait le profil d'une langue naturelle, n'a-t-elle pas survécu aux deux essais frégéens d'écriture bidimensionnelle[1].

Dans les *Recherches logiques* (1916-1925), la fonction litigieuse disparut avec l'appareil des idéographies précédentes. Le *vrai* est alors indéfinissable, et notion première en un sens plus étroit : élément primitif, il est aussi *irreprésentable*. S'il appartient aux conditions (sémantiques ? — mais ce terme n'est pas frégéen) sous lesquelles une *Darstellung*, un symbolisme, propositionnels sont possibles, il n'en est pas une partie propre. Ni concept ni objet, le vrai échappe maintenant à l'appareil morphologique révisé de la troisième logique de Frege. Il n'est pas représentable dans la langue-objet, et n'y est, effectivement, plus représenté. En termes tarskiens, le dernier état de la logique frégéenne n'est plus un langage « sémantiquement clos ». Serait-il que Frege ait alors reconnu l'indépendance du *calcul* des fonctions de vérité dont la logique propositionnelle fut une interprétation privilégiée ? On ne connaît de lui aucun texte qui équivaille au mémoire de Post[2], ni même aux tables de vérité wittgensteiniennes (*Tractatus*, 4, 21). Rien, sinon des règles (troisième *Recherche logique*) partiellement comparables à celles d'une déduction *naturelle*. Déterminant, par répétition et composition d'inférences simples, tous les passages du *vrai* au *vrai*, elles en donnent une définition implicite, sans pour autant le représenter[3]. Ainsi traitée à part, et en manière de préalable ou d'introduction à la théorie quantificationnelle que Frege se proposait d'étudier dans une ou plusieurs recherches logiques ultérieures qu'il n'eut pas le temps de rédiger, la logique vérifonctionnelle eut désormais des articulations et un domaine propres : le *vrai* et le *faux* sont exclus du domaine général des individus et des ensembles ; l'articulation propo-

---

1. Nous exposerons ailleurs, dans ses aspects conceptuels et graphiques l'origine et les ramifications de l'antinomie frégéenne.

2. *Introduction à une théorie générale des propositions élémentaires*, 1921.

3. « De ces lois on verra se dégager ce que veut dire le terme *vrai* », *Recherches logiques*, I : *La Pensée*, trad. fr., p. 171.

sitionnelle est extrinsèque à l'articulation prédicative ; elle n'en est ni l'effet (ou en quelque sorte la grammaire de surface, comme le demande l'analytique aristotélicienne), ni la matrice (et en quelque sorte la grammaire profonde, comme le suppose l'option duale de Kant, ressort de la révolution copernicienne).

8. Le mémoire de Tarski achève donc bien la résolution d'une aporie frégéenne, par la dissociation définitive de ce système unitaire, organique, que voulut être l'idéographie, encore soumise à l'idéal d'une raison (ou d'une pensée) pure (*eines reinen Denkens,* comme l'énonçait le sous-titre de la *Begriffsschrift*). Mais une telle solution outrepasse de beaucoup la simple analyse du concept de vérité, voire sa construction, par le théorème de limitation qui clôt l'essai de 1934. L'unique champ idéographique se diversifiait en langages stratifiés qui, tous, ont une composante formulaire, mais non un calcul vérifonctionnel associé, ni même une théorie de la preuve. Par un changement de perspective conséquent, et qui ne surprendra qu'à première inspection, ce fut alors le calcul *propositionnel,* dont l'indépendance avait été démontrée dans les années 20 et dont Tarski et Łukasiewicz avaient démontré qu'il pouvait aussi être isolé à l'intérieur des deux premiers systèmes frégéens[1], qui devient lui-même un objet aporétique. Structure élémentaire, susceptible d'un algorithme de décision, il s'abouchait naturellement, et par une interprétation quasi spontanée, avec les langues naturelles. Il n'est pas douteux que cette interprétation ait pesé lourd dans la conception du *Tractatus,* plus encore dans son commentaire néopositiviste. L'article de Quine, « Ontological Remarks on the propositional calculus » (1934, repris dans *The Ways of Paradox,* 1966), fut une première mise en garde contre l'ontologie des faits, et contre l'hypostase précipitée d'une structure d'analyse annexée indirectement à des systèmes plus riches, peu apte, de par ses propriétés booléennes, à remplir généralement la fonction qu'on voulut lui assigner.

Considéré toutefois dans le système des langues artificielles, et nous

---

1. Untersuchungen über den Aussagenkalkul, 1930, traduit dans *Logic, Semantics, Metamathematics,* 1956.

désignons ici les langues quantificationnelles et extensionnelles, le calcul des fonctions de vérité est susceptible de deux traitements, non incompatibles entre eux. Dans ces deux cas, il apparaîtra dans la phase ultime et non principielle de la procédure logique. Ou bien on demandera à quelles conditions une structure complexe, quantificationnelle, peut être représentée dans une structure vérifonctionnelle. La réponse, ménagée par des démonstrations métathéoriques, est différente selon les cas, mais négative pour le cas général. Ou bien, considéré dans la perspective sémantique de Tarski, le calcul vérifonctionnel et la simple distribution de valeurs de vérité sont la phase ultime d'une évaluation dont les étapes antérieures ne sont pas toujours possibles. Dans les deux cas, le terme visé de la procédure est moins l'établissement d'une correspondance ou une sanction ontologique — ce que supposait l'aristotélisme affiché de Tarski — que l'obligation d'élaborer par relais une méthode conduite jusqu'au point où une discrimination est possible : la plus fondamentale est dichotomique, et toutes les autres peuvent y être ramenées. Le propre d'une recherche métalinguistique est alors de décider quand il faut y renoncer.

C'est pour intervenir dans cette ultime étape que l'algèbre vérifonctionnelle et son principe préalable de bivalence s'apparient aux langues naturelles et, par leur biais, communiquent encore avec la phénoménologie grecque. Mais ils ne retiennent rien de sa méthode singulière, de l'usage de catégories comme de mesures, et comme d'un principe a priori de décision.

Les catégories grecques furent, on l'a dit, un opérateur de traduction entre les énoncés et la réalité qu'ils décrivent et déclarent. Elles furent secondairement, et par voie de conséquence, un principe de traduction interlinguistique. L'effacement de l'analytique aristotélicienne, par quoi les catégories décident de la vérité d'un énoncé parce qu'elle décident de son sens et de son adéquation matérielle, eut un corrélat immédiat dans le déplacement des méthodes de traduction. Port-Royal enseigna aux Petites Écoles la traduction phrase à phrase, s'il ne l'inventa. Désormais l'avantage était donné au principe ultime de bivalence. La technique d'Aristote, sinon sa vérité, n'était même plus un exercice d'école. Tarski n'en put revendiquer que l'homonymie.

CHAPITRE VII

PORT-ROYAL
ET LA GÉOMÉTRIE
DES MODALITÉS SUBJECTIVES

> J'ai dit que le principal usage du verbe était de signifier l'affirmation, parce que nous ferons voir plus bas que l'on s'en sert encore pour signifier d'autres mouvements de notre âme, comme ceux de désirer, de prier, de commander, etc. Mais ce n'est qu'en changeant d'affection et de mode.
>
> *La Logique ou l'art de penser,* II, 2,
> qui cite, en y renvoyant,
> la *Grammaire générale,* II, 13.

Appelons subjectives ces modalités qui ne sont ni celles de la chose (modalités grecques), ni celles de sa preuve (modalités critiques). Selon Port-Royal le verbe en porterait foi, en manifesterait suffisamment la cause par la raison des effets. Le renvoi de la *Logique* à la *Grammaire* en désigne une trace expérimentale suffisante, « car il m'a semblé que l'on n'y pouvait rien ajouter ». Prises au fait par la description grammaticale, ces modalités affectent l'assertion, « qui est la principale manière de notre pensée ». Principale par l'usage, l'affirmation est, au même titre, le terme de référence, le point convenu par rapport auquel cet usage signale l'écart modal et le mesure. Mais à considérer ces modalités comme l'expression des « manières de la pensée » en parité avec l'affirmation, elles l'inscrivent alors dans un système latent de mouvements rivaux, dont l'assertion rappelle la concurrence lors même qu'elle en apaise ou dissimule les sollicitations. Ainsi la flexion du verbe, le système *fini* de ses modes, manifeste un axe de substitutions que la grammaire janséniste sut traiter comme une dimension analytique supplémentaire. Dimension sur laquelle se marquent et se trahissent les effets de la concupiscence.

En outre, s'il s'avère que toute énonciation compose la « manière » de la pensée avec l'expression de son objet, l'analyse janséniste pourra récuser la syntagmation catégoriale des grammaires prédicatives[1]. Aussi bien cette nouvelle distinction, entre la manière et l'objet, détermina le plan de la *Grammaire générale* (1660) avant que la *Logique* (1662) n'en développe toutes les conséquences :

La plus grande distinction de ce qui se passe dans notre esprit est de dire qu'on y peut considérer l'objet de notre pensée et la forme ou manière de notre pensée, dont la principale est le jugement [...] Il s'ensuit de là que les hommes ayant eu besoin de signes pour marquer tout ce qui se passe dans leur esprit, il faut aussi que la plus générale distinction des mots soit que les uns signifient les objets des pensées et les autres la forme et la manière de nos pensées, quoique souvent ils ne la signifient pas seule, mais avec l'objet, comme nous le ferons voir (*Grammaire*, II, 1).

Cette dernière remarque pourrait expliquer l'ignorance où demeura cette distinction avant que Port-Royal n'en élucide le principe. Car elle reconnaît que les deux fonctions sémantiques, de la manière et de la chose, affectent simultanément la même partie du discours. Ce faisant, elle déclare le caractère strictement sémantique de l'analyse ici proposée. La parole n'ayant d'autre fonction ni d'autre invention que d'exprimer les pensées, aucune structure syntaxique ou lexicale ne pourrait entraver cette traduction « radicale ». Si donc l'apophantique grecque a ignoré l'axe sémantique des modalités subjectives, cette exclusion en

---

1. On verra peut-être ici une raison, toute négative, en faveur de l'hypothèse de Chomsky. Il est vrai que la *Grammaire* de Port-Royal montre, et fut la première à montrer, l'insuffisance des arbres de syntagmation et des grammaires à constituants immédiats. Mais il faudrait d'autres arguments pour prêter à Port-Royal une théorie générative de la Grammaire, fût-elle rudimentaire. Pour une critique de la *Linguistique cartésienne* (trad. fr., Paris, 1969) voir J.-C. Pariente, Grammaire générale et grammaire générative, *Actes de la recherche en sciences sociales,* 1975, n° 5/6.

manifeste d'autant plus clairement la limite, s'il ne fallait dire la mutilation. Aussi bien, lorsque la logique grecque a chassé de son domaine tout ce qui pouvait altérer la fonction de description et d'assentiment aux choses[1], elle prétendait pourvoir la morale de sa condition de possibilité. Port-Royal traque donc ici, en même temps qu'une erreur logique, l'origine de la superbe stoïcienne, son aveuglement. Pour n'en retenir maintenant que les intentions théoriques, la tabulation des modalités subjectives devait offrir un argument assez puissant pour précipiter la syllogistique dans l'archaïsme d'un exercice scolaire, soumettre à la computation probabilitaire le jeu irrécusable des craintes et des espérances, et verser toutes les ressources du style figuré au crédit de l'art de persuader.

Simultanément, la logique janséniste pouvait alors trancher l'énigme du déterminisme en récusant les conditions imparfaites de sa formulation, et réduire l'argument du destin à l'artefact d'une ignorance. Compte tenu de cette nouvelle dimension, Port-Royal put interpréter les modalités des « philosophes » (le possible et le contingent, l'impossible et le nécessaire) comme de simples variations sur la *manière* des pensées, comme un préfixe d'énonciation qui lève l'assertion, à la manière du discours indirect. (On sait comment Quine honora, à l'occasion, le même argument, vidant ainsi la logique modale de tout objet[2].) En ce cas, loin de qualifier l'objet ou l'événement, ces modalités ne trahissent qu'une ruse, ou une réserve, pour ne s'y point engager. Le préfixe modal (il est possible que...) couvre, par circonlocution, l'appel à une autorité externe, une pseudo-citation, la démission du jugement, la défaillance de la méthode, les tergiversations de la foi. En quoi ce « peut être » et ce « nécessairement », qui rétractent l'énonciation, démontrent le ressort du probabilisme et de sa soumission aux nécessités du *monde*. Ce dont les *Provinciales* avaient, à chaque page ou peu s'en faut, ridiculisé l'imposture. Pour l'instant, ménageant par omission la casuistique, Port-Royal ne vise encore que

---

1. Voir la formule de Sénèque : « Laisser parler les choses mêmes ».
2. Cf. *Three grades of modal involvment*, *The Ways of Paradox*, New York, 1956, p. 160.

le débat alexandrin sur la nécessité et ce renouveau du stoïcisme au début du grand siècle, dont témoignaient l'*Entretien* de Pascal et Saci et la première règle de la morale cartésienne. En traitant des modalités « philosophiques » dans la volée d'une analyse consacrée au discours indirect, Arnauld et Nicole se déchargeaient non sans élégance d'une réfutation morale de leurs conséquences.

On pressent donc comment, par la seule invention d'un nouvel axe sémantique qui mettait en correspondance la partie centrale de l'*Art de penser* (livre II, *Contenant les réflexions que les hommes ont faites sur leur jugement*) avec la *Grammaire* et toutes deux avec la *Méthode* (livre IV), selon un système de renvois que l'on décrira plus bas, Port-Royal établit les prémisses d'un nouveau règlement des passions.

Renvois

Et d'abord ce chapitre de la *Grammaire* (II, 16), auquel renvoyait notre exergue, « ... nous ferons voir plus bas » :

Nous avons déjà dit que les verbes sont ces genres de mots qui signifient la manière et la forme de nos pensées, dont la principale est l'affirmation ; et nous avons aussi remarqué que les verbes reçoivent différentes inflexions selon que l'affirmation regarde différentes personnes et différents temps. Mais les hommes ont trouvé qu'il était bon d'inventer encore d'autres inflexions pour expliquer plus distinctement ce qui se passait dans leur esprit ; car premièrement ils ont remarqué qu'outre ces affirmations simples comme *il aime, il aimait,* il y en avait de conditionnées et de modifiées, comme *quoiqu'il aimât, quand il aimerait.* Et pour mieux distinguer ces inflexions des autres, ils ont doublé ces inflexions des mêmes temps...

De plus, outre l'affirmation, l'action de notre volonté se peut prendre pour une manière de notre pensée ; et les hommes ont eu besoin de faire entendre ce qu'ils voulaient aussi bien que ce qu'ils pensaient. Or nous pouvons vouloir une chose en plusieurs manières, dont on peut considérer trois comme les principales.

Soit : *Le souhait :* « Quand nous voulons les choses qui ne dépendent pas de nous... ce qui s'explique en latin par la particule utinam, et en la nôtre par *plût à Dieu.* Quelques langues, comme la grecque, ont inventé des inflexions particulières pour cela ; ce qui a donné lieu aux grammairiens de les appeler le mode *optatif.* » D'autres langues, latin et français, y font servir le subjonctif, de ce fait contextuellement chargé de significations différentes. En quoi Arnauld et Lancelot prouvent une nouvelle fois l'indépendance de l'axe sémantique des manières de penser, par l'ambiguïté même des manières de parler.

L'acceptation : « Nous voulons encore d'une autre sorte lorsque nous nous contentons d'accorder une chose, quoique absolument nous ne la voulussions pas, comme quand Térence dit : *Profundat, perdeat, pereat ; qu'il dépense, qu'il perde, qu'il périsse,* etc. Quelques grammairiens ont appelé ceci *modus potentialis* ou *modus concessivus.* »

L'ordre et la prière : « La troisième sorte de vouloir est quand ce que nous voulons dépendant d'une personne de qui nous pouvons l'obtenir, nous lui signifions la volonté que nous avons qu'il le fasse. C'est le mouvement que nous avons quand nous commandons ou que nous prions. »

Chapitre de renvoi, il est lui-même mis en concurrence avec un autre renvoi, selon une stratégie d'ensemble dont dépend l'interprétation de ces « principales » manières du vouloir. Traçons-en l'itinéraire :

a / Le chapitre II, 13 de la *Grammaire,* cité mot pour mot à une exception près dans la *Logique* (II, 2), contenait deux renvois aux lieux où seraient traitées les modalités du vouloir. Le premier est allusif : « nous réservant [d'en] parler dans un autre endroit » ; il est omis dans la *Logique.* Le second, « nous ferons voir plus bas », change de sens selon le livre où il se trouve énoncé.

b / Dans la *Grammaire* ce « plus bas » renvoie au chapitre 16, dont nous avons reproduit l'essentiel. Sans abolir toutefois le renvoi allusif « à *un autre endroit* », que l'Appendice à la seconde édition de la *Grammaire* explicite : « Depuis la première impression de ce livre, il a paru un ouvrage intitulé *Logique de Port-Royal ou l'Art de penser,* qui, étant fondé sur les mêmes principes, peut extrêmement servir pour l'éclaircir, et prouver plusieurs choses qui sont traitées dans celui-ci. »

c / Pris dans son contexte, le *plus bas* de *Logique* (II, 2), renvoie au chapitre de la *Méthode* (IV, 16), où Arnauld propose une règle « dont

le principal usage est de nous rendre plus raisonnables dans nos espérances et dans nos craintes ».

D'où ce diagramme :

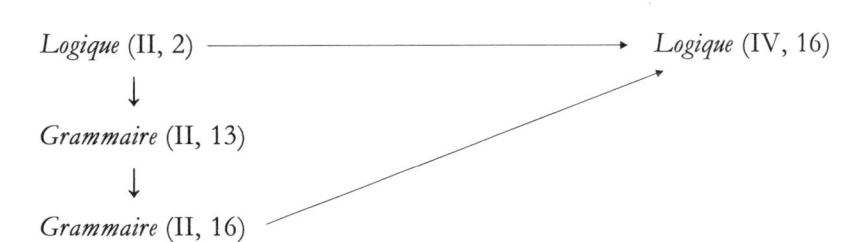

Logique (II, 2) ────────────────────────→ *Logique* (IV, 16)
    ↓
Grammaire (II, 13)
    ↓
Grammaire (II, 16)

Stratégie de renvoi si clairement indiquée qu'elle ne pouvait pas plus
échapper aux lecteurs contemporains que ne le firent les allusions, assurément moins univoques, des *Lettres provinciales*. Au reste, le renvoi fut le
stratagème le plus efficace et le plus avoué des Encyclopédistes ; d'Alembert, élève des écoles jansénistes autant que géomètre pascalien, s'en
expliqua suffisamment dans le *Prospectus*[1]. Le renvoi unit ce que l'exposition pédagogique ou la lenteur d'une enquête expérimentale contrai-
gnent à disperser. Dans le second cas il touche à ces rapprochements où la
pluralité des faits dévoile l'unité d'une force. Dans le premier cas, le
renvoi signale l'ordre de la constitution, lors même qu'il contredit
l'ordre de l'exposition ; il inscrit le système dans la linéarité du livre.

---

1. Le *Prospectus*, également signé de Diderot, est généralement attribué à d'Alembert. Voir aussi l'article *Encyclopédie* : « Les renvois de choses éclaircissent l'objet,
indiquent ses liaisons prochaines avec ceux qui le touchent immédiatement, et ses liaisons éloignées avec d'autres qu'on en croirait isolés, rappellent les notions communes
et les principes analogues, fortifient les conséquences, entrelacent la branche au tronc
et donnent au tout cette unité si favorable à l'établissement de la vérité et de la persuasion. Mais quand il le faudra, ils produiront un effet tout contraire ; ils opposeront
les notions ; ils feront contraster les principes ; ils attaqueront, ébranleront, renverse-
ront secrètement quelques opinions ridicules qu'on n'oserait insulter ouvertement. Si
l'auteur est impartial, ils auront la double fonction de confirmer et de réfuter... L'ouvrage entier en recevrait une force interne et une utilité secrète dont les effets sourds
seraient nécessairement sensibles avec le temps. » On lira plus loin comment les renvois jansénistes atteignent Descartes, visant moins la méthode — qu'ils aménagent —
que l'ordre même des questions métaphysiques, l'hypothèse du libre arbitre et la
mécanique, optimiste ou prélapsaire, du traitement des passions.

Ce chapitre 16 de la *Grammaire* ne fut pas commenté dans les
Remarques de Duclos. Au lieu attendu et sous le même titre[1], le grammairien condillacien propose « une observation qui ne se trouve dans
aucune grammaire ». Duclos demande qu'on lève la concordance des
temps dans le cas où l'énoncé au discours indirect d'une vérité éter-
nelle pourrait prétendre en affecter le temps présent. Ainsi : *j'ai fait
voir que Dieu est bon* (construction proposée) serait préférable à : *j'ai fait
voir que Dieu était bon* (construction d'usage). En un sens, Duclos
honore l'intention générale du chapitre janséniste correspondant,
puisqu'il semble privilégier la *manière* principale de l'assertion au
détriment des concordances fixées par l'usage. La règle proposée ne
serait qu'une extension du traitement janséniste des modalités « philosophiques ». Mais il s'agit ici de *temps* et non de *mode* ; Duclos ne s'in-
téresse qu'à la primauté du style déclaratif, dont il entend maintenir les
droits contre l'exigence des constructions indirectes. En quoi il manquait l'intention propre du chapitre janséniste qui vise l'inamissibilité
des modalités subjectives. Il est vrai que Duclos avait traité auparavant de la prosodie et de l'accent, en tant qu'ils sont, ou devraient
être, le suppôt suffisant des *manières* de penser. Il reléguait dans l'ora-
lité le système entier des modalités subjectives, et laissait à la phoné-
tique le soin d'en inventorier les marques. Préparant donc cette division entre les langues poétiques et les langues *caractéristiques*, sur
laquelle deux ou trois générations d'Idéologues devaient épuiser leur
temps et leurs forces. On dira plus bas pourquoi il importait aux Jansénistes de ne pas les distinguer, et de soumettre à l'absolu d'une
langue naturée tout le savoir possible et tous les souhaits concevables.

Duclos passa outre ; mais non Rousseau, qui lut cependant la *Grammaire générale* avec le commentaire de Duclos. Qu'on en juge par les chapitres IX et X de l'*Essai sur l'origine des langues* : ces fables anthropologiques où les *langues méridionales* et les *langues du Nord* sont précisément
rapportées à ces modalités subjectives, dont l'Idéologie minore la fonc-

---

1. *Remarques sur la Grammaire générale et raisonnée,* jointes à la réédition de la *Grammaire générale et raisonnée,* reproductions Paulet, Paris, 1969, p. 147, où il faut corriger
le titre et lire : *Des divers Modes...*

tion et contraint les effets dans le chant et l'accent[1]. Mais Rousseau ne retint que la dernière modalité, où la prière commute avec l'impératif et l'impératif avec le futur, où l'état social se rêve sur les paradigmes rivaux et instables de l'*aimez-moi* et de l'*aidez-moi*. (Encore que de l'un à l'autre il s'en faille d'un écart phonologique, que l'ambiguïté de l'impératif à la prière, soulignée par Port-Royal, se représente dans le glissement de la labiale à la dentale.) S'il faut faire droit à la Grammaire janséniste et reconnaître que le sens commun de la langue dit aussi bien son sens moral, on pensera peut-être que Duclos annonçait le néo-classicisme hellénisant de la fin du siècle, cette apophantique d'antiquaire, en laquelle les législateurs voulurent écrire le droit comme un fait, dans le ton absolu et sans modalités d'une *Déclaration*.

Laissons ici. Duclos l'eût-il ignoré, les renvois jansénistes imposent leur ordre.

Premier renvoi

Le renvoi élucide et corrige. Le chapitre 13 de la *Grammaire* élucide le terme premier du système, non défini et sans contraire : « Quoique tous nos jugements ne soient pas affirmatifs, [...] les verbes néanmoins ne signifient jamais que les affirmations, les négations ne se marquant que par des particules [...] qui étant joint[e]s aux verbes en changent l'affirmation en négation. » Il élucide l'affirmation par ses variantes, il en corrige la prétention en donnant le tableau des *manières* de la volonté, dont Port-Royal ne veut considérer que les « trois principales ». En quoi sont-elles principales ?

Elles le sont par un argument de grammaire comparative, pour être identifiées dans les quatre langues où la *Grammaire générale* prend ses exemples : français, latin, grec, hébreu[2]. En outre l'ordre dans

---

1. *Essai sur l'origine des langues,* édition, introduction et notes par Charles Porset, Bordeaux, 1970, où tous les renvois de Rousseau à Duclos sont explicités.

2. Port-Royal n'ignore pas les « langues orientales », vraisemblablement le turc et le chinois. Mais dans l'hypothèse d'une traductibilité intégrale de toutes les langues, dès lors qu'on en a déterminé « les fondements » et les deux axes sémantiques qui règlent toute expression, aucune limitation du champ linguistique considéré ne pouvait donner matière à objection.

lequel ces inflexions modales sont citées met en évidence les deux
pôles d'attraction de tout acte d'énonciation, sa direction objectuelle
et son adresse. La liste le souligne en en variant asymétriquement l'importance, elle progresse de l'accentuation du pôle objectuel à l'accentuation de l'adresse. Ainsi le souhait, s'il formule « des choses qui ne
dépendent pas de nous », ne peut qu'en appeler implicitement aux
dieux, et c'est bien ainsi que Port-Royal infléchit la traduction de *utinam*. Ainsi encore l'acceptation, qui ne peut déclarer se résigner que
pour être entendue, que pour demander quelque secret marché. Enfin,
et plus clairement, l'impératif de l'ordre et de la prière, où l'adresse
prime sans équivoque l'effectuation, la remet au temps futur pour
n'exiger au présent que l'écoute. Il en ressort que la *manière* de la
pensée divertit l'adresse dans l'objet ou implique l'objet dans l'adresse.
Cette liste tire au clair le double « accusatif » du désir, dont Port-
Royal désabuse l'équivoque. Sans mépriser les ressources de son
leurre, on le dira plus bas.

En outre, lors même qu'elles sont mises au carreau d'une *Grammaire générale et raisonnée,* ces modalités rappellent suffisamment, par
les exemples qui en sont donnés, les genres poétiques qui en usèrent
par privilège. Elles en dévoilent l'intention et le ressort cathartique :
l'invocation aux puissances du chœur tragique, le réalisme comptable
de la comédie moyenne, l'ordre de l'ancienne Loi — dont Port-
Royal donne pour exemple le futur hébraïque : « comme *non occides,
vous ne tuerez point,* pour *ne tuez point* ». Plus encore, les Ecritures en
ramassent et en composent tous les usages. Que les séquences en
aient été fixées par l'écrivain inspiré, ou canonisées par l'ordre
accoutumé des lectures, elles sont conduites jusqu'à l'action de
grâces qui en résout l'épreuve et la rédime dans son excès même.
Exercice spirituel à la mesure de la piété ordinaire ? Ainsi les *Leçons
de ténèbres* où se préparait la Pâque. Epreuve extraordinaire à laquelle
le texte sacré donne sa parole et son issue ? Ainsi Saint-Cyran à
Vincennes :

Si ferme que fût Monsieur de Saint-Cyran, les premiers moments de sa
captivité lui parurent durs, et il tomba dans d'extrêmes angoisses. Il y a des
heures où tout ce qui est homme, même ces hommes-rois, comme David et

Job — même l'Homme-Dieu au Jardin des Olives — où tout ce qui est né mortel a une agonie de mort et sent à fond son néant. C'était moins la crainte du dehors que celle du dedans que ressentit durant la semaine passée au Donjon le saint prisonnier [...] La tentation en tout sens le criblait. Il ne s'abandonna point pourtant, il se réfugia la face contre terre dans la prière, et, sous tous ces flots amers débordés, il se tint toujours ferme, abaissé dans le fond de l'âme, jusqu'à ce qu'un jour, au sortir de l'oraison, et demandant à Dieu de lui faire voir en quel état véritable il était devant lui, le premier verset qu'il lut en ouvrant la Bible fut celui du Psaume X : *Qui exaltat me de portis mortis*[1].

Lamentations, Job, acceptation de l'épreuve, prière, résolution de l'angoisse par le souhait et la réponse du Psaume : en Monsieur de Saint-Cyran, dont la sincérité est hors de doute, Sainte-Beuve vérifie la séquence des grammairiens. Et dans l'instant même où il se remémore la banalité anthropologique (« tout ce qui est homme ») de ces « manières » de la volonté que Port-Royal qualifie de *principales,* il en détermine le remède et l'issue : « Prévenir l'agonie de mort de qui sent à fond son néant. » Parce que l'assentiment en résout la dissonance.

Serait-ce trop que d'en verser l'intention à la *Grammaire générale* ? Du moins Nicole a-t-il écrit ailleurs la nécessité d'en prévenir les *Entretiens des Hommes.* « Mais ce qu'il y a de plus terrible en cela est que, d'une part, nous ne voulons pas concevoir le néant du monde, et que, d'autre part, nous ne le concevons que trop bien. »[2] Aussi bien, quand la Grammaire associe, dans le verbe, la « manière de la pensée » à son objet et à son adresse, elle en exclut la plainte informe, le thrène d'onomatopées, cette figure du néant à laquelle la séquence janséniste oppose son double principe de réalité : quelque chose est (toujours) demandé, la demande en est (toujours) adressée. Le jansénisme pouvait prétendre avoir démontré, grammaticalement et anthropologiquement, que cette volonté de néant se réduirait à l'absurde d'un néant de volonté, à moins qu'elle ne trahisse une dénégation adressée : parce que telles sont les dimensions naturelles de la pensée, et que la grammaire l'y oblige.

1. Sainte-Beuve, *Port-Royal,* Paris, Gallimard, 1955, t. I, p. 483.
2. Du danger des entretiens des hommes, *Œuvres philosophiques et morales,* Paris, 1845, p. 362.

Laissons maintenant ces trois états en lesquels la volonté infléchit l'affirmation, ce paradigme où la manière de la pensée la distribue en épisodes, lui apprend l'être double de son désir, met le temps dans sa trame, insinue la présence demandée dans l'absence ressentie, marque l'irréel du regret et le futur du possible dans la syntaxe de son expression, aspectualise l'expérience plus qu'elle ne modalise les choses. Fermons cette parenthèse grammaticale, comme le demandait un simple renvoi.

Il en restera cette évidence que toute manière de penser, y compris la forme primitive et indéfinissable de l'assertion, compose la détermination de l'objet avec le témoignage qu'elle en adresse. Ce dédoublement de l'intentionnalité apophantique divisera à son tour le cheminement des preuves. Deux systèmes de règles en organisent la critique, selon que la connaissance est tirée « de l'objet même » ou s'infère du témoignage, mesurant alors le crédit de l'écoute à la bonne foi de l'adresse. Cette autre voie « est l'autorité des personnes dignes de créance qui nous assurent qu'une chose est, quoique par nous-mêmes nous n'en sachions rien ; ce qui s'appelle foi ou créance ». C'est pour la même raison que la *Logique* put habiliter le style *figuré* sur le même pied que l'exposition scholastique[1] : il inscrit l'index du témoignage dans la syntaxe des « figures de construction ». La marque, insistée, de sa (bonne) foi n'étant alors rien d'autre que ses conditions d'acceptabilité, conditions sous lesquelles toute preuve participe aussi de l'art de persuader.

Cette nouvelle analyse du discours, inférée des *Fondements de l'art de parler* et confirmée par la *Logique,* enrichissait d'autant les possibilités de la traduction : elle en dédoublait les hypothèses analytiques. En intériorisant les « manières de la pensée » dans la syntaxe propositionnelle, elle donnait à la langue cible une dimension supplémentaire, un nouvel axe pour paramétrer l'image de la langue source. Louis Marin a montré comment le projet de traduire les Ecritures en langue vulgaire, la controverse entre Barcos, Arnauld et Le Maistre de Saci ont pu infléchir la rédaction de la *Grammaire* et de la

---

1. Cf. *Logique*, I, 14 ; *Grammaire,* II, 24.

Logique[1]. N'en seraient-elles pas, aussi bien, la plus immédiate conséquence, si les significations obscures de l'écrivain sacré outrepassaient les moyens habituels du style mimétique et de la logique apophantique qui le norme ? Cette exigence serait de théologie, et
Barcos ne transigeait pas. Ne dut-on pas inventer cette autre dimension, des « manières » de la pensée, s'il fallait rendre dans le ton
juste les Prophéties et les Lamentations, le Décalogue et le Psalmiste, Job et l'Ecclésiaste ? Cette exigence serait d'abord celle du
directeur de conscience, et Saci, le traducteur, en fut l'avocat. Ne
fallait-il pas, enfin, que l'unique schème linguistique de la proposition, forme invariante du récit et de l'observation, de l'équation et
de l'énoncé eucharistique se décharge d'une sémantique descriptive
et catégoriale, se diversifie en manières, et se règle sur les seules
cohérences holistiques de la méthode et de la doctrine, si le propos
est de traduire l'*Ecriture* en langue vulgaire et de n'en pas troubler la
raison commune[2] ? De ce nouvel *Art de penser*, le jugement serait le
module. Arnauld en fit lire le *Discours* d'introduction à la marquise
de Sablé : *Où l'on fait voir le dessein de cette nouvelle logique.* « On a cru
que ce serait contribuer quelque chose à l'utilité publique que d'en
tirer ce qui peut le plus servir à former le jugement. »

   Généalogie que confirmerait le diagramme des renvois : le chapitre II, 16 de la *Grammaire* atteint le point ultime de l'analyse, où sont
dénombrées les inflexions « principales » de la pensée (soit, comme on
a vu, nécessaires et suffisantes), tandis que le chapitre IV, 26 de la
Logique marque le terme vers lequel convergent tous les renvois. Se
dessinerait donc ici, en surimpression sur l'apophantique grecque dont
les parties I et III de la *Logique* feignent de perpétuer la tradition, une
logique du jugement, capable d'en suspendre les effets de description
et d'en modaliser les effets de déclaration.

---

1. *La critique du discours,* Paris, 1975, en particulier p. 10 à 13 ; « La Critique de la
représentation classique : La traduction de la Bible à Port-Royal », dans le recueil :
Savoir, Faire, Espérer. Les limites de la raison, Bruxelles, 1976, t. 2.
   2. Sur le traité d'Arnauld, *Défense des versions de l'Ecriture en langue vulgaire,*
cf. Sainte-Beuve, *Port-Royal,* t. III, p. 274, 276 sq.

Limitons un instant la question à son seul aspect stylistique, afin de prendre une vue plus exacte de l'intention d'Arnauld. On sait comment Eric Auerbach a pu d'autant mieux caractériser le style mimétique qu'il contraposa à l'épisode homérique de la reconnaissance d'Ulysse (*Odyssée*, XIX, 360-490) le récit élohiste du sacrifice d'Isaac (Genèse, XXII, 1)[1]. L'action homérique se narre dans une longue suite de premiers plans juxtaposés : présentation des personnages, description des attitudes, des gestes, du lieu, de la préparation du bain. Une digression interrompt la surprise instantanée de la nourrice, pour y placer la surabondance du souvenir et l'évocation de la jeunesse du héros. Cette narration distrait à merveille, elle ne nous implique pas. A l'inverse, le récit biblique ignore le site et l'occasion, suggère la présence divine par l'obscure transcendance d'un ordre cruel, caractérise les personnages par le seul emblème de leur nom, précipite l'holocauste par la liste nue de ses instruments : bois, couteau, brandon. La scène se dresse par le seul fait de brefs dialogues, entrecoupés de silence : appel de Yahvé, soumission d'Abraham, ordre sans motif ni réplique, question d'Isaac, Abraham en élude la réponse, promesse de l'Ange. Fragments, tous modalisés, d'une péripétie qui ne se noue et ne se résout qu'à s'inscrire, par-dessus les gestes et les protagonistes, entre l'instant de la Création et la promesse de la perpétuation d'Abraham en ses fils. Et cependant l'histoire totale, unique, nécessaire, enveloppant tout autre épisode possible, est resserrée dans ce court moment où s'échangent ordre, soumissions, prières muettes, promesse. Cela même dont le lecteur assume nécessairement toutes les inflexions, par le seul office d'en effectuer le sens. En quoi l'effet de *catharsis,* s'il faut en garder le nom, n'est pas dans la distance prise, pas plus que son instrument n'est la récognition. Plus qu'il n'apprend et y prend plaisir[2], le lecteur-sujet se *constitue* dans l'épreuve et dans sa remise, dans l'attente d'une promesse qui écarte l'instant de sa résolution en même temps qu'elle l'annonce.

---

1. Eric Auerbach, *Mimesis. La représentation de la réalité dans la littérature occidentale,* Paris, 1968, chap. I.
2. Cf. Aristote, *Poétique,* chap. IV, 1448 *b* 6 à 19.

La traduction des Ecritures exigeait donc une transformation du style apophantique en des points qui touchent à la constitution même du lecteur. On dira que la *Grammaire* accueillait des manières stylistiques depuis longtemps usitées, immémoriales : *Enarrationes* d'Augustin qui en appellent à la Vulgate de Jérôme, laquelle en appelle à la Bible grecque des Septante... Mais tout est dans le choix et dans l'ordre des inflexions « principales », et de les avoir déplacées d'un catalogue morphologique aux *Fondements de l'art de parler*. Le point est d'en promettre une méthode dans la *Logique*. L'obscurité du texte sacré, dont Barcos demandait qu'elle soit respectée, aura sa *transformée* et son *image* modale dans cette tension qui vibre d'une inflexion à l'autre, en unifie la séquence et appelle sa résolution dans la formule positive, sans mode ni accent, à laquelle la *Méthode*, on le verra, prépare divers accès. En outre cette tension modale, une fois établie en principe, pourra suspendre le contenu descriptif des énoncés, défier les évidences morphologiques, lever l'univocité des constructions et des régimes. A fin d'exemple la *Grammaire* (II, 6) cite ce passage de l'apôtre Paul : « Certus sum quia neque mors, neque vita [...] poterit nos separare a charitate Dei... » où « le génitif *Dei* a été pris en deux sens différents par les interprètes ». La décision entre le sens objectif (l'amour que Dieu porte aux hommes) et le sens subjectif (l'amour que les hommes portent à Dieu) est suspendue au contexte de la lettre pastorale. Dans cette ambiguïté se jouent l'histoire du Salut et le mystère de l'élection. Chaque interprète réveillera ici la séquence entière des modalités subjectives, posant peut-être que les deux génitifs doivent s'entendre simultanément, comme la forme du futur peut unir les deux sens de l'ordre de la prière. Le point n'est pas que le génitif est, de soi et grammaticalement, ambigu, ce dont une paraphrase pourrait toujours décider. Il est que la vibration modale est dans l'énonciation même, et que l'intention de l'écrivain sollicite tout l'appareil de la demande. L'intention apophantique se débilite dès lors qu'on l'effectue dans un contexte qui l'inscrit de droit dans le registre du témoignage ou de la foi, et dans la connivence des modalités subjectives.

Ou encore, laissons l'intention protreptique du texte pour n'en considérer que la poétique. Comment Port-Royal (peut-être plus clairement dans sa *Grammaire* et dans sa *Logique* que dans ses traductions

publiées, et le grand Arnauld — qui admira l'*Esther* racinienne —
plus sûrement que la Bible française de Saci), comment donc Port-
Royal voulut-il rendre l'accent prosodique et la parataxe de l'hébreu[1] ?
Quelle intention projette dans un système de modalités subjectives la
diversité de ton et la psalmodie la plus vocale de la poétique biblique ?
Parce que la difficulté était reconnue, la solution ne put être ni sans
motif, ni sans lucidité :

> Les Hébreux ont beaucoup d'accents qu'on croit avoir autrefois servi à
> leur musique, et dont plusieurs font maintenant le même usage que nos
> points et nos virgules. Mais l'accent qu'ils appellent naturel et de grammaire
> est toujours sur la pénultième, ou sur la dernière syllabe des mots. Ceux qui
> sont sur les précédentes, sont appelés accents de rhétorique [...] où il faut
> remarquer que la même figure d'accent [...] qui marque la distinction des
> périodes, ne laisse aussi de marquer en même temps l'accent naturel (*Gram-
> maire,* I, 4).

Accents de ton, de période, de grammaire, tous recevront un équivalent, ou une « image », syntaxique, puisque les règles de ponctuation
sont simultanément les marques et les conséquences de la division fondamentale des manières et des objets de la pensée[2]. L'équation poétique
se fit donc, et sans hasard, par un transfert de dimensions, de l'accent à la
« flexion » du verbe, des traits de la voix à la triangulation des modalités
subjectives. Et Rousseau comprend de même, quand son *Essai*
réinvente la langue sur ces répons bibliques alternés *Aimez-moi/Aidez-
moi,* mettant en syllepse le ton des Lamentations et des Psaumes. Eléments génériques de toute allocution, auxquels Rousseau confie moins
l'expression d'un thème que l'unité d'adresse et l'unité dramaturgique[3].
Ce dont le dénouement, la résolution « modale », s'anticipe ici à la suture
d'une Promesse, d'une Alliance, d'un Contrat.

Port-Royal aurait donc inscrit dans la *Grammaire raisonnée,* littérale-
ment mis en modes et en manières, un schème dramaturgique assez puis-

---

1. Cf. Henri Meschonnic, Pour une poétique de la traduction, dans *Les cinq rou-
leaux,* Paris, 1970, préface.
2. Cf. J.-C. Pariente, Grammaire, Logique, Ponctuation, dans *Etudes sur le
XVIIIe siècle,* Clermont-Ferrand, 1979.
3. Voir l'article Unité de mélodie du *Dictionnaire de musique.*

sant pour évincer l'économie simple de la péripétie et de la récognition, le muthos de la *Poétique* aristotélicienne et sa catharsis apotropaïque, pour involuer l'action tragique dans les seuls états de la volonté, et dans ceux-là mêmes où l'écrivain biblique avait façonné l'Ecriture. Préface d'*Esther* : « Il me sembla [...] que je pourrais remplir toute mon action avec les seules scènes que Dieu lui-même, pour ainsi dire, a préparées. » Comme les traductions de Luther avaient enclos dans le ton monocorde de la désolation la poétique du *Trauerspiel*[1]. Prudence des Jansénistes, trop avertis ? Machine dressée contre l'inférence nihiliste qui gagne le jeu à tous les coups, contre la délectation morose des espèces calcinées ? Il n'est pas douteux — et ce serait là une conséquence du savoir pascalien — que la nature n'a pas horreur du vide. Justesse de cette stylistique ? Sainte-Beuve en fut convaincu, et peut-être par cette raison secrète qui lui fit prendre la défense de la *Bovary*. Efficacité du syncrétisme aussi bien. La séquence janséniste conjugue successivement l'anamnèse stoïcienne et l'anamnèse biblique, le subjonctif d'acceptation et l'impératif du décalogue, et toutes deux précédées de la plainte archaïque, universelle où la nature s'individue, où elle paie le prix de se vouloir individue. « C'est une vérité métaphysique que toute nature commencerait à se plaindre si la parole lui était conférée[2]. » Mais la séquence ne se justifie que de vouloir conclure, que de rabouter toutes ces inflexions « orientales » à l'indicatif du Nouveau Testament. Nouvelle apophantique, où la foi est histoire[3], la promesse un passé accompli. Lettre de Pascal à Monsieur et Madame Périer, du 17 octobre 1651 : « Il est vrai qu'il y a encore une autre partie, après la mort de l'hostie, sans laquelle sa mort serait inutile [...] *Et odoratus est Dominus suavitatem*. Et dieu a odoré et reçu l'odeur du sacrifice. C'est véritablement celle-là qui couronne l'oblation. » Où Pascal s'oblige à traduire par

1. Cf. Walter Benjamin, *Ursprung des deutschen Trauerspiels, Ges. Schr.*, t. II, p. 259-260.

2. W. Benjamin, *Sur le langage en général et sur le langage humain*, 1916 ; également I. Wohlfarth, Sur quelques motifs juifs chez Benjamin, *Revue d'Esthétique*, 1981, p. 145.

3. Dans les oratorios d'Antoine Charpentier le narrateur, dont la fonction est celle de l'Evangéliste des *Passions,* est appelé *historicus*.

une périphrase et, ici, à lexicaliser en deux verbes, la syntaxe ramassée du parfait latin et sa modalité d'accomplissement sans retour. Equivalence janséniste, grammaire raisonnée.

Le cycle sacramentel autorise alors de nouveaux fastes apolliniens. *Odoratus est* : c'est dans le pseudo-présent du parfait accompli que l'assertif fut reconquis. Il véhiculera aussi une signification d'action de grâces, dans les ors éteints de l'ex-voto : lumière de Champaigne, fiction réaliste de ses peintures[1]. Pour dire ce présent accompli, plus accompli que le présent du monde, Port-Royal déverse la corne d'abondance du style figuré : « La façon de parler qui a quelques mots de plus qu'il ne faut s'appelle *pléonasme,* ou *abondance,* comme *vivere vitam, magis major* » (*Grammaire,* II, 24 — on sait que les exemples, qu'ils soient de la *Logique* ou de la *Grammaire,* ne sont jamais indifférents)[2]. Serait-il que l'affirmation de la vie ne pouvait conjurer la pensée de la mort qu'en se représentant dans l'excès ? Hébraïsme, dira-t-on de ce comparatif qui s'excède en grandeur absolue. Toutefois Arnauld le dit en latin, dans l'instant même où il accorde la figure de construction. La *Grammaire* raisonne donc une constitution culturelle dont elle affecte maintenant les tropes à la spiritualité. « Des traductions qui sont plus que des communications naissent lorsque, dans sa survie, une œuvre est arrivée à l'époque de sa gloire. Par conséquent elles doivent plus leur existence à cette gloire qu'elles ne sont elles-mêmes à son service » (W. Benjamin, *La tâche du traducteur*). En quoi le texte original effectue la langue où il est traduit plutôt que celle-ci n'effectue la traduction. Arnauld en est trop conscient pour ne pas souhaiter réinventer la grammaire, pour priver l'Ecriture de sa mise en gloire, advenue dans l'hébreu du psalmiste, dans le grec de Paul, dans le latin des *Confessions.* « L'obscurité de la parole divine pourrait bien enseigner ceci : elle engendre plusieurs manières d'énoncer la vérité et les produit ainsi dans la lumière où nous la

---

1. Voir l'étude de Louis Marin, Signe et représentation : Philippe de Champaigne et Port-Royal, *Annales,* 1970, n° 1.

2. Ainsi, pour illustrer la construction d'un verbe réciproque avec l'auxiliaire être, « l'action et la passion se trouvant alors dans le même sujet », cet exemple : *Œdipe s'est crevé les yeux* (*Gram.,* II, 22).

connaissons[1]. » C'est en déplaçant le nœud du sens, mais aussi son dénouement, de l'objet à la manière des pensées, du lexique aux flexions et constructions, qu'Arnauld invente la traduction que Saci fera, sans toutefois démentir Barcos : la transcendance divine, le mystère de l'élection seront dits dans ce futur réciproquement adressé, dans cette manière hébraïque d'ordonner comme on promet et comme on prie, et dans l'ambiguïté équivalente du génitif gréco-latin, le tourment de l'*amor Dei*. Construction qui défie le mot à mot, opacité de l'élection, ressort des passions raciniennes.

C'est sur de tels principes, aussi bien, qu'Arnauld choisit un sens différent de l'aristotélisme de la Sorbonne, qu'il put objecter à la réification des modalités de la Grâce divine en *habituelle* ou *nécessitante*, rejeter une interprétation conçue sur le patron de la détermination des choses. En cela aussi que la *Grammaire* peut être *générale et raisonnée,* parce que toute raison est une raison créée, parce qu'elle s'instruit par les manières apprises d'un texte-sujet[2], parce que la traduction/révélation se produit historiquement. L'Ecriture livre et enseigne son sens dans les *manières* où elle s'adresse, ad modum recipientis, « dont on peut considérer trois comme les principales ». Celles dont, exactement, il suffit pour constituer la concupiscence en sujet, mais à l'image d'un dieu jaloux. Le livre des Psaumes fut la première traduction de Saci, bientôt suivi du Cantique des Cantiques.

A l'inverse, le sens-objet se fermera si l'on y cherche la *claritas* intrinsèque que postulait Luther, si l'on ne compose la langue où il se dit avec les *manières* où il se pense, si l'on suspecte la médiation grecque et latine des modalités bibliques, en arguant des excès de la liturgie romaine. La querelle engagée entre Arnauld et la Réforme fut stylistique et logique[3], ne touchant au dogme que par ce biais. Luther, traducteur, fit un autre choix que Port-Royal, préférant,

---

1. Augustin, *La cité de Dieu,* XI, 29. Nous citons, avec quelques modifications, la traduction de J.-L. Scheffer, *L'invention du corps chrétien, saint Augustin, la mémoire, le dictionnaire,* Paris, 1975, p. 28.
2. S'il faut justifier cette expression, voir Michel de Certeau, L'idée de traduction de la Bible à Port-Royal, Sacy et Simon, *Recherches de sciences religieuses,* 1978, n° 1.
3. Cf. *Logique,* I, 15 ; II, 12 ; III, 4. Voir également la correspondance d'Arnauld avec Leibniz, consécutive à l'envoi du *Discours de métaphysique.*

entre les Psaumes, ceux de la Pénitence (qui furent sa première traduction et sa première homélie), et dans l'Ecriture le seul ton du Décalogue. « Je commence à comprendre que le Décalogue est la dialectique de l'Evangile et l'Evangile la rhétorique du Décalogue » (Lettre du 20 juin 1530). Et confirmant l'aveu d'un *Propos de table*, où Luther souhaitait « en traduisant Moïse le délivrer de ses hébraïsmes mais pareille translation serait une besogne ardue », cette autre lettre :

> Je sue sang et eau pour donner les Prophètes en langue vulgaire. Dieu, quel travail ! Comme ces écrivains juifs ont de la peine à parler allemand. Ils ne veulent pas abandonner leur hébreu pour notre langue barbare. C'est comme si Philomèle perdant sa gracieuse mélodie était obligée de chanter avec le coucou une même note monotone (lettre du 14 juin 1528).

En quoi l'on voulait éclairer, par contraste, l'organisation méditée de la *Grammaire* janséniste, et son encart dans la *Logique*.

Second renvoi

Logique, II, 2 renvoie directement à IV, 16, où conduit aussi *Grammaire*, II, 16. Arnauld, qui fut au témoignage de Racine l'unique auteur de ce dernier livre entièrement consacré à la *Méthode*, y enseigne une manière de conclure quant aux accidents futurs, laquelle donne à l'*Art de penser* son terme et sa fin :

> Ceux qui tirent cette conclusion et qui la suivent dans la conduite de leur vie sont prudents et sages, fussent-ils peu justes dans les raisonnements qu'ils font sur les matières de science ; et ceux qui ne les tirent pas, fussent-ils justes dans tout le reste, sont traités dans l'Ecriture de fous et d'insensés, et font un mauvais usage de la Logique, de la raison et de la vie.

Y aurait-il donc un art de vie qui tire à soi tout l'art de penser comme sa fin ? Une manière d'en traiter sans figure de pléonasme, de résoudre dans l'affirmation les modalités de désir et de crainte ? Quelle analytique d'un nouveau genre déploie maintenant dans une série d'énoncés assertifs — les seuls que puisse enchaîner une logique — les modalités involuées dans les flexions du verbe ? Quel principe de computation arraisonne maintenant les restrictions men-

tales des subordonnées concessives ? Quelle systématique du jugement explicite désormais l'apodose de protases modalisées, par syn-
cope ou par mauvaise foi ? Quelle logique noue maintenant les parataxes hébraïques dans un raisonnement qui les précipite à conclure ?
Quelle positivité prend sur soi le futur de la promesse, l'ordre toujours transgressé — cette loi qui fait abonder le péché — et les cavil-
lations de la prière ? Quelle invention dans la méthode, quel retournement du doctrinal au critique obtient le même effet que le pari
pascalien sans le *salto mortale* de l'infini[1] ? Quelle mise en dimension
des *manières de la pensée* ferme la parenthèse grammaticale, et projette
sur une unique échelle de computation le catalogue anthropologique
des modalités grammaticales ?

1. On sait que la *Logique* (1662) précéda la première publication des *Pensées* (1670),
dont l'opportunité fut décidée à Port-Royal même. Pascal y avait fait, en 1658, un
exposé du projet apologétique, dont on peut estimer, sur les raisons avancées par
Lafuma, que Filleau de La Chaise en donna un témoignage exact. *(Discours sur les pensées de Monsieur de Pascal, où l'on essaie de faire voir quel était son dessein.)* Arnauld veilla à
tout, et l'on peut considérer le dernier chapitre de la *Logique*, ainsi qu'on a fait souvent, comme un écho de l'argument pascalien, sinon comme un emprunt à peine
masqué. A la vérité, Arnauld ne manque jamais de déclarer sa source lorsqu'il cite, et
l'argument donné ici se distingue du pari pascalien non seulement en ce qu'il ne
touche en rien à l'existence de Dieu, mais plus encore en ce qu'il donne une version
critique et non dogmatique (ou thétique) de l'argument pascalien, lequel précipite
hors du computable. Or « les choses infinies ne peuvent être égalées par aucun avantage temporel » (*Log.*, IV, 16). Arnauld rappelle ici, et jusque dans la géométrie du
probable, l'axiome dit d'Archimède. C'est précisément sur cette mutation de la
logique, sur ce passage d'un espace de représentation analogique et catégorial à un
espace de computation dont la fonction est critique (encore qu'il s'agisse d'une
arithmétique probabilitaire), que nous voudrions attirer l'attention. Le point étant de
montrer dans cette genèse, dont on crédite trop souvent l'histoire des mathématiques
et des sciences naturelles, le rôle et l'importance des traductions bibliques en langue
vulgaire et le souci, concomitant, de réfléchir dans une même économie rationnelle,
dans une même méthode, le savoir de science et le savoir moral. Cette hypothèse,
caractéristique des logiques du jugement, a vécu le même temps que celles-ci, de l'*Art
de penser* à la *Begriffsschrift* (1879) qui garde le terme de jugement, tout en travaillant à
en dissoudre la notion. Hors de ces limites, aucune logique de la langue naturelle ne
semble alors pouvoir échapper à l'une ou l'autre de ces trois issues : se réfugier dans
le paradigme grec par réminiscence intempestive, entretenir à grands frais l'hypothèse
improbable d'une conciliation possible entre des systèmes discursifs dont les dimensions ne sont pas compatibles, ou renoncer à ce combat d'ombres.

Et encore, comment, à prendre au mot le *cogito* cartésien/augusti-
nien — je ne suis qu'une manière de penser, et ma substance s'épuise
en cette *libido sciendi* — la méthode janséniste put-elle inclure ce que
Descartes n'y put mettre : un règlement méthodique des actions, qui
défie aussi insolemment le τετραφάρμαχον de la morale provisoire que
la promesse téméraire de la médecine ? Comment une logique du jugement, la première de ce genre, put-elle reverser, au même compte du
provisoire, l'analytique des idées et la physiologie des esprits
animaux ?

Ne s'agit-il enfin que d'une autre *méthode*, seulement plus ambitieuse,
plus efficace aussi pour avoir ajouté toutes les ressources du triangle de
Pascal, et la règle des partis, à la géométrie algébrique de Descartes ?
Ou, plutôt, d'assujettir le siècle à la *limite* de ses évidences :
« 2 + 2 = 4 », *je ne sais que cela* ? L'enclore dans un univers donné par
dimensions, où toute certitude calculée affirme simultanément l'in-
connaissabilité des choses ; où, pour un entendement lui-même naturé
par dimensions et dont l'intelligence s'arrête aux définitions de mots et
aux axiomes de la géométrie, la concupiscence est aussi un négoce, aux
moindres frais. « Deus fecit omnia pondere mensura numero. » Pascal
cite l'Ecclésiaste, sans en inférer maîtrise et possession de la nature. Et la
conclusion d'Arnauld a pris le même ton. C'est de ce texte-là, aussi bien,
l'un des premiers traduits par Saci, qu'Arnauld infère le champ restreint
de la véracité divine, les limites à l'intérieur desquelles cède l'universelle
tromperie. Réduite à sa règle la plus générale, sa *Logique* est une computation de la vérité d'un jugement, dans le rapport des cas favorables aux
cas possibles. Sans doute Arnauld n'analyse-t-il guère ces concepts
au-delà du paradigme élémentaire d'une loterie où tout est fixé et de
nombre fini : la mise, les joueurs, et conséquemment le gain possible[1].
Mais l'hypothèse compose naturellement avec celle d'un univers mis en
événements par l'histoire divine, et considéré de surcroît dans les limites
de l'expérience humainement accessible.

---

1. Cf. Ian Hacking, *The Emergence of Probability,* Cambridge, 1975, chap. 3 et 9,
également chap. 16, où l'auteur analyse l'*Ars conjectandi* de J. Bernoulli, qui continue,
jusque dans son titre, le projet de l'*Ars cogitandi* d'Arnauld.

Ces réflexions paraissent petites, et le sont en effet si on demeure là. Mais on peut les faire servir à des choses plus importantes [...] (à) nous rendre plus raisonnables dans nos espérances et dans nos craintes (IV, 16).

La *Logique* sera donc la constitution objective de ce dont la *Grammaire* avait tracé la constitution subjective, livrant à l'*Art de penser* le brouillon des « manières de dire ». Seule l'avancée ultime de la *Méthode* fixera le partage entre l'affirmation « qui se prend en un sens de réalité » et celle qui se prend en figure. Limite qui ne dépend pas des choses, selon qu'elles seraient finies ou infinies, parce que rien en elles ne pourrait empêcher qu'on les prenne en figure. « Les rabbins prennent pour figure les mamelles de l'épouse » (*Pensées,* Br. 671). Le partage dépend de leur accessibilité et du jugement qu'on en peut faire, de l'éventuelle mise en dimensions de l'infini dans le fini. Bien plus la limite ne sera définitivement assignée que si l'infini se présente dans le fini comme sa borne et la déclare infranchissable. (Trouble des apôtres ; l'Eucharistie, présence réelle et assertée, se double d'un *noli me tangere* : impératif ultime, qui ne cède à aucune prière. Point transcendantal de l'histoire, de l'histoire qui se fait et de l'histoire qui se dit. Au-delà, l'articulation du visible en dimensions et en espèces se dissout en éclaboussures de lumière, les apparences d'une apparition. Au-delà, la parole régresse, sans objet, sur la simple « manière » de la stupéfaction. « Elles furent prises de stupeur [...] Et elles ne dirent rien à personne, car elles avaient peur. »)[1]

De là l'étendue de ce second *renvoi*, qui enjambe plus de la moitié du volume. Son empan suffit à peine pour résoudre les figures du syllogisme en une simple combinatoire de significations, prendre sur le fait la casuistique des lieux dialectiques, et inventer cette nouvelle logique où, sous l'unique chef du jugement, se diversifient les deux voies de la méthode « qui nous font croire qu'une chose est vraie ». Et si la quatrième partie de la *Logique* peut établir ces deux manières de démontrer (en matière de science et en matière de créance aux événements) sur les ruines de la syllogistique, il fallut que la seconde constitue le jugement sur la réfutation de l'intentionnalité des idées.

1. Marc, 16, 8.

Rappelons brièvement ce procès, qui est la substance même du premier livre de la *Logique*.

Tout ce que l'on peut faire pour empêcher que l'on ne s'y trompe est de marquer la fausse intelligence qu'on pourrait donner à ce mot [idée] en le restreignant à cette seule façon de concevoir qui se fait par l'application de notre esprit aux images peintes dans notre cerveau et qui s'appelle imagination.

Récusant la fonction catégoriale et ontologique des idées, le logicien janséniste ne garde de l'aristotélisme qu'un principe de « réalité ». Sans résoudre l'idée dans la simple manière de la pensée, ce qui dénierait la transcendance de l'idée de Dieu et la diversité donnée d'une nature offerte à l'extéroceptivité sensorielle, Port-Royal maîtrise l'intentionnalité scholastique par une analyse à deux degrés. Considérée sous le chef de la *compréhension* l'idée n'est alors que l'élément d'un espace de représentation ; on peut en varier la valeur descriptive par l'addition ou le retrait de caractères dont l'ensemble, fini, détermine a priori toutes les combinaisons possibles. Mais l'*étendue* de l'idée ne lui est pas liée analytiquement, puisqu'on pourra la varier ou la restreindre « en lui joignant seulement une idée distincte et indéterminée de partie, comme quand je dis : quelque triangle ». Si limitée que soit cette analyse[1], elle fut la première solution de rechange à la phénoménologie grecque, et la première tentative pour subordonner la vection objectuelle des termes au jugement. Elle suffit aussi pour supposer le « sens de réalité » de la formule eucharistique « *Ceci* est mon corps » (I, 15 ; II, 12 ; II, 14), et pour élaborer une procédure de décision applicable à toute inférence syllogistique. On lui doit aussi la notion d'un jugement « analytique », c'est-à-dire d'une forme nouvelle d'équation où le prédicat donne

---

1. Limitée, dans la mesure où seule une écriture quantificationnelle peut projeter le raisonnement *(abbilden)* sur une topologie et sous réserve d'une syntaxe apte à représenter la récurrence (l'inférence de Pascal-Bernoulli). Mais en renonçant à ce critère de décidabilité booléen, équationnel ou probabilitaire, auquel conduit précisément l'analyse d'Arnauld. Pour tout ceci, voir Frege, *Begriffsschrift,* 1879, IIIᵉ section, *Fondements de l'arithmétique,* 1884, § 88, Théodore Hailperin, *Boolee's Logic and Probability,* Amsterdam-New York, 1976, et supra, chap. IV et Appendice.

une mesure expérimentale et suffisante de la chose, comme *mouvement, nombre, poids*, sans que de telles déterminations soient rien de plus qu'une mise en *ordonnées*, les dimensions où se réfléchit « pour nous », ad modum recipientis, la constitution des choses créées.

Tant s'en faut donc que ce soit un défaut dans une proposition qu'une chose soit affirmée d'elle-même, que c'est une condition générale de toute proposition affirmative. Et l'on peut dire que quiconque ignore ce principe, ignore le fondement de tout le langage humain et de toute la logique[1].

D'où il vient que la *Logique* d'Arnauld n'est qu'une « réflexion » sur cette mise en espèces et en mesure, « donnée pour nous » comme la grâce singulière de l'Eucharistie, et dont la conséquence générale et particulière est d'annuler la transparence phénoménologique.

Et, comme s'il ne suffisait pas encore, comme si l'argument n'avait pas été compris, comme si l'intentionnalité chassée de « l'idée d'objet » prenait sous son empire « l'idée de signe » et rameutait à elle les puissances idolâtres de l'imaginaire, voyez ce chapitre I, 4, ajouté à la cinquième édition (1683) : Port-Royal y prend le contrepied exact de la séméiologie stoïcienne, montrant que les signes peuvent être probables, séparés de ce qu'ils signifient, et, le plus communément, simuler la chose absente dans le présent du simulacre. Non seulement le signe est, lui aussi, une mise en dimensions convenue[2], mais il ajoute un troisième degré de liberté à la computation des moyens de représentation, c'est-à-dire au jugement : la considération de l'histoire et des circonstances. En d'autres termes, l'univers ne se perçoit pas dans la métaphore idéologique de l'apparence, il se construit par les métonymies de la mesure. La critique des *lieux dialectiques* (III, 17 sq.), où la casuistique spécule sur l'analogie, achève

---

1. Arnauld, *De la perpétuité de la foi, Séparation d'un objet en diverses idées,* 1674, cité par J.-C. Pariente, Sur la théorie du langage à Port-Royal, *Studia leibnitiana,* 1975. Voir également, du même auteur, Art de parler et art de penser à Port-Royal, *Revue philosophique,* 1978.
2. Voir, sur cette représentation par mise aux dimensions, l'analyse du « plan de Paris levé par Gimboust, ingénieur du roi » par Louis Marin, *Le portrait du roi,* Paris, 1981, p. 209, « Le roi et son géomètre ».

la ruine du système de l'imitation. Elle le stigmatise comme monda-
nité, dont les lieux communs sont de conversation.

Le même principe, qui renvoie la syllogistique aux tautologies des
significations d'usage — matière de dictionnaire — divise alors la
Méthode, selon que la mesure se prend de la chose même ou de ses circonstances. Dans le premier cas, aucune mise en mesure de la chose,
aucune réduction aux rapports de dimensions, n'aura plus de certitude
que le système même de ces dimensions. En quoi Pascal pouvait tenir
son *Traité de la roulette* comme un divertissement, où la *libido sciendi* put
distraire le vertige d'une rage de dents. Toute analyse de ce type n'a
qu'une évidence locale qui ne peut excéder la certitude de ses axiomes.
Elle contresigne l'imperfection de la démarche synthétique, qui ne peut
ni tout démontrer ni tout définir[1]. Au reste, elles « ne diffèrent que
comme le chemin qu'on fait en montant d'une vallée en une montagne
de celui que l'on fait en descendant de la montagne dans la vallée » (*Log.,*
IV, 2) et cette pente-là est une pente obligée. A leur tour, les axiomes
n'ont qu'une évidence naturée, et Arnauld peut alors insérer dans la première division de la méthode trois axiomes dont le sens est, épistémologiquement, critique ; ils obligent aux dimensions :

Axiome 8 : On ne doit pas nier ce qui est clair et évident, pour ne pouvoir comprendre ce qui est obscur.
Axiome 9 : Il est de la nature d'un esprit fini de ne pouvoir comprendre
l'infini.
Axiome 10 : Le témoignage d'une personne infiniment puissante, infiniment sage, infiniment bonne, et infiniment véritable, doit avoir plus de force
pour persuader notre esprit que les raisons les plus convaincantes.

Spécifiant la dichotomie annoncée entre deux voies également
méthodiques, ces axiomes inscrivent la science, dont Euclide est l'épo-
nyme, dans les conditions d'une représentation naturée. Ils cernent
l'autorité à laquelle ces conditions mêmes l'obligent à céder. Ils

---

1. Cf. Pascal, *De l'esprit géométrique et de l'art de persuader,* écrit vers 1658, pour
servir de préface à des *Eléments de géométrie* destinés aux Petites Ecoles. Ce manuel fut
rédigé par Arnauld et publié en 1667. Voir également l'article « Méthode » de l'*Encyclopédie,* signé par d'Alembert.

concluent leur propre défaite à proportion, selon un calcul marginaliste où l'évidence locale ne cède que pour reconnaître la finitude et l'opacité de ses fondements[1]. Il reste que ces axiomes relèvent encore des capacités critiques d'un entendement voué à la mesure : géométrie de la géométrie, ils en sont le pléonasme où s'annonce l'autre voie, la géométrie supérieure où la première s'excède. « Ces trois derniers axiomes sont le fondement de la foi, de laquelle *nous pourrons dire quelque chose plus bas* » (*Log.*, IV, 7 ; nos italiques).

La méthode de science, « prenant ici ce nom plus généralement qu'on ne le prend dans les écoles, pour toute connaissance d'un objet tirée de l'objet même », en appelle donc à la certitude sur laquelle elle se fonde, là où toutes les circonstances de la conviction, tant internes qu'externes, seront simultanément composées. Comme le souligne Arnauld, ce rappel des règles cartésiennes pondérées par les considérations de Pascal sur l'incomplétude de toute démonstration axiomatique — et il n'en est point qui ne soit telle — n'était encore qu'un relais. Il renvoie par rebondissement à cette économie de la certitude, à cette géométrie dernière de l'assentiment, que l'on nommait à Port-Royal *finesse* (à seule fin peut-être d'en priver la Cour ?) et *sagesse* dans la traduction de l'Ecclésiaste. « Car le jugement est celui à qui appartient le sentiment, comme les sciences appartiennent à l'esprit. La finesse est la part du jugement, la géométrie est celle de l'esprit » (*Pensées*, Br., 4). Le renvoi de *Logique*, II, 2 à *Logique*, IV, 16 était donc de l'esprit à la finesse. Ainsi fait-on d'un homme de cour un janséniste.

Cette ultime géométrie ne sera supérieure à la géométrie des *Petites Ecoles* que pour considérer une instance jusqu'alors inaperçue, pour mesurer moins les choses représentées que leur représentabilité même, leur foi, leur témoignage. On demande donc un classement qui n'emprunte ni à l'analogie, comme les similitudes de la géométrie euclidienne, ni aux grandeurs constructibles par la règle et le compas, comme les polynomes associés aux courbes cartésiennes. Soumettant la démonstration euclidienne au degré marginal de croyance dont ses

---

1. Sur la rationalité marginaliste, voir G. G. Granger, *Méthodologie économique*, Paris, 1955.

axiomes sont susceptibles, Arnauld traitait déjà ceux-ci comme des réalités mesurables, paramétrables relativement à la certitude absolue d'un géomètre omniscient, indexables par une fraction de certitude entre 0 et 1. Certitude fractionnée, alors que la géométrie élémentaire, incapable d'un tel discernement, les adégalent tous, et par postulation, à l'unité. Le problème annoncé était alors de définir une échelle étalonnant un degré de croyance, ou, en termes kantiens, associant une marque extensionnelle aux états d'une grandeur intensive.

Mais la question vaut plus qu'une curiosité épistémologique. Elle était appelée par l'insuffisance d'une logique où le jugement n'admet que deux états, l'affirmation et son éventuelle dénégation. L'hypothèse est trop grossière en effet quand il importe d'accorder sa créance aux événements passés, et sur le témoignage d'autrui. A moins de tomber « en deux égarements opposés dont l'un est de ceux qui croient trop légèrement sur les moindres bruits, et l'autre, de ceux qui mettent ridiculement la force de l'esprit à ne pas croire les choses les mieux attestées lorsqu'elles choquent les préventions de leur esprit » (*Logique,* IV, 12). Elle est plus grossière encore lorsque la créance des événements doit régler nos craintes et nos espérances. La question n'est plus de décider de l'histoire, mais de décider de soi dans l'histoire. L'illusion du libre arbitre ne résistera pas à ce nouveau comput. Il était, lui aussi, de géométrie élémentaire, l'artefact d'une machine simple — d'une logique à deux états.

Arnauld construit successivement quatre modèles, de complexité croissante, en lesquels la croyance est indexée par une mesure susceptible d'en précipiter la décision ou de la contrôler. En quoi le logicien résolvait l'inflexion modale de la volonté dans la positivité d'un choix. Il mettait en nombre les séquences de la grammaire, donnait à l'*utinam* le poids relatif d'un degré de préférence.

Les quatre modèles d'Arnauld

a | Soit d'abord le cas extrême et apparemment fort abstrait où la fiabilité du témoignage mesure strictement la crédibilité des choses dites et n'admet que deux états extrêmes. Sont opposées l'une à l'autre deux manières de dire et de penser, deux manières de s'adresser considérées indépendamment de tout objet dont elles témoignent.

La foi divine ne peut être sujette à erreur, parce que Dieu ne peut ni nous tromper ni être trompé ; la foi humaine est de soi-même sujette à erreur, parce que tout homme est menteur selon l'Écriture, et qu'il se peut faire que celui qui nous assurera qu'une chose est véritable sera lui-même trompé (*Logique,* IV, 12).

L'hypothèse énonce deux axiomes jansénistes, lesquels déclarent, dans leur énoncé même, leur degré de fiabilité. Le second rappelle le point de départ de la *Logique* et sa raison d'être, le véritable cogito janséniste, « cette confession si juste et si conforme à notre condition naturelle : je me trompe et je n'en sais rien » *(Premier Discours)*. Mais ici cette erreur universelle de l'homme n'est pas dite par l'homme, en quoi elle serait suspecte, elle est citée de l'Écriture dont la fiabilité absolue est impliquée dans le premier axiome. Lui seul est de doctrine, encore qu'il soit énoncé sous une forme proche de la tautologie, affirmant que *Dieu* ne peut être trompeur. La seule hypothèse est donc qu'un Dieu fiable a inspiré l'Écriture. Hypothèse post-édénique, où l'on ne considérerait encore que Dieu fiable, l'homme trompeur-trompé, et le plan divin de l'Écriture qui déjà compense le péché par le propos de sa rédemption. L'univers supposé est en outre tel que les choses s'y distribuent en événements et qu'il en existe en droit une énonciation vraie. Les deux axiomes fixent l'intervalle en lequel sera paramétrée toute croyance, son écart est alors substitué à l'unique certitude du *cogito* cartésien. Les modèles suivants introduiront, avec le temps, deux variables qui contrôlent cet intervalle.

b | Arnauld définit maintenant les deux déterminations par le truchement desquelles la situation abstraite approximera une situation réelle ; sur elles repose la possibilité de graduer l'intervalle. Soit donc à mesurer la croyance dont sont susceptibles les événements historiques. Arnauld en donne la « maxime » suivante :

Pour juger de la vérité d'un événement et me déterminer à le croire ou à ne pas le croire, il ne le faut pas considérer nuement et en lui-même, comme on ferait une proposition de géométrie, mais il faut prendre garde à toutes les circonstances qui l'accompagnent, tant intérieures qu'extérieures. J'appelle circonstances intérieures celles qui appartiennent au fait même et extérieures celles qui regardent les personnages par le témoignage desquelles nous sommes portés à le croire (*Logique*, IV 13).

Arnauld va étalonner cet univers d'événements étales sans se référer à aucune catégorie ou loi naturelle. Il assigne, à chaque témoignage, une configuration de circonstances, en nombre fini, capables de confirmer ou d'infirmer ce témoignage pour un entendement limité et dubitatif. Aux circonstances *intérieures* (intérieures aux moyens de la connaissance historique, dont la mesure est la cohérence de l'événement et sa compatibilité avec d'autres) Arnauld joint ces circonstances *extérieures* qui mesurent le témoignage lui-même. Mesure complexe, où sont pris en compte la réputation de l'auteur, qu'il ne peut manquer de vouloir ou d'avoir voulu préserver, son intérêt à dire ou à ne pas dire ce qu'il pense être vrai, et la désidérabilité des choses elles-mêmes[1]. Elle mesure le témoignage eu égard à l'attrait et au risque qu'il revêt pour son auteur, eu égard à ce qui peut infléchir sa volonté de témoigner et dont la résultante est l'acte même du témoignage. Ici Arnauld ne donne aucune mesure exacte de la créance en matière d'histoire. Les exemples qu'il analyse montrent suffisamment comment la maximalisation de l'une ou l'autre des deux variables, éventuellement des deux à la fois, suffit à la certitude *morale* du témoignage. Ainsi la responsabilité des notaires et leur propre intérêt à soutenir leur réputation peut-elle suffire à garantir l'authenticité d'un contrat. Ainsi encore, lorsque Augustin témoigne des miracles, les circonstances *extérieures* sont si favorables à la fiabilité qu'elles annulent proportionnellement les circonstances *intérieures* dont on pourrait ici tirer objection, précisément le caractère miraculeux des miracles et l'unicité du témoignage d'Augustin.

c / Arnauld s'était donc libéré du cas où la croyance est mesurable, mais seulement approximativement (compte tenu des événements qu'elle peut considérer simultanément, de la désidérabilité d'un fait pondérée par le contexte quasi juridique qu'illustrent la fiabilité des

---

1. Nous prenons ce terme de l'*introït* de la troisième *Leçon de ténèbres,* tirée de Jérémie :« Manum suam misit hostis ad omnia desiderabilia ejus. » On sait que Charpentier composa un cycle de *Leçons* à la demande des religieuses de Port-Royal.

actes d'un concile, un contrat de notaire, les miracles, toutes les traces
humainement accessibles d'une Alliance). Soit donc maintenant le cas
où, s'agissant d'un événement futur, sa désidérabilité sera exactement
déterminée par une grandeur relevant des seules circonstances *intérieures*. Cette grandeur est une proportion géométrique entre quatre
termes :

> A l'égard des accidents où l'on a quelque part et que l'on peut procurer
> ou empêcher en quelque sorte par ses soins, en s'y exposant ou en les évitant,
> il arrive à quelques personnes de tomber dans une illusion qui est d'autant
> plus trompeuse qu'elle leur paraît plus raisonnable. C'est qu'ils ne regardent
> que la grandeur et la conséquence de l'avantage qu'ils souhaitent, ou de l'in-
> convénient qu'ils craignent, sans considérer en aucune sorte l'apparence ou la
> probabilité qu'il y a que cet avantage ou cet inconvénient arrive ou n'arrive
> pas (*Logique*, IV, 16).

Or, explique Arnauld, il faut « regarder géométriquement la proportion que toutes ces choses ont ensemble ». Proportion géométrique, dont
on sait qu'elle symbolise, depuis le *Gorgias* et mieux encore dans le livre V
de *L'Ethique à Nicomaque*[1], la justice distributive. Arnauld en propose
une mesure exacte, capable de régler nos souhaits et nos craintes à proportion de la maîtrise qu'en tolère l'histoire humaine, c'est-à-dire dans le
règne de la concupiscence. « Ce qui peut être éclairci par un exemple »,
celui d'une loterie où dix participants engagent chacun un écu, dans
l'espérance d'en recevoir neuf en sus de leur mise, et dans la probabilité
inverse d'un cas favorable pour neuf qui la décevront. On vérifie que
$9/1 \times 1/9 = 1$. La probabilité est équitable ; il faut miser.

d | Arnauld considère enfin le cas où un tel rapport à quatre termes
est strictement informulable, où il faudrait mesurer ensemble les circonstances qui relèvent du domaine éventuellement nombrable de la
concupiscence et les circonstances du règne de la charité. Or, il n'est
aucune proposition assignable entre la mise qui engagerait les biens ter-
restres et le gain espéré du salut éternel. Il n'y a plus aucun rapport assignable entre les cas favorables et les cas contraires, parce qu'il ne s'agit

---

1. Voir aussi la fresque du *Bon gouvernement* de Pietro Lorenzetti, au palais munici-
pal de Sienne, en témoignage de la pérennité du symbole.

ici ni de possibilités égales, ni de mérite, sinon du mystère de l'élection. La première incommensurabilité est double ; il n'y a aucun rapport entre le désir de la mise et le désir du gain, aucun rapport non plus entre une somme limitée d'événements contingents et le temps continu de l'éternité des Bienheureux, où l'histoire est accomplie — *consumatum est.* La demande est alors d'établir, dans le fini, une proportion assignable sans nier l'incommensurabilité des deux règnes ni des deux désirs.

Nouvelle proportion. Elle ne conduit pas à une décision réglée sur l'équité des attentes et des risques, des faveurs et de l'adversité, dont l'incertitude égale pourrait aussi bien décider à l'inaction ou convaincre d'agir pour cette seule raison que « nous sommes embarqués ». On revient à la certitude de la méthode de science, où la décision se prend, sans aucune hésitation possible, en faveur de l'évidence maximale. Arnauld avait promis qu'il en dirait « quelque chose plus bas ». Le choix se fait entre « tous les biens du monde », quantité finie, hypothétiquement nombrable et réellement mesurée par sa désidérabilité, éventuellement son dégoût, et « le moindre degré de facilité pour se sauver » qui vaut mieux que tous les biens du monde joints ensemble. Il restera sans doute, dans cette comparaison de grandeurs, quelque chose de démesuré. Mais il ne s'agit plus que de l'infini expérimenté du désir de se sauver, de l'insatisfaction du présent, instantanée et récidivante, qui emportera la décision plus qu'elle ne la suspendra. Sous l'hypothèse que la « facilité » soit offerte et déjà mise en degrés. Ordinaire des *Sacrements,* traité *De la fréquente communion* : ce choix-là sera la conversion. On sait que la porte principale de l'abbaye des Champs était appelée *Porte des Sacrements.*

Il suffit donc d'un seul énoncé de foi pris dans « le sens de réalité », l'énoncé eucharistique — mais le premier axiome d'Arnauld est que Dieu ne peut être trompeur — pour résoudre la séquence des modalités subjectives dans la positivité d'une assertion et d'une effectuation. « Ceci est mon corps » : la face finie du sacrement introduit une échelle. Sa grammaire assertive satisfait dans l'actualité l'amour de soi, l'amour des choses, et l'ambiguïté de l'*amor dei.* Elle rédime le souhait, l'acceptation du réel, la prière impérieuse et répondue. La formule eucharistique anticipe toutes les modalités subjectives qu'elle résout, toutes les constructions du terme *amor* qu'elle rapporte à un unique foyer.

Le quatrième modèle d'Arnauld est donc celui des Sacrements, solution finie au problème de Pascal et conforme à l'anthropologie de la *Grammaire*. En quoi le jansénisme offrait aussi un contre-modèle à la *Comédie*, effectuant dans la positivité ces modalités de concupiscence que celle-ci tient en haleine. L'Abbaye et la scène s'en trouveraient exactement permutables par l'opérateur d'une même économie subjective. Mais Arnauld explicitait géométriquement l'économie des craintes et des espérances, dont l'autre entretient son mouvement ; quand Nicole n'y opposait que des arguments de prédicateur (*Traité de la comédie,* repris de son pamphlet contre les *Visionnaires*, 1665). Port-Royal, en fait, ne condamnait pas les arts, sous la condition toutefois qu'ils conduisent la modalité d'expression à son terme affirmatif, jusqu'au répons de la *Leçon de ténèbres,* qui se prend du récit évangélique.

Inquiété des objections de Barcos, Saci répondait que sa traduction de l'Ecriture, peut-être trop aisée, était soumise aux exigences de la grammaire. *Grammaire* dont Arnauld avait accordé les principes aux dimensions mêmes de la question posée. C'est bien ce cercle qu'il convenait de décrire, ou plutôt cette solution analytique qui prenait de l'Ancien Testament les données anthropologiques d'une question, dont les *Sacrements* jansénistes voulurent apaiser la demande.

On dirait aussi bien que l'*Art de penser* offrait une analytique de la langue naturelle, qui fût conciliable avec l'objectivité d'une expérience, elle-même composée des livres de géométrie et des péricopes de l'Ecriture. Le propos d'une constitution subjective transcendantale a retenu le plan général de ce projet — sans la solution singulière d'Arnauld, faut-il le dire ? — ainsi que le montrerait sans trop de détours l'Introduction aux *Leçons de logique* où Kant se réclame d'une grammaire générale. Le tableau des fonctions du jugement sur lequel se règlent les trois *Critiques* kantiennes, et jusqu'à l'*Analytique* du jugement de goût, en pourrait encore donner quelque preuve par le fait. On soupçonne ici qu'il n'y en a pas et qu'il ne pourrait y en avoir aucune autre. Car l'opération logique est tout entière dans le commerce d'une objectivité et d'une régularité grammaticale. Toute logique, il est vrai, dénie son histoire et dissimule son procès de conciliation. Mais il est aussi vrai que toute logique temporise.

CHAPITRE VIII

LA PHILOSOPHIE CRITIQUE ET L'ÉNIGME DU JUGEMENT DE GOUT

> Kant, voilà sans doute le plus grand. C'est aussi celui dont la doctrine, n'ayant pas cessé d'exercer une influence, a pénétré le plus profondément dans la civilisation allemande. Il a aussi agi sur vous, sans que vous l'ayez lu. Maintenant vous n'avez plus besoin de le lire, car ce qu'il pouvait vous donner vous le possédez déjà. Si cependant vous voulez lire un ouvrage de lui, je vous recommande la *Critique du jugement*.
>
> Goethe, *Conversation avec Eckermann,*
> 11 avril 1827.

On a pu caractériser les philosophies postkantiennes par le propos commun de constituer enfin cette métaphysique de la finitude que semblait promettre la philosophie critique[1]. Or l'œuvre proprement métaphysique de Kant, longtemps retardée, peut-être hâtée par la venue de l'âge, avait déçu ses lecteurs lors même qu'elle confirmait les deux premières *Critiques*. En particulier la *Métaphysique des mœurs,* et ses deux parties juridique et morale, avait paru en retrait à ceux-là mêmes que la deuxième *Critique* avait portés près de l'enthousiasme. « Je vis dans un monde nouveau, écrivait Fichte à Weisshuhn, depuis que j'ai

---

1. J. Vuillemin, *L'héritage kantien et la révolution copernicienne,* 1954, p. 11.

lu la *Critique de la raison pratique*. Elle ruine des propositions que je croyais irréfutables, prouve des choses que je croyais indémontrables — et de tout cela je me sens plus heureux. » Dans l'immédiat — mais cet immédiat est à la dimension de la première génération des philosophes postkantiens — la solidarité entre le système critique et la métaphysique conséquente conduisit à chercher dans le premier la cause de cette déception, voire à opposer l'une à l'autre les deux premières *Critiques*. « D'après moi, la *Critique de la raison pure* n'est pas dépourvue de fondement ; sans aucun doute elle en possède, mais rien n'est construit et les matériaux, quoique tout préparés, se trouvent amoncelés les uns sur les autres dans un ordre arbitraire » (Fichte, *Zweite Einleitung in die W.L.,* p. 478). Laissons ici la complexité bien réelle de la première *Critique* et la trace, parfois visible, des étapes de sa rédaction. Pour en avoir été le premier conscient, Kant avait précisément choisi de sacrifier la perfection du détail au plan d'ensemble (*Cr. pu.,* 1re Préf.). Aussi, lorsque Fichte, inversant l'objection que Kant avait devancée, ne voulut voir qu'un amoncellement de fragments, fussent-ils en eux-mêmes suffisamment élaborés, sa remarque atteint le *nervus probandi* de la méthode critique. Fichte ne tenait aucun compte du « fil conducteur » que Kant avait demandé à la table des jugements et réduisait la déduction kantienne à un mouvement régressif, de l'expérience conditionnée à la possibilité de l'expérience. L'objection était d'autant plus sévère que Kant avait récusé l'usage d'une méthode régressive ou apagogique en philosophie pour n'y admettre que le procédé ostensif[1]. Plus encore, Fichte, arguant de la seconde *Critique* contre la première, contestait la fonction subordonnée et régulatrice d'une raison externe à l'entendement et appelée à consolider, mais en vertu d'un réquisit de complétude et de systématicité, l'usage constitutif des concepts déduits. Or, si l'usage régulateur des idées *(Appendice à la dialectique transcendantale)* échappe à la déduc-

---

1. Sur l'opposition des méthodes apagogique et ostensive, cf. *Cr. pu., Discipline de la raison pure,* section IV. Sur les objections de Fichte, cf. M. Guéroult, *L'évolution et la structure de la doctrine de la science chez Fichte,* I, p. 157 à 184. Egalement, J. Vuillemin, *La philosophie de l'algèbre,* Intr., § 5.

tion dont il confirme cependant le produit, il souligne deux fois la faiblesse de la déduction transcendantale qui ne serait de ce fait ni
complète ni suffisante. Plus encore, l'Appendice discrédite la modalité
de nécessité que la déduction prétendait établir. Car si la déduction
établit la nécessité de l' « unité distributive de l'expérience » en chacun
de ses jugements, la modalité s'affaiblit marginalement quand on en
considère « l'unité collective » (App., p. 453). A l'inverse, une constitution transcendantale autonome engendrerait simultanément les
déterminations a priori de l'expérience et la logique immanente à ces
déterminations. Telle serait une « déduction complète de l'expérience
totale à partir de la connaissance de soi ». Si Fichte maintient ici le
terme kantien de *déduction,* le contexte montre que, pour être inhérent
à la conscience réflexive, le procès de synthèse établirait le droit en
engendrant le fait. Or, si une telle complétude ne requiert ni le fil
conducteur de la table des jugements, ni la confirmation régulatrice
des idées de la raison, Fichte pouvait récuser tout arbitrage et même
tout conflit, entre la *doctrine transcendantale du jugement* et l'usage par
définition inconditionné, de la raison.

De manière générale, le postkantisme, pris dans une acception
chronologique large mais non arbitraire, a tiré argument de la « révolution copernicienne » et du principe suprême de la synthèse transcendantale pour substituer la *constitution* à la déduction. Il en suit que la
table des jugements, inductrice et paradigmatique à divers degrés dans
les trois *Critiques,* fut interprétée comme un échafaudage extérieur et
désormais inutile[1]. Cependant, qu'elle qu'ait été la diversité des
méthodes qui se sont essayées à la constitution, elles ont toutes revendiqué la rigueur kantienne et adopté sans retour l'alternative que
l'analyse transcendantale opposait à la philosophie spéculative. Sous-
crivant donc, et peut-être inconsidérément, à une conclusion que Kant
mit en préface à son cours de *Logique* : « Notre époque est celle de la
critique ; et il faut voir ce qui sortira des entreprises critiques de notre
temps, au point de vue de la philosophie et de la métaphysique en particulier » (*Intr.,* § IV). Les tentatives de constitution se sont alors

1. Voir la note fort éclairante de V. Goldschmidt, *Le système stoïcien,* p. 19-20.

jugées et réfutées l'une l'autre en fonction des contraintes qu'elles s'étaient elle-mêmes imposées : la fidélité à Kant, pris comme texte de référence et corpus offert à l'interprétation, et la règle d'immanence dont on voulait qu'il l'eût posée et dont on soupçonnait qu'il l'avait enfreinte. Jusqu'à ce point de rebroussement où la recherche d'une métaphysique de la finitude — s'il fallait affronter cet oxymoron — s'inversa en « destruction de la métaphysique », et où la régression abyssale de la phénoménologie vers l'originaire a prouvé, contre elle-même et par le fait, que la clarté transcendantale est un leurre. Mais Kant n'avait pas omis de dire, fût-ce en conséquence de ce que certains ont jugé comme un recul[1], que la synthèse subjective déjouait tout essai d'exposition explicite. Auquel cas, l'unité de la période serait celle d'une question ressassée — la possibilité de la métaphysique — alors que sa solution, dans les termes d'une logique transcendantale ultime, n'admettait ni généralisation ni révision hors des données singulières et des conditions redoutablement précises en fonction desquelles elle fut d'abord, et par Kant, proposée.

Pris en lui-même, le précepte d'immanence n'est d'abord rien de plus que la formulation non métaphorique de la « révolution copernicienne ». Serait-il érigé en principe, qu'il suppose et exige une auto-limitation des actes constitutifs. Et dès lors qu'on délaisse le propos limité de déduire l'usage constitutif de principes, eux-mêmes déjà articulés et distribués selon quelque paradigme logique, le concept de *possibilité de l'expérience* est appelé à jouer simultanément le rôle de fil conducteur et de terme ultime pour la constitution. C'est en ce sens précis que Hermann Cohen a interprété et étendu le criticisme. « La méthode a conduit Kant non des catégories aux principes mais des principes aux catégories. »[2] Déplaçant le maillon intermédiaire de la

---

1. Cf. M. Heidegger, *Kant et le problème de la métaphysique,* p. 193 et le compte rendu de E. Cassirer, *Kantstudien,* 36, 1931.
2. *Kants Theorie der Erfahrung,* 2ᵉ éd. (1885), 408, cité par J. Vuillemin, *L'héritage kantien,* p. 146. Cf. également J. Vuillemin, *Physique et métaphysique kantiennes,* p. 40 et 357.

déduction — les catégories —, H. Cohen avait tranché le lien qui enchaînait à la table des moments discursifs, où se dessine la stylistique normative d'une science de la nature, la table des principes qui en articule les déterminations a priori. Or, si l'on efface le paradigme de la table des jugements, lequel outrepasse de beaucoup une logique prédicative puisqu'il la décompose en quatre moments et discrédite sa grammaire de surface, comment accordera-t-on jamais la synthèse transcendantale de l'expérience avec le système articulé des actes discursifs où se matérialise la constitution ? Kant, écrit Cohen, a découvert un nouveau concept de l'expérience. L'expérience est cela qui est « donné réellement dans les livres imprimés ». Elle est, précise la deuxième édition de *Kants Theorie der Erfahrung,* « devenue réelle dans une histoire »[1]. De ce fait, à moins d'accepter une épistémologie directement abstraite des traités scientifiques et strictement tautologique avec eux, la constitution transcendantale a pour fin d'effectuer dans l'intuition pure les constructions qui doublent et élucident les synthèses inconscientes de la conscience empirique. Ainsi Cohen voulut-il saisir la synthèse transcendantale, c'est-à-dire l'instance où l'expérience de l'objet s'identifie à l'objet de l'expérience, dans le « principe des grandeurs intensives ». En quoi il lui fut reproché, par un mathématicien en l'occurrence plus kantien que lui, une subreption de concept. Voulant *constituer* le concept métaphysique de réalité dans les conditions de possibilité de l'expérience, Cohen se propose de *construire* le concept physique de grandeur variable dans une représentation analytique. Mais aucune théorie mathématique n'en endossait plus la responsabilité[2]. Ce débat entre Cohen et Frege montre en outre combien le premier demeurait tacitement fidèle à la logique intentionnelle de Kant.

Quel qu'ait été sur ce point précis le succès ou l'insuccès de la consti-

1. Ibid., p. 35, cité par H. Dussort, *L'école de Marburg,* p. 104.
2. Cf. *Kommentar zu Immanuel Kant's Kritik der reinen Vernunft,* p. 80 à 87, *Das Prinzip der Infinitesimal-Methode und seine Geschichte,* et le compte rendu qu'en fit G. Frege dans le *Zeitschrift für Philosophie und phil. Kritik* (1885), reproduit dans *Kleine Schriften,* p. 99 sq. On lira une critique du concept de *grandeur variable* dans l'article *Qu'est-ce qu'une fonction ?* (1904), trad. p. 160 des *Ecrits logiques et philosophiques.*

tution, il reste que la détermination historique et culturelle d'une expérience assimilée à l'objet d'une science physique datée affectait profondément le propos d'une philosophie transcendantale. Il en suit en effet que la critique n'a pas de terme assignable, puisqu'elle est emportée dans le même mouvement historique que son objet. La méthode est même menacée dans son intention puisque, à subordonner les catégories aux principes, on renonce à tout critère stable entre concepts métaphysiques et concepts empiriques, donc à l'opportunité même de la constitution. L'impératif de l'éducation scientifique prend la place d'une Critique de la raison pure. Le but demeure, il est vrai, de saisir la genèse du concept à la césure de la conscience et de l'intelligibilité mathématique. De là cette autre tentative de Cohen, d'introduire dans la constitution les principes ensemblistes de Cantor, dont il fut un des premiers lecteurs. Dans les deux cas, la logique transcendantale n'est plus que l'effet global de ces constructions locales ; et le terme infamant de *logicisme* qui fut parfois appliqué à l'analyse au reste précise et conséquente de Cohen relève, ici comme ailleurs, de la pure incompréhension. La logique ne serait ici que la cristallisation d'une méthode. En quel sens sera-t-elle encore qualifiée de transcendantale, si la constitution est délestée de la subjectivité constituante ? Comme le note H. Dussort : « Point capital. C'est seulement de manière dérivée que l'on peut parler d'objet ou de sujet transcendantal, à titre d'applications de la méthode » (op. cit., p. 124, n. 2).

C'est avec une rigueur égale, mais une méthode curieusement inverse, que Husserl tenta de fixer dans une logique premièrement transcendantale et secondairement formelle la constitution phénoménologique. Admettons cette instance liminaire d'un donné pur d'où divergent l'intentionnalité objective et sa version apophantique. Elle est menacée par deux périls. Ou bien l'expérience immanente, resserrée dans les limites où l'intuition est son propre critère, échoue dans l'antéprédicatif. A ce prix, la phénoménologie transcendantale achève la révolution copernicienne : la chose appréhendée dans sa vie propre *(lebendiges)* serait immanente à la vie de la conscience. Mais lors même que l'intuition exclut l'hypothèse d'une chose en soi, elle en hérite le caractère d'ineffabilité. Et si la constitution subjective s'accommode de ce mutisme, à quel titre et en vertu de quel indice y aura-t-il encore constitution ? Ou bien la régression vers l'originaire préserve, avec l'intentionnalité de la conscience, une apophantique minimale. Mais alors la savante et ultime naïveté philosophique redécouvre, à grands frais, le registre des logiques grecques. Où il appert qu'une forme quelconque d'énonciation est toujours secrètement corrélative de toute instance constituante. « Nous en priver serait d'abord, perte suprême, nous priver de la philosophie » (*Sophiste*, 260*a*). Et si la constitution s'avoue dans des formes linguistiques archaïsées, c'est pour n'être sans doute rien d'autre qu'une forme subtile de généalogie[1]. Conscience originaire et logique transcendantale sont corrélativement tributaires d'une articulation sémantique de fait qu'elles illustrent, thématisent et portent à l'absolu, lors même qu'elles s'en défendent par l'appareil des réductions répétées. En outre, à dériver la logique formelle de la logique transcendantale, par un procès inverse de la déduction kantienne autant que différent d'intention, « la notion même de forme logique qui s'en trouverait déterminée reste par là sans autre contenu précis ni justification de sa délimitation que la possibilité permanente de renvoi à des exemples » (J. Cavaillès, *Sur la logique et la théorie de la science*, p. 45).

Par une autre conséquence, inhérente à la méthode phénoménologique, l'intentionnalité dépose une ontologie qui rivalise avec l'ontologie des sciences effectives, celle que déterminent leurs principes et leur structure démonstrative dans l'unité d'une langue-théorie.

---

1. Notre intention n'est pas de rappeler le rôle éventuel des leçons et écrits de Brentano dans l'invention de la phénoménologie husserlienne. Ni même de renvoyer aux remarques de Husserl sur la *logica perennis* des Grecs, sur le *lekton* stoïcien (*Log. formelle et log. transc.*, p. 113) ou sur le traité *De modis significandi,* étudié par Heidegger (ibid., p. 71). La difficulté est d'ordre structural. Les logiques jusqu'à présent identifiées et effectivement repérées sont en nombre limité, en même temps que d'une longévité surprenante eu égard au calendrier des autres histoires, pour des causes que nous pensons dépourvues d'arbitraire. Il n'est donc pas surprenant que tout essai d'une fondation transcendantale de la logique tombe à pieds joints sur l'un des systèmes historiquement et, vraisemblablement, anthropologiquement conditionnés. Mais il s'agit ici de la nature des systématisations logiques et de leur invention, toutes choses dont on entrevoit tout juste le procès. Cf. supra, chap. IV.

Emportée dans la recherche d'hypothétiques énoncés originaires, strictement adéquats à l'expérience donnée, mais aussi fugitifs que la parole de l'innocence pour une conscience inquiète de soi, la méthode phénoménologique s'est prise à la glu des schèmes apophantiques qu'elle n'a ni le moyen de récuser, ni le pouvoir d'ignorer, ni le souci d'élaborer. Parce que l'intentionnalité est équationnellement solidaire des logiques grecques considérées dans leur propos commun[1], la conscience constituante ne peut fonder les actes intellectuels supérieurs sur les intentionnalités primaires sans soutenir ce pas d'une extrapolation idéaliste, qui érige ce transcendantal-là en norme, ou s'enfermer *in aeternum* dans un certain registre de sciences, non révisables et inéluctablement archaïsées. En reste une ontologie vaine, inutile pour la perception, puisqu'elle est le simple dépôt de son intentionnalité, et dérisoire pour la science de par son immobilité et ses prétentions à la radicalité. Instrument immédiat de la constitution, l'intentionnalité induit une métaphysique parasitaire et une logique entravée dans la forme prédicative. Si celle-ci adhère à l'intuition phénoménologique, ce sera comme une tunique de Nessus, et d'autant meurtrière.

A cet égard, la *Crise des sciences européennes* pourrait être le constat, quelque peu déçu, des ruptures d'intentionnalité et des multiples contre-exemples que les sciences effectives, depuis les géométries cartésiennes et les traités postgaliléens, opposent aux constitutions logiques et ontologiques de la phénoménologie. Et s'il vient que l'intentionnalité phénoménologique ne rejoint jamais le livre ou l'idéalité qu'elle devait fonder, c'est dans la cohérence d'une méthode délibérément opposée à celle d'Hermann Cohen.

De là l'intérêt suscité et entretenu par les *Leçons sur la conscience intime du temps*. Elles exposaient, fragmentairement et sur le tard, des recherches qui n'avaient cessé de doubler toutes les étapes de la phénoménologie transcendantale. Ces *Leçons* ont pour objet la structuration fondamentale du champ de conscience, cette suite continue de

---

1. Cf. C. Imbert : Sur la méthode en histoire de la logique, *Lectures Notes in Mathematics,* 499, Berlin, 1975.

phases discrètes dont le recouvrement labile engendre le présent phénoménologique et son effondrement. Par une méthode bien proche de l'exercice spirituel, pour être l'occasion des mêmes lassitudes et contentions, Husserl put décrire une texture indépendante de la fragmentation de l'intuition en schèmes géométriques et tout autant rebelle à la traduction prédicative. Plus encore, l'effritement du présent de conscience dans la suite doublement infinie de rétentions et de protentions pouvait être tenu pour une décomposition analytique de l'intentionnalité selon les vecteurs du temps phénoménologique. Ou, inversement, l'objet intentionnel résulterait d'une « triangulation » de ses aspects temporels. Cet accès aux origines de l'intentionnalité est souligné dans la note que rédigea Heidegger, en 1928, à fin d'introduction aux *Leçons* de 1905.

« Le thème conducteur de la présente recherche est la constitution temporelle d'un donné pur de sensation et, sous-jacente à celui-ci, l'autoconstitution du "temps phénoménologique". Ce qui est décisif dans ce travail c'est la mise en relief du caractère intentionnel de la conscience, et d'une façon générale la clarté croissante que reçoit l'*intentionnalité* dans son principe. Cela suffit déjà, abstraction faite du contenu particulier des analyses de détail, à faire des études suivantes un complément indispensable à la mise en lumière de l'intentionnalité, entreprise pour la première fois sur le terrain des principes dans les *Recherches logiques*. Aujourd'hui encore, cette expression n'est pas un mot de passe, mais le titre d'un problème central. »

De ces leçons, Husserl amenda à plusieurs reprises la teneur avant d'en tolérer l'édition. Quel qu'ait été le souci, partagé par Heidegger, R. Stein et L. Landgrebe, de lier ces leçons aux *Recherches logiques* — qui se tenaient pour leur part « sur le terrain des principes » — il est évident qu'Husserl souhaitait ici outrepasser la limite propre à toute recherche logique, dont on pouvait penser qu'elle est achevée dès lors que sont formulés explicitement ses principes transcendantaux ou ses axiomes formels. Comme l'a noté le traducteur Henri Dussort, la phénoménologie de la conscience interne du temps devait fonder à la fois la psychologie descriptive et la théorie de la connaissance (p. 3, n. 1), en reprenant l'analyse dans l'état où l'avait portée Brentano. Or, plutôt que de résoudre l'intentionnalité ou même d'en montrer le surgissement, corrélatif de l'autoconstitution du temps, ces leçons en démultiplient les occurrences et l'inflexion, selon toutes les métastases de la conscience du temps : intentionnalités spécifiques de la rétention (§ 12), comparées avec l'intentionnalité objective (§ 30), redoublées dans le flux de conscience (§ 39), double intentionnalité du ressouvenir (§ 25), du courant de conscience (*Sup.*, VIII)... Elément opérateur et primitif de la méthode phénoménologique, l'intentionnalité en est indiscernable ; elle échappe donc au pouvoir d'élucidation auquel prétend celle-là. Tout au plus est-elle, en chaque épisode phénoménologique, prise sur le fait. La conscience originaire du temps est strictement égale à l'appareil de la description phénoménologique. Les modalités de la conscience du temps investissent si précisément les modalités de l'intentionnalité, et vice versa, qu'il ne demeure aucun argument ni indice susceptibles d'en fonder la distinction.

On manquerait le point si l'on reprochait à la description de mettre en jeu un réseau de coordonnées (rétention, protention, ressouvenir...) plus complexe que l'intentionnalité objective qu'elle prétend constituer, donc de n'offrir au mieux qu'une définition implicite de l'intentionnalité. Pour échoir en partage à toutes les recherches de fondement, un tel paradoxe a perdu sa valeur d'objection de principe. Mais le simple fait que l'intentionnalité accompagne chaque phase temporelle interdit que celles-ci, séparément ou collectivement, puissent produire l'intentionnalité objective comme autre chose qu'elles-mêmes. Toutes intentionnalités confondues, la présentification *(Gegenwärtigung)* de la chose et de ses modifications est bien la « constitution de ce qui apparaît » (§ 45). Or, dès que la recherche porte sur les intentionnalités épistémologiques (s'imaginer, attendre, croire que...), la constitution de l'état de choses qu'elles modalisent échappe à la conscience intime du temps. « Ce n'est pas à l'état des choses comme tel, mais à sa chose, qu'appartient la conscience du temps et la présentation » (ibid.). Symétriquement, prendrait-on comme données phénoménologiques primaires et simultanées l'état de choses et la structure apophantique corrélative, comme le propose *Logique formelle et logique transcendantale*, qu'ils seront supposés dans les actes cognitifs supérieurs, ceux que requiert la connaissance scientifique mais que les premiers n'atteignent jamais en fait. Les césures se

multiplient donc, entre la constitution temporelle et la constitution
énonciative, entre celle-ci et les systèmes symboliques opérationnels,
fussent-ils engendrables à partir des structures algébriques élémentaires.
L'intentionnalité échoue dans la constitution en deçà et au-delà des
zones de conscience centrées sur la perception interne ou externe.
Aucune logique formelle ne saurait alors ni unifier les domaines, ni légi-
timer leur coordination par réitération d'opérations simples. Bien
qu'Husserl ait enrichi « l'idée leibnizienne d'une combinatoire, source
uniforme de tout l'instrumental apophantique », il ne justifie ni l'unicité
de la notion, « ni un principe de diversification qui relie les aspects aussi
hétérogènes qu'elle revêt, comme ceux de combinaison apophantique
simple et de modalisation » (J. Cavaillès, op. cit., p. 45). En particulier,
toute analogie entre la modalité et la prédication limite la première à la
seule espèce d'une modalité solipsiste. Le projet d'une *Philosophie comme
science rigoureuse* n'est pas matériellement contredit, si ce n'était que la
méthode piétine aux limites, ou tolère des interférences suspectes.

Aussi bien, la « révolution ptolémaïque » ne contresigne-t-elle ni
une audace ni une faiblesse de la phénoménologie[1]. Elle n'est rien de
plus que le corrélat métaphorique du vecteur de l'intentionnalité,
comme la « révolution copernicienne » symbolisait la synthèse subjective, dans l'hypothèse des forces centrales (cf. *Prolégomènes,* § 39,
p. 103). L'intentionnalité est ptolémaïque en ce qu'elle déporte de son
point d'ancrage, aveugle pour nous qui y sommes adossés, vers un
horizon intentionnel et tel que, si nous y étions jamais transportés, s'y
reconstitueraient les conditions d'une observation ptolémaïque à
partir d'une autre terre, de nouveau invisible et centrale, vers un autre
horizon d'intentionnalités[2]. Et si la phénoménologie a drainé, volens
nolens, l'invariant formel des logiques grecques sous l'espèce du
« noyau syntaxique » de la prédication, c'est pour en avoir repris, sous

1. Sur la révolution ptolémaïque, cf. Trân-Duc-Thao, *Phénoménologie et matéria-
lisme dialectique,* p. 222 et J. Vuillemin, L'analogie astronomique de la philosophie critique, *Manuscrito,* I, Campinas, 1978, p. 81.

2. Cf. *Expérience et Jugement,* § 38, les textes cités et traduits par J. Derrida, dans
son Introduction à *L'origine de la géométrie,* p. 79, et l'analyse afférente de la « Terre
transcendantale » (p. 78 à 83).

le chef de « l'intentionnalité catégoriale », le principe de conjugaison le plus simple qui se puisse concevoir entre des données qualitatives ou analogiquement qualitatives et les structures apophantiques[1]. Dans un tel système, qui conjugue l'abstraction et l'analogie, la catégorisation transcendantale (ou dogmatique) thématise les types fondamentaux de l'intentionnalité (le τὶ σημαίνει aristotélicien, cf. *Topiques*, I, 9) que la grammaire formelle inscrit dans ses règles de formation et ses allomorphes transformationnels (cf. *Recherche logique, IV*, et *Logique formelle et logique transcendantale,* § 19).

Un tel procès, de l'intuitif au catégorial, et du catégorial au formel, pourrait être compris comme l'accomplissement du postkantisme, dont le prix serait un déni paradoxal de la révolution copernicienne. Laissons ces métaphores rivales, qui n'avouent que trop leur enfermement. Cette alternance du formel et du transcendantal, selon que le premier induit l'autre ou réciproquement, n'implique aucun retour au précriticisme. Pour cette première raison que Kant inventa un nouveau concept de la forme logique avec cette table des jugements qu'aucune logique antérieure ne pouvait lui donner dans cette singulière organisation systématique. Cet acquis ne fut pas remis en cause par la phénoménologie, encore qu'elle en ait réduit la leçon et déplacé son application. En outre, on pourrait lire l'ébauche d'une phénoménologie au premier paragraphe de l'article *Qu'est-ce que s'orienter dans la pensée ?* (1786). « Si nous excluons du processus concret de l'entendement la représentation imagée et avant tout la perception contingente des sens qui s'y mêlent, et même jusqu'à la pure intuition sensible, il ne nous reste rien d'autre qu'un pur concept de l'entendement dont le

---

1. On sait qu'une grammaire à constituants immédiats (prédicative) admet deux représentations strictement équivalentes : sous la forme d'un arbre syntaxique ou d'une suite linéaire articulée par un système de parenthèses. L'arbre syntaxique asymétrique est à son tour, directement ou analogiquement, adapté à une division du contenu représentatif en substrat et déterminations paronymiques (cf. Aristote, *Catégories,* chap. 2). Cette anamorphose, si précisément établie et analysée par les Grecs, pourrait être à son tour éclairée par des principes morphogénétiques. Voir René Thom, *La double dimension de la grammaire universelle,* dans *Morphogenèse et imaginaire, Circé,* 8-9, 1978.

champ est maintenant élargi et qui enveloppe une règle générale de la pensée. La logique générale s'est elle-même constituée de cette façon et il se pourrait que maintes méthodes heuristiques pour la pensée soient encore dissimulées dans l'usage expérimental de notre entendement. » Cette remarque, incidente dans l'article de Kant, n'implique, il est vrai, aucune distinction entre un simple procès d'abstraction — personnel ou culturel — et l'exercice méthodique de l'épochê phénoménologique. Et si le fruit de l'abstraction peut être un point de départ heuristique pour la pensée, Kant ne s'inquiète nullement d'une constitution transcendantale de ce schème empiriquement acquis, pour ne considérer que la déduction transcendantale d'un usage, a priori et constitutif pour l'expérience possible, de schèmes discursifs et de types de synthèse obtenus de l'expérience donnée.

La priorité alternativement accordée au formel (Kant) ou au transcendantal (Husserl) en dévoile donc une autre, plus significative, oscillant du discursif au catégorial. Si Kant induit la table des catégories (déduction métaphysique) de l'épure, nécessaire et suffisante, qu'en offre la table des jugements, c'est par défaut d'un quelconque point d'Archimède « où la raison (puisse) appuyer son levier » (*D'un ton grand seigneur...*, 1796, p. 105). C'était là, au premier chef, la raison d'un rejet simultané de l'ordre de la méditation cartésienne comme du fil d'Ariane de la mathesis universalis, de la règle d'évidence comme du principe de l'harmonie préétablie. Aucun concept ne porte en effet en soi ni le critère de son bon usage ni le système de ses implications légitimes. « L'usage expérimental de notre entendement » — donc non arbitraire — est alors la seule indication heuristique de son usage a priori et de toute déduction transcendantale. Aussi bien la *Critique du jugement* est-elle l'achèvement du système de la philosophie critique et la confirmation de son départ in medias res. Clé de voûte, au lieu de fondement.

Inversement Husserl s'est proposé de constituer l'apophantique à partir de l'intentionnalité noétique. Or la constitution temporelle n'atteint pas, ainsi que le soulignait Husserl, les « états de choses » transcendants pour la conscience, c'est-à-dire les contenus de jugement intemporels, tandis que les *Recherches logiques,* consulterait-on leur dernier état *(Log. form. et log. transc.),* ne peuvent non plus mener l'analyse régressive jusqu'à ce terme où elle rejoindrait le point ultime de la genèse subjective. Le propos même de la phénoménologie transcendantale se trouve menacé par cette impuissance à fonder les actes discursifs sur les formes les plus souterraines et primitives de l'intentionnalité. Ce n'est là qu'une preuve nouvelle et a contrario de l'adéquation du schème prédicatif à la perception extéroceptive, comme de sa valeur d'axiome formel pour une logique de l'expérience dépendante des conditions sensorielles de l'observation. Preuve également qu'il serait contradictoire de vouloir constituer l'état de choses intemporel sur les données d'une conscience intime du temps qui « réduit », et même annule par principe de méthode, l'invariance du système objet-qualités. Factum que rappelle M. Merleau-Ponty : « Le phénomène de constance est général » (*Phénoménologie de la perception,* p. 362). On conclurait de même à l'indépendance du système des intentionnalités épistémiques par rapport au système apophantique — ce que la méthode phénoménologique établit, comme on a vu, contre elle-même, encore qu'en conséquence de sa propre rigueur. Quant à la modalité « solipsiste », elle est précisément l'option que le paradigme de la logique grecque, commun aux trois ou quatre variantes que nous en connaissons, avait exclue[1]. Et si la constitution phénoménologique ne peut ni réduire ni éviter la césure qui l'exile de ce savoir qu'elle voulait fonder, la table kantienne des jugements manifeste, comparativement, toute sa puissance. Car elle fixe synoptiquement tous les moments épistémologiques pertinents, et en particulier la modalité qui marque d'avance la place des postulats de la pensée empirique en général. C'est-à-dire de la *phénoménologie,* comme le confirme d'une part

---

1. Deux interprétations de la modalité grecque sont possibles : *de re* ou *de dicto* (dans la terminologie de H. von Wright : modalité ontologique ou épistémologique). On admet généralement que la modalité aristotélicienne est ontologique. Plus controversée est l'interprétation de la modalité diodorienne, ressort de l'argument *Dominateur,* et de la solution qu'en donna Chrysippe. Celle-ci préserve paradoxalement la liberté humaine et le déterminisme universel *(fatum stoïcum).* La conception stoïcienne du temps (et le système des *aspects* verbaux qui est son corrélat logique) préservait la modalité ontologique sous l'hypothèse que les choses mêmes ont des degrés d'actualité et de détermination différents.

la *Réfutation de l'idéalisme* jointe à l'*Eclaircissement* des postulats, d'autre part le titre de la section parallèle des *Premiers principes métaphysiques de la nature* (cf. J. Vuillemin, *Physique et métaphysique kantiennes,* p. 25 à 29). Enfin la *Critique du jugement* donne, avec le tableau des facultés et des pouvoirs de connaissance qui conclut l'Introduction, l'analyse ultime de la modalité critique, et le ressort de toutes les déductions.

La note d'édition que Heidegger rédigea pour les *Leçons* de Husserl fut suivie d'une renonciation à écrire l'ultime partie de *Sein und Zeit* où, sous un titre inversé, la priorité constituante aurait été donnée au temps. « L'auteur n'était pas alors de taille pour une élaboration suffisante du thème que nomme le titre *Temps et être* » (cf. la conférence *Temps et être,* prononcée à Fribourg en 1962, *Questions,* IV, p. 11). Dans la note citée plus haut, Heidegger, ayant lié l'intentionnalité aux principes logiques, laissait entendre que le point décisif était d'en donner conjointement l'élucidation. Or la plage d'expérience, dont la formule *il y a* est l'expression impersonnelle et non prédicative, échappe à la structure catégoriale de l'intuition, en même temps qu'elle rompt le vecteur de l'intentionnalité. De l'instance originaire de la présence, de son moment d'actualité, s'extravasent tout ensemble le temps, l'être qui s'y manifeste et la détermination existentielle qui usurpe le titre de sujet. Cette ek-stase du temps, que M. Merleau-Ponty comparait à une déhiscence végétale, s'empare des prétentions constituantes. « Le point de départ à partir du domaine de la subjectivité est déconstruit » (*Lettre à Richardson, Quest.,* IV, p. 186). L'expérience se dissout alors dans le questionnement proleptique du *il y a,* dont ne subsistent que les termes corrélatifs, abstraits et insolubles : l'homme, dans son rapport à l'être, l'être et sa vérité dans son rapport à l'homme (p. 187). Le questionnement, comme l'intentionnalité qu'il déboute, vise, autant que l'objet de la question, la langue elle-même, encore qu'elle demeure le médiateur obligé de la philosophie. Heidegger en désarme l'intentionnalité sémantique, mot après mot, dès lors qu'il greffe en chacun d'eux le mouvement divergent et contre nature de l'étymologie. Non « par amour de l'étymologie, mais par souci de ce à quoi il faut avoir affaire pour lui demeurer fidèle en méditant ce qui est nommé » (*La fin de la philoso-phie, Quest.*, IV, p. 132). Parce qu'elle insère dans la méditation une surveillance métalinguistique ou, selon une intention reprise d'Höl-derlin, « la plus innocente des occupations » sur « le plus dangereux de tous les biens », « cette pensée pluriforme ne requiert pas tant une langue nouvelle qu'une mutation de notre rapport à l'ancienne » (p. 188) : par refus délibéré d'en affecter véritablement la syntaxe et, plus encore, d'en concevoir quelque autre système — non constitua-ble il est vrai dans les limites de l'évidence existentielle. Si Heidegger accepte les contraintes, simultanément honnies et sollicitées de la langue maternelle *(die Muttersprache)*, c'est pour exalter la puissance matricielle d'un lexique « agglutinant »[1] à titre d'antidote, local et d'autant efficace, contre les prétentions logiques des articulations pré-dicative et propositionnelle. *Il y a* n'est jamais compris comme l'éven-tuel noyau syntaxique d'une nouvelle version apophantique. Sans détermination, il ne dit rien d'autre que sa modalité contingente. Existence sans essence et version parodique objectée à l'argument ontologique dont il érase le point de départ qualifié, le nom divin, l'inférence de l'essence à l'existence, et l'apodicticité.

« C'est un trait caractéristique de la métaphysique que, d'un bout à l'autre de son histoire, l'*existentia* n'est jamais traitée, lorsqu'elle l'est, que d'une façon brève et comme une chose qui va de soi (cf. l'explication indigente du postulat de la réalité dans la *Critique de la raison pure* de Kant). Seul Aristote fait exception, il pense à fond à l'*energeia*... La transformation de l'*energeia* en *actualitas* et en réalité a rejeté dans l'ombre tout ce qui avait été mis à jour dans l'*energia*. »[2]

---

1. Terme que nous empruntons à G. de Humboldt, *De l'origine des formes gramma-ticales, Mémoires de l'Académie de Berlin*, 1822-1823.

2. *Dépassement de la métaphysique, Essais et conf.*, p. 87. Heidegger évoque le deuxième « postulat de la pensée empirique en général » (*Cr. pu.*, p. 20). On sait que Kant introduisit le terme d'*Existentialsatz* pour commenter le deuxième postulat de la *Critique de la raison pratique* (p. 148). En se référant au postulat de la réalité, Heidegger souligne donc les difficultés qu'une constitution immanente de l'existence — serait-elle réduite à la *réalité* — oppose à la *méthode transcendantale* dans son exercice le plus direct, celui de la 1re édition de la première *Critique*. Quand à l'existence postulée de la deuxième *Critique*, elle n'est ni immédiate, comme le *Es gibt*, ni immanente au *da-sein*.

Or, cette lente adultération ne peut être rectifiée par aucune élaboration logique. « Hegel, ajoute Heidegger, est le premier qui approfondisse à nouveau l'*existentia,* mais il le fait dans sa *Logique.* » L'objection est sans appel. Non pas tant parce que cette élaboration est inscrite dans la *Logique,* mais parce qu'elle ne serait alors ni primitive ni antérieure à un propos constructif ou constitutif, dont la méthode n'importe pas ici. L'*existentia* ne relève pas de l'achèvement de la métaphysique comme domination de la certitude, mais de son dépassement.

Afin de cerner plus précisément la manière strictement stylistique de Heidegger et pour exclure tout hasard de rencontre — dont l'hypothèse ferait tort à un lecteur aussi attentif que Heidegger —, on rappellera que dans les années consacrées à sa dissertation d'habilitation[1], puis à l'enseignement des *Recherches logiques* de Husserl, il avait lu et rendu compte, dans la *Deutsche Literaturzeitung,* des derniers articles de G. Frege. Heidegger ne pouvait donc ignorer le rôle dévolu à la proposition d'existence, au « es gibt » quotidien, dans l'invention d'une syntaxe libérée du schème de la prédication, de la modalité épistémologique, et plus complexe, c'est-à-dire pourvue de plus amples ressources, que la logique propositionnelle[2]. Toutes déterminations dont Heidegger n'a jamais cessé d'instruire le procès (cf., par ex., *Quest. IV,* p. 38 et 48). Il n'ignorait pas non plus que la proposition d'existence était la pierre jetée dans le jardin des logiques du concept, comme le signalait aussi Windelband dans son bilan de la philosophie allemande au début du XXᵉ siècle. Mais Heidegger exclut toute altération radicale visant à recentrer la langue naturelle sur le jugement d'existence, et à en archaïser d'autres tournures. Sa manière directe et immanente d'atteindre la langue est de lui instiller un perpétuel repentir. De là ce questionnement qui entretient l'évidence d'un déficit irrémédiable de toutes les formes canoniques d'expression. Reniant toute constitution subjective, le style de Hei-

---

1. *Die Kategorien und Bedeutungslehre des Duns Scots,* 1915. Le même intérêt pour les débats logiques les plus contemporains apparaît dans une dissertation présentée à Fribourg : *Die Lehre vom Urtheil im Psychologismus : Ein kritisch-positiver Beitrag zur Logik* (1914).
2. Cf. *Fondements de l'arithmétique,* § 89, où Frege signale une lacune de la logique de Kant, quant au jugement d'existence. Egalement, *Fonction et concept,* p. 97-98.

degger remémore inlassablement sa dette à l'égard de l'*existentia* dont il s'échappe, afin d'avouer le péché discursif, ou plutôt d'en entretenir le tourment. De là cette méthode micrologique qui se harasse à ravaler tout énoncé dans l'origine existentielle de la loquacité, à suspendre l'intelligence, à l'infléchir en recueillement (*Temps et être,* p. 13). Solution quelque peu violente à l'aporie des constitutions phénoménologiques : l'intentionnalité est contrite, et l'horizon transcendantal sanglé dans les implications déictiques du *da-Sein* et son refus de conjugaison.

Faut-il n'y voir qu'un procédé d'humiliation, systématique et quelque peu luthérien — rappelant le *Propos de table* du Réformateur, « ma raison c'est ma catin » ? Cette tentation misologique, pour réelle qu'elle soit, manquerait le travail stylistique dont Heidegger usa comme d'une alternative méditée à la phénoménologie transcendantale. Soit l'énoncé, qu'on tiendra pour paradigmatique : « Etre, une question, mais rien d'étant » (*ibid.,* p. 17). Pour le décrire brièvement, il réunit : *a* / un infinitif, forme non marquée du verbe, dépourvue donc d'aspects et de temps, *b* / donc une forme impersonnelle, qui exclut aussi bien le sujet de l'action que le sujet de l'énonciation, *c* / un constat d'impertinence de tous les prédicats, ici bannis tous ensemble, sous le terme d'*étant* qui en résume la collection, *d* / la suspension de toute modalité subjective et de toute marque d'assertion, soulignée par une incise métalinguistique — « une question » — contredisant l'ultime prétention descriptive du verbe que la *lexis* infinitive préservait encore.

Plutôt que de stigmatiser une nouvelle fois la forme prédicative et le schème catégorial, cet énoncé brave par l'exemple la situation épistémologique implicite que ceux-là fixaient en norme grammaticale. On ne suppose ici ni spectateur ni aspects, aucunes qualifications spécifiantes ni déixis temporelle ou locale. La question de la constitution subjective est évitée en même temps que l'équation qu'elle suppose entre une représentation (ou expérience) potentielle et sa traduction énonciative[1]. Le problème critique de la déduction,

---

1. Cf., sur ce point et sur l'hypothèse de traduction intégrale entre la représentation et la grammaire prédicative, supra, chap. III et IV.

comme la question phénoménologique de la constitution sont contournés par un énoncé tératologique. La forme infinitive du verbe, qui est aussi une forme nominale, suggère, à l'inverse, une correspondance de droit entre la langue et la réalité qu'aucune conjugaison, flexion ni syntaxe ne subordonne aux conditions de la représentation que j'en prends, ou de l'expression que j'en donne. « La langue n'est jamais d'abord expression de la peine, du sentir, du vouloir. La langue est la dimension initiale à l'intérieur de laquelle l'être-homme peut alors seulement correspondre à l'être et à son exigence, et dans la correspondance, appartenir à l'être » (*La fin de la philosophie et le tournant, Quest. IV*, p. 146).

Toutefois, si la correspondance et la généalogie sont exigées, elles demeurent en attente. En résulte une manière d'écriture partagée entre deux ou trois styles possibles : parataxes, martèlement des infinitifs, rhétorique pastorale de l'avènement, inflation des usages métalinguistiques (étymologies, définitions, citations...). Tous procédés qui visent un seul but, menacer l'hypothèse husserlienne d'une discursivité transcendantale originairement adéquate à l'essence intentionnelle, et de ce fait, unique et apodictique. Ce harcèlement expérimental aurait-il force d'argument, il prouverait que la phénoménologie ne peut que délimiter réflexivement cela même qu'elle voudrait constituer, car chaque type stylistique porte en lui les conditions de sa vérification et de son acceptabilité. Pour le dire autrement, il avoue toujours son art poétique, sous peine de n'être pas compris. Mais cette leçon n'apparaît qu'indirectement. Heidegger multiplie des stylistiques incompatibles entre elles, qu'il associe erratiquement : la manière présocratique, la poétique d'Hölderlin, les titres paratactiques de Paul Klee, l'expressionnisme de Trackl... Attaque, il est vrai, aussi ruineuse pour les certitudes phénoménologiques que le furent les logiques non aristotéliciennes et les systèmes physiques non galiléens. Il est plus douteux que Heidegger ait pu préserver les ambitions d'une généalogie de modes discursifs adéquats, et immanents, pour une analytique de la finitude. D'où on conclurait plutôt que la question de l'accord entre l'expérience et sa conceptualisation ne perdure pas au-delà des deux solutions, dogmatique et critique, qui en ont été données, au terme d'un cycle bimillénaire, dont la lenteur a plus de rapport aux mouvements tectoniques et au procès de la sédimentation qu'elle n'en a au mouvement des marées doctrinales qui la masque. Plus précisément, la solution critique n'est que l'intelligence de cette alternative et donc des conditions limitatives et canoniques sous lesquelles la question avait un sens.

Le problème critique fut d'abord une objection à la technique sans règles des dictionnaires, à un engouement pour les élucidations et conceptualisations locales, aux antinomies des procédures analytiques. Il fut, plus directement encore, une réflexion sur l'échec de l'*Encyclopédie*. Ses auteurs reconnaissaient en effet que les concepts admettent des enchaînements analytiques aussi divers qu'incompatibles et tels qu'aucun d'entre eux n'implique sa propre légitimité (voir l'article de Diderot, sous l'entrée *Encyclopédie,* où est soulevée la question désespérée de l'ordre, et proposé le subterfuge du renvoi). Jamais le « dictionnaire raisonné » ne s'identifie à l' « Encyclopédie » des connaissances, et ce malgré le tableau des facultés humaines sur lequel d'Alembert a conclu son discours d'Introduction. Kant a les mêmes mépris que Buffon : « Les dictionnaires occupent presque tout le monde : on s'imagine savoir davantage parce qu'on a augmenté le nombre des expressions symboliques et des phrases savantes. »[1] Cette fébrilité définitionnelle, et le leurre de l'analyse qui l'entretient, restent en deçà de la science. C'est de telles remarques que l'interrogation critique reçoit sa meilleure lumière : à quelles conditions les formes du jugement, d'abord prises comme hypothèses heuristiques, habilitent-elles une articulation de l'expérience assez stable pour qu'elle approxime l'apodicticité, et assez indéterminée pour que les concepts catégoriaux qui fixent les nœuds de l'articulation aient la généralité d'une loi. Le terme de *synthèse* résume ce *quod erat demonstrandum,* qui a pris la place du dogme alexandrin de l'intertraductibilité intégrale de l'expérience et de l'apophansis.

---

1. Buffon, De la manière de traiter et d'étudier l'histoire naturelle, *Œuvres compl.,* I, p. 28. Que l'on comparera avec Kant, *Logique,* Intr., § VI, où il est traité des principes d'une Encyclopédie systématique comme mappemonde des sciences.

Supprime-t-on l'un des termes du problème critique, l'expérience,
qu'il devient indéterminé. Et c'est alors que la constitution, demandée
aux déterminations immanentes de la conscience ou à l'imagination
transcendantale, appelle une généalogie. Soit à partir des évidences anté-
prédicatives (cf. *Expérience et jugement, Recherches en vue d'une généalogie de la
logique,* p. 47), mais on a vu que la conscience intime du temps n'offre
aucune assise aux formations discursives. Soit à partir d'insolites créations poétiques dont la fascination qu'elles exercent masque l'arbitraire
de notre choix et la *captatio admirationis* qui l'absout. Aussi bien, la difficulté n'est pas d'engendrer les constitutions discursives les plus élaborées à partir des plus simples, mais de saisir l'état liminaire, immanent et
strictement adéquat, d'un énoncé strictement objectif. Et ce serait déjà
trop que de composer cette prose idéale à partir de la forme non marquée
du verbe être, si le premier pas, qui pose le *da-sein,* introduit avec
l'adverbe déictique une dimension épistémologique, déjà aussi indis-
crète qu'un sujet. A bon ou mauvais gré, la prétention généalogique
s'accommode de « recherches analytico-descriptives » — selon les termes
de Landgrebe, éditeur autorisé de Husserl — ou d'emprunts à diverses
poétiques où la plus récente composerait avec la plus ancienne. La généalogie s'enferme donc dans le champ clos des formes déjà constituées. Et
si ce piétinement signifie, plutôt qu'un pur échec, un épuisement au
moins statistique d'une logique, de ses variantes et des licences qu'on en
prend, il rendrait indirectement justice au « naturalisme » de Kant.

On objectera que la poétique est, par intention et par définition,
constituante et créatrice de formes. Mais ou bien on admettra, avec
Kant, que le génie (poétique) est ce que par quoi la nature induit les
formes sous lesquelles elle veut être représentée. Et l'on s'interdit
toute possibilité de choix entre elles, et tout autant de récuser une philosophie historiquement donnée en tant qu'elle est elle-même un produit de génie (Kant, *Opus postumum,* p. 44). Ou bien on demandera à
l'ésotérisme poétique quelque signe instantané de l'être, de cet en deçà
des déterminations ontiques dont il se recommande. Mais ce signe
vaut alors comme effet de surprise, événement sans précédent ni suite,
atteinte portée aux normes de l'intelligibilité reçue. Il ne s'y substitue
pas. Une telle destruction de la métaphysique par ironie n'est pas, de

soi, le premier chaînon d'une généalogie. S'il l'était jamais, ce serait par l'élément de rivalité, ou de défi, interne au mouvement de l'ironie. Cependant, et sauf à s'autoriser de l'usage platonicien de l'ironie socratique, celui-là même que Heidegger excelle à éviter, rien n'atteste qu'il ouvre une nouvelle exposition *(Darstellung)* philosophique. Précisons l'obstacle : si la question en retour s'enrage elle-même, n'est-ce pas le signe de l'inanité des méthodes analytiques et de leur arrogance ? Car les formes poétiques rivales et objectées aux constitutions reçues ne peuvent l'être que si elles prétendent en être l'analyse rectifiante — ce qu'elles ne sont jamais.

Il est un point cependant sur lequel la manière stylistique rencontre la généalogie. En demandant à quelques fragments ou moments poétiques l'orient (sinon l'origine) d'une expression adéquate à l'existence, Heidegger exclut, par le fait même de cette collecte, non seulement l'hypothèse régulière d'un entendement absolu, mais aussi tout système transcendantal totalisant l'expérience, ce que Kant appelait la « grandeur du problème » *(Cr. J.,* Intr., § V). Toute logique transcendantale est contredite d'avance par cette composition, voulue comme telle, des états heureux d'une effectuation discursive. Et si les effectuations réussies suscitent et entretiennent l'intérêt, non par l'évidence analytique de leur procès, mais par l'évidence triomphante de leur succès, elles acquièrent valeur constituante et généalogique. Mais en jurant l'obscurité du moment constitutif initial qu'elles contribuent à brouiller.

Curieusement proche est la méthode qu'expose Husserl dans *L'origine de la géométrie*[1]. D'une part, l'article prend pour point de départ la géométrie une fois née (p. 175). D'autre part, la « question en retour » vise à « restaurer de façon méthodique et accomplie les évidences différenciées » (p. 203). Ici, la méthode s'infinitise, étant posé que la genèse spirituelle originale — disons celle qu'effectua Thalès — demeure inaccessible (p. 176), et que, « à propos de chacune (des géométries historiques), se répète le renvoi à une forme antérieure » (p. 177). Cette menace une fois reconnue, elle est contournée par la recherche d'un invariant qui, parce qu'il se propagerait dans toutes les formes historiques, se

---

1. Nous citons la traduction de J. Derrida, 1962.

manifeste dans les états littéraires sédimentés de la science géométrique (p. 186 et 194). Il reste que la méthode phénoménologique est au rouet. Car le texte géométrique fait de lui-même *époché* : il ne retient que les significations essentielles et les évidences qui en dérivent. Ce faisant, le moment intentionnel constitutif est dévié de l'objet au jugement, et jusqu'au « style » géométrique. L'évidence qu'il procure ne régresse pas en deçà des axiomes. Or « l'évidence originaire ne peut pas être interchangée avec l'évidence des axiomes » (p. 193). Les axiomes ayant trait aux opérations et aux constructions, la « récursion vers les archi-évidences » s'arrête à ce point où l'originarité se divise en logique des significations et états-de-choses géométriques. En deçà donc de cette limite que la conscience intime ne pouvait atteindre. A moins de les admettre concurremment, l'intentionnalité première, objectuelle, n'est jamais mise en contiguïté avec l'intentionnalité seconde : du sens, du jugement, de la consécution propositionnelle.

Peu soucieux d'opposer entre eux les essais inachevés et vraisemblablement inachevables, de la phénoménologie transcendantale et le mouvement d'involution *(die Kehre)* que lui imprima Heidegger, J. Derrida le fut moins encore d'arbitrer entre leurs intentions. Son objection, encore qu'elle ne soit jamais formulée comme telle, s'enracine dans l'obstacle interne qui infinitise la méthode de fondation. A défaut d'assigner une continuité, sinon par reprise d'intention, Husserl multiplie les entrées historiques, les points d'invention sous le stuc d'une généalogie. Inversement, si l'on part de l'unité de la géométrie contemporaine, du tissu de ses formations idéales, l'analyse généalogique se perd dans l'inventaire des intentionnalités. A appliquer trop d'attention, le texte se délite en strates historiques incompatibles, ou se reconstitue sur l'ontologie brouillonne et simplifiante de sa micrologie.

Et si l'on abandonne le paradigme de la géométrie, dont les intentionnalités constituantes sont soutenues par des constructions ou des opérations explicites, pour les idéalités littéraires — une note de Husserl y invite (p. 179) —, l'analyse phénoménologique révèle les jeux complémentaires de l'intropathie et de l'intersubjectivité. Plus encore : le rôle de l'écriture dans la sédimentation des évidences

(p. 86). Mais alors l'unité idéale du texte serait celle d'une édification, dans la mesure où elle capture, en chacun des niveaux d'intelligibilité et par la hiérarchie des articulations sémantiques, des intentionnalités subjectives à la fois complices et inéluctablement équivoques.

De cette dernière évidence, contradictoire avec le propos originel de la constitution, mais dont Husserl avait pris le risque en généralisant la phénoménologie généalogique de telle sorte qu'elle inclue les « formations de l'art littéraire », surgissent l'une ou l'autre de ces deux stratégies entre lesquelles le choix ne peut être « ni simple ni unique ». Ou « décider de changer de terrain, de manière discontinue et irruptive », ou « tenter la sortie et la déconstruction sans changer de terrain, en répétant l'implicite des concepts fondateurs de la problématique originelle, en utilisant contre l'édifice les instruments ou les pierres disponibles dans la maison, c'est-à-dire aussi bien dans la langue »[1]. Donc d'affaiblir l'une par l'autre ces phénoménologies contradictoires, et de faire jouer toutes ensemble ces intentionnalités, obvies ou « flottantes », dont le plus puissant ressort est la complicité du lecteur. La constitution se dérobe enfin dans ce *perpetuum mobile*.

D'où cette alternative, trop longtemps repoussée. Ou bien le criticisme n'est pas révisable, et il n'y a pas de postkantisme viable, ou bien il faut renoncer à cette adéquation constitutive du savoir, mais aussi problématique que souhaitée, entre une logique unique et absolue et une expérience originaire qui en scellerait l'effectivité. Le point n'est pas qu'il faille choisir entre la logique et l'expérience, mais que l'une et l'autre, s'il fallait les prendre absolument, pourraient bien être — comme Kant le dit du bonheur — des concepts simplement usurpés. Cette alternative n'est rien d'autre que la leçon implicite de la troisième *Critique* et particulièrement de son Introduction, Kant y montre en effet comment l'usage constitutif et régulateur des concepts suppose un principe transcendantal du jugement réfléchissant dont la déduction complète appelle la critique du jugement esthétique, « partie la plus importante d'une critique de cette faculté » (*Cr. J.*, Préface) et « propédeutique de toute philosophie »

---

1. J. Derrida, Les fins de l'homme, dans *Marges de la philosophie,* p. 162.

(Intr., § VIII). L'énigme du goût était donc l'énigme propre du criticisme. Le jugement esthétique, par ses propriétés d'apodicticité et d'universalité (pour tout sujet), indépendamment de tout intérêt et de toute fin objective, dénudait le principe subjectif du jugement transcendantal. Il lève deux objections qui invalidaient, jusqu'alors et au regard même de Kant, la fonction du jugement : l'absence de critère de vérité, sauf à commettre un cercle, et l'impossibilité de classer les jugements selon leur degré de certitude, faute de pouvoir en assigner une quelconque unité d'étalonnage. Ce dernier argument, opposé à Eberhard, montre que Kant refusait à Bernoulli, qu'il cite, le droit d'utiliser une probabilité aléatoire, quantifiable, pour mesurer une probabilité épistémologique[1]. Parce que la légitimité de l'usage constitutif des concepts ne pouvait dépendre de la probabilité des jugements où ils figurent mais de leur adéquation à l'expérience dont ils prétendent saisir les déterminations. En ce sens, le jugement esthétique était la preuve expérimentale du système critique. Sa critique fut la résolution transcendantale — dans les termes d'une théorie des facultés — de l'accord entre la logique et l'expérience et déjà la solution immanente du problème général et aporétique de la constitution.

Si on laisse à sa querelle intestine l'immanence phénoménologique, toute critique pertinente du kantisme visera donc cette preuve expérimentale. Soit qu'elle en annule l'occasion en suspectant la pertinence des formes de jugement auxquelles s'attachait l'analytique kantienne, et telle fut l'objection de Frege. Soit qu'elle annule la preuve elle-même en privant de sa naturalité universelle le jugement esthétique réfléchissant. Et tel fut l'objet de la doctrine esthétique de Walter Benjamin tout attachée qu'elle fut à définir de nouvelles dimensions[2].

---

1. *Lettre à Eberhard,* p. 98. Sur cette question, cf. P.-M. Boudot, Probabilité et logique de l'argumentation selon Jacques Bernoulli, *Les Etudes philosophiques,* 1967.

2. Si l'ébauche intitulée *Sur le programme de la philosophie qui vient* (1918), directement inspirée de la lecture de H. Cohen *(Kants Theorie der Erfahrung),* vise le concept kantien d'une expérience reprise de l'*Aufklärung* et « réduite en quelque sorte au point zéro, au minimum de signification », la critique est élaborée dans les deux thèses de W. Benjamin : *Der Begriff der Kunstkritik* (1919), et *Ursprung des deutschen Trauerspiels* (1925). Voir aussi C. Imbert, Le présent et l'histoire dans *Walter Benjamin et Paris,* 1986.

Perspectives

TROISIÈME PARTIE

CHAPITRE IX

DE L'EXPRESSION
ET DE SES RECOMMENCEMENTS

> Il y a, dans le phénomène de l'expression, une bonne ambiguïté, c'est-à-dire une spontanéité qui accomplit ce qui paraissait improbable, à considérer les éléments séparés, qui réunit en un seul tissu la pluralité des monades, le passé et le présent, la nature et la culture.
>
> Maurice Merleau-Ponty.

Expression. Sous ce nom désormais commun s'est perdue l'*herméneia* du devin, qui voit et dit le présent, le passé et l'avenir. S'y reconnaît à grand-peine ce *logos prophorikos* (lat. *expressio*) qui en avait capturé l'autorité pour habiliter notre loquacité naturelle, et introduire la voix au pouvoir exorbitant de l'objectivité. Associé à la phase ultime d'un acte dont il devait évoquer l'ensemble, ce sens métonymique, où conspirent tous les traités anciens, s'est oublié, en même temps que se démembrait l'équation du dire et du vu qu'ils avaient pour office de naturaliser. N'en demeure qu'une métaphore obscure, dont l'usager s'épargne d'effectuer le sens. Comment, dès lors, un terme désaffecté recouvrirait-il mieux qu'un catalogue de faits divers ? Que sera l'*expression*, quand l'activité qu'elle désigne, ou peut-être postule, se trouve décrite sous d'autres dimensions, partagée entre divers systèmes concurrents, et maintenant que l'image physique cède à une hypothèse générativiste — néologisme qui évite de choisir entre la biologie et la programmation des machines évoluées ? Qu'en reste-t-il, alors que ces systèmes se prévalent d'avoir échappé au phonétisme des langues naturelles, ou en minimisent la fonction ? Passe encore d'avoir perdu le sens premier ; il est plus irritant de ne pas même pouvoir discerner si l'extension n'est qu'une fraude lexicale, ou si elle devance une analyse que nous ne savons pas encore conduire.

Mais ne s'égare-t-on pas déjà plusieurs fois à supposer qu'il s'agit d'un concept, à demander une définition, une histoire, une origine, une déduction ou une généalogie ? Il se pourrait d'abord que ce terme sans contour assignable, qui n'est ni concept, ni objet, ni théorie, désigne une activité par référence à laquelle tous ces abstraits, *concept, objet et théorie*, obtiennent d'échapper à l'irréalité. Il se pourrait aussi que tout essai d'analyse directe, s'exprimant sur l'expression, mette en abîme une fonction qu'il présuppose toujours, et cela tout en croyant saisir l'immanence d'une subjectivité, naturelle ou transcendantale, où les cartes seraient brutalement retournées, où l'acte s'apparaissant à lui-même capitaliserait son dedans et son dehors, l'avant de la réceptivité et l'après de l'énoncé. Or Merleau-Ponty avait suffisamment exploré la « mauvaise ambiguïté » de ce procès supposé de la perception pour soupçonner cette machine simple, et reprendre l'enquête. Celle d'un phénomène opaque, pour lequel il n'est qu'une intelligence indirecte : partir de la visibilité, de l'extériorité des systèmes d'expression, de la césure qu'ils affichent et par quoi ils se renouvellent. Au lieu de « ce son inarticulé par lequel de nombreux auteurs souhaiteraient commencer la philosophie », se résoudre « à ne pas commencer avant le commencement »[1].

Quelques indices encouragent le retournement des anciennes certitudes. Vient d'abord que l'hétérogénéité de l'expression est chose récente. Le XIXe siècle a vu la fin des classifications des sciences et des arts, de ces hiérarchies et divisions dont l'Encyclopédie kantienne traçait encore le plus exact projet. On sait comment le criticisme s'achève sur le tableau des facultés, des principes et des champs d'application, lequel clôt l'Introduction à la *Critique du jugement*. A cette présentation tabulaire, l'Encyclopédie hégélienne opposait un parcours dialectique.

1. Wittgenstein, *Remarques philosophiques*, VII, 68.

Quoi qu'il en ait été, la dispersion est aujourd'hui de fait, irrespec-
tueuse des enchaînements hégéliens, et patente dans l'ordre des
sciences et des arts. Et si nul n'ignore les incohérences et les abus, les
formalisations par mimétisme outrancier ou le bousillage affecté du
sens, néanmoins, il fallut bien que l'invention ait été, à chaque
première fois, voulue et précautionneuse dans ses écarts. Quelques
faits illustreront suffisamment le motif de cet éclatement, qui avait
suscité, au début du siècle et comme son antidote immédiat, le développement des sciences linguistiques, l'âge d'or des disciplines logiques, et la grammaire des arts.

On y reconnaîtra d'abord le souci de ne pas laisser à la friche du
silence des pans entiers de ce qui, inaccessible aux tropes estampillés de
l'expérience, s'imposait néanmoins comme vécu. Seule une (quelconque) régularité de représentation le ferait connaissable en droit, et
rendrait ses singularités anonymes différentiables et perceptibles en fait.
Il convenait donc de déterminer le point où la chose deviendrait visible,
c'est-à-dire à la fois « mesurable » et spécifiée. A quoi faisait obstacle une
double illusion, au reste inhérente à tout système d'expression disponible. D'abord en ceci que, comme tout langage, il paraît sans faille ni
bord externe, universellement intégrant et universellement descriptif,
comme si quelque régularité apophantique et narrative devait avoir,
toujours et partout, maîtrise. Le XIXe siècle parlait et raisonnait comme
si les Critiques kantiennes, dernier mot pour la mise en ordre de l'expérience et l'expulsion de la métaphysique, ne portaient pas également en
elles quelque chose comme un premier mot suspendu, demandant de
diversifier, à l'intérieur même du champ de l'expérience, la tâche de
sauver les phénomènes — et d'abord d'en inventer les dimensions. En
outre, cette première illusion est aussitôt meurtrière d'elle-même. Car à
reverser incessamment les anciens moyens d'expression à « l'universel
reportage », la puissance structurante du classicisme hérité est minée par
les conséquences d'une extension naïvement sollicitée. Le résultat, et
son immensité inexpressive de flaque, s'avérait plus ruineux encore que
l'absence d'expression. L'entropie qui affecte la perversion des moyens
anciens fut bientôt perçue et fixée sous le grief de « journalisme ». Or on
connaît le moment où le journal a gardé la faveur en perdant sa réputa-

tion : entre Hegel, Schopenhauer et Benjamin[1]. Cette même prise de conscience encolérée animait aussi la réinvention de la prose par Stendhal, Flaubert et Baudelaire.

A la conjonction de ces deux forces antagonistes, la nécessité de ne pas laisser hors de l'expérience, dans l'anesthésie, ce qui en contredirait la prétention à l'universalité, et la menace d'une entropie de l'expression, se placèrent ces moyens substitutifs, à usage premièrement local mais à valeur universelle, que l'on désigne comme style, genre ou forme nouveaux. On l'a dit de la peinture impressionniste qui réinventait une beauté des villes avec l'éclat des lumières diffractées, becs de gaz et couchers de soleil, gares et bords de Marne, rues brumeuses et femmes au tub, tous fondus dans cette autre manière de voir les couleurs, et de ne plus regarder dans les anciens contours. Car il y a un voyeurisme tautologique dans Bouguereau et une inexpressivité laiteuse dans Puvis de Chavannes, contre lesquels le nouveau colorisme inventait sa rationalité. Et c'est bien là où Baudelaire avait situé la modernité de Delacroix et Bonnard le sursaut d'intelligence auquel celle-ci appelait. « Le dessin, c'est la sensation, la couleur c'est le raisonnement. » Ne pas oublier toutefois que cette surenchère sur les moyens disponibles fut obtenue d'un léger déhanchement, d'avoir sorti la couleur des gonds du contour pour en obtenir plus, sans quitter néanmoins le registre où ce mode d'expression s'était placé — la représentation. De ce renouvellement de l'expression, puissant et prudent, mais simplement stylistique (plus essentiel néanmoins que ne le veut avouer ce qualificatif modérateur), relève le « plus de formes, toujours plus de formes » de Flaubert. En relève encore le manifeste, plus incisif, qui accompagnait, dédicace au directeur du journal *La Presse,* l'invention des *Poèmes en prose.* Entreprise discrète, puisqu'elle s'astreignait aux moyens admis d'une langue naturelle, appelée néanmoins à en écarter l'illusion d'une structure de signification uniforme et canonique. Il était devenu clair que si la Critique kantienne avait limité l'expression à l'expérience, il convenait de répéter l'entreprise critique

---

1. Walter Benjamin, *Le narrateur* (1936). La traduction, publiée dans *Poésie et Révolution* (1955), a été reproduite dans la récente édition des *Nouvelles.*

de dire les choses dans les dimensions qu'elles suscitent. Encore une fois « sauver les phénomènes », mais sans crainte d'excéder la formule de l'expérience — pour peu que son caractère de transaction ait été deviné. « Il est difficile, quand on est troublé par les idées de Kant et la nostalgie de Baudelaire, d'écrire le français exquis d'Henri IV. »[1]

S'y ajoute que ces innovations singulières furent aisément tolérées tant qu'elles furent sous la protection du style et qu'elles entretinrent l'alibi de la littérature pure. On put les ignorer, au bénéfice d'un mouvement parallèle infiniment plus visible, et appelé à ébranler plus vivement les certitudes philosophiques. Car la dissidence fut d'abord ressentie dans l'ordre des sciences, là où la physique des choses divines avait, de longue date, apporté son soutien, et prêté son économie grammaticale, aux choses humaines. Ainsi s'était constitué, d'un épaulement réciproque, le classicisme grec. Ainsi avait été restitué le commerce des sciences et des humanités durant les siècles qui se définirent comme *temps modernes*. Encore que cette seconde *instauratio* ait emprunté quelques formes déjà moins convaincues de leur universalité, rivales et néanmoins bien identifiées : l'ordre cartésien, y compris sa variante port-royaliste et probabilitaire, les projets leibniziens de *Caractéristique*, l'analytique des Lumières, enfin le *novum organon* systématique et modalisé du criticisme. Or, le développement autonome des sciences, l'utilisation généralisée des représentations mathématiques, et le repli des mathématiques sur elles-mêmes dans la période d'axiomatisation, eurent pour conséquence immédiate une rupture de l'ancien concordat. L'ordre et l'évidence scientifique propres aux mathémata ne pouvaient plus rien prêter *directement* à la constitution du rationalisme des « humanités » : parce qu'ils ne lui empruntaient plus rien (ou si peu). Au tournant du siècle, les sciences mathématiques s'étaient approprié une syntaxe autochtone, dont la *Begriffsschrift* avait été le premier et le plus éclatant exemple. Nouveauté qui tient déjà à quelques singularités immédiatement relevées : symbolisme inédit, triple registre de symboles littéraux (grecs, latins et gothiques), parfois redoublés dans le registre majuscule, utilisation des

1. M. Proust, *Le côté de Guermantes,* éd. Pléiade II, p. 503.

deux dimensions du plan d'écriture. Nouveauté qui tient surtout au
rejet des articulations grammaticales, lesquelles réfléchissaient dans la
syntaxe des langues naturelles les césures sémantiques prioritairement
catégoriales. S'imposèrent de nouvelles ponctuations et enjambe-
ments, corollaires des syntagmes vérifonctionnels et du régime de la
quantification. Ils procuraient les dimensions « grammaticales » sup-
plémentaires qui parurent, pour quelques décennies, suffisantes. Plus
encore, ils impliquaient une générativité syntaxique dont l'exploration
n'est peut-être pas encore achevée. Face à quoi notre usage se trouvait
distancé sur l'axe des grammaires possibles.

Or nous sortons tout juste d'un moment d'incertitude, où les deux
mouvements apparurent en rivalité, où l'ancienne articulation a tenté
de reconquérir le champ des logiques en usage dans les mathématiques
(Husserl, des *Recherches logiques* à *Logique formelle et logique transcendantale*). Où, à l'inverse, ces logiques génératives et quantificationnelles,
dédiées à l'administration de la preuve, n'en finissaient pas de vouloir
reprendre la maîtrise des langues naturelles, déployant une méthode
« analytique », dont les protagonistes les plus lucides enchaînèrent
leurs arguments, objections, et rétractations de Frege à Russell, Wittgenstein, Carnap et Quine. En quoi ces deux mouvements, dont
l'importance et la visibilité sembleraient défier toute comparaison,
furent moins opposés l'un à l'autre qu'il n'y parut d'abord. Il reste que
la production stylistique du XIXᵉ siècle avait su s'approprier l'insolite
en ne quittant pas le familier d'une langue encore proche de l'usage et
littérairement classique, tenant l'écart stylistique dans une économie
grammaticale pour l'essentiel respectée, au moins dans les opérations
de « surface ». A l'inverse, les écritures génératives venues de l'opuscule frégéen, et aussi simplifiées qu'elles aient été par la suite, provo-
quaient et entérinaient une rupture grammaticale, pour mieux adhérer
au domaine dont elles avaient en charge d'exprimer les structures et
les chemins de preuve. Autre syntaxe, autre sémantique, encore que
ces termes soient, jusque dans leur acception moderne, pensés dans
l'analogie d'un langage.

Le XIXᵉ siècle s'était ouvert sur une énigme de l'expression, plus
sollicitante que le goût et que cernait fort bien Novalis. « Il en va du

langage comme des formules mathématiques : elles constituent un monde en soi, pour elles seules. Elles jouent entre elles exclusivement, n'expriment rien, sinon leur nature merveilleuse. Ce qui fait justement qu'elles sont si expressives, que justement en elles se reflète le jeu étrange du rapport entre les choses. » Le procès d'expression, toujours supposé ou demandé, ne serait donc saisissable que dans ses effets dissociés, et dont le parallélisme étonnerait longtemps. Il s'avouait opaque à lui-même, à l'instant où il venait de diversifier irrévocablement ses pouvoirs. Se trouvait reconnu le traitement encore complice, et déjà disjoint, du poétique et du mathématique, laissant à l'entredeux, à cette prose que Goethe avait su libérer sans violence du modèle des humanités, la tâche de réélaborer l'expérience. Etait apparue, au seuil du XIXe siècle et au regard de quelques-uns des premiers postkantiens, une dispersion encore minimale et cependant définitive. Au terme du siècle, la séparation était consommée, et chacun des domaines décrit sélectivement comme l'empire de l'expression poétique ou le champ ouvert des formalismes conquérants. Entre deux, la *Phénoménologie de l'esprit* essayait ses médiations, laissant loin sur sa gauche les palais déserts de la grande *Logique*. Mais aucune dialectique n'a jamais franchi le pas. En demeure le défi.

Qu'aura-t-on gagné à considérer en survol le démantèlement du système de référence, l'apophantique grecque ? Au moins de perdre l'illusion d'accéder directement aux arcanes de l'expression, quand bien même il appartiendrait *toujours* à l'expression réussie de se donner comme transparente et répétable. Plaçons-nous, pour un instant, dans le cas le plus favorable : celui d'un système de part en part symbolique, fruit de notre artifice, et pour lequel on peut décider si une expression donnée est bien formée. Frege, qui s'y est le premier essayé, devait avouer qu'il ne peut être totalement explicité. Car certaines des lois logiques qui régissent les transformations sont déjà impliquées dans le choix des symboles. Cette réserve est de principe, elle se généralise. Il n'est aucun point de vue extérieur à un système d'expression qui en permette une vue cavalière. Ce qui est maintenant trivial pour le champ entier des langues vernaculaires vaut encore, et peut-être plus ici : aucune expression n'est reconnue comme telle, c'est-à-dire comme partie d'un système dont la régularité récompense l'arbitraire, sans quelque hypothèse de traduction, pierre de Rosette ou analogie heuristique. A ce point, l'obstacle se convertit en son propre contournement. Faute de définir l'expression, il sera loisible de rechercher non pas un simple catalogue — guère moins décevant — mais le passage d'un mode d'expression à un autre. De ce fait, on perçoit déjà qu'il appartient à la nature de choses que se développent concurremment plusieurs systèmes qui s'entretiennent de leur rivalité et de leur imparfaite équivalence, de leurs canonicités polémiques et de leurs complémentarités. En outre, ce premier foisonnement peut être ordonné entre deux termes extrêmes dont l'un sera une épure provisionnelle et l'autre une empirie, là où coexistent geste, parole, mimique, tracé, venus d'une potentialité d'un autre ordre et pour cela philosophiquement inassignable. Toute analyse d'une expression donnée devra avouer sa position médiane, entre les canons proposés et la complexité organique où s'enfouit « notre langage ».

Cette distance polaire, où chaque pôle tient sa réalité d'être opposé à l'autre, peut encore être représentée par la distance « alphabétique » séparant la proposition 4 du *Tractatus* de ses successeurs immédiats :

4. La pensée, c'est la proposition dotée de sens.
4.001. La totalité des propositions est le langage.
4.002. L'homme possède la faculté de construire des langues qui permettent d'exprimer chaque signification sans qu'on ait à pressentir pour autant le comment et l'objet de la référence de chaque mot. De même qu'on parle sans savoir comment on produit un sens particulier. La langue courante est une partie de l'organisme humain, et elle n'est pas moins compliquée que celle-ci.

Le pas de 4 à 4.00N matérialise le fossé entre la thèse énoncée dans 4, l'énoncé semi-empirique de 4.001 et, tout proche de celui-ci, l'expérience anthropologique qui détient la racine et l'inaccessibilité directe de l'expression (4.002). Ecart entre le « calcul », auquel renvoie la proposition 4, et le langage visé, lequel ne cesse pas de dérober sa grammaire réelle et sa complexité d'organisme. Ce que le *Tractatus* ne pouvait pas mieux exposer qu'il ne le fit, par le détour d'une « observation » placée à trois degrés de marginalisation. En un sens, on peut discerner dans le pas alphabétique séparant 4 de 4.00N et d'une ampleur insolite dans le *Tractatus*, le premier état d'un problème dont la méditation conduirait du *Tractatus* aux *Investigations*. En un autre sens, l'impossibilité d'étalonner cette distance conduira à l'analyse différentielle des jeux de langage, saisis là où seulement ils peuvent l'être — in medias res. « Mon savoir, mon concept du jeu n'est-il pas entièrement exprimé dans les explications que je puis donner ? Précisément dans le fait que je décris des exemples de jeux de différente sorte ; que je montre comment on peut construire d'autres jeux d'après l'analogie des premiers à d'autres » (*Investigations,* I, 75).

On s'en tiendra donc à cette méthode indirecte, et on le fera dans le seul propos de faire affleurer le principe d'une altération, cohérente et constatable dans sa systématicité, des structures d'expression. Et puisque l'on a renoncé à prendre à la lettre le trajet d'expression, disons du sujet à ses œuvres, de ses savoirs à ses discours, pour retenir le seul moment de la variance, on partira d'une organisation donnée, la théorie grecque de l'*herméneia*, pour y saisir :

a / le déplacement et l'intégration expressive qu'elle sut opérer, ce dont son classicisme fut le résultat ;

b / son réajustement explicite dans l'opération kantienne de la déduction.

Parviendrait-on à caractériser ces deux opérations, comparables en droit si elles furent antagonistes en fait, qu'on aurait gagné un recul suffisant pour considérer la diversité moderne sur un cas singulier et bien cadré historiquement : les conséquences venues de l'invention des écritures formulaires, quantificationnelles, postfrégéennes. Ne dissimulons pas que l'analyse vaudra pour être reportée sur une trajectoire extrêmement simplifiée : une histoire philosophique, elle-même considérée sur le seul versant de sa canonique. Mais il est également vrai que cette histoire a le privilège d'avoir déjà assumé l'investigation critique de ses canonicités. Par là, le procès de connaissance se trouvait lié de manière essentielle aux syntaxes auxquelles il fut irrémédiablement confié. On y gagnera de confronter sur un terrain d'épreuve homogène la théorie grecque de l'expression avec nos propres doutes, et peut-être d'y organiser une diversité moderne soupçonnée de se compromettre *toujours* dans l'irrationalisme.

La conception grecque de l'expression offre quelques traits si cohérents et si stables qu'elle suffirait à réunir sous l'emblème de la filiation socratique les trois philosophies athéniennes, ainsi que l'a voulu la tradition alexandrine. C'est même le lieu où Platon, Aristote et Chrysippe, que l'on peut à d'autres égards opposer toto mundo, entrent en un commerce naturel. Une même question enjambe les générations et les œuvres : comment poser, fixer et enseigner le lieu propre de la réalité, procurer à chacun le moyen d'y apprendre et d'y régler sa conduite ? Il s'agissait de pourvoir à un système d'expression qui saisît « les choses telles qu'elles sont », donc enseignât l'objectivité par les textes transmis et la discipline intellectuelle à laquelle il convient, sans omettre de thématiser son opération dans certains d'entre eux. Quoi qu'il en fût de la théorie de la connaissance à laquelle s'adossent ces investigations *Peri hermeneias*, on peut montrer la continuité d'une recherche dont les données avaient été fixées dans les derniers dialogues platoniciens et le champ des solutions possibles simultanément reconnu, dût-il se faire que l'une corrigeât l'autre. Au traité aristotélicien s'agrège naturellement quelques pages du *Sophiste* (344-555) qu'Aristote reprend à l'évidence, puis la théorie stoïcienne du *logos prophorikos,* du langage extérieur et proféré, où les choses se trouvent à l'état de choses dites (τὰ λεκτά). Il était à chaque fois demandé à l'énonciation de sauver l'arbitraire des mots et de représenter les choses en étant l'expression de la pensée. La transitivité fait de celles-là, parole et pensée, un unique miroir.

> Donc, pensée et discours (διάνοια, λόγος) c'est la même chose, si n'était que c'est le dialogue intérieur et silencieux de l'âme avec elle-même que nous appelons pensée (*Sophiste,* 263 *e*).
> Les sons émis par la voix sont des symboles des états de l'âme... les états de l'âme dont ils sont les signes immédiats sont identiques en tous, comme sont identiques les choses dont ces états sont les images (*Peri hermeneias,* 16 *a* 3 sq.).
> La représentation vient d'abord, puis la pensée qui énonce ce qu'elle éprouve du fait de la représentation et l'exprime par le discours (ἐκφέρει λόγος) (DL, *Vitae phil.,* VII, 49).

Il est donc toujours admis que la pensée a une structure discursive qui ne l'altère pas. Cette clause avait pour implicite de diviser les tâches, de confier à l'expression le seul soin de mettre les articulations et parties du discours au service de l'objectivité sans prendre sur soi la charge de l'objectivité. De veiller à la dernière étape d'un processus qui vient d'ailleurs, et qui demandait à la nature de ménager les tropes sous lesquels elle souhaitait être représentée. L'essentiel est de ne pas altérer le processus invisible par lequel la nature insinue ses formes dans la pensée. Cette thèse, servie par une prudence d'intention et une économie de moyens sur lesquels on reviendra, honorait le contrat que Platon avait formulé à la manière d'une promesse dans le *Cratyle*. Renvoyant dos à dos Cratyle et d'Hermogène, dont le défaut était de demander l'objectivité à un système de noms, Socrate avait évoqué la médiation d'une structure plus complexe, capable de représenter à la fois les choses et l'action dont elles prennent visage. « N'est-ce pas en réglant notre parole (λέγων ορθῶς λέξει) sur la manière qu'ont naturellement les choses de dire (λέγειν) et d'être dites (λέγεσθαι) qu'on réussira à les exprimer (τι ποιήσει καὶ ἐρεῖ) ? » (*Cratyle,* 387 *c*). Platon, traitant analytiquement le problème posé, subordonnait la possibilité d'une orthologie au fait que la nature nous devance dans cette entreprise, qu'il y a pour chaque chose une manière de manifester son *logos* (πέφυκε λέγειν) et donc d'accepter d'être dite. Ce contrat d'expression n'est au reste qu'une version plus explicite de ce δεύτερον πλοῦν, cette navigation de secours évoquée dans le *Phédon*. Il suppose une honnête correspondance entre les régularités naturelles et notre dialectique dûment corrigée. C'est-à-dire une mise en syntaxe de ces régularités naturelles. En l'espèce : que le *logos* de notre énonciation assume une gamme continue de sens, proprement intraduisible par un seul vocable moderne :

— *logos*, désignant cette manière d'être immanente, que manifeste toute réalité naturelle, et sous laquelle chaque chose perpétue son acte et entretient son existence — sens présocratique, pour le dire vite ici ;
— *logos* en tant que nombre, donc analysable en unités et d'emblée compatible avec d'autres comptes. C'était là l'hypothèse pythago-

ricienne qu'un dénominateur commun pouvait être trouvé pour
toute chose, physique ou éthique, de la nature ou des constitutions
humaines ;

— *logos* en tant que rapport géométrique susceptible de véhiculer une
explication causale de la figure des phénomènes. Sens de Thalès,
qui avait proposé, à l'émerveillement du monde grec, une explication géométrique de l'éclipse à partir de son reflet planaire sur un
miroir d'eau ;

— *logos* comme formule de chez nous, καθ' ἡμᾶς, associant nom et
verbe, et restituant avec un minimum de complexité grammaticale
la participation d'une réalité sensible à l'économie intelligible qui
l'informe.

Ce contrat d'énonciation, clairement dit dans le *Cratyle* et le *Phédon*
(99 sq.), et scellé au terme du *Sophiste,* ne fut jamais remis en cause.

Seule le fut l'économie grammaticale qui en devait être le plus
exact serviteur. Ce débat se laisse circonscrire par trois thèses, dont la
conjonction caractérisera assez exactement l'*hermeneia* grecque. Tout à
la fois manière de dire, de comprendre, de transmettre et de traduire,
elle avait réuni toutes les potentialités de l'expression.

En premier lieu, la dialectique avait gagé de rectifier, ou d'approprier, une manière d'expression familière et cependant d'usage public,
plutôt que de lui préférer les tours ésotériques de la physique ancienne
— formules cryptées, poème parménidien, symétries héraclitéennes.
Ce détournement de la *doxa,* si adroitement ménagé qu'il peut obscurcir la lecture des dialogues platoniciens, est explicité dans la gradation corollaire des modes de connaissance et des modes discursifs, que
fixait une analogie géométrique (*Rep.*, VI). Elle vaut, par une équivocité voulue, pour les objets et les modes de connaissance, et tout
autant pour les modes discursifs où leur correspondance sera scellée.
Un tel choix écartait aussi tout symbolisme artificiel. Cette exclusion
de principe mériterait à peine d'être mentionnée, pour un temps où les
sciences mathématiques n'avaient encore aucune écriture propre, si
elle n'était intrinsèquement liée au contrat d'expression (ou au défi)
platonicien. Non que la voix ait eu quelque privilège plus pressant que

celui dont elle bénéficie encore pour nous. Mais la transitivité d'une action naturelle eût été rompue si le processus d'expression n'y avait été impliqué jusqu'au point extrême de son trajet. Au reste, plus que la voix, c'est l'économie prédicative d'une apophantique minimale, capable d'honorer une homonymie acceptable du terme *logos*, qui recommandait le discursus contre toute autre césure de l'expression vocale. En témoignent le rejet du cratylisme, mais autant les exercices de haute école sophistique sur lesquels argumentait l'*Euthydème*. Une grande part des dialogues platoniciens sont engagés dans ce sauvetage, celui d'un exercice de la langue naturelle converti en véhicule philosophique : afin que nous ne devenions pas « misologues » et que le chien fidèle de la philosophie ne soit pas confondu avec le loup de la sophistique. Afin que, plus encore, maîtres et usagers de la participation exprimée, de cette texture d'intelligible et de sensible entièrement réfléchie dans une syntaxe, si rudimentaire qu'en ait été la première formule, nous ne fussions pas privés de la philosophie (*Parménide*, 135 *c* sq., *Sophiste*, 259 *e*, 260 *a*). Nul doute que le choix de l'unité propositionnelle, du « discours le plus bref » (262 *c*) où soit exprimée la participation, ait pris sur soi tout le sens du projet dialectique. Aux textes du *Sophiste* s'ajoutent en confirmation l'hommage que leur rend Aristote, toujours immanent à ses critiques[1]. Que ce choix ait ensuite été précisé, et comme abstrait de son premier paradigme de mots (nom, verbe), que les fonctions l'aient emporté sur la manière et matière, l'élaboration stoïcienne en est, cette fois, le legs anonyme, enfoui, et pour longtemps, dans la conscience sémantique la plus élémentaire. « Il faut distinguer entre parler et proférer : on profère des paroles, mais on parle des choses, qui à cet égard, sont des choses exprimées (λεκτά) » (DL, VII, 57). Lent investissement des moyens naturels par la fonction noble d'une manifestation de la *nature* par elle-

---

1. Sur la lente spécification d'un langage symbolique propre aux mathématiques, voir G. Granger, *Langages et épistémologie* (1979), chap. II. La sagacité avec laquelle Aristote relève ce qu'il tient, non sans bons motifs, pour des erreurs de la dialectique platonicienne est la meilleure preuve de son attentive lecture. Voir, en particulier, sa critique du *Sophiste* (*Mét.*, N 2, 1089 *a* sq.) et du traitement platonicien de la négation.

même ménagée, cette seconde homonymie — qui se justifie de relier la *natura naturata* à la *natura naturans* — absout la précédente et audacieuse homonymie platonicienne, de *logos* à *logos*. Que cette mutation ait été délibérée autant que contentieuse, qu'il se soit agi de convertir diverses fonctions sémantiques à l'objectivité, d'en écarter certaines et d'en promouvoir d'autres, bref de définir une tutelle d'objectivité arrachée à une potentialité latente et désormais prioritaire, en témoignent le plus vivement ces arguments enchaînés que furent les successives « réfutations de Protagoras » — jusqu'au paradoxe stoïcien chargé d'expulser le « Menteur crétois » de la scène dialectique. Ils proposaient en même temps un protocole d'analyse qui libérerait l'expression de sa première insertion dans un dialogue réel, là où le discursus, traité en répliques et soumis aux questions dialectiques, avait appris à substituer l'intentionnalité à l'adresse, l'objectivité aux effets rhétoriques, l'indicatif à d'autres et plus voyantes ressources illocutoires[1].

Le deuxième trait serait l'organisation canonique de cette orthologie. C'est par là que, étape visible d'un processus invisible, l'expression avoue qu'elle tient ses règles d'ailleurs. Car l'intention d'une orthologie du vrai, et le naturalisme qui s'en porte garant, eussent été intenables, si les mêmes traités qui définissent une canonique de l'expression n'avaient appuyé leur juridiction sur quelques cas communs et simples, là où la contiguïté de l'éprouvé et de l'énoncé est reconnue comme incontestable. Et il suffirait que l'énoncé et l'expérience se doublent l'un l'autre de manière flagrante pour poser que l'action achevée, venue des choses mêmes, détermine et inclut sa reconnaissance. « C'est la chose qui semble en quelque sorte être la cause de la vérité de la proposition » et non l'inverse (*Catégories*, 14 *b* 20). Demeureront toujours, à portée d'argument et d'exemple, les cas où l'action éprouvée est prise sur le fait d'un énonciation minimale et incontestée. Ainsi l'énoncé type « Théétète, avec qui présentement je parle, est assis » reçoit l'assentiment de l'interlocuteur, et illustre sur le champ la participation du sensible à l'intelligible. Il confirme de manière opératoire, déliée, grammaticale, la

—————————————

1. Cf. Granger, op. cit., p. 21.

réverbération de la physique générale, précédemment définie sur le « triangle » des grands genres (Etre, Repos, Mouvement) dans la constitution dialectique. Cette manière « paradigmatique » ne fut jamais périmée, demeurant liée à l'*aisthésis*, et à la matérialité de l'affection perceptive. Ainsi le traité *De l'âme* : « C'est le même qui perçoit, qui pense et qui énonce » (III, 2, 426 *b* 23). Ainsi l'identité entre les critères de la perception et les traits *grammaticalement* pertinents de la catalepse (DL, VII, 50 et 54).

Les trois écoles athéniennes se rencontraient sur cet enracinement dans l'affection présente, sur la participation avérée et reconnue du *logos* dans le phénoménal, et ce point commun allait alimenter plusieurs siècles de contre-attaques sceptiques. Or si cette tradition, qui reçut de cette joute la qualification de dogmatique, a survécu, elle le doit d'avoir d'emblée doublé sa ligne de défense. D'une part, ces lieux canoniques ajoutaient à leur évidence une valeur de promesse. Le contrat platonicien, d'un accord entre le sens objectif et le sens tout humain, καθ' ἡμᾶς, du terme *logos*, se confirmait de ses clauses d'application. Car le *logos* « le plus court », composé d'un nom et d'un verbe, outre son évidence naturaliste et rhétorique — car chacun s'y reconnaissait, lui-même, son voir et son dire confondus — montrait comment le procès énoncé s'inscrivait, sans reste et sans conteste, dans les formes de l'énonciation. Appropriation subtile d'une forme minimale et d'une syntaxe potentielle, susceptible de libérer une générativité analogique, que bridait encore le sens ambigu (mi-grammatical et mi-théorétique) de « participation ». La lente mise au point, entre Aristote et Chrysippe, d'une structure catégoriale suffisante et simplifiée fut traversée de débats sur les manières d'être et les manières d'être dit, précisément parce qu'il appartenait à la catégorisation de porter simultanément les deux charges et qu'il lui incombait d'en fixer l'équation. De fait, ce débat révèle comment l'appropriation de cette « générativité », prédicative et catégoriale, fut pensée non seulement comme la syntaxe « matérielle » qu'elle était en fait, mais aussi comme la *caractéristique* ou l'*herméneutique* qu'elle voulut être : « laisser parler les choses mêmes ». Et cette formule était encore une fidélité platonicienne. La prédication, maintenant munie et soutenue d'une sémantique catégoriale, pouvait être le dénominateur commun où seraient exprimées la perception actuelle, la définition de chose et la connaissance, médiate et syllogistique, des causalités physiques. Elle veillerait, dans le pas à pas des énoncés consécutifs, au parallèle entre la détermination des manières d'être et celle des manières d'en juger. Opérateur constitutif de l'apophantique, le verbe unirait pour longtemps l'action à sa déclaration. Le verbe être — « tant victimé » — réduisait ad minimum l'intermède déclaratif pour mieux faire valoir encore l'effectivité des combinaisons objectives et déclarées. En quoi la dialectique avait inscrit dans son champ les concaténations des géomètres, et soutenu, d'une théorie de la connaissance et d'une logique, un défi abrité sous l'ironie socratique.

Dégagée de ses premiers paradigmes, l'apophantique accomplissait donc sourdement le protreptique initial de la participation platonicienne ; elle en avait inscrit le propos philosophique dans l'*ars obligatoria* de la grammaire. Cet anonymat ultime et grammaticalisé, par quoi le contrat d'expression platonicien avait conquis son efficacité, est aussi le trait propre de tous les classicismes. A quoi le tour juridique de ce premier vocabulaire logique ne fut pas étranger. En relèvent en effet tous les termes ici, et à divers titres, évoqués : *apophantique, catégorie, jugement.* Mais le *Phédon* — là où le contrat trouvait sa première formule réaliste, ébauchait la théorie des formes et proposait une structure déductive sur le champ reconnue imparfaite — n'était-il pas aussi le second jugement, la seconde et véritable *Apologie de Socrate* ?

Enfin, *troisième caractéristique,* cette grammaire de complexité croissante, qui avait su composer entre eux des fonctions et des critères, se réfléchit dans une psychologie des facultés qui en matérialisait l'instance. La physique singulière de l'âme *(Peri psuchès, Parva naturalia)* administrait les sources de connaissance, perception, mémoire, sens commun, et leur contribution à l'organisation discursive de la pensée. Elle versait le *thumos* à l'ardeur dialectique et intéressait l'*épithumia* à l'objectivité. A terme, et par un détour peut-être imprévu, se trouvait constitué le double psychique et idéal du sage, naturalisé et pour cela infaillible. Cette psychologie intellectuelle réalisait en facultés et puissances la statue composite du juste dont la chimère

avait appelé la longue enquête de la *République* platonicienne. Cette
théorie des facultés de connaissance répliquait en négatif, et par là
confirmait, une objectivité dont elle machinait l'expression. Economie
mixte entre le règlement intérieur des facultés et la détermination
d'une objectivité, entre l'usage réglé des ressources de l'énonciation et
les aspects catégorisés de l'objectivité, la double face de l'expression
portait inscrite, recto et verso, la double exigence de l'apophantique.
Désormais vouée, et pour longtemps, à traverser de son évidence
toute théorie du langage, à poser cela qui est réel et fixer le point de
rencontre entre la désidérabilité des choses humaines et la contrainte
des choses physiques, entre la manière de raisonner les matières éthiques et la manière, plus assurée et récursivement paradigmatique, des
physiciens, le point idéalement simple de l'*herméneia* allait distribuer
autour de lui, comme le foyer invisible d'un système gravitationnel,
tous les genres échelonnés du rhétorique au théorétique, et que nous
répartirions aujourd'hui entre les lettres et les sciences.

Or, de ces trois caractères essentiels, aucun ne s'est perpétué qui
puisse justifier la permanence d'un terme-titre pour une chose maintenant dispersée, et si évidemment éloignée de son premier statut. Il suffit
d'évoquer les positions extrêmes d'un champ que parcourt encore le
nom commun d'*expression*. D'une part, les langues formulaires ont
renié, tout ensemble, l'apophantique, la canonique, et toute théorie des
facultés. Alors que celle-ci demeurait implicite dans le *jugement* des philosophies classiques : instance subjective et point d'insertion des structures logiques. Quant à ces formulaires, qui ne sont ni expression de
choses, ni expression de pensées mais expression néanmoins au sens que
disait Novalis, l'intransigeance de leur syntaxe leur vaut d'être à coup
sûr du côté de l'*Homme*, plutôt que du côté de la *Coquille*. D'autre part,
grammaire apophantique et perception se trouvent désormais disjointes
par altération des deux termes. Rien ne pourrait sauver l'ancienne
alliance, pas même l'amendement du corps transcendantal qui, dans la
Phénoménologie de la perception, soutenait encore la description et le propos
phénoménologiques. Ce qui fut écrit à peu près au moment où
Jakobson (bientôt, et plus précisément, E. Benveniste) rendait à la

grammaire du verbe la structure d'énonciation dont la théorie de la connaissance n'exerçait plus la gérance[1].

Néanmoins, l'expression avait déjà conquis de nouvelles places. Les langages formulaires, qui devaient réintroduire, fût-ce partiellement, les preuves et transformations de l'analyse mathématique dans une structure discursive, avaient recherché une base propositionnelle qui renouerait le commerce avec les langues naturelles et verserait, plus ou moins subrepticement et provisoirement il est vrai, le pouvoir synthétique, analogique et descriptif de celles-ci à une nouvelle construction de l'empirie et du monde. Et Merleau-Ponty n'avait écarté la « mauvaise ambiguïté de la perception » que pour faire place nette, soucieux de saisir ailleurs le surgissement de l'expression. Un manuscrit inachevé *(La prose du monde)* préparait l'inventaire raisonné et critique, matière pour une philosophie à venir, de tous les genres littéraires et de tous les « algorithmes » — le philosophe dût-il, dans la suite, renoncer au scrupule d'immédiateté qui le guidait alors, et s'en remettre aux « langages indirects » et particulièrement à ceux d'où s'obtient, quand même et sans contrat ni clauses qui prétendent à l'unanimité d'une syntaxe, l'effet attendu de l'expression. Effet venu d'un point idéal maintenant posé en deçà de l'apophantique, projet inamissible d'une équation toujours déplacée, ils font ce que ne saisit aucune phénoménologie, fût-elle transcendantale, parce qu'ils ont déjà anticipé ses compromis et ses constitutions. Ou plutôt, ils viennent d'ailleurs, d'un lieu que Merleau-Ponty s'était engagé à explorer, parce que le déjà-là de l'expression ne relève d'aucune conscience individuelle, ne s'identifie à aucune origine et tient néanmoins dans son champ mobile la géométrie des régularités grammaticales, comme un archaïque et toujours révisable sens commun.

Il ne suffira donc pas d'opposer à l'*herméneia* grecque la dispersion moderne, ses grammaires et ses styles incompatibles. Le renversement du pour au contre ne dit rien encore, ou pas grand chose, de ce qui

---

1. Voir R. Jakobson, Les Embrayeurs, les catégories verbales et le verbe russe, dans *Essais de linguistique générale,* t. I. Egalement les études que E. Benveniste a consacrées à l'énonciation, *Problèmes de linguistique générale,* t. II, et supra p. 204 à 210.

pourrait définir de nouveaux pôles. Toutes les situations médianes seront donc de la plus pressante utilité. Elles le seront immédiatement, par simple effet d'information, et médiatement pour peu qu'elles révèlent quelque chose sur ce qui déplace, modifie, et multiplie les systèmes d'expression. On tiendra donc pour particulièrement éclairante la révision criticiste du contrat d'expression. Les trois thèses qui nous ont semblé caractériser suffisamment l'*herméneia* grecque en seront la pierre d'épreuve.

« A vrai dire, la *Critique de la raison pure* pourrait bien être l'apologie de Leibniz, fût-ce à l'encontre de partisans dont les éloges ne l'honorent guère. Elle pourrait être aussi une apologie de divers philosophes plus anciens » (Kant, *Réponse à Eberhard,* p. 108). Que fallait-il donc défendre dans l'harmonie préétablie, sinon la plus récente hypothèse pour un problème venu du platonisme et dont les solutions successives, provisionnelles et métaphysiques, avaient néanmoins impavidement devancé l'intelligence toute neuve qu'en proposait le criticisme ? Comment Kant aurait-il pris sur lui la cause de Leibniz, sinon en résolvant un problème auquel celui-ci avait ajouté une donnée moderne, impliquée dans le traitement désormais symbolique et médiat de la physique ? La Critique avait-elle su s'approprier le pis-aller de la pensée aveugle en perdant le moins possible de la phénoménologie grecque (sinon sa formulation strictement apophantique), et en gardant le moins possible de l'harmonie préétablie (sinon l'économie transcendantale des facultés) ? Comment préservait-elle l'impératif de clarté de l'Aufklärung, qui enveloppait d'une même exigence la dynamique de D'Alembert et le réalisme de l'expérience ?

On sait comment Leibniz avait divisé l'ancienne phénoménologie, dont l'incontestable éclat fut d'avoir catégorisé identiquement la science du mouvement et l'énoncé du perçu. D'une part un trajet se fait de la réalité physique des mouvements aux synthèses du nouveau calcul, qui en recomposent les trajectoires. D'autre part, ce trajet a cherché sa réplique des petites perceptions aux objectivités d'expérience. Les étapes étaient posées, mais parallèles, analogiques. Rien ne faisait communiquer les deux procès, sinon l'obscure besogne des monades et la Nouvelle Alliance de l'harmonie préétablie. Il fallait donc admettre deux lieux philosophiques disjoints, l'un où la mathématique était déléguée aux *cogitationes caecae* et l'autre où la philosophie commune l'était aux genres anciens de la théodicée, de la correspondance et du dialogue, tous traversés d'une modalité d'adresse irréductible. Et pour autant qu'il fît droit au point de vue des consciences singulières, Leibniz s'en est tenu à une monadologie programmatique. Si fastueuse qu'ait été la dépense, elle demeurait insuffisante ; rien n'était restitué de l'ancienne maîtrise catégoriale du donné, rien non plus qui conduise des moments singuliers de l'expérience à l'hypothèse d'universalité qui la constitue comme telle. Le visible et l'intelligible avaient perdu la grammaire de leur synthèse.

Que l'œuvre de Leibniz s'entretienne d'un unique projet, qu'elle ait été tout entière animée, jusque dans l'inventivité mathématique, d'une pensée de l'expression[1], voilà qui autorisera aussi à saisir, dans les écrits logiques achevés ou fragmentaires, le grossissement brutal des problèmes enveloppés dans les trois thèses qui nous ont paru circonscrire l'*hermeneia* ancienne. Au reste, on avait déjà reconnu l'implication d'une théorie de la connaissance dans cette appropriation du *logos prophorikos* aux fonctions descriptives et déclaratives de l'apophantique.

La synthèse de l'infinitésimal, qui en procurait une sommation finie pour nous, relevait d'une méthode l'emportant sur toutes celles qui, Leibniz s'en prévalait à bon droit, « talem transitum non habent » — c'est-à-dire sur toutes les autres, qu'elle menaçait d'obsolescence. Le calcul leibnizien promettait donc, *in aenigmate,* une nouvelle canonique du phénoménal, pour peu qu'on sût, toutes conditions explicitées, l'affranchir de son premier paradigme. Or les essais philosophiques de Leibniz se distribuent en fait de part et d'autre d'une « expression » dont la puissance outrepassait toute procédure intellectuelle connue, y compris la cartésienne, mais solidaire de sa singularité technique. Par son usage, elle demeurait liée aux opérations qu'elle symbolise et rebelle à la généralisation dont Leibniz entretenait le projet et l'attente. Ses recherches logiques ont exploré diverses manières

---

1. Cf. G. Granger, Philosophie et mathématiques leibniziennes, dans *Revue de métaphysique et de morale,* 1981, 1.

de composer des opérations mathématiques élémentaires en vue d'une caractéristique universelle. Mais elle eût été universelle pour avoir abandonné quelque chose de la complexité du nouveau calcul et, ce faisant, lâché quelque chose de la proie pour son ombre noire. De là cette pensée aveugle, conduite sur des symboles encore rivés à leur sens local, sens strictement opérationnel et matière pour des métaphores contentieuses. Le projet ne pouvait que délaisser le caractère *fonctionnel* et obscurément synthétique du calcul intégral pour généraliser une *opération* rabattue, bon gré mal gré, sur son sens premier et son foyer arithmétique. Ce premier pas vers le simple opératoire, menacé par l'écriture paratactique d'une sommation indéfiniment prolongeable, en appelait nécessairement un autre qui en fixerait les unités et les formules. Plusieurs essais supposent ainsi une équivalence entre l'arithmétique caractéristique et la structure prédicative. Le projet eût-il réussi, qu'il eût contourné l'équivocité manifeste de la prédication sans en rompre l'enveloppe ni en perdre l'usage, qu'il en eût accru le pouvoir d'expression analytique sans endosser l'ancienne catégorisation.

Or, pour ce qui en est des essais publiés, aucune des formalisations proposées n'avait su préserver la générativité d'une économie syntaxique. Moyen éventuel d'une analyse locale ou d'une vérification appliquées à un énoncé donné, au reste toujours élémentaire, la caractéristique est incompétente pour le transfert inverse, d'un vocabulaire de caractères à une énonciation nouvelle et cependant canonique. Les réticences anticipées de Descartes prouvaient, par le fait, leur bien-fondé. Sans omettre que l'infini non maîtrisé de combinaisons de caractères à valeur analytique invalidait, par avance, le projet d'une *lingua rationalis*. Seules donc les garanties métaphysiques, accordant de toute éternité les points de vue des monades et les déterminations réelles, assuraient l'harmonie de ces deux infinis, ce dont le calcul intégral avait fait entrevoir l'abîme sans y jeter le pont. Aussi *La monadologie* promise ne pouvait que s'en remettre aux principes de la Grâce. Faute pour nous de pouvoir être dès maintenant « architectoniques avec Dieu », Dieu le serait seul, encore que d'une solitude bienveillante et provisoire. L'immense machine de l'harmonie pré-

établie pouvait inclure tous les accidents qui sont dans son plan, mais
ne pouvait justifier, pas même préférer ou privilégier, aucun mode
d'énonciation singularisé. Car tout point de l'univers pouvait prétendre égrener à sa manière l'infini de son point de vue. Cette philosophie de l'expression, si elle a soutenu l'inventivité mathématique de
Leibniz, n'offrait aucune restitution apophantique. Et il ne restait pas
grand-chose, hors la foi ou l'usage, de cette jetée avancée par les Grecs
sur la mer de la dissimilitude. L'harmonie leibnizienne ne délimitait
aucune rationalité commune : ni contrat d'expression, ni phénoménologie du réel, ni formule d'expérience. Univers baroque si l'on veut,
mais sans décalogue ni évangile qui en aient pu rassurer les apparences.

Apologiste de Leibniz, Kant aurait-il décelé le nœud de la question
que la caractéristique n'avait pas su résoudre, et compris entre quels
choix elle n'avait pas tranché ? Ou bien le fil conducteur serait pris de
Dieu, de l'infini, des harmonies préétablies, et l'expression irrémédiablement déléguée aux *cogitationes caecae,* ou bien il serait pris de notre
finitude, de ses agencements discursifs et conceptuels, et la formule de
l'expérience réassurée d'une générativité syntaxique. En outre, il suffisait d'expliciter l'alternative pour qu'apparaisse la contradiction qui
animait la philosophie leibnizienne de l'expression et en avait multiplié
les états successifs. Car il était inhérent à la caractéristique de récuser
la syntaxe, de ne vouloir tenir ses enchaînements que des structures
infiniment complexes dont elle calibrerait elle-même le degré analytique suffisant, alors même que le souci de procurer à la logique aristotélicienne un appareil de résolution, plus puissant que l'analyse des
énoncés en termes, trahissait l'acceptation d'une synthèse discursive,
éventuellement plus discriminante que la prédication, néanmoins de
même type ou de même office. Une difficulté comparable se réverbère
dans une autre et constante hésitation : on ne sait jamais si la caractéristique sera des choses ou de notre pensée, ni comment elle pourrait
être des deux à la fois. D'un côté elle adhère aux choses, de l'autre à
nos moyens endogènes et discursifs. Il s'imposait donc de traiter sans
dissimulation cette double face de l'objectivité, et accepter le « double
point de vue » sur un objet d'expérience à la fois sensible et intelli-

gible, parce que telle est la contrainte de l'expression. Double face
dont l'Analytique kantienne allait, à bon droit, multiplier les instances : division de la logique en formelle et transcendantale, de la déduction en subjective et objective, des principes de l'expérience en réalisme empirique et idéalisme transcendantal. Rappelons que Kant,
parmi des notes aujourd'hui publiées dans l'*Opus postumum,* en donne
une éclairante métaphore : que la philosophie transcendantale est le
produit d'une « hybridation ».

Or la *Dissertation de 1770,* dans sa part négative, avait confirmé
Leibniz. L'espace et le temps, les trajectoires et les durées qui les parcourent se trouvaient récuser la catégorisation du lieu et de l'instant.
S'ils ne sont non plus des concepts, étrangers comme ils le sont aux
rapports de subordination et de subsomption, d'autres synthèses les
parcourent, celles dont les opérations leibniziennes, depuis intégrées
au corps doctrinal des *Principia* newtoniens, offraient la meilleure
appréhension. Le contrat grec était rompu, c'est-à-dire le report sur
des dimensions grammaticales suffisantes de l'action et de la position.
Et maintenant qu'elles se trouvaient rapportées à des coordonnées
cartésiennes, quelle discursivité les verserait à l'expérience ?

Or, pour spécifique qu'ait été la mathématique leibnizienne, elle
portait néanmoins un double enseignement : qu'il peut y avoir une
synthèse finie de quantités infinitésimales, et que la synthèse est assignable sous l'espèce d'une fonction. Ainsi relayait-elle avantageusement le passage du καθ' ἡμᾶς au καθ' αὐτό, des qualités à la réalité de
la *kinésis.* A-t-on remarqué qu'elle l'inversait aussi, donnant l'avantage à la synthèse finie du calcul intégral et de sa représentation fonctionnelle sur l'infinitésimal du conatus et des forces réelles ? Aboutissement du renversement galiléen, qui soumit le mouvement
accéléré au contrôle du plan incliné, le calcul leibnizien effectuait
déjà, dans son opérativité singulière et dans son symbolisme, cette
synthèse a priori de l'empirique où Kant situe le renversement
copernicien. La fonction était ici sous-jacente au concept, seule elle
pouvait porter l'analogie d'une syntaxe et diffuser des écritures infinitésimales aux écritures philosophiques. Si donc un équivalent discursif était concevable, il relèverait d'une syntaxe inédite, appelant un

intégrant autre que la prédication et pour lequel Kant allait réserver les fonctions du jugement.

Or, comme le souligne la Préface à la seconde édition de la *Critique de la raison pure,* confirmant les éclaircissements donnés dans le § 39 des *Prolégomènes,* une nouvelle formule du contrat d'expression détermine le cours de la logique transcendantale. En posant que les conditions de l'objet de l'expérience doivent être identifiées aux conditions de l'expérience de l'objet, Kant fixait une équation transcendantale entre représentations hétérogènes. Chaque moment de la déduction des catégories, puis des principes, avait préparé cette convenance syntaxique entre la fonction discursive et la fonction symbolique, parce que la déduction, précédée par l'esthétique, s'approprie les dimensions du phénomène qui la sollicite. La modalité, qui achève le jugement d'expérience, réfléchit la manière dont cet accord, tout indirect, appelait une dernière synthèse récapitulant les synthèses précédentes. Kant avait rendu justice à Leibniz en inventant une syntaxe fonctionnelle — laquelle s'emporterait bientôt au-delà des conditions transcendantales de l'expérience possible.

Car cette restauration (ou *nova instauratio*) du contrat d'expression était ultime, et lucidement ultime. Considérée sous ce jour, il devient clair pourquoi Kant pouvait déclarer que la logique — entendons ici la perpétuation d'un contrat entre une langue naturelle et un régime de la phénoménalité — était « selon toute vraisemblance close et achevée ». Elle l'était une première fois pour accomplir la question proposée, et offrir un équivalent syntaxique suffisant pour les synthèses impliquées dans la représentation newtonienne de l'expérience. Elle l'était une seconde fois pour avoir épuisé toutes les fonctions stratifiées dans un acte de jugement (et récemment inventoriées, ne pas l'omettre, par les logiciens de Port-Royal). Et parce que ces fonctions étaient dépositaires d'une déontologie, obtenant que le « je pense » accompagne toutes mes représentations, elles devaient aussi offrir à la déduction son fil directeur. Cette clause tenait ici lieu de contrainte canonique. La modalité soulignait le caractère entièrement déterminé, achevé, et subjectivement contrôlé non pas du phénomène (elle eût été de re) mais de l'énoncé où jouent conjointement

tous les moments du jugement, et toutes les instances de l'énonciation. Elle indiquait en outre que le jugement et le concept avaient,
une fois encore, pris la gérance d'un contrat rendu à la langue naturelle. Elle s'imposait donc de jure, quand bien même le jugement
d'expérience n'en serait que tacitement affecté. L'apophantique,
contrainte de dévoiler et de rectifier son principe sous l'effet de la
méthode critique, payait d'un double statut son pouvoir descriptif et
la canonicité de ses énoncés : réaliste quant à l'expérience, elle n'en
était pas moins tenue en lisière et traversée de cet « idéalisme transcendantal » de par les conditions mêmes de son exercice. L'expression assumait explicitement sa double dépendance, et cette même
analyse levait aussi l'énigme du jugement de goût. En retour, si le
jugement de goût est bien la « clé de voûte » du système transcendantal, la Critique en son entier est l'extension ultime, et claire sur
son office, d'une manière de dire inventée par les Grecs. Elle opérait
sur les dimensions : celles, pour une dernière fois mises en correspondance, de nos énoncés et de nos preuves.

Solution infiniment convaincante, et suffisante, plus d'un siècle
durant, elle ne pouvait avoir de meilleure garantie que les limites
inhérentes à ses moyens mêmes. Résolu de mener à leur terme les
exigences et directives de l'*Aufklärung,* Kant avait, encore une fois,
habilité la langue naturelle à opérer le travail philosophique de la
représentation de la nature, mais par une voie moins directe qu'il put
paraître d'abord à la postérité du criticisme. Car le mouvement
d'assimilation des structures cognitives et de structures de démonstration est fondationnel, s'il est lu dans le sens direct, celui de
l'exposition criticiste, mais il est « analytique » s'il introduit, autant
qu'il était possible de le faire, les dimensions de la preuve dans les
dimensions du jugement. Lue dans ce sens rétrograde, qui n'est pas
le moins éclairant, la déduction des formules de l'expérience tire sa
valeur de maintenir l'objectivité théorétique inscrite, et sourcilleuse,
dans la connaissance commune ; et d'y contraindre l'expression.
Et si l'on voulait ne retenir que le rôle fondationnel et transcendantal il faudrait, outre la lecture directe, oublier le fil directeur

donné par les fonctions du jugement, c'est-à-dire l'ombre portée d'une syntaxe et le rapport de principe qui lie la déduction à une forme de langage qui nous est empiriquement — ou anthropologiquement — donnée. Or la fragilité de ce premier parcours, s'il fallait l'isoler et réduire l'expression à la seule production de la subjectivité transcendantale, est connue. Laissons ici le postkantisme d'Iéna, on sait que les sciences ont cessé de demander une quelconque légitimité ou fondation (deux demandes qu'il faudrait, au reste, distinguer) à la subjectivité transcendantale. Ou bien elles ont défini un régime propre de confirmation. Ou bien, sans qu'il y ait lieu d'en débattre ici, elles tentent de réélaborer l'empirisme. Mais il est un autre indice plus certain des bornes atteintes par le criticisme. Le jugement modalisé a perdu toute valeur cognitive. Soit que, incluse dans les théories de l'inférence et de la preuve où se déploient les langages formulaires contemporains, la modalité ait été axiomatiquement introduite dans des systèmes qui, précisément, ne sont pas des logiques du jugement. Soit que l'unité canonique pour la philosophie soit derechef l'apophantique, mais cantonnée aux évidences subjectives et au domaine clos de la description phénoménologique. Et aucune opération immanente ne peut lui faire excéder ses limites constitutives[1].

Resterait-on délibérément dans les limites du criticisme que l'*expérience,* dont le processus s'y trouvait ultimement compris et explicité, ne manquerait pas d'apparaître, à nous comme au jeune Benjamin, « la plus pauvre ». Mais Benjamin, en 1916, ne prévoyait pas que renoncer à la juridiction transcendantale serait aussi renoncer à l'expérience possible. Il l'apprendra de Baudelaire[2].

Il faut donc admettre le double mouvement : grammaticaliser les preuves dont on souhaite qu'elles échappent à leur première inven-

---

1. Voir dans *Logique et théorie de la science* les considérations de Cavaillès quant à l'impossibilité d'inclure la modalité dans les transformations associées au noyau prédicatif, et supra, p. 282.
2. Cf. *Programme de la philosophie qui vient* (1916), et les essais des dernières années 30, consacrés à Baudelaire.

tion, qu'elles contribuent à détendre les limites du rationalisme, et s'inscrivent dans la constitution même de l'expression. Et en contre-partie réviser une grammaire originaire, en déployer les concaténa-tions et les prolepses syntaxiques. On verra alors que la solution kan-tienne avait exactement les limites impliquées par le choix des dimensions syntaxiques qui fut le sien. On verra aussi que l'analogie entre la fonction logique et la fonction mathématique fut la réponse opposée aux tenants du mathématisme leibnizien, autant que l'occa-sion du jugement « synthétique a priori ». Or la poursuite de ce pro-cessus allait désolidariser la grammaticalisation catégoriale et la syn-taxe des fonctions requise par les systèmes quantificationnels. L'ambiguïté syntaxique ne pouvait excéder le premier ordre mona-dique. Il fallut renoncer aux *fonctions* du jugement, et choisir la syntaxe de la fonction contre celle du jugement. L'identification provisoire, proposée par Frege entre fonction et concept, fut un épisode de cette nouvelle mise au point. L'évidence était là, impensable cependant, d'une syntaxe qui ne serait plus représentable dans les dimensions des langues naturelles. Et tel fut le destin de la *Begriffsschrift,* dont le pro-blème est inscrit dans le titre et dont l'intraductibilité première, c'est-à-dire l'hétérogénéité syntaxique, allait motiver un demi-siècle de philosophie analytique. Elle allait aussi susciter un nouveau problème, philosophiquement inattendu. Il serait de comprendre le rapport pro-blématique et néanmoins déjà là entre, non pas les univers mathémati-ques et les univers catégoriaux — ce qui répéterait maladroitement une variante de la gigantomachie du *Sophiste* — mais entre les gram-maires des premiers et les grammaires des seconds. Il s'agirait cette fois de leur relais, et de leur accessibilité.

Car ces langues formulaires avaient renié de fait les capacités gram-maticales des langues parlées et inventé des syntaxes d'artifice, munies des dimensions requises et fortes d'une générativité spécifique. Elles avaient aussi pris en charge leur propre fiabilité. En quoi il serait vrai de dire que le contrat d'expression était rompu, en ce sens primitif où il déterminait l'apophantique grecque et s'était érigé en précepte éthique du stoïcisme. En un autre sens, et pourquoi s'en effrayer, il se reformait, localement et sous d'autres espèces, appuyé sur le contre-

fort de ses limitations internes. Multiplication des canoniques, où persiste néanmoins un rapport secret avec les langues naturelles et avec
les canoniques anciennes. Le formulaire intervient pour procurer localement une analyse qu'une autre représentation *(Darstellung)* ne permettrait pas. On a déjà dit comment Frege en habilita le second
recours.

On a suivi jusqu'ici, espérant apporter un peu de clarté sur un problème dont la solution semblait vouée à l'inventaire, les exigences de
l'apophantique et les déplacements de l'expression. La multiplicité premièrement constatée s'est effacée, laissant place à une diversité pensable
des canoniques. En outre, à considérer sur quelques exemples le passage
d'une expression à une autre qui en garde mémoire, fût-ce par la manière
dont elle s'y oppose, il vient à l'évidence qu'aucune de ces possibilités
régulières ne se perd, qu'aucune expression n'est inaccessible, même si
elle échappait provisoirement. Point inattendu où Wittgenstein et
Lévi-Strauss, s'ignorant superbement, se rencontrent, fût-ce contre le
gré de leurs plus éloquents disciples, pour avoir retrouvé l'un et l'autre,
dans l'épaisseur de nos langages, des régularités et une stratification que
le formalisme aveugle, en s'aveuglant lui-même. Ici intervient Mauss,
que Merleau-Ponty citait après Lévi-Strauss[1] : « Il faut, avant tout,
dresser le catalogue le plus grand possible de catégories ; il faut partir de
toutes celles dont on peut savoir que les hommes se sont servis. On
verra alors qu'il y a bien des lunes mortes, ou pâles, ou obscures, au
firmament de la raison. »

Demeure donc la réalité de l'expression comme première évidence
anthropologique : pas de société sans langage ni sans règles d'échange,
pas de société sans graphisme, donc sans la rudimentaire géométrie d'un
symbolisme, rectifiant la matière à laquelle il adhère par symétrie et
retournement. Pas de société non plus qui n'ait tenté d'accorder l'un
avec l'autre, et que telle fut aussi notre première *grammaire rationnelle*.

---

1. Cf. De Mauss à Claude Lévi-Strauss, *Signes,* chap. IV.

CHAPITRE X

LE ROMAN GREC*.
DU PROTREPTIQUE
A L'ÉDUCATION SENTIMENTALE

UN GENRE LITTÉRAIRE ANONYME

Maintenant que le roman grec est restitué dans l'ampleur de sa réalité historique, il resterait à s'inquiéter de sa fortune, ou, mieux dit, de son infortune critique. Il ne s'agit ni du silence de ses lecteurs contemporains, ce public étant maintenant mieux connu, ni d'une histoire, encore souhaitée, de sa réception. Les témoignages en sont peu à peu recueillis, et annexés aux éditions savantes. Ils ne pallieront pas une incertitude tenace quant au propos et à l'art poétique de ces écrits que nous appelons romans, qui n'ont obtenu, ni des Anciens ni des Modernes, une attention comparable à celle que d'autres genres ont mobilisée, eussent-ils été aussi distants entre eux que la tragédie de l'épigramme.

Il semblerait même que la richesse des *realia,* des faits de civilisation aux comportements religieux, et que les ressources inépuisable-

* Une première version de ce chapitre a été proposée au congrès international de rhétorique, tenu à Tours, en juillet 1987. Une seconde a été lue au colloque sur l'univers du roman grec, tenu à l'Ecole normale supérieure en 1988. Nous remercions les organisateurs de l'un et de l'autre d'avoir favorisé ces mises au point successives.

ment sollicitées du comparatisme nous absolvent de ne pas avoir
trouvé, et de ne plus rechercher, la formule d'un genre dont la composition échappe. Et bien que nous ne traitions plus le roman grec avec
la légèreté de Huet, on y viendra dans quelques instants, ou de Zola,
que le contresens indiffère pour peu qu'il ait sa place dans le manifeste
du réalisme, il se pourrait que l'art du récit, seul chef sous lequel nous
acceptons de considérer la technique du roman au risque d'en perdre
de vue la finalité, relève d'une comparable simplification.

Empressée de jeter un regard aussi neutre qu'équitable sur ces
textes longtemps dépréciés, la critique récente s'est attachée aux procédés narratifs : pour n'établir enfin qu'un catalogue, et sous-entendre
la rhapsodie[1]. Rencontrait-on une forme insolite, l'enchâssement d'un
mythe dans un tableau et d'un tableau dans le récit, que l'interprétation, déconcertée par une manière d'anamnèse que ses propres hypothèses lui interdisaient d'identifier, devait hésiter entre la manière
orientale du conte à tiroir, l'asthénie d'une digression bavarde, ou le
raffinement, tout récemment nommé, d'une « mise en abîme ». Il est
vrai qu'à s'enquérir des procédés de la narration, comme on eût également fait pour une nouvelle de Maupassant, un épisode des *Mille et une
nuits* ou un conte populaire russe, on espérait saisir une commune
positivité. Sans vouloir contester ici l'hypothèse en tant que telle, en
cet usage particulier elle a déçu, puisqu'elle ne vérifiait guère plus que
sa propre généralité. On tiendra pour caractéristique d'une difficulté
latente, et jamais résolue, une question apparemment mineure, celle de
la dénomination de ce genre aux contours et au propos pour nous
incertains.

Alors que la plupart des formes classiques avaient été identifiées et
nommées par l'Antiquité hellénistique, le roman grec a reçu rétrospecti-
vement un nom moderne, premièrement destiné à des œuvres, versifiées
ou non, écrites dans les langues vernaculaires détachées du latin. Le
terme même de *roman* qualifiait le genre par l'usage d'une langue noble,

---

1. Pour un récent et indispensable état de la question, voir : Thomas Hägg, *Narrative Technique in Ancient Greek Romances,* Stockholm, 1971, et *The Novel in Antiquity,*
Berkeley, 1983.

portant mémoire d'une civilisation[1]. Cette anomalie serait une simple
curiosité si ce nom d'emprunt, dont personne ne veut être dupe, ne s'avérait d'autant plus indispensable qu'il comblait, selon toute apparence,
une lacune du vocabulaire technique des Anciens. De fait, il n'est aucun
nom grec, hormis quelques périphrases, pour ce dont le XVIIᵉ siècle fit un
genre, prometteur s'il en fut. Laissons pour l'instant les raisons de cette
captatio memoriae, cas particulier à replacer dans l'ensemble des rapports,
aussi constants dans le principe qu'instables dans leur particularité, qui
ont lié les sociétés modernes à l'Antiquité gréco-latine. C'était, en
quelque sorte, un contrat à l'amiable que formulait Pierre-Daniel Huet
dans cette lettre, placée en introduction au *Zaïde* de Mme de La Fayette,
et traitant *De l'origine des romans* (1670). Plaidant en faveur des Modernes,
Huet authentifiait le genre romanesque, auquel il épargnerait ainsi la cen-
sure des moralistes et la critique des pédants. Ce genre, qui fut incidemment grec, aurait été emprunté au lointain Orient des conteurs. La singularité grecque, devenue imperceptible, se trouvait absoute dès lors
qu'elle relevait de cet immémorial, d'autant que ses intentions rencontraient les civilités de la fable et venaient au-devant des galanteries
modernes. Le canon du roman grec, constitué par Huet à l'intention du
goût contemporain, réunissait les titres que l'érudition moderne, suivant
en cela Perry, a regroupés sous le chef du roman d'amour « idéal » :
œuvres de Cléarque, Jamblique, Héliodore, Achille Tatius, à l'exclusion
de *Daphnis et Chloé* — on dira plus bas les griefs de Huet, et comment il les
apaise. « Fictions, aventures amoureuses, écrites avec art selon certaines
règles pour l'instruction des lecteurs à qui il faut toujours faire voir la
vertu couronnée et le vice châtié », elles verseraient leur innocence sur
leurs homologues du jour. On allait en demeurer là, jusqu'à ce que

---

1. On lit, à l'entrée ROMAN du *Dictionnaire universel* d'Antoine Furetière (1690) :
« S.m., qui signifiait autrefois le beau langage, ou le *romain,* et était opposé à *wallon,*
qui était le vieux et l'originaire. On disait alors que les gens de cour parlaient *roman.*
Ce langage était composé moitié de la langue des conquérants, ou Romains, et moitié
de Gaulois, qui était le peuple conquis. Il était en usage jusqu'à l'ordonnance de 1539,
jusqu'auquel temps les histoires les plus sérieuses étaient appelées romans (...). Maintenant il ne signifie plus que les livres fabuleux qui contiennent des histoires d'amour
et de chevalerie, inventées pour distraire et occuper les fainéants. »

Goethe et le XIXe siècle s'en approprient les moyens pour avoir su en découvrir les ressorts. La critique fut alors foudroyante, sourdement contenue dans une réécriture, impitoyable et parfois contraposée, des thèmes du « roman » grec. Elle en allait établir et consommer la fortune[1].

Quant à l'analyse philologique, que le métier séparait évidemment de cette compréhension interne et corrosive de l'écriture romanesque, elle s'engageait dans un chemin contraire. Soucieuse de ne pas préjuger des résultats de son enquête en accordant trop au nom d'emprunt, qu'elle ne rejetait pas cependant, la critique moderne a scruté l'atticisme contrefait de cette prose, les stratagèmes de la *diégésis,* les lieux et formes rhétoriques du roman grec. Elle allait, ce faisant, confirmer les qualifications qu'on pouvait lire dans la Bibliothèque de Photius ou le recueil encyclopédique du *Suidas,* c'est-à-dire deux épithètes : *érotikos, historikos.* Il parut alors suffisant qu'ils vinssent confirmer le catalogue des lieux rhétoriques pour que l'énigme fût résolue. En réalité, on venait tout juste de fixer les termes du problème. Il n'est certes aucunement douteux que ces romans ont trait à une aventure amoureuse, ce qu'ils déclarent abondamment, ni que la forme rhétorique d'ensemble, un récit introduit par son scribe, secrétaire ou récitant, autant que quelques tournures typées, venues de Xénophon et d'Hérodote, confirment le caractère historique du récit. Mais en quoi une telle conjonction de déterminations, aussi souvent vérifiée que l'on voudra, serait-elle, de soi, une explication ? On risque de se fier trop vite à une expression que plus de vingt siècles d'usage ont banalisée, je veux dire « histoire d'amour », quand il conviendrait plutôt d'en interroger la nouveauté et d'en reconnaître l'équivocité constitutive. Que la synthèse entre ces deux attributs ait été problématique, on en trouvera un premier indice dans le contexte polémique des témoignages anciens, tout juste évoqués. Une lettre de l'empereur Julien condamnait la lecture de ces fictions (πλάσματα) données

---

1. Sur le manière dont Goethe jugeait la nouvelle grecque, l'épuisement de son art poétique et de ses visées, jugement impliqué dans la structure des *Affinités électives,* voir C. Imbert, Le présent et l'histoire, dans *Walter Benjamin et Paris,* Paris, 1986, p. 743 à 792.

comme une histoire *(en historias eidei)* et dont l'argument (ὑπόθεσις) a trait à l'amour (lettre 89). Photius a non moins relevé la teneur dramatique de ces récits ; quant au lexique *Suidas,* il a gardé mémoire d'un *drama historikon.* Confrontés les uns aux autres, ces jugements révèlent, autant que l'éloge ou le blâme qu'ils délivrent et qui n'importe pas ici, le tribunal dont ils relèvent tacitement : la *Poétique* aristotélicienne. Tribunal dont il fallait réviser les normes, ce pour quoi les témoignages cités ne dissimulaient pas leur irritation.

Il s'agissait d'abord d'accorder tension dramatique et unité d'action à ce genre rhétorique qu'était alors le récit d'histoire — capacité qu'Aristote lui avait expressément déniée (*Poétique,* chap. 23). Et encore, d'associer sous ce même chef de l'action dramatique la simple fiction et l'imitation d'une action mémorable, au prix d'une conception fort tolérante de « ce qui pourrait être ». Il fallait donc assimiler le commun d'une aventure, où chacun pût se reconnaître, avec l'invariance d'un épisode tragique, remémoré en même temps que distancié par l'ascendance héroïque de ses personnages et la notoriété mythique des faits. Donc héroïser le commun et humaniser le mythe. Pierre-D. Huet n'avait pas omis de se référer à la *Poétique* d'Aristote, et supposait que les accommodements nécessaires seraient aisément consentis. « Aristote enseigne que la tragédie dont l'argument est connu et pris dans l'histoire (id est : le passé mémorable) est la plus parfaite, parce qu'elle est plus vraisemblable que celle dont l'argument est nouveau et entièrement controuvé, et néanmoins il ne condamne pas cette dernière... Les romans sont des fictions des choses qui ont pu être et qui n'ont point été, les fables sont des fictions des choses qui n'ont point été et qui n'ont pu être. » Mais au lieu d'y prendre l'occasion d'une critique, comme le fit l'empereur Julien, Huet joint les extrêmes en accordant toutes les différences intermédiaires. Or la vraisemblance requise d'Aristote jouait à double titre dans l'analyse du plaisir tragique. Elle intervient *génériquement,* en ce que toute imitation tire son plaisir naturel et consécutif de la reconnaissance qui s'y instruit (*Poétique,* chap. 4). Elle intervient *spécifiquement* dans la scène tragique où les actions des héros, funestes pour eux-mêmes, suscitent, parce qu'elles y représentent un destin connu et distancié, l'objectivation de la terreur et de la pitié. Ainsi Aristote, subordonnant ces émotions à l'intelligence tragique qui s'en libère, put réfuter l'équivoque des plaisirs mixtes, de la confusion desquels Platon avait conclu sa condamnation de la tragédie. Le plaisir tragique venait confirmer la dissociation entre l'imitation (μίμησις), laquelle accédait peu à peu à la noblesse des techniques intellectuelles puisqu'elle médiatise la connaissance, et l'assimilation (ὁμοίωσις), compromise par la sophistique[1]. La *Poétique* donnait deux critères corrélatifs de la bonne imitation : l'unité de l'action représentée dans et malgré les péripéties, unité que devait confirmer l'aisance avec laquelle le spectateur en effectuerait la reconnaissance.

On peut alors déterminer, fût-ce pour l'instant à grands traits, le cahier des charges imputé à ces écrits que nous appelons romans. Il sera inféré des critères sous lesquels ils furent jugés : comme une histoire, mais une histoire ayant une unité d'action, et telle que ses modes de reconnaissance triomphent de cette apparente contradiction. Le plaisir romanesque spécifique, et l'éducation qui en est attendue non moins que du plaisir tragique, seraient à ce prix. Quant à l'anonymat du genre, il ne surprendra plus, s'il est maintenant possible de l'inclure

---

1. Dans la *Poétique*, et particulièrement tout au long du chapitre 4 entièrement dévolu à l'imitation, au plaisir qu'elle procure et à l'enseignement qu'elle délivre, Aristote achève une objectivation de la *mimésis* dont on lira les premiers éléments dans les dialogues platoniciens, et particulièrement dans le *Sophiste*. Cette constitution de la *mimésis* en instrument philosophique fut le résultat d'une double dissociation. Et d'abord entre l'imitation *(mimésis)* et l'assimilation *(homoiosis)*. La distanciation qu'introduit cette division donnait à la première les ressources d'un moyen de connaissance, celle que toute image, une fois reconnue, procure ; elle l'éloignait d'autant des émotions tragiques que Platon avait ailleurs *(République, Philèbe)* condamnées pour leur force d'envoûtement et leur ambivalence. Il faudra en outre distinguer entre une imitation grossière, qui reproduirait les gestes et les paroles comme un mime aussi habile que trompeur, dont la seule fin serait de tendre un miroir d'illusion, et une imitation savante insinuant dans l'image les conditions mêmes sous lesquelles la réalité se laisse représenter (espèces ou catégories, il n'y a pas à en débattre ici), lesquelles imposent une efficace « grammaire » de lecture et de traduction. Les raisons pour lesquelles la discursivité entrait dans ce régime de l'imitation, leurs implications stylistiques et proprement logiques, ont été brièvement exposées au chapitre III. Que le lecteur veuille bien ne pas s'étonner de ce contexte stoïcien. On y reviendra ici-même, à chaque fois que s'en imposera l'occasion.

dans le constat qu'Aristote avait consigné dans les premières pages de la *Poétique* (chap. 1) : « Mais l'art qui fait usage du langage en prose, ou des vers, et qui, dans ce dernier cas, peut combiner entre eux différents mètres ou n'en utiliser qu'un seul, n'a pas reçu de nom jusqu'à présent. Car nous n'avons pas de terme commun pour désigner les mimes de Sophron et de Xénarque et les dialogues socratiques. » Aristote rappelait aussi que, jusqu'alors, l'habitude avait été prise de qualifier les œuvres et les auteurs par le type du mètre utilisé. Rien donc ne permettait de qualifier l'œuvre en prose, sinon par ce qu'elle emprunte aux formes rhétoriques typées, quant aux lieux qu'elles utilisent et aux espèces de la persuasion qu'elles procurent. On conclura que la dénomination, pour nous imprécise, du roman grec s'inscrit néanmoins à sa juste place dans une problématique générale, ayant trait au statut encore incertain, aux moyens et aux effets de l'œuvre en prose, à compter du dialogue socratique, voire de l'ensemble des écrits platoniciens. Il fallut innover sans enfreindre l'usage ; d'où il suivit que les écrits de prose seraient qualifiés d'après leur modèle rhétorique dominant, faute d'une métrique qui les identifierait selon les anciennes normes. Au reste, on peut vérifier que la règle s'est imposée de déterminer un traité d'après son objet et la méthode de description et d'argumentation qui y donne accès — donc d'après le type d'imitation et de recognition qui leur est propre[1]. Ainsi en alla-t-il des écrits scientifiques : *(skepsis) Peri ouranou, Historia ton zoon,* etc. Pour les œuvres que nous dirions littéraires, l'exemple d'une dénomination classificatoire de ce type, périphrastique donc, associant le style, les moyens de l'imitation, et son objet, avait au reste été donné avec la définition de la tragédie (*Poétique*, chap. 6).

De ce bref détour par la *Poétique* aristotélicienne, on aura gagné d'apercevoir, sous les qualifications usuelles du roman grec, une asso-

---

1. Sous le terme de reconnaissance sera entendu : *anagnorisis,* terme aristotélicien apparenté par sa structure syntaxique tant à l'*anagnosis* qu'à l'*anamnèsis*. Dans tous ces cas, le préfixe *ana-* spécifie un acte de connaissance qui implique plus que le donné immédiat, sans pour autant se contenter des pures juxtapositions ou associations de la *mnèmè*. La même remarque vaudrait pour *analogia,* et pour *analusis*. Ce dont devra tenir compte toute interprétation des logiques grecques.

ciation, essentielle et déterminante, entre deux modes rhétoriques de persuasion, et deux *topoi* qui en étaient traditionnellement corrélatifs, en vue d'obtenir une œuvre comparable, et toujours alors comparée, à la tragédie. Soit entre le récit historique, qui se donne comme un acquis d'expérience (κτῆμα)[1], mais souffre de sa particularité autant que d'une faible unité d'action, et la rhétorique du *logos érotikos,* du discours de Banquet, dont la liberté dissimule et néanmoins renforce les multiples parénèses : éducation, louange, et protreptique. La synthèse était audacieuse, demandant à la détermination *érotikos* de résoudre la contradiction in terminis qu'avaient relevée les commentaires antiques, celle d'un drame qui serait conduit à la manière d'une histoire. Egalement audacieuses furent ses implications éthiques.

« HISTORIAN EROTOS »

C'est donc la conciliation d'effets contradictoires et cependant cumulés, nullement le sens banal d'une intrigue amoureuse, qu'il conviendra d'entendre dans la formule ἱστορίαν ἔρωτος, par laquelle le prologue de *Daphnis et Chloé* authentifiait le genre. Outre que la traduction immédiate, et pour autant peu évitable, pâtit d'un détournement de sens dont profite une littérature de second ordre, elle abolit une indétermination inhérente à l'usage et au contexte grecs. Car on ne peut d'emblée décider s'il s'agit d'une histoire ayant pour objet l'amour, en tant qu'il est une passion humaine, ou une histoire ayant trait au dieu Amour, lequel en serait le protagoniste, et, pour l'avoir fomentée, le véritable auteur. On verra que la conversion qu'obtient le roman est précisément que les héros, d'abord jouets de l'amour et soumis aux émotions violentes, gagnent peu à peu la sérénité en reconnaissant que leurs vicissitudes dévoilent une providence du dieu Amour. Le πάθος ἐροτικόν se fait τύχη ἐρωτική, chance ou destin inscrits dans les desseins d'Eros. L'*historia érotos* déploie son sens dans

_____

1. On ne peut éviter de rapprocher le *terpnon ktèma* de Longus (Prologue de *Daphnis et Chloé,* in fine) de la formule de Thucydide.

l'intervalle que délimitent les deux interprétations du terme génitif, selon qu'il désigne la passion vécue ou le dieu qui en assume le cours paradigmatique. Le mouvement se ferait donc avec changement déclaré de manière d'être, du passif à l'actif, ce qui donne au roman sa tonalité « physique ». Si le contexte immédiat incline d'emblée vers le second sens, une histoire dont Eros est le protagoniste, la suite ôtera toute hésitation : « Vous avez arraché à l'autel une jeune fille dont le dieu Amour veut faire une fable » (ἐθέλει μῦθον ποιῆσαι, II, § 27). L'histoire, machinée par Eros, implique que l'action est achevée, menée jusqu'à l'accomplissement de ses fins. Le stratagème du dieu, qui est aussi son épiphanie, confère son unité aux tribulations de l'héroïne. Il appartient à la conduite du récit que le second sens (actif) enveloppe le premier, et lui impose sa conversion.

On y reconnaîtra, encore que dans une tonalité finalement apaisée, le ressort de la tragédie de Sénèque, ces « tragédies à lire » : « Fata nolentem trahunt, volentem ducunt. » L'issue heureuse résulte de la docilité des protagonistes au cours des choses, et leur inconstance de ce qu'ils sont toujours en quête d'indices, et priés de ne pas céder au tragique apparent de la situation[1]. Ce jeu, entre le nom propre d'un dieu et le nom commun d'une force subie, susceptible d'être assumée activement, grammaticalisait donc toute l'intrigue. Le tour, dans sa précision littérale, est alors comparable à l'ambiguïté, celle-là irrésolue et savamment entretenue, de l'*amor Dei,* où les jansénistes avaient fixé la figure grammaticale de la grâce divine : dont ici on ne saura jamais si elle comble (génitif subjectif) ou déçoit (génitif objectif) l'amour que les hommes portent à la Divinité[2]. Rhétorique minimale et terrassante, que Port-Royal avait lue dans Augustin, et lui-même soustraite à ses maîtres latins : exacte et implacable objection à la réconciliation stoïcienne.

---

1. Voir, entre autres et nombreuses allusions à la tragédie qu'il s'agit toujours de tenir à distance, Héliodore, *Ethiopiques,* II, 11 : « Je crains que tu n'aies traversé la mer que pour jouer, contre moi, jusqu'en Egypte, une autre tragédie dans le goût athénien. »

2. Voir *Grammaire générale et raisonnée,* chap. VI : « Du génitif ». Et supra, p. 257.

Dans cette Histoire d'A/amour, on aura reconnu le thème d'un discours de Banquet, conduit selon la règle que Platon avait fixée (*Banquet*, 201 *d* 9 : dire ce qu'est Eros, sa qualité et ensuite ses œuvres, τὰ ἔργα αὐτου). Ce qui suffit pour introduire le terme nouveau, *historia érotos,* dans le réseau qui le lie à d'autres syntagmes : *logos érotikos, muthos érotikos.* Associations que la traduction banalisante ne peut ni préserver ni même tolérer. Et cependant le genre se constitue de ces deux déterminations : le Dieu assure l'unité d'action de ces péripéties qui ont ultimement le sens d'un parcours protreptique, d'un argument auquel les protagonistes consentent enfin. Cette composition réciproque, qui donne à la fois la face divine des choses et leur face humaine, intègre l'*historia* dans les droits immémoriaux du *mythos,* mais le convertit dans une structure argumentative (cf. Achille Tatius, *Leucippé et Clitophon* : « Ce que j'ai à dire (λόγοι) a plutôt l'air d'un conte (μῦθος) », et la description du lieu (I, 2), qui évoque, sans doute possible, le *Phèdre* et les bords de l'Illissos : platanes, source fraîche... Plus saisissantes encore sont les analogies entre les points de départ, du récit puis de l'initiation philosophique, dans la *République* et dans *Chaeréas et Callirhoé.* Dans les deux cas, la scène s'ouvre sur le tumulte de la ville où se rencontrent ceux qui sont venus voir la procession d'une déesse — Socrate ou Callirhoé —, et ceux qui fréquentent le gymnase — interlocuteurs de Socrate, ou Chaeréas ; dans les deux cas elle prend un nouveau départ dans la caverne dont le tombeau, où Callirhoé reprend sens, est une trop exacte réplique pour qu'on la méconnaisse). Le défi de la *Poétique* était donc relevé, et sans préjuger de l'excellence des œuvres que ce propos réunit, il en est encore de plus formels exemples. Trois fragments de papyrus ont gardé la trace d'un roman qui se donne explicitement comme une suite de discours de banquet (le *Roman de Parthénopé*). En participe encore le *Satiricon,* au moins pour une partie, la *Cena Trimalchionis,* eût-il été écrit dans le mode parodique[1].

---

1. Sur ce roman de *Parthénopé,* voir Th. Hägg, *The Novel in Antiquity,* p. 18 ; sur le *Satiricon* et la tradition du discours de Banquet, voir F. Dupont, *Le plaisir et la loi,* Paris, 1977.

Il reste à saisir l'économie caractéristique du genre à l'intersection de deux mouvements, le protreptique d'Eros et le cours en méandres d'aventures narrées, dont le même Dieu assure l'unité ; à comprendre la conjonction des contraires, entre le mouvement ascendant de la dialectique et la séduction rhétorique de la *diégésis,* entre la providence d'Eros et les vicissitudes qui l'accomplissent. Et puisqu'il s'agit de propos et de manières rhétoriques à première vue incompatibles, d'une forme poétique inattendue du protreptique platonicien ici agrémentée des ressources de l'*historia,* seule une analyse in medias res pourra mettre à nu les ressorts de ces écrits que nous appelons *romans.* Il va de soi que, n'appartenant à aucun des types rhétoriques qu'il fallut apparier, ils devaient échapper à toute enquête sur les sources d'un genre qui, pour ces mêmes raisons, n'en pouvait avoir. Et plutôt que de s'en remettre aux dieux obscurs du syncrétisme, on suivrait à meilleur escient les critiques anciens, et l'exemple d'Aristote, en mesurant le genre à son *art poétique.* Or tel est bien le sens déclaré du Prologue de *Daphnis et Chloé.* La lumière qu'il jette sur l'exactitude d'un genre réputé amorphe appelait une double contre-épreuve. On vérifiera d'abord que le schème organisateur de la pastorale de Longus permet de regrouper en un famille de variantes le catalogue entier des romans grecs. Ce prologue serait ensuite confirmé dans sa fonction « canonique » s'il s'avérait que le roman moderne s'est constitué par l'élimination consciente de ces mêmes traits structurels et rhétoriques que Longus avait fixés. De surcroît, et par l'effet conjugué de ces deux épreuves, les ambitions politiques du roman alexandrin, latentes mais essentielles, prendront un relief inattendu.

LE PROLOGUE DE DAPHNIS ET CHLOÉ

En l'île de Lesbos, chassant dans un bois consacré aux Nymphes, je vis la plus belle chose que j'aie vue en ma vie, une image peinte, une histoire d'amour. Le parc, de soi-même, était beau ; fleurs n'y manquaient, arbres épais, fraîche fontaine qui nourrissait et les arbres et les fleurs ; mais la peinture, plus plaisante encore que tout le reste, était d'un sujet amoureux et de merveilleux artifice ; tellement que plusieurs, même étrangers, qui en avaient ouï-parler, venaient là dévots aux Nymphes, et curieux de voir cette peinture. Femmes s'y voyaient accouchant, autres enveloppant de langes des enfants, des petits poupards exposés à la merci de fortune, bêtes qui les nourrissaient, pâtres qui les enlevaient, jeunes gens unis par amour, des pirates en mer, des ennemis à terre qui couraient le pays, avec bien d'autres choses, et toutes amoureuses, lesquelles je regardai en si grand plaisir, et les trouvai si belles, qu'il me prit envie de les coucher par écrit. Si cherchai quelqu'un qui me les donnât à entendre par le menu ; et ayant le tout entendu, en composai ces quatre livres, que je dédie comme une offrande à Amour et aux Nymphes et à Pan, espérant que le conte en sera agréable à plusieurs manières de gens ; pour ce qu'il peut servir à guérir le malade, consoler le dolent, remettre en mémoire de ses amours celui qui autrefois aura été amoureux, et instruire celui qui ne l'aura encore point été. Car jamais ne fut rien ni ne sera qui se puisse tenir d'aimer, tant qu'il y aura beauté au monde, et que les yeux regarderont. Nous-mêmes, veuille le Dieu que sages puissions ici parler des autres ! (Traduction Amyot, revue par Paul-Louis Courier.)

L'admirable traduction de ce Prologue (celle que Goethe a lue) en relève les intentions. D'autant que les Pastorales elles-mêmes, dont la brièveté insolite retint l'attention de commentateurs que cette épure déconcertait, sont construites de manière à rendre évidente la géométrie du genre[1]. Parce que le Prologue annonçait l'instance théorétique dont il se réclame, les circonstances de l'écriture et ses finalités enchaînées, cet opuscule exemplaire en révélait aussi la déontologie. Non que cet écrit tardif ait innové ou prescrit ; il vaut pour proposer, avec une extrême économie de moyens, la formule classique d'un genre saisi dans ses lignes de force. S'y avère une réflexion extraordinairement habile, menée au fil des potentialités littéraires qu'elle parfait, de même que la plus petite toile de Vermeer récapitule, maîtrise, et juge la peinture de genre hollandaise.

Pour n'en retenir d'abord que le mouvement déclaré, Longus dit avoir rencontré, par le hasard d'une chasse, une peinture dont l'extrême beauté suspend l'ardeur de la poursuite et le convainc d'écrire les quatre livres qui en seront la réplique. Ces mêmes livres seront une offrande aux Nymphes, avant même que leur vertu soit

---

1. Ne pas oublier que la nouvelle s'achève par un CQFD souligné : Χλόη ἔμαθεν.

proposée à ceux que l'Amour éprouve, et pour peu que le Dieu ait rétribué l'auteur d'une sagesse à la mesure de son entreprise. C'était là poser, pour le dire en termes aristotéliciens, l'objet, les moyens et le propos de la *mimésis*. S'y trouvait défini le statut du livre, dont la création eût été entièrement dérobée à Longus si n'était l'application qu'il avoue (*exeponèsamèn* : forme moyenne, aoriste, où le préfixe du verbe accentue l'indication du procès), si n'étaient encore les dédicaces qui imposent au texte leur propre modalité.

Captatio benevolentiae, le livre se donne pour une réplique de l'image (*antigraphé*). S'agit-il d'une *ekphrasis,* terme dont la technicité rassure ? On l'a affirmé et aussi souvent nié, sans que la question ait été véritablement déterminée. S'il s'agit d'une « description de tableau », quelle serait son envergure, se limite-t-elle à ce Prologue, ou faut-il inclure les quatre livres des Pastorales ? Et encore, faudrait-il voir dans le genre même du roman un cas particulier d'*ekphrasis,* sinon la tératologie d'une manière rhétorique au demeurant pour nous obscure, et plus tolérable dans ses formes brèves ? La réponse ne peut évidemment venir de ce que l'on saurait être par ailleurs le roman grec ou l'*ekphrasis,* puisque les deux termes sont eux-mêmes indécidés, et le plus souvent rapprochés pour partager une même infortune. Or, si la fréquence de ces « descriptions de tableaux » dans le roman hellénistique laisse présumer que les deux genres ne sont pas indépendants, la charge demeure d'en établir les raisons.

Au reste, la valeur explicative trop vite accordée à l'*ekphrasis,* pure lecture d'une scène tout entière déjà exposée, relèverait encore de ce souci des origines, cherchant dans un genre grec un état minimal de l'écriture, et comme une interprétation littérale de la *mimésis* antique. Ce dont nous préservera l'inattendu *antigraphé*. Ni copie, ni rivale de l'image, l'écriture du livre en sera essentiellement le répons, ou encore l'équivalent sous une autre espèce, tout entier impliqué dans l'asyndète qui ouvre le prologue : « Une image peinte, une histoire d'amour. » Asyndète, parce qu'il n'y a aucune liaison *interne au système discursif* pour dire le principe même de cette discursivité, dont on saura bientôt la double contrainte. La première sera de faire passer le fil continu d'une histoire au travers de scènes d'abord données par masses et perçues *tota simul.* Donc y introduire, ou en extraire, l'ordre d'un récit : première et faible synthèse, livrée aux conjonctions et coordinations de temps (καί, ἔπειτα). Ce trajet effectué dans le labyrinthe de l'image sera confirmé à son terme, le lecteur apprenant que le tableau, ex-voto que les deux héros avaient dédié aux Nymphes, fixait en effet les moments décisifs de leur aventure. Mais il fallait aussi, deuxième contrainte, que le texte, auteur et lecteur conjoints, puisse anticiper cette reconnaissance, prononcée par les héros eux-mêmes, en projetant sur la distribution des épisodes le schème général d'une action bien centrée, égale au projet du Dieu, et dont l'image donnait aussi quelques signes décisifs. Ainsi le Prologue décline d'abord la série fondamentale de l'accomplissement érotique, la ligne de causalité principale (naissance, éducation, mariage, et naissance de nouveau) traversée mais non réellement perturbée par des causalités adventices, dont l'effet sera de contribuer à l'issue qu'elles semblaient d'abord contrecarrer (exposition d'enfants, pirates, incursion d'ennemis). Cette lecture constitutive, attachée avant tout à l'ordre et aux finalités physiques, montrant le triomphe d'Eros dans les vicissitudes quotidiennes, relève pour sa part d'une exégèse *eis ta phusika,* formule stoïcienne si l'on veut, éprouvée dans l'analyse des mythes et des tableaux où Chrysippe et Cléanthe furent exemplaires[1]. La leçon physique l'emportera, attestée par l'initiation érotique du livre et les termes didactiques qui le concluent. Elle était annoncée, dès lors que Longus s'était inquiété d'un « exégète ». Son intervention suffit à donner au livre la convention sérieuse du naturalisme antique, religion et philosophie confondues.

Ainsi l'image se métamorphose en un long récit dont elle n'était d'abord que la vaste et imprécise prolepse : tout juste suffisamment belle et suffisamment obscure pour en susciter l'entreprise, écrasant sur une même surface scénique les causalités, principale et circonstancielles, dont la lecture informée allait rétablir la hiérarchie. Le rapport entre le tableau, modèle réduit d'une nature mise en espèces visibles, ce qui s'y laisse voir, et ce que l'on en doit dire, pour avoir donné sa formule au livre, dessinait une phénoménologie exemplaire. On pourrait montrer qu'elle reflète,

---

1. Cf. Diogène Laërce, *Vies...,* VII, 187, et les textes analysés plus haut, chap. III, p. 99 à 104.

dans un résumé pour nous esthétique, l'analogie dont elle tire son principe et son nom. Il suffira ici que ce modèle, conçu pour exhiber son art poétique, en éclaire l'équation constitutive : que la cohérence concrétisée dans l'image, que le tissu indéchirable des causes et finalités physiques, imposent une règle de traduction à la séquence discursive, apparemment plus libre, lors même qu'elle en déploie la leçon la plus exacte. On comprendra encore que l'image joue un double rôle. En tant que tableau peint, et dédié aux Nymphes, elle maintient dans une mesure humaine une aventure dont la cohérence ne pouvait être que rétrospective. Elle l'inscrit dans les dimensions exactes de sa reconnaissance par ceux-là mêmes qui en ont parcouru les épisodes. En tant qu'image, et par le simple fait qu'elle montre, dans la généralité d'un schème, l'enfantement, l'élevage, le sevrage, les émotions amoureuses et les concupiscences, les élans et leurs traverses, elle double les perceptions humaines de leur corrélat de causalité naturelle, que symbolise l'unique et universel gouvernement d'Eros. L'image donne à la fois une vue d'ensemble sur les choses humaines et le principe réel qui les organise ; elle décline les choses participées, épisodiques, en même temps qu'elle montre le dessein physique, c'est-à-dire les finalités théologiques, dont les premières participent. Elle vient au-devant d'une phénoménalité usuellement déficiente, et suppose esthétiquement résolue la tâche de mise en forme qui permet enfin de « sauver les phénomènes ». Longus en cristallisait l'essentiel en une version analogique, immédiate, dont le statut mythologique, ici structurellement parallèle à celui d'une écriture phénoménologique — et telle fut bien la compétence de la Seconde Sophistique que d'en avoir assimilé le tour — diffusait universellement la leçon.

L' « EKPHRASIS », VARIANTE DU PROTREPTIQUE

Aussi, loin de considérer cet *intarso* du tableau dans le livre comme un encart maladroit, promptement restitué au savoir archéologique qui en aurait le meilleur usage, on y reconnaîtra l'indice d'une structure littéraire complexe. Gardons en mémoire que Longus a voulu d'abord dresser le théâtre naturel où s'offre l'image, afin d'y ouvrir le temps sus-

pendu de sa contemplation. Il en transmettait ainsi le double et grandiose appareil, celui d'une beauté d'artifice resserrant dans sa finitude
tout le sens d'une beauté naturelle, au livre et à la lecture du livre. Resterait néanmoins à comprendre comment l'*ekphrasis* put être un instrument rhétorique ou l'élévation, induite par la beauté sensible et propre à
la dialectique amoureuse des discours de Banquet, vint à composer avec
la reconnaissance de l'action narrée, sollicitant donc la même extension
de l'effet protreptique que le roman avère. Si l'*ekphrasis* a pu servir
d'opérateur pour la structure romanesque, inversement cet usage romanesque devrait éclairer un genre estimé artificiel et peu compréhensible.
Le parallèle, évident et depuis longtemps instruit par les philologues,
entre la rhétorique de l'*ekphrasis* et ses lieux romanesques, ne peut manquer de jouer en retour sur le terme de référence.

Le tableau est l'instance où composent entre elles deux lectures,
lecture divine ou physique de la scène, et lecture humaine ou tribula-
toire. C'est la surface où la scène mythologique dépose l'épiphanie des
intentions divines, scène en laquelle les spectateurs s'introduisent,
sous réserve d'accepter l'un des rôles qui y sont déjà inscrits. Ou
encore, le tableau met en coïncidence deux lectures de la scène, celle
grandiose, mythique, à la mesure des finalités universelles que l'exégète fait voir, lors même qu'il dit la leçon anecdotique de l'image, et
celle que le lecteur souligne de ses assentiments tout socratiques[1].

Friedländer refusait au Prologue de Longus le caractère d'une *ekphrasis,* limitant celle-ci à la « description » *(Beschreibung)* d'œuvres
d'art, existantes ou fictives. De telles descriptions permettraient l'identification d'œuvres connues par ailleurs, se substitueraient aux œuvres
perdues, et témoigneraient du goût antique, contre lequel les préceptes de Lessing ne sauraient prévaloir. Quelle que soit la pertinence
du propos archéologique, il est évident qu'il ne peut justifier rétroac-

---

1. Cf. les *Eikones* de Philostrate. La récente et très utile édition de Schönberger,
Munich, 1968, analyse, en préface, les commentaires de Goethe. Il faudrait reconnaître dans les *Salons* un allomorphe de ce genre — et leur fonction encore « phénoménologique » — sans omettre les conversations tenues par les Romantiques d'Iéna
devant la Madone Sixtine enfin exposée à Dresde. Ultime et fictif Banquet ?

tivement ni l'intention, ni l'effet, d'une éloquence que nous ne comprenons plus. La question demeure d'en expliquer l'antique succès. Sans nul doute, ni la brève analyse du tableau que donne le Prologue de Longus, ni les quatre livres des Pastorales ne sont d'emblée assimilables aux « descriptions » publiées par Friedländer, celle de la mosaïque de Gaza ou de la basilique Sainte-Sophie. Trop de circonstances et d'années, au reste, les séparent. La différence serait moindre si l'on prenait pour terme de comparaison les *Images* de Philostrate. On ne décidera donc pas du cas singulier des Pastorales sans quelques autres considérations, fussent-elles de simple prudence.

Entendait-on l'*ekphrasis* dans le sens technique le plus étroit que les textes recommandent ou tolèrent, il reste qu'aucun effet rhétorique n'est vraisemblable qui ne puiserait dans le répertoire des moyens, des évidences et des genres dont disposait simultanément l'esprit public. Au reste, cette description d'œuvres d'art, à laquelle se tient Friedländer, n'a rien d'un article de muséographie. Paul le Silentiaire décrit la scène représentée, non la représentation de la scène, il ne décrit pas Sainte-Sophie, mais la cérémonie entière de sa dédicace[1]. Encore s'agit-il plutôt d'une réplique, dans le style orné, du cadre et des intentions qui traversent la scène, lui donnant son unité de lieu et ses modalités. La basilique elle-même est le miroir durable de cette intersection des mondes où César et la Sainte-Trinité font communier les puissances divines et civiles. *Commémoration* serait aussi juste que *description,* s'agissant d'inciter l'auditeur à participer à cette scène d'où il reçoit une plus noble identité[2]. La limite est bientôt indiscernable entre la « description » de la scène, et le développement du drame

1. On objectera que la description par Homère du bouclier d'Achille, toujours citée, associe à la description de la scène gravée celle du bouclier, donc de son support, des métaux qui le composent, de son relief et de ses dimensions. Mais l'ouvrier est un dieu, et l'image sa vision, qu'il donne à voir. Ce forgeron divin transforme une substance opaque en l'éclat même d'un cosmos livré aux travaux pacifiques des hommes. Et cette démiurgie accroît l'effet protreptique.

2. Sur la relation de l'âme individuelle à l'ordre cosmique, caractéristique de l'Antiquité tardive, voir Peter Brown, *The Making of Late Antiquity,* 1978, Cambridge (trad. fr., Paris, 1984) et *The Cult of the Saints,* 1981, Chicago, Londres (trad. fr., Paris, 1983).

qu'elle récapitule. A ce compte, les Pastorales de Longus seraient une espèce dans les limites d'un genre reçu, et le commentaire de la galerie de tableaux interfolié dans le *Satiricon,* que Friedländer rejetait à meilleur escient, en relèverait encore : pour cela même qu'il s'ingénie dans l'excès et le débordement.

Or, si n'était l'intention d'inviter l'auditeur à la cérémonie décrite, d'en formuler les actes (ἐϰφράζειν), et d'en distribuer les rôles, on s'étonnerait de la pérennité d'un genre que Curtius, reconnaissant sa fortune dans la littérature latine du Moyen Age, rapporte au panégyrique, lui-même tardivement évadé de l'éloquence épidéictique. Nul doute alors que l'éloge de la chose, le faire-valoir de la scène, n'aient permis d'enfouir l'argument dans la description des faits. Quel est-il ? Epictète en a dit la force protreptique, et il fallait en effet la dire. Alors que la rhétorique de prétoire et l'éloquence politique conduisent à la décision, à l'inverse le panégyrique suspend les certitudes coutumières. Il déconcerte, conduit à s'étonner de l'ordonnance magnifiée, à reconnaître la main de l'ordonnateur, à prendre place dans cette cosmologie. « Il y a donc un être qui la gouverne. Quel est-il ? Comment la gouverne-t-il, et nous qui sommes-nous ? Par qui venons-nous à l'existence et pour accomplir quelle œuvre ? » Le philosophe est panégyriste, en la circonstance son enseignement se donne comme le protocole public de cette cérémonie tacite où chacun, fût-ce à son insu, tient, bien ou mal, son rôle dans le miroir d'objectivité du monde[1].

La description d'une œuvre d'art, en place d'un site naturel ou civil, y ajoute de fixer dans la chose même sa modalité protreptique : formuler la beauté du tableau, c'est dire sa magnificence ordonnatrice et sa capacité à prendre en charge le chaos du monde qu'il surplombe, c'est une invite pour chacun à épouser ce point de vue pour donner forme aux épisodes, autrement informulables, de sa propre existence, à la jouer dans les règles d'une splendide nécessité. A preuve que l'*ekphrasis* est toujours la restitution d'un drame ou, pour les pièces plus brèves et l'art plus court de Callistrate, de l'une de ses phases. Le

---

1. *Entretiens,* II, 14, 25. De manière générale, sur les rapports entre la Seconde Sophistique, l'*ekphrasis,* et l'école stoïcienne, cf. supra, chap. III.

roman métonymise cette relation, celle qui unit la scène intelligible aux tribulations vécues. A l'inverse la considération spécifique de ces descriptions, leur édition séparée du contexte ou de la relation rhétorique (telle la situation proprement socratique du dialogue des *Images*), entretiennent le malentendu. C'est à ce prix que l'*ekphrasis* put être versée au dossier de l'archéologue et le roman grec à la narrativité universelle, voire à ses tolérables futilités.

L'*ekphrasis* de Sainte-Sophie par Paul le Silentiaire[1] serait l'exemple le plus favorable aux limitations que Friedländer impose au genre, et cependant elle les a déjà franchies. L'orateur décrit en effet la basilique nouvelle au jour de son inauguration par l'empereur Constantin, et les détails architecturaux, il est vrai, ne font pas défaut. Déclinant la facture de la basilique, ils la donnent à voir. Elle-même ou le tabernacle ? La scénographie est celle d'un culte auquel l'auditeur est convié, en même temps qu'invité à en transcender les espèces visibles. L'ordre de la description est celui de la procession, et si des piliers de l'ambon nous apprenons la couleur et la matière, ce n'est que pour mieux différencier les points de l'itinéraire où se fait la lecture des livres saints. L'*ekphrasis* de Sainte-Sophie articule l'une à l'autre deux actions, la procession inaugurale et le service sacré qui finalement l'englobe et lui donne sens. Il n'est pas, et pas moins ici qu'ailleurs, de description indépendante des finalités ou démonstrations qui se l'approprient.

MODALITÉS ET RECONNAISSANCES

L'action du Dieu une fois reconnue, et deux fois honorée d'un ex-voto, pictural et poétique, Longus en monnaye le sens *ad modum recipientis*. Dernière clause de son *ars poetica*, le Prologue s'adresse aux destinataires du livre. Il modalise l'intention rhétorique en autant de souhaits et de prévenances qui graduent l'effet protreptique. « Celui qui souffre sera soulagé, l'affligé y trouvera une consolation, celui qui a

---

1. Paul Friedländer, *Johannes von Gaza und Paulus Silentiarius, Kunstbeschreibungen Justinianischer Zeit,* 1912, Leipzig ; Nachd. Hildesheim 1969.

aimé l'occasion d'une anamnèse, et celui qui n'a pas encore aimé celle de s'y préparer... Quant à nous, que le Dieu nous accorde d'écrire, en esprit de sagesse, les tribulations des autres. »

Jouant de l'ambiguïté « platonicienne » de la beauté, foyer principal de l'émotion et objet propre de la contemplation, Longus parcourt donc le registre entier des vertus éthiques et des vertus dianoétiques : d'une situation de détresse physique à la sagesse (σωφροσύνη) qu'aucune passion ne saurait désormais troubler. Dans cet itinéraire, chaque étape est doublée de la lucidité compatible : de la blessure d'amour subie au regard que porte le spectateur sur une situation dont il s'est lui-même libéré, et dont il publie l'expérience (κτῆμα). Ce faisant, Longus signait l'outrepassement du protreptique platonicien : le voici contraint d'inclure la *catharsis,* que l'on croyait propre au plaisir tragique, et l'autorité de l'advenu qui qualifiait l'historien. La structure littéraire ici démontrée confirmait, dans l'intention et dans les effets, cette hybridation de moyens contradictoires que les Anciens avaient excellemment notée.

Avant d'en éprouver plus avant la technique, il vaut d'en mesurer l'ambition. Les dernières dédicaces, modèles de tant d'Avertissement au lecteur et Préface à venir, réunissent deux instruments platoniciens que le partage des écoles issues de l'Académie avait disjoints selon qu'avait été choisie la parénèse ascendante du *Banquet,* ou poursuivie la dialectique du *Sophiste.* Longus ne recommande pas le *souvenir* d'un amour passé. A traduire ainsi, le terme platonicien est menacé d'insignifiance, et même peu convenant. Porter l'expérience amoureuse à l'anamnèse c'est, à l'inverse d'un simple souvenir, en comprendre l'économie essentielle, et le commerce qu'elle ouvre avec l'ordonnance « divine » des choses. En s'adressant à l'éraste, Longus préparait la conclusion de son livre, où Chloé, récapitulant son propre cheminement dans l'intelligibilité d'une image apaisée, unifiait le discours protreptique avec l'économie d'un récit, donné dans la dialectique de ses causalités et de ses épisodes. Dans le mode, donc, où l'histoire fait leçon pour d'autres. Longus abolit ici la distance que Platon avait (provisoirement ?) maintenue entre le récit (mythique) et l'ascension dialectique.

En prêtant au héros, comme à tout lecteur qui le suivra, une telle aptitude à reconnaître le sens « commun » d'une histoire anxieusement vécue, Longus amenait en coïncidence deux procès de « reconnaissance ». D'une part chacun accéderait, fût-ce par le biais du livre et de la fonction littéraire qui s'y trouvait impliquée, à l'exercice du « connais-toi toi-même » socratique, apprenant à se placer, lui-même, ses passions et les fragments de sa vie, dans l'action qui se dessine sur le *frons scenae* de la nature. Exercice d'autant plus littérairement et philosophiquement sollicité que l'œuvre de la nature se laissait moins apercevoir dans les désordres de l'Antiquité tardive. Cette reconnaissance, que Chloé formule à la manière d'une leçon (ἔμαθεν), se subordonne toutes celles qui, internes à l'action narrée, se font par divers truchements : rubans, inscriptions, linge noble et autre *gnorismata*. De tels ingrédients, s'ils ont pu induire un parallèle équivoque avec la comédie moyenne, jouent ici comme dans la tragédie, où il peut se faire qu'ils servent la péripétie en même temps que la prise de conscience — ainsi les chevilles d'Œdipe témoignent des circonstances de son exposition. D'autre part cette reconnaissance, où se conclut l'épreuve et le protreptique du héros, rejoint celle par laquelle l'auteur prend possession de l'unité du drame et communique au lecteur l'intelligence de cette vue perspective et distanciée.

LA TECHNIQUE DU ROMAN ET SON PLAISIR PROPRE

Le plaisir romanesque allait donc se constituer entre le parallèle et le défi que lui imposait la tradition tragique. Il naît de la coïncidence ultime, mais toujours pressentie, entre deux reconnaissances : l'une, où le héros, que le lecteur a accompagné dans son périple selon les modalités que Longus a spécifiées, acquiesce à son destin et en reconnaît le tour propédeutique ; l'autre, anticipée, que profile la mise en tableau du récit et la prolepse d'une cohérence rétrospective, propre aux choses advenues et fixées dans leur leçon. Plaisir de prévoir et de savoir que les « choses humaines (τὰ ἀνθρώπινα) » dévoileront enfin leur intelligibilité, et qu'elles étaient inscrites dans les « choses divines (τὰ φυσικά) ». La formule est stoïcienne, mais bien près d'avoir été universellement acceptée par toutes les philosophies hellénistiques, si l'on avait pu s'accorder sur les moyens d'y parvenir, ou de simplement y croire.

Deux traits, à première vue de pure technique, expliciteront la singularité romanesque. En elle-même la coïncidence d'un cheminement de la conscience, interne à l'action, donc éprouvé par l'un des protagonistes, avec une péripétie, laquelle n'a de sens que du point de vue de l'unité d'action à laquelle seul le lecteur accède d'abord, tandis qu'elle demeure jusqu'au dernier épisode voilée aux personnages, n'est pas nouvelle. Aristote avait montré comment ce recouvrement portait à l'excellence l'art et le plaisir tragiques. Mais alors qu'ils s'accroissent de la pitié et de la terreur dont les héros infortunés sont l'objet, le roman compose ces deux reconnaissances, au point de les identifier. Car le lecteur, différemment du spectateur tragique, participe toujours et continûment des deux économies d'action, celle successive et pathique des protagonistes, celle synoptique et complice du narrateur, fût-ce sous l'espèce de modalités concurrentes, à chaque instant tendues entre l'émotion et l'assentiment, lequel doit l'emporter nécessairement. Où il se fait que la leçon physique impose d'autant plus vivement son implacable vérité.

On notera encore que le roman, dont l'étendue ne connaît pas la limite imposée à une représentation conçue afin que le plaisir tragique n'ait pas de relâchement, devait rappeler dans son cours ce double cheminement spirituel demandé au lecteur : suivre les vicissitudes imposées au héros, sans perdre le recul d'une vue d'ensemble ni le crédit d'intelligibilité accordé d'emblée. Il y allait ici de la composition, du style et des procédés qui décideraient du succès de l'entreprise. Ce qui valut au genre une longue mise au point, pour une formule promise à un non moins durable succès. Pour dire l'essentiel, on en choisira trois aspects.

1 / Il y fallut d'abord cette construction du récit qui devait libérer l'*historia* de sa consécution simplement épisodique. Longus en relève le défi en inscrivant le temps des Pastorales dans le temps physique des quatre saisons, césures pour quatre livres. Quatre saisons qui abritent à leur tour quatre moments, valant cours exemplaire d'une vie humaine. Le cycle se parfait d'une naissance à une autre naissance,

avec recouvrement du premier épisode par le dernier. Et l'histoire se dessine sur ce temps fondamental que confirme le règne entier de la nature, hommes, bêtes et jardins confondus, temps de la reproduction de la vie, et d'un amour sans autre remède que son accomplissement. Maîtrisant par ce schème, subjectif et objectif, la synthèse temporelle, Longus donnait au genre un cadre : le cours unitaire et pensable d'une vie, unité transposable, simultanément physique et pathique, et sous-jacente à l'unité, première visible, que proposait le tableau. Réponse, dans la synopsis de la scène peinte, à l'énigme du sphynx ; elle montre que les âges de l'homme sont inscrits dans un cycle, celui du recouvrement des générations, et tous articulés par la succession des saisons, leur commune et sensible mesure.

Quant aux épisodes, le récit rappelle en chacune de ses étapes une identité posée a priori dans le tableau, où elle scellait l'échange des finalités naturelles et des finalités humaines, entre le dessein du Dieu et les incertitudes érotiques des adolescents. En chacune des péripéties, la solution progresse, l'éros subjectif acquérant un peu plus de réalité, et le cours des choses un peu plus de finalité : parce qu'il exhibe sa structure cyclique. Or c'est ici que tout se joue et se renverse. Eros obtient que les protagonistes veuillent cela que la nature demande. Le mouvement pro-treptique et subjectif compose avec le dessein de la nature parce que leurs temps entrent en analogie, donc entretiennent le même système de prolepses, d'espérances et de rétrospections. La Pastorale de Longus est construite comme un cadran solaire, convertissant le temps physique en temps humain. Au reste, c'est bien par l'intelligence de la nature, géné-reusement rémunérée par la vie heureuse, que se conclut l'histoire : « Alors Chloé comprit (ἔμαθεν) qu'il en est fini des jeux de berger » (IV, 30). L'histoire vient s'abolir dans son terme, où le temps piétine, puisque les deux héros continuèrent exactement la vie d'antan, mainte-nant comprise du regard que le Dieu lui-même, par l'intermédiaire du récitant, avait jeté sur l'affaire.

2 / Il n'y eut donc qu'un seul mouvement dans le livre, qu'un seul bougé dans cette scène fixe, enclose dans la monophonie d'une vie rurale, les contours d'une île qui résiste aux enlèvements des pirates, et le quadrilatère des saisons. Et ce mouvement n'était qu'accessoirement d'ordre historique. Peu importe même que l'histoire n'ait jamais eu grand sens autre que conventionnel, puisque l'essentiel en était dans l'échelle des modalités vécues, de l'émotion à la connaissance, du *pathos* à la *mathesis,* dans cette hybridation réussie, qui vaut un transcendantal d'expérience, entre le temps du désir, pure prolepse d'incertitude, cet « incorporel » stoïcien, et le temps des actes, qui a la réalité toute physique des choses et l'imprescriptible nécessité de la nature : présent éternel que matérialise le *tota simul* du tableau. Pierre-Daniel Huet fut d'une admirable cohérence dans ses exclusives, puisqu'il niait une leçon qu'il ne pouvait ni lire ni entendre. S'il fallait louer la distraction que procurent la digression et la péripétie insolite, alors les Pastorales eussent été en effet bien maladroites. « Il commence grossièrement à la naissance des bergers et finit à leur mariage. Il ne débrouille jamais ses aventures que par des machines mal concertées, si obscènes au reste qu'il faut être un peu cynique pour les lire sans rougir. » Huet accordait que le style tient « de l'orateur et de l'historien », pour mieux abonder dans le blâme : « Il essaye, comme la plupart des autres sophistes, de retenir (son lecteur) par des descriptions hors d'œuvre, il s'écarte du grand chemin. » Que pouvaient dire à Huet ces jardins inlassablement dépeints, précieux entre toutes choses — calendriers floraux[1] — sinon une païenne innocence ? De ce roman analogique, le tour serait plutôt d'une spirale, quand le « grand chemin », où l'attendait Huet, eût été celui de l'errance et du retour, du péché et de son désaveu, et le reniement son essentiel épisode. Et puisque Longus s'en était tenu à la plus simple épiphanie d'Eros, confiée à de bien dociles truchements, Huet n'en voulait pas voir plus. Néanmoins la rusticité de l'affaire l'autorisait à plaider deux fois l'indulgence : « J'ai traduit avec plaisir ce roman dans mon enfance ; aussi est-ce le seul âge où il doit plaire. » D'autant que le plaisir pris (innocent parce que puéril ? ou « obscène » par le fait d'un âge dont le

---

1. Sur les calendriers floraux, il ne sera pas vain de rapprocher les jardins du château de Villandry des « calendriers d'odeur » des insulaires Andaman, évoqués par Claude Lévi-Strauss (*La potière jalouse,* Paris, 1985, p. 15). Sans omettre nombre d'almanachs populaires du XIXe siècle, qui en réapprenaient, dessins à l'appui, l'usage et la leçon.

XVIIᵉ siècle n'attendait aucune civilité ?) avait la saveur du miel dont on enrobe l'apprentissage des langues classiques. Ce péché avoué serait de gourmandise, le moins capital des péchés capitaux. Il a ici mission de convertir la concupiscence au pain spirituel de la langue néotestamentaire. Il est peut-être sous-entendu que cet appât relevait de la pédagogie divine.

3 / Vient enfin la fonction, emblématique du propos littéraire, confiée aux tableaux et « descriptions ». Quelle que soit leur place, incipit du roman ou *deus ex machina* intervenant dans une situation apparemment inextricable, ils viennent éclairer l'intrigue en projetant sur l'anecdote où évoluent les héros un sens mythologique, général, répétable, et toujours susceptible d'une exégèse connue. Ils réintègrent l'épisode, fût-il égyptien, perse ou barbare, dans l'universelle représentabilité de toutes choses, laquelle leur impose un visage anonyme mais déjà déchiffré. Ils dissipent l'incertitude des protagonistes par l'avertissement autorisé que consignent les mythes représentés. En eux se confondent, de manière sensible, le double sens d'Eros sur lequel se construit le roman : sa valeur émotive, que capture l'éclatante beauté du tableau chargée d'en suspendre pour un instant la tyrannie, et la nécessité de ses ordonnances, dont le tableau est l'édit public.

Parfois inséré dans le récit qu'il suspend, le tableau remémore, à l'occasion d'une péripétie, l'économie générale du roman, comme s'il fallait en faire jouer de temps à autre les ressorts, et remettre en mémoire le système de la double reconnaissance. Ainsi Leucippé et Clitophon, troublés par un présage défavorable, en apprennent-ils le sens. « Je me tournai, étant par hasard devant l'atelier d'un peintre, et vis un tableau exposé dont la signification symbolique était la même : il représentait le rapt de Philomèle et son viol par Térée... Le déroulement du drame était entièrement exposé sur le *pinax* » (V, 3). Il ne restait aux protagonistes qu'à s'identifier aux personnages et à reconnaître leur vie potentielle dans un rôle que, dans ce cas précis, ils éviteront de prendre : le roman eût tourné en tragédie. Plus éloquent sera le déploiement du tableau à l'ouverture du récit, où il porte, mais en énigme, toute l'histoire. S'y déterminent a priori le *muthos* dont l'auteur est le répondant, l'anamnèse rétive des protagonistes, enfin l'intelligence du lecteur qui participe des deux et dont l'intérêt, on l'a dit, se tend de l'une à l'autre. Sur cet a priori, diverses combinaisons sont possibles, intermédiaires entre la grande manière d'une fresque, la féerie d'amphithéâtre ou le tableau de chevalet :

— soit que le tableau se donne en surplomb de l'histoire, en attente des personnages réels qui s'y introduiront. Ainsi commence *Leucippé et Clitophon,* quand le narrateur aperçoit un tableau représentant le rapt d'Europe. Vient une description, déclarant la toute-puissance de l'amour auquel Zeus lui-même fut soumis. L'histoire s'engage quand un jeune homme, qui se trouvait entendre le soliloque du narrateur, s'écrie qu'il en a, lui aussi, subi l'épreuve dont il fera récit ;

— soit que la scène, réelle, mais décrite comme un tableau, se dévoile dans la lumière matinale, appelant différents cadrages et d'aussi divers degrés d'intelligence (Héliodore, *Ethiopiques*) ;

— soit que les héros portent leur beauté comme un habit trop ample, laquelle manifeste une intention dont ils sont encore indignes et inconscients. Inexperts, ils ébauchent le tableau anticipé d'eux-mêmes et jouent une scène qui ne prendra réalité qu'à la fin du livre, assumant dans l'insouciance l'épiphanie du Dieu dont ils auront à apprendre le service (Chariton, *Chaeréas et Callirhoé* ; Xénophon, les *Ephésiaques*).

Les fins sont plus clairement catéchétiques, quand les reconnaissances s'enchaînent, unifiant à rebours toutes les péripéties de l'intrigue. Leur valeur mélodramatique se teinte d'ironie après que le héros, ayant assenti sans réserve à son destin, entre glorieusement dans le personnage dont il avait jusqu'alors, avec une conscience obscure et mêlée de désespérance, tenu le rôle. Ainsi Callirhoé à Aphrodite : ταῦτα εἵμαρτό μοι, c'était là mon destin. Ainsi le récit des aventures subies, histoire singulière et générale à la fois, donné en offrande au Dieu (*Daphnis et Chloé,* IV, 39 ; *Ephésiaques* : γραφὴν ἀνέθεσαν τῷ θεῷ ὅσα ἔπαθον καὶ ὅσα ἔδρασαν ; *Leucippé et Clitophon,* « Leucippé en particulier racontait son histoire »). Il était essentiel que cette reconnaissance fût publique, et les *Ethiopiques* y apportent un faste inégalé : le peuple devine que la divinité avait machiné toute la scène, Théagène comprend le sens d'un oracle delphique, et tous que les dieux ont voulu l'issue civile et politique de cette aventure. La *Vie d'Apollonios de Tyane* conclut pour l'instruction du lecteur : « Voici l'oracle lumineux rendu par Apollonios sur les mystères de l'âme, pour que nous reprenions courage et que, renseignés sur notre propre nature, nous continuions notre route vers le but assigné par les Moires. » Le protreptique est ici : *amor fati*, et telles devaient être l'ordonnance prophétique de celui qui a parcouru les Indes, mais aussi la leçon politique pour un principat soucieux de son autorité morale. Les autres romans convertissent plus explicitement à la vie civile, sur l'exemple, savamment anachronique, des cités antérieures à la conquête macédonienne, ou de ces familles princières et évergètes dont la *pax romana* préférait la mémoire à celle des haines atrides.

Laissons ici cet inventaire des moyens. Un effet protreptique majeur l'emportait donc sur toutes les autres visées rhétoriques, celui de convertir à un certain genre de vie, vie privée à la limite de la vie publique. La société civile alexandrine, vaste auditoire de ces romans, y trouvait un modèle pour un comportement citadin sommé de réinventer sa référence à la nature, ou du moins d'en effectuer le rite. Un passage de la *Politique* d'Aristote fait entendre comment les *erotikoi logoi* avaient pu avoir de longue date cette fonction, celle que la tragédie, cérémonie civique en son temps, ne pouvait évidemment plus tenir[1].

Rapportant ces variantes à leur principe, Longus inscrit les fins civilisatrices sur les ambiguïtés d'Eros, là où la mythologie et sa reprise dans une cosmologie finaliste l'avaient devancé. L'élégance et la force de sa démonstration tiennent à ceci que le pouvoir d'Eros est à la fois dit dans l'histoire, et utilisé dans le procédé d'écriture. Il est dit en effet, puisque

---

1. Voir *Politique*, II, 4, 1262 *b* 11, qui plaide en faveur de la vie civile et de la famille comme unité politique. Si l'intention polémique du contexte vise la *République*, particulièrement le principe de la communauté des épouses et des enfants, Aristote accordait cependant à Platon l'essentiel : que les « nécessités d'Eros » (ἀνάγκαι ἐρωτικαί) sont supérieures à celles de la géométrie, pour « persuader et contraindre la plupart » (*République*, V, 458 *d*). Sur l'inassignable statut d'une vie privée, hypothétiquement distincte de la vie civile, voir l'étude de Paul Veyne, dans *Histoire de la vie privée*, Paris, 1985, t. I.

l'image, dont on ignore d'abord l'origine et dont l'exégèse produit le livre, apparaît être, à la fin du récit, l'*anathéma,* l'offrande retournée au Dieu amour. Mais il est aussi interne à la structure de l'œuvre puisque l'image, dont on a dit plus haut qu'elle devait résoudre le problème littéraire d'une action dramatique mise en forme d'histoire, subordonne l'anecdote aux lois de sa lisibilité, au *logos érotikos* dont elle relève. L'action singulière se trouve subsumée dans un régime démonstratif où tous se reconnaîtront : le dieu, l'auteur du récit, le lecteur et les acteurs — les trois derniers, diacres d'un même office.

En réunissant dans l'image l'histoire singulière et la démonstration d'Eros, une histoire dont la singularité serait oubliée au profit de la seule déontologie physique, de sa gloire théologique, et pour l'éducation de tous ceux qu'arrêteraient le bosquet des Nymphes ou sa réplique, Longus mettait en évidence une qualité supplémentaire des images. Que, donnant à voir et à reconnaître dans un théâtre commun cette subsomption du singulier dans le paradigme de la nature, elle créait un sens commun où la conscience civique trouverait son écolage. Civilité de ces images, capables d'exposer, de par leur intrinsèque clarté, le surplomb de la loi sur l'incident qu'elles connotent, l'universelle législation de la nature ou de ses représentants démoniques sur les péripéties individuelles. On suit ici en ligne directe l'usage civique des représentations, des fresques du Pœcile où les jeunes Athéniens venaient reconnaître et apprendre la citoyenneté dans les exploits de Miltiade, jusqu'au constantinisme politique auquel contribuait, à sa manière, l'*ekphrasis* de Paul le Silentiaire. Pour ne rien dire ici de leur postérité ecclésiale.

DU PROTREPTIQUE A L'ÉDUCATION SENTIMENTALE

Allait assurer la pérennité du genre cette heureuse conjonction des deux procès de reconnaissance, où s'alimente le plaisir romanesque le plus intense. L'intelligence du lecteur oscille entre le point de vue d'ensemble que procure la complicité du narrateur, et le point de vue limité, mais sans cesse élargi, des héros qui accèdent à la connaissance de leur destin. La fin heureuse des romans grecs est moins dans les retrouvailles

de ceux que divers brigandages et pirateries avaient séparés, qu'elle n'est
dans la coïncidence éprouvée de la machine divine et des tribulations
humaines, ou dans cette autre version qu'en procure, pour le lecteur, la
coïncidence de l'ego narrateur et de l'ego passionnel. Cette coïncidence
répète, ou plutôt obtient (et peut-être dans le seul ordre romanesque) le
salut philosophique attendu de la vie selon la nature.

La possibilité d'une vie conforme à la nature, propos de toutes les
phénoménologies grecques qui mettait l'univers à la mesure de notre
accès, reposait ici sur une évidente et curieuse identification « transcendantale » dont il faudra se souvenir : identité du sujet des émotions
et du sujet des récognitions, du sujet empirique et du sujet narrateur,
du sujet passionnel et du sujet exégète de l'économie providentielle.
Et c'est encore par ce trait que le roman grec fut, malgré ou plutôt
grâce aux invraisemblances qui rehaussent le triomphe de l'intention,
un roman d'expérience. L'aléa des péripéties le cède toujours à la
reconnaissance d'une *tuchè* assignant la place à tenir dans un ordre que
rien ne pouvait troubler ni enfreindre, lequel n'est jamais finalement
qu'un ordre civil iréniquement producteur du bien public. C'est aussi
en ce point que sera rompu le nerf du roman grec, sur la possibilité
même de mettre en recouvrement ces deux reconnaissances.

Que l'une ou l'autre ne se produise pas, et la prose romanesque se
distribue en des genres différents. Ou bien la vue d'ensemble n'est
jamais donnée, et les tribulations humaines s'avouent comme telles,
hors d'un dessein qu'elles ne peuvent assumer. Tel fut le genre des *Reco-
gnitiones,* dont relève la *Confession de Cyprien* qui s'achève sur la conversion et le renoncement à soi. Les *Confessions* augustiniennes ruinaient
définitivement le protreptique païen par une double démonstration :
qu'il n'y a pas d'*ekphrasis* possible des « vastes palais de la mémoire », et
qu'il est impossible d'atteindre la reconnaissance de soi autrement que
par une conscience de ses propres défaillances. La confession condamnait le roman à la réflexivité. C'était le temps du « j'aimais aimer » *(ama-
bam amare),* réitération désolante ou suspecte, procès inachevé.

A l'autre extrême de son histoire, proche de nous, lorsque le roman
se fut suffisamment distingué du roman grec pour qu'une qualification
s'imposât, elle se fit par défi, et bientôt par ironie. *Roman d'éducation,* et

pour tout dire, éducation sentimentale, il fallut extorquer à l'ancienne formule l'évidence de son impossibilité moderne. Flaubert achevait une démonstration engagée thématiquement dans *Les affinités électives,* en aveuglant les deux reconnaissances dont jouait précisément l'effet romanesque. Soit que le héros comprenne mal et trop tard le cours d'un drame dont il est exclu — ainsi Charles Bovary, pleurant en buvant sa bière et marmonnant : « C'est la fatalité », ainsi Emma mâchant l'arsenic comme le papier blanchi d'un livre d'où le texte, l'image et leur coïncidence auraient été effacés. Emma entrait dans une nuit où il n'y a rien à assentir ni reconnaître. Soit encore qu'aucun fil ne permette de relier en une histoire des événements qui n'ont eu aucun accomplissement, et que la reconnaissance se replie sur un fragment, lointain, minime, et déjà aventure manquée. Frédéric à Deslauriers, évoquant leur fiasco : « C'est là ce que nous avons eu de meilleur. » *Anathema* si l'on veut, mais l'offrande est celle du renoncement. Au reste, le livre avait perdu ses modalités compactes. L'éducation sentimentale, « cette chose impossible » selon Proust, échappée de la mythologie d'Eros, devenue visible comme telle, aussi peu capable d'une version bourgeoise que d'une version historique ou balzacienne, se dira désormais par dérision.

Il se pourrait que ces remarques rendent quelque raison à Nietzsche : « Platon a donné à toute la postérité le modèle d'une forme d'art nouvelle, le *roman,* qu'on peut définir comme la fable d'Esope portée à une très haute puissance, et dans laquelle la poésie occupe par rapport à la philosophie dialectique le rang que cette même philosophie avait occupé, pendant des siècles, par rapport à la théologie » (*La naissance de la tragédie,* § 14). Vue perspective, redoutablement perspicace, néanmoins payée d'une excessive simplification. Il y allait en effet d'une forme d'art proposée en alternative à la tragédie, mais engagée dans une constitution de la prose phénoménologique, dont elle scellait la réussite et devait partager la fortune. Ce à quoi contribuèrent, par un travail expérimental dont portent trace les traités logiques, stylistiques et critiques des Anciens, toutes les philosophies pour lesquelles Socrate fut un nom tutélaire. En un mot, ne pas omettre de comprendre comment et pourquoi le stoïcisme fut l'accomplissement stylistique du platonisme : anonymement préservé dans sa métamorphose grammaticale.

CHAPITRE XI

CE QUE DIT LE « MENTEUR CRÉTOIS », CET AGENT DOUBLE

> La vérité ne nous échappera pas.
> Gottfried Keller.

Il y a bien des manières de jeter le trouble sur le partage du vrai et du faux, toutes se placent entre deux objections extrêmes. Ou bien son application est en cause, et l'on opposera que cette division, pure matière d'école, trébuche au premier usage. Ou bien on citera des cas purs, internes à l'exercice logique lui-même, dont l'indécidabilité vaut contre-exemple, et atteindrait le principe lui-même. La première attaque en appelle à l'expérience et tire à soi le sens commun. L'autre, mettant de son côté ceux que Platon appelle « les raffinés », construit son intrigue sur la menace d'énoncés intrinsèquement paradoxaux, vrais dès qu'ils sont faux et faux dès qu'ils sont vrais. Tel le « je mens », où se réitère, dit-on, un intemporel défi venu d'un intemporel Crétois menteur. L'affaire serait donc entendue, et la morale (plus prompte à conclure que le scepticisme, lequel lui a pourtant tiré les marrons du feu) y aurait déjà trouvé son compte. Soit qu'elle jure d'avoir pris sur le fait l'universelle tromperie, soit qu'elle ravale la présomption des hommes, trop enclins à surestimer la fiabilité de leurs langages.

Et cependant il se pourrait qu'aucune de ces objections, extrêmes et pour cela paradigmatiques, n'ait porté le coup fatal auquel elle prétend. Il se pourrait que, tout à l'inverse, chacune concoure à éclairer et délimiter l'usage d'une dichotomie tenace, qu'elle l'avalise par l'outrance et la fausse position de son reproche. Il se pourrait enfin que ces deux objections, quoique jouant à des niveaux différents, gravitent autour d'un même foyer, et qu'elles rappellent, par la mauvaise querelle où elles se sont engagées, les conditions, certes singulières, d'une apophantique, devenue aussi inconsciente et naturelle qu'un héritage dont l'origine s'est perdue. Il fallait donc rappeler l'institution : « Tout discours n'est pas apophantique (id est : déclaratif) mais celui dans lequel réside le vrai et le faux, ce qui n'arrive pas dans tous les cas » (Aristote, *De l'interprétation,* 17 *a* 4). On supposera, dans la suite, qu'à rapporter ces remarques brouillonnes à la canonicité qu'elles prétendent oblitérer, et qui leur donne sens néanmoins, on les privera de cet air de soupçon, aussi vague qu'entendu, d'où elles tirent l'essentiel de leur autorité. On y gagnera encore de mesurer les demandes (que ces objections insinuent) aux réponses stylistiques qui les ont toujours devancées, et aux conditions logiques qu'elles ont non moins constamment ignorées.

I

> Que je me trouve dans l'obligation de prêter aux
> tiers des paroles intelligibles ou qu'à l'intention
> d'autrui il sort(e) de ma bouche des sons articulés
> à peu près convenablement, je ne fais que me plier
> aux exigences d'une convention qui veut qu'on
> mente ou qu'on se taise. Car c'est tout autrement
> que les choses se passaient.
>
> Beckett, *Molloy.*

Nul n'ignore les incertitudes, réelles ou affectées, de la conversation, l'impunité des restrictions mentales, encore moins cette ambiguïté plus honorable qui laisse sourdement entendre l'autre face des choses. Or, loin de désavouer quelque crédulité impavide ou obtuse, cette expérience ne fera qu'avertir un crédit premier, impliqué dans toute communication. Elle ne le retire pas, se suffisant d'en avoir appris les spéculations élémentaires. Comment se fait-il donc que ces déconvenues, quotidiennes et jamais oubliées, n'aient pas véritablement atteint cette différence du vrai au faux toujours alléguée, si elles n'en réitéraient, aussi approximativement que l'on veuille d'abord l'admettre, l'essentielle convention ?

Dans l'Europe qui se réveillait à grand-peine du romantisme, un pirandellisme généralisé eut son heure d'évidence. Il fut grossièrement contemporain des écrivains fondateurs de la NRF, tous observateurs jurés de leurs sincérités intermittentes, et finalement convaincus que ces espèces du vrai ne sont que rétrospectives. Il reste que le talent employé à leur donner consistance confirmait plutôt l'opposition du vrai au faux, fût-elle murée dans la chambre du sentiment réservé, qu'il ne parvenait à la dissoudre. Car le roman de l'intériorité, le journal et la correspondance littéraire furent d'abord de puissants moyens pour déboîter l'un de l'autre deux lieux littéraires, rivaux depuis les *Confessions* augustiniennes, la dramaturgie du réel où il faudra bon gré mal gré que chacun fasse sa place, et les états subjectifs (provisoirement ?) inconstitués. « Mihi quaestio factus sum. » Le défi était alors d'employer la plus belle langue et l'indicatif de la description, tous deux propres au premier registre, pour naturaliser l'inconsistance du second.

Une autre analyse, jouant délibérément de la diversité calculée du style, emprunta son élan à Dostoïevski et sa sobriété à l'école du roman anglais, où le drame shakespearien se perpétuait sous les espèces infimes du sous-entendu. Réinventée par Sarraute et Beckett, la conversation romanesque n'ignorait rien de ce théâtre élisabéthain, où les passions jouent leur ignorance, où les caractères se rêvent dans la nuit d'été, et se trahissent dans le double sens. Devenue constitutive de ce nouveau roman, elle allait distiller une substance redoutablement pure. Nathalie Sarraute écrit son premier livre avant guerre et s'en explique dans la *NRF* une douzaine d'années plus tard. Il y fallut le roman : où il était possible d'annuler le jeu des acteurs, la typique des situations et jusqu'à l'intrigue manifeste, créant ainsi une nouvelle *tabula rasa* pour une géométrie de l'imperceptible. Il y fallut la conversation : pour resserrer sur le seul substrat de la parole ces actions secondes, toujours relationnelles et adressées, sans voix propre néanmoins, tropismes absorbés dans le dessin du camouflage sous lequel ils agissent, mots inconsidérés qu'on a lancés comme un caillou sur l'eau, dans la double incertitude de ses ricochets et de son propre geste.

Cette conversation, ainsi procurée dans l'isolat du roman, portait en elle seule la catastrophe et la péripétie. Elle ferait affleurer le drame intime et irreprésentable de la non-constitution de soi en dévoilant l'inexistence du langage intérieur. L'aparté et le monologue, que lui réservait le théâtre classique, envahissaient le texte principal dans son être grammatical. Preuve était fournie qu'ils sont indiscernables en droit. Car cette vie, qu'on avait supposée la plus privée, ne prononce, et à grand-peine, que les mots décepteurs de répliques toutes factuelles et laborieusement indifférentes. Il serait aussi de rigueur que cette sous-conversation s'entendît avec l'autre, dont elle ne peut se passer puisqu'elle y apprend à s'y entendre elle-même. Cette parole, sans narrateur ni témoin qui en eussent naturalisé l'information par l'appareil entomologique des tirets, guillemets, alinéas et « dit-il », s'y trouvait saisie au moment du « pourquoi parler ». A l'instant, déjà trop tard et rétroactif, du dire qui ne serait jamais *cela* que l'on aurait voulu, parce que *cela* n'est pas premièrement de l'ordre du dire. Une évidence indirecte, mais plus démonstrative que le journal des sincérités intermittentes et des incertitudes cultivées, surgissait de cette conversation monologuée et rancunière, épiant sa propre défaite, et surprise elle-même de ses stratégies demandeuses et infantiles.

Conversation néanmoins, dont les états de défection déferlent d'un degré apophantique par rapport auquel ils se mesurent. Sarraute les installe en leur lieu propre, dans les claudications et paralysies dont ils affectent le dialogue. Beckett répugne à l'inutile feinte qui serait d'abandonner le *cantus firmus* du style direct, sans rien abdiquer de l'emphase déclarative : « ... ou que j'exprime sans tomber aussi bas que l'*oratio recta,* mais au moyen d'autres figures, aussi mensongères, comme par exemple *Il me semblait que,* etc., ou : *J'avais l'impression que,* etc., car il ne me semblait rien du tout et je n'avais aucune impression d'aucune sorte. » Ce discours indirect-là, introduit par la réserve et le quant-à-soi (peut-être « l'attitude propositionnelle »

— parlante image — des logiciens), avait été la figure de style de la
sincérité, celle d'une avant-garde encore récente et que cette
remarque incidente suffisait à démobiliser. Renonçant à ces petites
ruses de l'époché solipsiste, le roman expérimentait une manière indirecte de dire, et celle-ci ne dédaignerait la modalité d'énonciation que
pour mieux exploiter d'autres ressources, incomparablement plus
puissantes et toutes internes néanmoins à l'ordre rhétorique de la
communication.

Il est pour le moins frappant que, dans le court espace d'une
génération littéraire, furent occupées toutes les fonctions que la
linguistique mettait à jour, à peu de chose près simultanément. Et
tout de même que Jakobson a déduit du tableau des facteurs de la
communication celui de ses fonctions, on pourrait en étendre l'usage
pour un inventaire des écarts stylistiques qui allaient procurer à ces
mêmes fonctions un plein emploi littéraire. Double liberté était prise
à l'égard de l'apophantique primitive. Elle se trouvait mise en rivalité
avec quelques propriétés immanentes au support de la communication et qu'elle avait, plus qu'ignorées, écartées dans le moment de sa
constitution grecque. De celles-ci, elle recevait une orchestration qui
compensait à bénéfice la canonicité perdue, à la manière dont les
nombres algébriques, longtemps dits « sourds » ou « irrationnels »,
ont supplanté les unités pythagoriciennes. L'apophantique demeurait,
à la fois présente par une surface grammaticale obligée, et suspendue
comme une monarchie constitutionnelle, parce que le pouvoir
législatif lui avait été retiré. A ce compte, il y eut inventaire et
invention.

Mise en leur ordre et place de ces énoncés à la mine défaite,
rebelles au vrai ou au faux, maintenant identifiables quelque part sur
le registre des secondes intentions dont on acceptera ici la description
proposée par Jakobson : fonction phatique, conative, émotive, poétique, occasionnellement métalinguistique, et ultimement (pourquoi
non) référentielle. Ce premier inventaire suffira pour ébranler la priorité dont avait bénéficié celle-là, et contester les droits coutumiers de
l'analyse sémiotique. La question sera moins de la vérité, des incertitudes et duplicités exquises qui en dédoublent le texte, que de prévoir

un théâtre, lieu de visibilité théorique donc, où l'action enveloppée du dire serait plus exactement décrite.

Car il appartenait à la déontologie de l'art d'écrire, comme à ses intérêts propres, de faire surgir sur la première ligne, anciennement articulée par la structure propositionnelle et la syntaxe énonciative, les fonctions subordonnées et latérales qui réclamaient une dimension littérairement explicite. Or elles ne purent occuper le foyer optique du texte lu qu'en reléguant la synthèse apophantique, le préfixe qui en souligne le procès et l'hypothétique situation perceptive et rassérénée (« il me semblait », « j'avais l'impression »...) à laquelle prétendait l'analyse « psychologique ». Molloy se replie sur quelques modalités émotives, à seule fin de répondre au commissaire : « Petits ajustements, comme entre les vases de Galilée, que je ne peux exprimer qu'en disant : *je craignais que, j'espérais que.* » De là cette abolition si caractéristique de la structure propositionnelle simple, une ponctuation perçue comme aberrante et qui devait, en effet, distraire des articulations attendues. On n'en comprenait que mieux quelle nécessité littéraire avait attisé les querelles, déjà anciennes — mais non conclues —, sur la grammaticalité et le style indirect « libre ». Thibaudet et Gide y voulaient juger Flaubert et Proust. Ils s'y trouvèrent eux-mêmes jugés.

Ainsi, en même temps que le personnage était libéré de sa monodie déclarative, et le ni vrai ni faux de sa parole mis au carreau de plus opportunes dimensions, l'auteur l'était de sa position d'observateur du typique, et de son récitatif historial. Ainsi M. de Charlus, brusquant son jeune interlocuteur, lui donnait les deux conseils à la fois. L'un, de simple éducation, était adressé au jeune Marcel, lui prescrivant de ne rien dire ni comprendre en affectant l'ingénuité ; l'autre, d'art poétique, l'était à Proust. « Monsieur, me dit-il en s'éloignant d'un pas, et d'un air glacial, vous êtes encore jeune, vous devriez en profiter pour apprendre deux choses : la première c'est de vous abstenir d'exprimer des sentiments trop naturels pour n'être pas sous-entendus ; la seconde c'est de ne pas partir en guerre pour répondre aux choses qu'on vous dit avant d'avoir pénétré leur signification. Si vous aviez pris cette précaution, il y a un instant, vous vous seriez évité d'avoir l'air de parler à tort et à travers comme un sourd et d'ajouter par là un second ridicule à celui d'avoir des ancres brodées sur votre costume de bain. » Dans cette parole coupée, devait s'insérer toute la distance et toute l'économie de passion et de style qui sépareront *Les plaisirs et les jours* de *La recherche du temps perdu.* Proust renoncerait aux titres impressionnistes sous lesquels il avait envisagé de publier son livre. Et Charlus, par l'un au moins de ses rôles initiateurs et tutélaires, tel un second Socrate venu abolir les préceptes de l'autre, avait induit ce « langage indirect », dont Merleau-Ponty chercherait plus tard l'équivalent pour une philosophie définitivement désabusée de toute apophantique originaire.

Laissons ce parallèle antithétique, qu'il ne serait nullement malaisé de poursuivre, pour s'attacher aux seules conséquences littéraires, dont les unes avaient ouvert et les autres allaient fermer le règne d'une apophantique « matérielle ». Le dialogue socratique avait su retourner à son propre usage le double sens, celui dont usait le dialogue tragique en faisant entendre la parole des dieux dans celle des hommes. Il le fit en substituant à l'économie trop étroite des noms celle d'énoncés composant le nom et le verbe, et plus encore au principe raide et toujours enfreint de l'assignation des noms aux choses, une syntaxe qui inscrirait la participation des choses à leurs déterminations intelligibles, dans une structure d'énonciation. Du *Cratyle,* et de l'impossibilité de constituer les noms en système représentatif, à la syntaxe discursive, placée dans la dépendance du verbe et achevée par les Alexandrins, le chemin est direct. (Il sera reparcouru — faut-il s'en étonner ? — et dans une perspective cette fois cumulative et synthétique, par Jakobson, des *Leçons sur la poétique* des années quarante à l'essai de 1957, *Les embrayeurs, les catégories verbales et le verbe russe.*)

Or, en décrivant toute réalité donnée selon l'action dont elle participe et l'inertie que lui opposent les déterminations antérieures, en confiant cet arbitrage au régime catégorial de la prédication, la syntaxe « philosophique », déjà bien avancée dans les dernières pages du *Sophiste,* offrait à l'objectivation et à la communication une extension qui engagerait pour longtemps le régime entier de la littérature. Y compris la manière moderne de détendre les mailles et de risquer la parataxe, de se détacher de l'immédiateté apophantique tout en préservant quelque existence grammaticale, de garder le précepte d'objectivation sans les impératifs de la *mimesis praxéos*. On attendrait d'une histoire croisée de la logique, de la rhétorique et de la poétique qu'elle sache fixer ce moment singulier de l'hellénisme (disons : de Platon au classicisme stoïcien) où ces matières furent effectivement en recouvrement. Moment où le dialogue socratique avait ouvert ce genre dont Aristote remarquait qu'il n'avait pas encore reçu de nom (ἀνώνυμος), et qui tenait dans sa générativité « analogique » l'ensemble des œuvres en prose : traités, chroniques, discours et éléments. Moment à partir duquel les écrits furent classés par leur objet faute d'être identifiables par leur métrique. On y suivrait, des œuvres aux genres qu'elles initient, et des arguments aux grammaires qu'ils déposent, la constitution de ce style apophantique, plus tard déserté par les sciences mais que toute littérature, y compris la philosophique, ne devait ni ne pouvait, ni détruire ni répéter : intercepter. Car, en multipliant les dimensions expressives, en renonçant à la simplicité énonciative du style direct (et plus encore à l'épistémologie psychologique qu'il suppose, celle du langage intérieur et de son « polypier d'images », d'un premier état perceptif et de ses énoncés indicatifs — ce sage préambule, réitéré des grammaires alexandrines), la prose moderne s'efforçait, par essais et erreurs, pastiches et réécritures, d'étendre d'urgence le champ de l'objectivation. Ce « toujours plus de formes » dont désespérait Flaubert, et qui est tout le contraire du formalisme.

Le risque pris fut moins grand qu'il parut d'abord aux tenants d'une littérature attachée aux vertus simples de la prose apophantique et de ses propriétés « phénoménologiques » immédiates. Car, si la prose classique avait inscrit la figuration de la conduite humaine dans les catégories physiques d'une histoire universelle, si elle avait ainsi donné visage à ce qui n'en avait pas, identifiant une *facies humana* brouillée dans la ressemblance de la *facies totius universi,* cette extension littéraire de l'apophantique ne se soutenait que du consentement mutuel : de l'auteur, des protagonistes et du lecteur. Cette grammaire apophantique fut l'état visible et, en fin de compte, la seule preuve jamais tentée du *sens commun* des Grecs. Or, il y avait peu d'avenir littéraire, sinon dans le contexte opaque de l'après-guerre, à maintenir les propriétés sémantiques de la prose et à ériger simultanément en manifeste la démonstration existentialiste que ce ressort était détendu, que les deux visages de l'histoire et du destin personnel ne coïncidaient plus, qu'aux situations imposées répondrait la mauvaise foi des protagonistes. En revanche, la nécessité, pressentie de longue date, de donner (pauvre) visage et (nouveau) sens commun à cette expérience moderne, qui n'avait de soi ni l'un ni l'autre, n'accepterait aucun marchandage au bénéfice des anciennes structures apophantiques et modulaires.

Ainsi, le ni vrai ni faux approximativement jeté sur nos conversations, s'il faut en parler en ces termes, n'affecte aucunement la dichotomie potentielle d'une grammaire apophantique, parce qu'il s'y insère en réalité à la manière des orchidées épiphytes. Cependant, il aura suffi de prendre ce que l'on désigne ainsi dans la pince d'une division simple, qui transite de la sincérité à l'objectivité, pour paraître regretter à mi-voix les gratifications immédiates et le schématisme clair d'une littérature de « premier ordre » (on n'oserait dire d'une existence authentique, d'une manière d'être et de parler « transparente », bien que cette μετάβασις εἰς ἄλλο γένος soit un sophisme presque inévitable). Quant au pirandellisme du début du siècle, et aux journaux littéraires de l'insincérité, ils furent le somptueux Requiem d'un genre dont les *Confessions* de Rousseau avaient été la première, et d'emblée problématique, invention.

II

> Ce qui exprime linguistiquement le caractère propre de la pensée, c'est la copule ou la terminaison personnelle du verbe.
>
> Gottlob Frege,
> *Kernsätze zur Logik,* 1906.

Le moment est venu d'affronter la seconde objection. On jugera d'abord que le paradoxe du Menteur blessait plus gravement la prétention de la parole à se constituer en langage. Or, par un tour comparable au précédent, mais plus immédiat et décisif pour la constitution apophantique, l'argument du Menteur allait précisément verrouiller une consistance discursive qu'il avait eu pour premier dessein de ruiner. En quoi le bon usage d'une formule, où Koyré eut quelque motif de ne voir qu'une « plaisanterie grecque », certifiera que, au moment de son institution, l'invention d'un système d'objectivité partagé (propriété essentielle sinon tautologique : y en eut-il jamais d'autre ?) eut priorité sur l'éventuelle défaillance des procédures d'analyse, et la faiblesse des critères de décision.

Le « je mens » qu'affirme le menteur fut, dit-on, le contre-exemple que le mégarique Eubulide opposait aux stoïciens, trop prompts à prétendre que tout énoncé est vrai ou faux, et qu'il y a toujours moyen d'en décider. Il devait prendre en défaut aussi bien cette thèse que la méthode qui lui fut associée. De celles-ci, Sextus Empiricus a résumé l'essentiel : un énoncé est vrai si et seulement si l'énoncé déterminé correspondant l'est aussi. Or l'énoncé « Je mens » est déjà déterminé et, de plus, donné comme l'expression d'une perception : celle que le menteur prendrait de lui-même. Il n'empêche qu'il soit emporté d'un mouvement pendulaire qui s'entretient lui-même, et ménagé en sorte qu'il ne s'arrêtât ni au vrai ni au faux. En se fondant sur ce qu'en a rapporté Cicéron, il est possible de suivre la résolution stoïcienne de ce qui n'aura donc jamais été qu'un paradoxe. « Ou bien tu mens, ou bien tu ne mens pas. Si tu mens, tu mens. Si tu ne mens pas, tu mens (en disant que tu mens). Donc, quel que soit le cas, tu mens. » Cette *consequentia mirabilis* n'est au reste qu'une variante d'un des modes de décision fixés par Chrysippe. Laissons ici[1], pour ne considérer que la manière dont ce tour vient au secours du système en son entier et en fait jouer la clause constitutive. Quelques remarques suffiront.

On notera d'abord que l'énoncé est analysé non au point de vue de celui qui le prononce, là où le Mégarique a tendu le piège du mensonge sincère, mais au point de vue de celui qui l'entend, pour qui il ne s'agit que de vérité ou de fausseté. Cet art du lecteur (κριτικός), qui doit pouvoir juger d'un énoncé abstraction faite du locuteur, fut l'objet de la dialectique stoïcienne, c'est-à-dire de ce que nous appelons *logique,* à ceci près que les stoïciens acceptaient les contraintes d'une langue naturelle

---

1. Cf. supra, chap. VI, p. 224-226.

et les conditions du dialogue. Que l'analyse fût appliquée à un texte ou à un énoncé, elle userait du même protocole. Or, l'effet inattendu de son application à la proposition « je mens » fut d'en débouter la prétention. Le Menteur se trouve reconduit au seuil de la scène dialectique dont il voulait être le parasite et n'aura jamais été que l'amuseur.

Car c'est en vain que le menteur opposerait sa dénégation tardive à une grammaire apophantique, dont il usait ce faisant. L'indice syntaxique de la déclaration est déjà inscrit dans l'emploi d'un verbe au mode personnel. Ou encore le lexème du mensonge ne prévaut pas sur la déclaration première du menteur : qu'il ment. Et quand bien même le menteur dénoncerait l'assertion déclarative sur l'instant où il en fait le premier usage, il serait encore victime d'un système qu'il prétendait frauder, et où l'interlocuteur le surprendra. Dès lors que le menteur asserte et déclare son mensonge, il a accepté une canonicité qui lui sera rétorquée. Il se trouve avoir déjà dit beaucoup plus qu'il n'aurait voulu dire, et cette seconde voix, infuse et grammaticale, « gourmande » la première. Menteur avéré, et confessé par Chrysippe, il partira bateleur et « ventriloque », comme ce sophiste qu'évoquait Platon, et dont la dialectique de fait contredisait l'éléatisme dont il croyait manier la foudre.

Chrysippe a donc congédié le Menteur, à peine a-t-il exécuté son tour. Mais il importait que le tour fût exécuté, et l'on ne s'étonnera pas de ce que le Menteur fût mentionné dans les traités stoïciens. Car on ne pourrait guère concevoir de meilleur moyen pour rendre sensible cette présence statutaire et grammaticale de l'apophantique dans l'énonciation, et démontrer par corollaire qu'on ne peut prétendre réfuter une structure déclarative par le contenu d'une quelconque déclaration — fussent-elles confondues dans une même unité linguistique. Or il s'agissait ici de la condition nécessaire, sans laquelle il n'y aurait ni vrai ni faux, sous-jacente à toute condition suffisante : celle d'une évidence, sensible ou non, et qui ne fut, comme on sait, jamais donnée hors du compromis de la perception. (De là cette asymétrie toujours ressentie du vrai par rapport au faux : il est, une première fois, garant d'une déclaration dont l'état choisi, affirmatif ou négatif, contresigne la suffisante détermination ; il est, une seconde fois, garant d'une conformité à l'expérience à laquelle les choses, ou l'interlocuteur, apporteront leur sanction.) A l'impossibilité d'assigner un quelconque critère de vérité qui fût une condition suffisante s'arrête l'objection du scepticisme. Le Menteur voulait trop prouver en y assimilant la constitution apophantique elle-même, et sa forfanterie servira l'ennemi dont il devait miner la défense. Chrysippe en usait comme le patricien romain enivrait son esclave pour l'édification de ses fils. Tout lecteur d'Epictète sait que ce paradoxe était, dans la Rome impériale et stoïcienne, un exercice d'école.

Le dialecticien et son menteur, personae dramatis d'une comédie sérieuse, allégorisaient le dialogue antique en même temps qu'ils le jouaient. Ils interprétaient la scène initiale du dialogue, ou peut-être son prélude satyrique, en suite de quoi les bouffons seront exclus du genre noble. Complices provisoirement et par la force des choses, le menteur acceptait à son insu, et l'autre jurait de faire admettre, cette structure d'énonciation, canonique et régulière, objet premier de tous les traités *Peri hermeneias,* de toutes les *Grammaires rationnelles* à venir et de toutes les *Introductions logiques* de l'alexandrinisme tardif. Le dialogue s'y trouvait également saisi à un point limite abstrait, indésignable autrement, entre son effectuation et son protocole grammatical, en un moment où le dialogue socratique originel devenait un genre mineur (rhétorique populaire, abondamment pratiquée, et que la tradition manuscrite évoque souvent bien qu'elle en ait peu conservé) et cédait l'avantage au traité et à la *lectio continua.* Moment essentiel où l'argumentation passait définitivement d'une technique simplement réfutative, opérant en combat réel, à l'enseignement donné in abstracto, se suffisant que la matière exposée fût grammaticalement, syntaxiquement, logiquement soutenue, intériorisant donc la situation d'abord explicite du dialogue et les conditions de son réalisme. Il serait plus exact de placer le paradoxe du Menteur dans le genre protreptique. Il en relève par la forme qui l'apparente à d'autres usages, plus communs on l'a dit, de la *consequentia mirabilis.* Exercice d'école, le menteur expulsé vaut un dialecticien converti. Enfin l'argument reproduit, en vitesse accélérée, toute l'économie du *Sophiste* platonicien. On sait comment ce dialogue, tout occupé à démêler comment on peut dire faux, s'achève par une leçon de grammaire qui prépare la définition implicite du dialecticien philosophe.

Désormais, il suffirait d'évoquer le paradoxe du Menteur, devenu stoïcien par ses implications comme le paradoxe des objets symétriques est devenu kantien par le poids de ses conséquences criticistes, pour fermer le temps des « maîtres de vérité » et ouvrir celui de l'objectivité discursive. Chrysippe, en associant la catégorisation de l'énoncé aux fonctions du verbe, en imposant le critère de détermination complète, avait déjà converti cette fonction énonciative, à laquelle Jakobson associa l'image heureuse d'un embrayage *(shifting)*, en un système fini de marques déterminatives (ceci, maintenant, ici, tel... et leurs néga-tions) par rapport auquel toute réalité serait dorénavant posée. Ainsi avait-il organisé la grammaire du procès énoncé selon les conditions ouvertes par l'énonciation. Equation préalable, structure de droit, devançant *a priori ratione quam experientia,* toute vérité énoncée.

Lorsque Kant entreprit de réviser le contrat apophantique, la déduction transcendantale dut établir un nouvel arbitrage entre les formes de l'énonciation et le procès énoncé, entre les fonctions du jugement et les dimensions coordonnées d'une expérience newto-nienne. Où il devenait clair que le critère de détermination complète rapporté par Sextus était « critiquement » analogue à la répartition complète du procès énoncé dans les conditions ouvertes par l'énoncia-tion. En posant que l'intuition (celle de l'esthétique transcendantale) détermine le concept, Kant dégageait la phénoménologie grecque de son naturalisme et tranchait définitivement entre le critère empiriste de la vivacité des impressions et la synthèse grammaticale complète des conditions de l'expérience. En choisissant une exposition tabu-laire, qui rompt le droit fil d'une exposition discursive et exhibe un isomorphisme entre les fonctions du jugement et les formules du juge-ment d'expérience, Kant publiait toutes les étapes d'une nouvelle dis-cursivité. Les trois tableaux isomorphes qui articulaient si énigmati-quement la logique transcendantale au regard de ses premiers lecteurs, seraient mieux compris comme l'ultime et nouvelle version d'un traité *Peri hermeneias,* réglé premièrement sur les fonctions d'énonciation, auxquelles avait été ajoutée la modalité.

Une limite était atteinte, que Kant annonçait dans une Préface à la seconde édition de la *Critique,* tenu de simplifier pour convaincre : que

la logique était « selon toute vraisemblance close et achevée ». En
quoi Frege écrivant pour lui-même ces « Dix-sept maximes pour la
logique » (*Kernsätze zur Logik* — titre de l'éditeur) qui ne firent jamais
système, et ne pouvant détacher la propriété d'être vrai ou faux de la
syntaxe du verbe et de l'expression de la pensée, se surprenait au cœur
de la contradiction qui lui interdirait de jamais écrire le traité de
logique auquel il travailla pendant plus de trente années. Elle est
d'être demeuré en cela fidèlement kantien sur la rive interne que délimitent les options grecques, alors que la grammaire quantificationnelle, et la nature des inférences qu'il sut y déployer, devaient l'en
avoir exilé — et qu'il s'y était engagé.

III

> Notre connaissance de divers langages est ce qui
> nous empêche de prendre au sérieux les philoso-
> phies qui sont inscrites dans les formes propres à
> chacune d'elles. En quoi nous sommes aveugles
> au fait que nous avons de puissants préjugés pour
> ou contre certaines formes d'expression ; comme
> au fait également que de cette superposition de
> langages résulte pour nous une image particulière.
> Aveugles donc au fait que ce n'est pas arbitraire-
> ment que nous recouvrons pour ainsi dire une
> forme par une autre.
>
> Wittgenstein.

Il ne semble pas impossible d'analyser quelques-unes des antinomies qui ont affecté la logique au début du siècle en posant pour principe qu'elles résultent du recouvrement encore imperceptible de deux
systèmes, dont l'un devait donner accès à l'autre, mais se trouvait
abandonner ses propres clauses critiques avant que le nouveau système n'ait précisé les siennes. Episode périlleux, où engageait néanmoins le propos épistémologique du « fondement » ou de la
« construction ». La proposition tératologique de Tarski, aussi connue
des logiciens que le paradoxe du Menteur, en pourrait soutenir l'illus-
tration. Une de ses variantes serait : « La proposition ici écrite est

fausse. » Lors même qu'elle s'attribue la fausseté, elle a déjà engagé la distribution de vérité inverse. Tarski résout ce mouvement perpétuel en une antinomie explicite et conclut que tout langage *sémantiquement complet* — c'est-à-dire qui comporte un prédicat « ... est vrai » — est menacé par la contradiction. Le remède sera d'exclure une telle qualification des langages formalisés, éventuellement coextensifs à une partie propre d'une langue naturelle. Il n'importe pas de revenir ici sur la démonstration de Tarski, mais bien sur ses hypothèses. La première est que vrai/faux sont des prédicats, la seconde qu'il est possible d'en épurer un fragment, aussi important que l'on voudra, d'une langue naturelle.

Curieuses hypothèses néanmoins. Car toute l'histoire que nous avons rappelée prouve que le prédicat de vérité ne sera désigné ainsi que de manière provisionnelle (ainsi dans le *Sophiste* et les *Topiques*), et que, à suivre une analyse qui se confirme et se parfait de Chrysippe à Kant, il n'est pas plus un prédicat que ne l'est l'existence. La contradiction, le diagnostic et le remède que propose Tarski ne valent, à la rigueur, qu'en dehors du système apophantique.

Or telle était bien son intention : construire l'antinomie à partir d'un exemple qui trahirait l'apophantique. Et, sur la menace démontrée d'une antinomie, exclure ledit prédicat de vérité de systèmes qui échappent, par construction, à l'apophantique. Toute « expression bien formée » y sera soumise à une bivalence équiprobable et susceptible d'être « interprétée » dans des modèles différents — isomorphes ou non. L'indépendance de la sémantique était à ce prix. On ne dira rien ici de l'extraordinaire développement ainsi procuré aux procédures logiques, dans le champ clos des symbolismes extensionnels et de la théorie des modèles. L'énoncé de Tarski ne fut évoqué qu'afin d'apporter une confirmation externe à la singularité de la structure apophantique. Car il annulait le principe d'un langage qu'il feint d'acculer à la contradiction : l'inscription du procès énoncé dans l'énonciation. La formule de Tarski est entièrement métalinguistique. Elle joue à l'inverse du classique Menteur, celui-ci habilitant les propriétés de nos énoncés si communément, ou tortueusement, déclaratifs que celle-là devait exclure.

On aura donc parcouru brièvement trois manières d'objecter par principe à l'économie apophantique du vrai et du faux. Une première réponse venait au-devant d'un usage naïf de l'opposition du vrai au faux, confondue avec l'inquiétude de la décision. Elle devait en appeler à l'extension littéraire de l'apophantique, pactisant avec d'autres ressources et dimensions stylistiques que les conditions premières du dialogue et sa pédagogie du réel avaient initialement exclues. La seconde objection, jouant du Menteur crétois et plus plaisante que perspicace, fut levée en la retournant en faveur des conditions constitutives d'une structure apophantique. La troisième objection n'y touchait qu'indirectement, son propos étant de libérer les langages « formalisés », symboliques et dépouillés de tout embrayage, de cette aptitude, en soi limitative, à constituer et à communiquer une expérience, fût-elle « une pensée du dehors ». Fonction dont en revanche aucune littérature ne saurait se démettre. Cette dernière confirmation, tout indirecte qu'elle soit, ne sera pas la plus négligeable. Parce qu'elle est matière d'un nouvel étonnement, déjà convié à analyser les recouvrements partiellement tolérés, et sans doute inévitables, d'où proviennent ces objectivités lentement exfoliées.

BIBLIOGRAPHIE

L'exergue de Gottfried Keller a été repris de Walter Benjamin, in *Thèses sur la philosophie de l'histoire,* 1940. Ont été cités ou évoqués :

Aristote, *De l'interprétation* ; *De l'âme* ; *Poétique.*
S. Beckett, *Molloy,* 1951.
S. Cavell, *Disowning Knowledge in six plays of Shakespeare,* 1987.
Cicéron, *Premiers académiques,* livre II.
Marcel Détienne, *Les maîtres de vérité dans la Grèce archaïque,* 1967.
Diogène Laërce, *Vies et opinions des philosophes,* livre VII.
Gustave Flaubert, *Extraits de la Correspondance,* ou *Préface à la vie d'écrivain,* présentation de G. Bollème, 1963.
Gottlob Frege, *Kernsätze zur Logik,* 1906, in *Nachgelassene Schriften,* 1969.
André Gide, Marcel Proust, *Lettres autour de la Recherche,* préface de P. Assouline, 1988.
Roman Jakobson, *Essais de linguistique générale,* 1963.
Alexandre Koyré, *Epiménide le Menteur,* 1947.
Maurice Merleau-Ponty, *La prose du monde,* 1969 ; *Le langage indirect et les voix du silence,* Signes, 1962.
Platon, *Sophiste.*

Marcel Proust, *A propos du « style » de Flaubert,* 1920 ; *A l'ombre des jeunes filles en fleurs.*

Nathalie Sarraute, *Conversation et sous-conversation,* NRF, 1956.

Jean-Paul Sartre, *Qu'est-ce que la littérature ?,* 1948.

Alfred Tarski, The Concept of truth in formalized languages, 1931, in *Logic, Semantics, Metamathematics,* 1959 ; Truth and Proof, in *L'Age de la science,* n° 4, 1969.

Jean-Pierre Vernant, Ambiguïté et renversement. Sur la structure énigmatique d'Œdipe Roi ; Tensions et ambiguïtés dans la tragédie grecque, in *Mythe et tragédie en Grèce ancienne,* en collaboration avec P. Vidal-Naquet.

Jules Vuillemin, Remarques philosophiques sur l'aspect créateur du langage, *Hommage à Claude Lévi-Strauss,* 1978.

L. Wittgenstein, *Remarques sur la philosophie de la psychologie,* trad. G. Granel.

CHAPITRE XII

ENTRE LOGIQUE NATURELLE
ET INTELLIGENCE ARTIFICIELLE

Dès lors qu'on s'essayait au constructivisme intégral de l'intelligence artificielle, s'enquérir d'une *logique naturelle* relevait d'une excellente stratégie. Négativement, l'hypothèse permettrait de se défausser d'une mauvaise carte, en l'espèce ces formalismes dont l'économie démonstrative a peu de prise sur les comportements, élémentaires ou non, que l'on souhaite programmer. Positivement, une logique naturelle offrirait un invariant pour toutes les simulations à venir. Elle donnerait au *software* un équivalent de ce que Boole, et quelques autres, ont donné au *hardware,* un ensemble circonscrit de possibilités pour un développement sans limites. Il est vrai que la demande ouvrait une investigation illimitée : c'est par définition qu'une logique naturelle relèverait du donné, en coûterait-il infiniment d'en donner l'exacte formule. Elle serait esquivée si l'on pouvait choisir dans l'extension également indéfinie des comportements celui qui pourrait être l'expression privilégiée de l'intelligence et donner prise à un contrôle expérimental. Les *conduites argumentatives,* dont il n'y a pas grand risque à poser qu'elles sont également des comportements observables, pourraient tendre le piège où la logique naturelle serait offerte à l'expérimentateur. Un programme, plus ambitieux que celui de Russell, dépendrait enfin d'un inventaire plus modeste que les

Topiques. L'analyse eût bouclé son histoire, et l'apprentissage trouvé son encyclopédie.

On ne négligera pas pour autant une dénivellation entre les termes d'une telle substitution. Bien plus, le bénéfice attendu gît précisément, semble-t-il, dans cette dénivellation, qui doit pouvoir jouer dans les deux sens. Ou bien on demandera à l'*argumentation* l'expérience privilégiée de cette *logique naturelle* postulée. Elle serait donnée, déjà codée, dans les moyens et truchements de l'expression linguistique, livrée dans une forme aisément repérable et strictement cadrée par les hypothèses inhérentes au lieu expérimental choisi. Ou bien on attendra d'une *logique naturelle,* inférée d'une masse d'observations hétérogènes où des comportements voisinent avec des conduites linguistiques typées, qu'elle légitime des tours *argumentatifs* observés, étant admis que la première en recevrait confirmation par la raison des effets. On n'exclura pas non plus qu'on ait voulu désigner, comme par hendiadyn, deux strates toujours conjointes d'une situation empirique donnée : toute argumentation trahit *sa* logique sous-jacente, celle-ci relevant d'une spontanéité anticipant les tours, plus besogneux, de l'argumentation qui la véhicule.

En outre, tout singulier qu'il soit, ce cadrage n'en offrirait pas moins un modèle expérimental plus adéquat que la chaîne stimulus-réponse, aussi peu capable d'analyser le comportement intelligent que les conduites linguistiques les plus élémentaires (N. Chomsky, 1959). Le couplage de l'argumentation et de la logique naturelle sous-jacente pourrait enfin se recommander d'un dernier avantage qui l'écarte de tous les protocoles behavioristes, les aurait-on adaptés à diverses formes de l'apprentissage et de la communication linguistiques (Quine, 1960). Car l'argumentation privilégie l'*adresse,* l'*acte de langage,* la *persuasion,* l'*énonciation,* etc., au détriment de la structure d'objet et de la reconnaissance qu'elle implique. Cette dernière hypothèse avait longtemps déterminé, à la manière d'un barème, toutes les variantes de l'expérimentation, y compris le stimulus, le leurre et l'objet symbolique, voire l'objet-instrument (grille, muret, miroir, échelle, bâton...), comme si quelque pulsion de prise ou de consommation traversait tous les règnes animaux, et devait déterminer a priori, de l'amibe aux anthropoïdes, tous les stades et toutes les formes du comportement. Inversement, en mettant à l'épreuve de l'expérience la chaîne *logique naturelle-argumentation,* on adopte une hypothèse socialement plausible et d'une consolante familiarité, faisant affleurer les déterminations supposées primordiales de la conduite linguistique, donc la logique qui en contrôlerait, immédiatement ou par les chemins de la ruse, les traits d'intelligence. Qu'une part essentielle du comportement humain, fructueusement modélisable dans le champ de l'intelligence artificielle, apparaisse dans les situations de dialogue et d'argumentation, telle était aussi la thèse dont Winograd s'est récemment ouvert, afin de donner au rapport homme-système informatique tout le réalisme dont la chose est capable (Winograd, 1985).

Mais pourquoi fallait-il supposer, en deçà des invariances observables ou statistiques de l'argumentation, une logique naturelle qui serait l'abstrait de l'abstrait, sinon la norme d'une première généralisation ? Ou encore, pourquoi poser, comme résumé ou hypostase du comportement intelligent, cette logique naturelle qu'une expérience, immanente à tout individu, verserait au crédit de son habileté argumentative ? Le concept oscille entre un système de normes, observées par les moyens usuels de l'enquête psychologique, et un système de règles dont la justification serait tout autre : de fournir, par récurrence et générativité, un programme informatique suffisant pour simuler les conduites argumentatives dont on soupçonne la valeur heuristique ou typique. Que ces deux interprétations du concept de logique naturelle viennent en outre coïncider, ce ne serait encore qu'un *whishful thinking,* précisément alimenté par le flou qui enrobe cette *logique naturelle.* Car, ou bien nous sommes déjà acquis à la simulation informatique, et la notion ne fixe rien de plus que les hypothèses de travail inhérentes à la formulation d'un programme ; ou bien nous sommes encore à la frange extrême d'une pensée psychologique, et la même notion en appelle à une théorie des facultés, ou des âges mentaux, qu'on voudrait dire « à l'ancienne », à la manière de ces excellentes recettes éprouvées, mais que l'on réserve pour les déjeuners de fête. Il fallait poser cette impertinente question.

Que la logique naturelle vienne prendre la place du *bon sens,* ou du sens commun, n'offrirait aucune issue. Car telle est bien l'une des difficultés majeures auxquelles est affrontée la recherche informatique, que cette rationalité minimale, adaptative, transférable d'un domaine à un autre, soit précisément ce dont il n'est encore aucune simulation concevable (D. Dennett). Et peut-être comprendra-t-on un jour, par quelque principe de complémentarité, qu'une *logique naturelle ou de sens commun* est précisément ce que ne pourrait représenter un système expert qualifié. A quoi les paragraphes suivants voudraient contribuer.

Cette contradiction latente donne l'occasion de prendre distance à l'égard d'une notion — celle de *logique naturelle* — où trop de demandes s'amassent pour que l'on n'y oppose quelques précautions.

LES ÉQUIVOQUES DE LA LOGIQUE NATURELLE

Que la logique naturelle n'ait aucune existence empirique immédiate, qu'aucun protocole d'observation ou batterie de tests ne l'aient pu livrer à l'observation, il est à peine besoin de le mentionner. Prétendrait-on s'en emparer par le truchement de la psychologie génétique, que le caractère minutieux de la méthode spécifierait le résultat comme logique de *tel* âge mental ; et la logique naturelle recule toujours d'un pas. Voudrait-on opposer le paysan et le citadin, le primitif et l'alphabétisé, que la leçon pourrait au mieux être morale, comme du rat des villes et du rat des champs. Car la *logique naturelle* ne peut être qu'en retrait de toutes les autres, leur commun soubassement, l'inassignable dont on peut douter qu'il y ait quelque avantage à le postuler.

Il demeure que l'hypothèse fut débattue. Leibniz soutient le *pour,* en des termes qui substituent l'exemple à l'argument, un exemple sur lequel on reviendra :

« (L'usage de signes arbitraires) n'empêche point que l'esprit ne prenne les vérités nécessaires de chez soi. On voit aussi quelquefois combien il peut aller loin sans aucune aide, par une logique et une arithmétique purement naturelles, comme ce garçon suédois qui, cultivant la sienne, va jusqu'à faire de grands calculs sur le champ dans sa tête, sans avoir appris la manière vulgaire de compter, ni même à lire et à écrire si je me souviens bien de ce qu'on m'a raconté » (*Nouveaux Essais,* I, 1, Réponse de Théophile à Philalèthe, § 5).

A quoi Kant rétorquait (*Logique*, Introduction, § II) que la logique naturelle n'est pas proprement une logique : « C'est une science anthropologique qui n'a que des principes empiriques puisqu'elle traite des règles de l'usage naturel de l'entendement et de la raison qui peuvent être connues seulement in concreto, donc sans qu'on en ait conscience in abstracto. La logique savante ou scientifique mérite donc seule le nom de logique au titre de science des règles universelles et nécessaires de la pensée qui, indépendamment de l'usage naturel in concreto de l'entendement et de la raison, peuvent et doivent être connues a priori, encore qu'elles ne puissent d'abord être trouvées que par l'observation de cet usage naturel. »

Ignorons ici la métaphysique des facultés et l'hypostase de la pensée pure, au reste communes aux deux philosophes. Leibniz est rivé à son exemple du *calcul* qui ne peut, et son propre échec le prouve, ni remplir les fonctions d'une logique ni prétendre à la même généralité. Kant objecte pour sa part qu'une logique naturelle serait adhérente aux arguments et aux circonstances qui lui donnent son occasion, donc dépourvue des propriétés génératives qui la constituent en un système fini, valable pour un nombre infini d'applications. Ce débat n'a donc rien perdu de sa pertinence, serait-elle de mettre en relief l'équivocité de la *logique naturelle*. Ou bien on assigne une procédure préférentielle, qui n'a aucune des propriétés attendues d'une logique, ou bien on multipliera les exemples dont le traitement livrera, sans surprise, une courbe de Gauss en chapeau de gendarme.

Il est plus vraisemblable de penser que, la logique échappant à l'intelligence de sa formation dans l'instant même où on en use, on postule une *origine* qui serait à la fois système et principes : tout ce dont la logique naturelle doit porter le fardeau. Si donc on pouvait saisir, et comprendre, les occasions, moyens et finalités qui conjuguent leurs déterminations dans la création d'une logique, la *logique naturelle* se trouverait déchargée de la vicariance qui lui avait été plus ou moins clairement confiée. Il resterait à analyser pour quelles raisons la demande d'une *logique naturelle* se perpétue dans les vents et les marées des questions immédiates ; il resterait à comprendre à quel système, anthropologiquement confirmé et historiquement avéré, la demande semble, à son insu, s'adosser.

FORMATION ET SPÉCIFICITÉ DES LOGIQUES

Si l'on voulait rendre compte de la formation d'une logique, un long préambule serait requis, fût-ce pour approprier les termes de la question à la réponse ici proposée. On en a déjà donné quelque chose, et de non moins longs arguments historiques. Pour aller droit à l'essentiel, une logique est la grammaticalisation d'une preuve, d'abord donnée adhérente à son paradigme. La rationalité propre du *domaine de connaissance* singulier d'où émane la procédure démonstrative acquiert alors la généralité que lui confère la maîtrise du *champ discursif* qui l'accueille. En retour, une langue naturelle ainsi travaillée jusqu'au point où sa syntaxe intègre les déterminations sur lesquelles s'articule la preuve munit celle-ci de sa propre générativité et l'y restreint. Elle y inscrit ses finalités propres, convertit enfin les pouvoirs d'inférence et de décision ainsi acquis en autant de propriétés de *sens commun*.

L'ensemble de ces conditions s'avère si singulier qu'il ne put que rarement être réuni : de là vient que les logiques définies sur une langue naturelle sont en nombre restreint, de là également leur indéniable « air de famille ». On suppose en effet qu'une science fut suffisamment développée pour que ses inférences abolissent les prolepses du signe, que la conscience grammaticale ait été suffisamment éveillée pour que l'intention soit possible de maîtriser le cours de la discursivité — ce qui, historiquement, n'advint qu'avec l'écriture. On suppose enfin que la vie politique ait soutenu de sa propre demande la prévision rationnelle et l'organisation juridique de la vie civile.

Vient en confirmation un cas pris à la limite, là où le processus achoppe et se révèle d'autant plus clairement. Quand, à la fin du XIXᵉ siècle, la restructuration des mathématiques a imposé l'induction de Bernoulli comme preuve fondamentale, quand l'expression analytique de la récurrence a imposé l'extensionnalité, il fallut inventer un symbolisme spécifique. Pour le rappeler encore une fois, l'écriture quantificationnelle, où les procédures démonstratives trouvèrent une expression adéquate tant pour leur formation que leur transformation, s'avérait incompatible avec les contraintes grammaticales d'une langue naturelle. En même temps, il apparut, avant même qu'on ait pu en comprendre les raisons, combien une langue naturelle répugnait à l'extensionnalité. Les inférences quantificationnelles et, parfois, simplement vérifonctionnelles, opposaient leur singularité technique aux tours accoutumés de la langue d'usage. On dut aussi admettre que l'évidence avait déserté ces axiomes, qu'on qualifiait encore de *premiers principes* de la logique. Elle avait emporté avec elle ces certitudes imprécises qui constituaient un *sens commun*.

Les inventeurs furent les premiers déconcertés, et il fallut plus d'un demi-siècle pour que, de Frege à Hilbert, et de ce dernier à Quine, la théorie de la quantification trouvât son état canonique. On hésita sur les formules initiales, excédentaires et contradictoires dans la seconde version qu'en donna Frege ; on hésita sur les règles de transformation. Quant au rapport avec les langues dites naturelles, la situation autorisait qu'on agitât tous les possibles. Toutes écoles conjointes, Oxford, Cambridge, Vienne et Harvard, sans omettre un essaimage d'après-guerre qui se poursuit encore sous nos yeux, on rivalisa dans la définition de la bonne *analyse,* ou de la bonne *traduction* (Quine). La première visait à rectifier l'usage par les normes de calcul, la seconde à rapatrier l'étrangeté des formules quantificationnelles sur le sol premier du relativisme linguistique, à quelques invariants près.

Dans tous les cas on ignorait, ou on contournait, le scandale. Afin de mieux conjurer la rupture, on invoquait une *logica perennis* transitant d'un système à l'autre et les liant tous à un inaccessible état, naturel ou transcendant, de la pensée. Aux yeux des plus lucides, l'incertitude prit le tour d'une alternative. Ou bien la logique épouserait sans reste la technicité et les opérations d'un *calcul,* ou bien gardant autorité sur toute pensée, elle serait contrainte à la forme et au statut d'un *langage* (J. Van Heijenoort). Le titre même de l'opuscule de Frege explicitait, on l'a dit, cette double référence. Toutefois, si la première hypothèse semblait rendre raison à Leibniz, elle ne le pouvait en réalité, puisque la logique recherchée devait réinscrire les opérations arithmétiques élémentaires du calcul dans une structure démonstrative générale. Et si la seconde hypothèse semblait honorer les demandes de Kant, elle ne le pouvait non plus, car la logique quantificationnelle imposait l'opacité de ses règles et formules primitives à l'analyse transcendantale. Pire encore, cette inscrutable garantie du caractère formel de ses opérations la renvoyait, en fin de compte, aux propriétés matérielles de l'abaque et du calcul. Laissons ici les théorèmes métathéoriques qui ont réfuté l'analogie du calcul ; il demeure que la *logique naturelle* payait les frais de la nouvelle problématique.

L'histoire en effet semblait offrir la seule issue acceptable. Sous couleur de prouver la pérennité d'une logique qui défiait le témoignage de la conscience, on tenta d'assimiler les modes aristotéliciens aux écritures contemporaines. La tentative réussit d'autant moins qu'elle n'eût prouvé que ses propres intentions : projeter sur les modes anciens les hypothèses de traduction qui définissaient a priori les conditions d'une conciliation. Aussi bien la leçon gît-elle ailleurs, là où s'accumulent les conséquences paradoxales.

Emportée dans un procès de justification et d'origine, la logique cherchait à prendre corps dans une forme unique, extensionnelle, récapitulant ses états, des inférences grecques aux théorèmes des systèmes contemporains, dans une syntaxe uniforme. Or, s'il était désormais clair que cette syntaxe ne convenait nullement, prise en l'état, à l'analyse des formes linguistiques attestées, et pas même à leur réforme ou à leur appréciation, on tarda à reconnaître que ce même traitement, appliqué aux syllogismes de la tradition, laissait échapper l'essentiel des formes grecques, réduites à d'uniformes et vaines tautologies.

Pourra-t-on retrouver ce que la traduction moderniste laissait perdre ? Apparaîtrait alors une *catégorisation,* systématique et finie, associant le donné sensible à l'élaboration discursive d'une situation, dès lors offerte aux décisions et aux inférences. Apparaîtrait alors sous les formes, aujourd'hui destituées, du syllogisme grec ce lieu de constitution de la rationalité (τόπος λογικός) où s'alimentent, sans s'y résorber, la dialectique et la théorie de l'argumentation. S'y ramassent les caractères essentiels du comportement dit intelligent : reconnaissance d'objet, inférences sur signes, mémoire, approximation des décisions pratiques... Il n'importe pas ici, et il serait vraisemblablement impossible, de clore la liste.

L'analyse post-russellienne avait perdu la catégorisation. Unifiant dans un système relativement simple, la perception, l'action et la discursivité, son premier titre était néanmoins de s'être maintenue pendant une bonne vingtaine de siècles. Soit donc à restituer quelques caractères décisifs non pas d'un système logique grec, ce qui serait un acte archéologique ici hors de propos, mais une suture remarquablement élaborée entre l'affrontement perceptif d'une situation et sa réponse, médiatisée par l'appréciation des possibilités et des choix — bref tout ce que suppose l'argumentation quand bien même elle n'en dit rien, ou à peu près rien. Nulle intention ici d'honorer une quelconque *logique naturelle,* mais d'en comprendre la demande et de décrire un modèle, particulièrement heureux et tenace, de maîtrise des situations. Il rencontre, s'il ne les résout pas, les questions premières de l'analyse des comportements et de leur simulation : parce qu'il hante encore nos descriptions apparemment les plus expérimentales, et les plus détachées de toute tradition.

« MÊME LES CHIENS SONT DIALECTICIENS »

Chrysippe

On s'étonnera que soit évoquée l'école stoïcienne, et particulièrement ce que l'on désigne approximativement sous le terme de logique du Portique : étonnement dont il faut satisfaire sur l'instant les plus pressantes questions.

On doit pour l'essentiel à Chrysippe la pensée achevée d'un lieu logique (τόπος λογικός) où sont mises en ordre, sous l'espèce d'une genèse, les conditions sous lesquelles les représentations et décisions humaines seront exprimées dans les caractéristiques des déterminations physiques, et leur seront soumises. Médian entre la physique et l'éthique, ce *topos* thématise le propos d'inscrire la morale dans les directives de la nature. Nouvellement dédié à la description de la rationalité, de sa constitution et de son exercice, il est *logique* à notre sens sous deux conventions. La première, propre aux stoïciens, est d'assimiler l'activité rationnelle qui conceptualise l'expérience à son expression discursive par une métonymie voulue : elle implique l'acte tout entier dans son ultime et perceptible effet. A tout comportement humain, de la perception à la décision privée ou civile, peut correspondre un équivalent discursif. Conduite à ce terme, la rationalité sera publique, distribuée dans une séquence livrée aux canons d'un débat *pro et contra*. Il reste que le moment ultime de l'argumentation extérieure peut être esquivé, il n'importe le plus souvent que pour faire connaître, ou rendre plus aisé, le débat rationnel conduit dans le for intérieur. La seconde convention est de notre fait. Elle introduit une restriction abusive en ne retenant du *lieu logique* rien de plus que sa part argumentative et syllogistique. On n'oubliera donc pas que les Stoïciens incluaient dans ce *topos* la constitution du système discursif en rapport avec les structures phénoménologiques de la représentation et les régularités qui s'y dessinent.

De ce système logique, complet et élémentaire, le plus brillant succès fut de perdurer dans l'anonymat des grammaires et de l'écolage. Déçu dans une attente qu'avait nourrie l'*analyse* russellienne, Wittgenstein cernait plus exactement son propos en reconnaissant que tous nos problèmes sont enveloppés dans les termes où les Grecs les avaient fixés. « Les problèmes philosophiques qui occupaient déjà les Grecs nous occupent encore. Notre langue est demeurée identique à elle-même et nous dévoie toujours vers les mêmes questions. » Déjà les premiers paragraphes des *Investigations philosophiques,* où Wittgenstein objecte à la théorie linguistique d'Augustin, atteignaient, vraisemblablement à son insu, la vulgate stoïcienne.

Les raisons de cette singulière réussite seront d'autant mieux confirmées qu'on situera le système stoïcien dans l'histoire qu'il achève. Pour dire d'abord le plus visible, cette syllogistique a su *grammaticaliser,* c'est-à-dire confier à une syntaxe de langue naturelle la gestion des preuves tenues pour déterminantes, et capables de verser l'économie du cours physique des choses au crédit des décisions humaines — qu'il s'agisse de représenter la nature ou de s'y conformer. Venaient au premier chef, les raisonnements du corpus d'Euclide, dont Chrysippe fut le contemporain. Plus heureux en cela que ses prédécesseurs, Chrysippe avait également résolu un problème posé par Platon et partiellement traité par Aristote : fixer discursivement l'économie physique de la causalité et, simultanément, régler les concaténations discursives sur le paradigme de la détermination causale.

On n'entrera pas ici dans l'analyse de la dialectique stoïcienne, pas même dans sa description simplement énumérative. Cette technique singulière sera exposée ailleurs. Plutôt importe-t-il de faire voir, sous la théorie syllogistique qui seule vaut au goût contemporain, le socle enfoui dans l'inconscience grammaticale, le réseau d'hypothèses qui, *inventant* la perception comme instance médiane, accordait entre eux, autant qu'il fut possible, une sensorialité foisonnante et chaotique et les modes d'énonciation qui la déterminent tout en y puisant leur valeur sémantique. Alors qu'Aristote demandait à la physique l'origine de cette rationalité minimale qu'il convenait de réserver à l'homme *(Traité de l'âme, Petits traités d'histoire naturelle)*, le Portique, avec une acuité et une prudence que l'on voudrait croire propres aux Modernes, lie le thème des représentations psychiques à cela seul sur lequel il était donné d'enquêter, de raisonner et d'agir : les tours d'expression, analysables et enseignables, de la discursivité. Les arguments stoïciens seront évoqués ici dans la perspective de ce montage, eu égard à sa prégnance et à sa fécondité.

(Un syllogisme « chrysippéen » unit une prémisse générale *(lemma)* et une donnée actuelle supplémentaire *(proslepsis)* de manière à transférer l'actualité de cette dernière à la partie indéterminée de la prémisse générale, soit, en développant le premier des cinq modes *(tropos)* fondamentaux :

Si un *individu quelconque* manifeste tel aspect, on peut raisonnablement attendre
    qu'il manifeste ou possède tel autre aspect ;
or *cet* individu *ici présent* a tel aspect ;
donc en lui, tel autre aspect se trouve(ra) actualisé.)

Nous avons donné cette paraphrase appuyée afin de préserver les propriétés de la grammaire grecque sur lesquelles table la logique du Portique[1]. Outre l'insistance placée sur le gradient de détermination, apparaîtra aussi clairement la structure prédicative supposée universelle. Ne concluons pas trop vite à une métaphysique désuète imposée par un tour de langue indûment vénéré. Il serait plus exact de s'enquérir des raisons d'une telle prédilection, et il viendra d'emblée que ce choix trahit deux hypothèses épistémologiques. D'abord, une prédication prise hors de son contexte véhicule une structure de perception, signifiant que toute chose est (supposée) donnée sous un aspect qui la profile *pour nous*. Ensuite, la prémisse générale, qui ébauche une concaténation d'aspects en liant deux d'entre eux, respecte ce contrat phénoménologique, supposant à son tour, que la mémoire inscrit l'aspectualisation perceptive locale dans une de ces suites que les régularités physiques ont enseignées et confirmées.

L'argument stoïcien est ici que, quelle que soit la pauvreté des données offertes par la perception, quelle que soit la nature des théorèmes fournis par une mémoire éventuellement démunie, il est toujours possible de garder l'initiative de la décision. Cette singulière *complétude,* sur laquelle est fondée la thèse qu'il est toujours possible de régler sa conduite sur la nature, outrepasse le simple usage des arguments, et de tel ou tel lieu argumentatif. Elle suppose *à la fois* une méthode de décision, le sens exact de ses usages opportuns, et un éventail de conduites substitutives. Au reste, la part strictement dialectique (logique à notre sens) était si peu surestimée que Chrysippe en accordait volontiers la maîtrise à ces animaux dont l'homme s'approprie la sagacité. Ainsi, d'un chien (κυνός) abandonnant une trace qui se perd pour s'élancer sur une piste plus sûre, Chrysippe louait l'aptitude à user d'un syllogisme disjonctif : ou bien... ou bien... La pointe garde tout son sens si Chrysippe voulait sous-entendre, comme il est vraisemblable, les philosophes cyniques, ainsi convaincus de pratiquer à

1. En particulier, l'opposition du pronom indéfini (τις) au pronom déterminé, à valeur déictique (οὖτος). La conjugaison admet une division comparable entre modes indéterminés *(aoristes)* et modes déterminés.

leur corps défendant une dialectique, au demeurant élémentaire et grossière. La « machine simple » de la décision ne vaudrait guère sans les mesures d'opportunité qui l'accompagnent, moins encore sans la catégorisation du donné où se prépare la mise en scène des opérations dialectiques.

LA CATÉGORISATION

Ecartons donc les aspects du système stoïcien qui seraient proprement logiques, au sens défini par une problématique récente. Apparaîtront alors ces propriétés évidentes et tacites qui ont donné au système son endurance et son humanisme. On les dira *anthropologiques* afin d'éviter de les confondre avec les propriétés simplement logiques, ou d'être soupçonné de le faire. Dans la suite, on entendra par là :

a / L'appropriation des articulations syntaxiques assignables dans une langue naturelle pour y fixer les schèmes d'inférence d'abord définis dans les limites strictes d'une science et adhérents à ses paradigmes. Ces schèmes infléchissent l'usage, jusqu'au point où l'identification est acceptable entre le cheminement de la pensée et la discursivité qui l'accompagne, dorénavant façonnée par le mouvement des conséquences. Que ce processus relève de la longue période, une analyse de la formation des logiques grecques en vérifierait à la fois la lenteur et l'effectivité.

b / Le sens anthropologique sera confirmé si ces tours discursifs ont démontré leur pertinence par vingt siècles d'usage.

c / Enfin, on constatera que ces mêmes tours ont prêté leurs ressources à la communication, à la constitution et à l'enseignement de la connaissance, enfin au choix de la meilleure conduite. En bref, ces propriétés anthropologiques sanctionnent un système d'invariants dont l'usage, traversant le langage, la connaissance et l'action, semble caractériser les conduites symboliques et intelligentes. Le ressort en fut une catégorisation explicitée.

Les catégories stoïciennes offrent l'exemple de ces structures médiatrices entre l'hétérogénéité de l'environnement où doit s'inscrire une action finalisée et les intentions, trop immédiates et trop courtes, de l'individu qui doit composer avec les conditions de leur possible réalisation. Ici les catégories de langue n'ont de sens déterminé que pour impliquer cette dernière dans la constitution *phénoménologique* de l'environnement. Elles définissent une manière de lire (λέγειν) les représentations dans les termes d'une phénoménologie générale, assez générale pour convenir à la diversité des mouvements observables. Ou encore, en elles advient cette confusion propitiatoire entre l'instrumentation linguistique de la connaissance et l'objet représenté, entre « les conditions effectives du langage et le *lekton,* le langage thématisé » (Granger, 1960). Dans cette médiation se fondait la métonymie qui implique la rationalité dans la discursivité, d'une manière si heureuse que l'épistémologie contemporaine l'a retenue.

Divisées en quatre chefs, les catégories stoïciennes utilisent les déterminations du verbe, son aptitude à aspectualiser le procès qu'il décrit, et son régime, pour « quadriller » l'univers aux mesures d'une phénoménologie. En elles s'achevait la structuration de l'objectivité perçue sous les conditions d'une énonciation canonique, ce dont on peut suivre l'élaboration depuis les dialogues platoniciens jusqu'aux traités de Chrysippe. L'organisation en genres et en espèces cédait définitivement le pas à une catégorisation universelle et transposable, versant sur toute chose une scénographie de première approximation : un *substrat* sur lequel sont centrées, avec divers degrés de stabilité, une *qualité* caractéristique, une *manière d'être* aspectualisée par les marques spécifiques du verbe, une *relation* inscrite dans son régime. Considérés quant à la langue, les syntagmes catégoriaux ainsi définis enjambent et déconcertent les divisions lexicales ; ils imposent à tout énoncé une structure sémantique qui le réfère à l'objectivité physique, reléguant l'intention énonciative sous le sens phénoménologique[1]. Considérées quant à ce dernier, les catégories redessinent le propos de chaque énoncé sur le tissu régulier d'une phénoménologie tacite. Cette perspective de longue durée insère l'*Organon* aristotélicien dans une

---

1. Voir supra, chap. V.

chaîne dont il ne constitue ni le premier ni le dernier maillon. Et bien loin que les quatre catégories stoïciennes ne soient que la simplification de la liste d'Aristote, comme il apparut d'abord aux commentateurs alexandrins, elles achevaient une *mise au point* dont l'énonciation déposée dans le verbe constituait le foyer.

Ecartons encore la dogmatique stoïcienne, il apparaîtra d'autant plus clairement comment une catégorisation, toujours disponible puisque liée à l'acte d'énonciation, projette sa « géométrie variable » sur tout donné, lui communiquant le schème le plus propice à l'inférence et à la décision. Ou, pour user d'une autre image, une même structure fractale unit la partie au tout ; chaque donnée locale se trouve plongée dans un environnement qui lui communique une phénoménologie homogène, et la munit de lignes d'action dont elle devient le foyer potentiel. Et maintenant que nous avons mis à bonne distance tant la singularité « stoïcienne », où la théorie catégoriale fut parachevée, que l'écran de la logique contemporaine, qui en aveugle le sens quand il n'en dissimule l'existence, l'extraordinaire puissance de ce système déplie ses ressources, au fur et à mesure que nos questions en font la demande, questions nées des obstacles que rencontre la simulation informatisée du comportement intelligent.

La première est connue des informaticiens sous le titre *frame-problem*. Comment un organisme intelligent, ou une machine qui en simulerait le comportement, peut-il accommoder sa conduite à un environnement dont la réalité et l'évolution annulent ses croyances antérieures ? A quel niveau s'arrête la nécessaire révision de son programme ? Comment l'invariance peut-elle raisonnablement l'emporter sur les déformations requises ? Dans un article récent D. Dennett, soucieux de montrer dans quelle continuité les problèmes actuellement instruits par la psychologie et ses techniques robotisées ont une ancestralité philosophique, suggérait que Kant avait résolu, sous le titre des conditions de l'expérience possible, un analogue du *frame-problem*. Il suffit, et c'est aussi une clause de l'expérience transcendantale, qu'une *catégorisation finie* du champ de l'expérience permette de modifier à tout moment des connaissances falsifiables quant à leurs déterminations contingentes, sans que soit affecté ce qui relève de la structuration même de l'expérience. Or cette possibilité est exclue, sinon au prix d'une solution ad hoc qu'il faut à chaque fois réinventer, dès que l'on accepte une programmation sur les bases d'une logique extensionnelle. Telle est la procédure des logiques « non monotones » : une information invalidée exige la révision de toutes les séquences et embranchements situés en aval.

On notera encore que la catégorisation a muni, plusieurs siècles durant, la grammaire occidentale de ses règles sémantiques et de ses hypothèses de traduction. Et si de telles grammaires ont épuisé leurs ressources, si les grammaires amérindiennes leur ont opposé l'énigme de leur propre structure, il demeure qu'un long usage en atteste la valeur intrinsèque. En lui-même, ce modèle porte leçon contre les premières errances de la traduction automatique, d'autant que les grammaires transformationnelles, appelées en réaction à ces mêmes errances, préservaient dans l'énoncé de leurs règles de réécriture la trace d'une syntagmation catégoriale.

Enfin, ce même système proposait une théorie originale de la décision, venant en complément de la catégorisation. Selon que les perceptions données s'offrent ou se refusent à l'analyse, les réponses varieront de l'inférence conduite selon l'un ou l'autre des modes canoniques au simple constat, voire au silence, donc de la maîtrise à l'attente ou au retrait. L'important est que le silence soit encore une réponse décidée, différant en cela de l'échec ou de l'aveu d'incompétence. Cette possibilité de réserve, où la rationalité se met en attente, laisse passer le coup sans sortir du jeu, et afin de garder la main.

Ainsi la dialectique stoïcienne se creuse en une hiérarchie de conduites intelligentes : décision, constat, réserve. Les conduites strictement logiques sont moins estimées que la constitution de la scène où la décision est possible — cette catégorialité qui donne forme canonique à l'expérience, et la manière retenue du spectateur qu'il s'y engage ou s'en dégage. L'intelligence se traduit ici autant par ce qu'elle ne fait pas que par ses décisions, autre aspect de cette « géométrie variable » qui fut déjà notre métaphore. Transcrites dans le registre du comportement intelligent, ces deux propriétés de la logique stoïcienne seraient données comme maximes : maintenir la cohérence phénoménologique par la projection d'invariants catégoriaux aussi longtemps qu'il est possible, adopter une conduite de réserve aussi longtemps qu'il est nécessaire. Autant de règles que, dans la perspective de l'intelligence artificielle, on qualifierait de *métathéoriques*.

Ces trois termes n'épuisent pas le sens du *logikos* grec. Du moins en préparent-ils l'analyse, exfoliant dans une séquence de notions, pour nous disjointes mais plus familières, une rationalité de référence, dont on demandera plus bas si elle n'a pas donné hospitalité à l'utopie de la *logique naturelle*.

Aussi fut-ce afin de mettre en lumière l'épaisseur du concept grec de *logique* que nous avions plus haut écarté la modélisation extensionnelle récemment imposée à la dialectique stoïcienne. Au demeurant, cette modélisation n'a pas de prise sur la réalité de l'histoire, et venait justifier par des voies indirectes la plausibilité d'une logique décidable, booléenne, hypothétiquement sous-jacente à tout système logique opératoire. Peut-être l'entreprise relevait-elle simplement d'un compromis irénique entre l'historiquement premier, la « naïveté » grecque, et l'élémentaire quant au système — un certain système : le plus récent.

Devaient aussi être écartées les questions métalogiques de cohérence et de complétude dont la définition moderne vaut exclusivement pour des systèmes formels. Mais il serait faux de méconnaître l'origine grecque de ces mêmes notions, encore que, liées à un usage spécifique d'une langue naturelle, elles aient alors reçu une autre signification. La non-contradiction des logiques grecques fut restreinte par les conditions inhérentes à une phénoménologie des corps en mouvement, susceptibles de recevoir des prédicats incompatibles : sous une clause de temps. Quant à la complétude, elle avait, on l'a vu, un sens expérimental, comparable à celui que Herbrand prêtait aux *Principia mathematica*. Car la logique définie par Russell et Whitehead était supposée suffire à toutes les démonstrations des mathématiques classiques. Dans le cas des logiques grecques et particulièrement du stoïcisme qui y a explicitement prétendu, la complétude signifiait que tous les modes inférentiels primitifs, et la générativité qui résulte de leur combinaison, suffisent à insérer toute perception éventuelle dans l'économie discursive qui conduit à la décision. En d'autres termes, cette complétude suppose que la grammaticalisation de la preuve physique a été réussie au point d'imposer sa syntaxe à la description des faits, y compris leur simple perception.

Ces critères métalogiques ayant été écartés, tels du moins qu'ils ont été infléchis sous l'effet des questions récemment ouvertes à propos des logiques formulaires, le sens anthropologique de la logique stoïcienne se manifesterait alors dans cette double variabilité de « pas » que nous avons fort sommairement décrite. Or des considérations analogues valent pour les modélisations usuelles dans le domaine des systèmes experts ou de l'intelligence artificielle. Analysant la compréhension du langage à laquelle peut prétendre un programme d'intelligence artificielle, D. Kayser mettait à distance la simple représentation logique : « On peut douter de la réduction de la compréhension à un raisonnement logique, quel qu'il soit. Ceci n'exclut pas que l'on puisse construire un système formel répondant aux spécifications de la profondeur variable (id est celle que vise la compréhension/traduction automatique), mais il serait abusif de qualifier un tel système de *logique,* car les notions de validité, de complétude, et de cohérence qui sont au cœur de la démarche des logiciens, n'y auraient que peu d'importance. »

Les propriétés métalogiques des systèmes sont ici non pertinentes — parce que triviales : la cohérence signifie simplement que deux instructions contradictoires ne seront pas données en même temps, à quoi la construction même de la machine s'oppose. Seraient-elles successives, que leur convenance dépend de la stratégie d'ensemble du *software.* S'inquiéterait-on de la complétude, qu'elle serait une propriété de fait : le programme convient-il, oui ou non, à la demande. Cela se teste, appelle éventuellement corrections, approximations, vicariances. Quant à l'extensionnalité, qui est une propriété première requise des systèmes qui prétendent à la décidabilité, elle est ici assurée par la construction même de la machine : le *hardware* est booléen, exemplifiant, autant de fois qu'il est d'usages des différentes machines existantes, la thèse de Church. En revanche, rien n'interdit que les programmes compatibles avec la structure des machines informatiques incluent diverses fonctions, de ponctuation, de récurrence finie, et telles autres y compris les fonctions booléennes, qui pactisent entre les demandes de l'informaticien et les possibilités définies par le langage-machine. Un programme n'est donc pas, pas plus qu'une analyse catégoriale, *conforme* au modèle des langues formulaires héritées de Frege, Russell et Gödel.

L'erreur serait ici de tirer de trop hâtives conclusions de ce rapprochement. Qu'il ait fallu, dans les deux cas, mettre de côté les exigences des systèmes logiques valant pour les démonstrations mathématiques, cela tient à ce qu'on ne visait nullement à poursuivre des inférences aussi loin qu'il serait possible, pas plus qu'à démontrer des énoncés dépourvus de toute correspondance dans un univers de comportement familier. Sur cet accord négatif cessera néanmoins la comparaison, l'analogie des contraintes générales et externes n'impliquant aucune identité interne. Si cette clause de prudence vaut absolument lorsqu'un comportement animal ou humain est confronté à l'ensemble machine-programme auquel on a demandé une simulation acceptable, elle vaut encore lorsqu'on propose de comparer deux simulations entre elles : la machinerie logique des Grecs (étant toujours supposé que les stoïciens en donnèrent l'état le plus élaboré), et l'un quelconque de nos systèmes experts.

En pourrait convaincre un bref détour vers les machines simples alexandrines et, mieux encore, vers ces *automates* capables d'effectuer, entièrement ou partiellement, une tâche que l'homme leur confie. Si de ces derniers aux nôtres la différence est comparable à celle qui différencie les logiques, ces machines merveilleuses illustreront d'autant mieux notre propos qu'elles avoueront, tout comme nos systèmes informatiques, quelque affinité entre leur conception et la rationalité dont elles relèvent.

Les *Pneumatiques* de Héron ont gardé la description d'un dispositif, lequel jouant sur la dilatation de l'air sous l'effet de la chaleur, obtient par un montage de vases communicants, de trop-pleins, de poids, poulies, cordes, cylindres et contrepoids, l'ouverture des portes d'un

temple[1]. Un autre dispositif, connu sous le nom de balance d'Archimède, conjugue la balance et la poussée que subit un corps plongé
dans l'eau pour comparer des poids spécifiques. Plutarque rapporte
qu'Archimède l'inventa pour démontrer la supercherie de l'orfèvre
auquel Hiéron avait confié la fabrication d'une couronne d'or. Un
mouvement physique, dû à l'exercice continu d'une force, produit
dans ces deux cas un effet violent (giration de portes sur leurs gonds,
inflexion du fléau de la balance), qui a la soudaineté et le caractère
irréversible d'une décision. On a souvent dit que les machines
grecques visaient plus à susciter l'étonnement qu'à l'utilité ; l'archéologie a plus d'une fois contredit ce jugement. Le tableau de la technologie antique mettrait plutôt en évidence le souci de plier une force
naturelle à la production d'un effet accomplissant une décision
humaine, ou tranchant à sa place. De manière analogue, la logique que
nous avons décrite accapare l'instanciation catégoriale d'un lemme
physique pour décider des choses humaines. La syntaxe stoïcienne
matérialise à sa manière l'équivalent d'une machine simple abstraite,
convertissant les représentations en décisions. La généralité du processus se paie d'une abstraction extrême, encore que cette corrélation
idéalisée, entre les données offertes à la perception et la réponse qui
doit en tirer le meilleur parti, réfléchisse assez exactement les conditions qui ont à la fois permis et appelé ce système logique.

Etant donné le propos d'insérer les finalités humaines *dans* le tissu
serré des finalités naturelles, étant donné l'extrême dépendance par
rapport au milieu auquel une action visant au bonheur emprunte ses
règles et ses moyens, l'instance logique définit la ligne d'intervention
la plus heureuse, une représentation et une décision qui intériorisent
les contraintes les plus générales et les plus constantes. Cette logique
est l'art de ne pas se tromper sur les signes, d'utiliser les forces et les

---

1. La source de chaleur pouvant éventuellement être le soleil, dont les rayons traversent une loupe. En ce cas le cérémonial humain se trouvait inscrit dans le cérémonial de la nature. La religion y révèle sa fonction (et peut-être son étymologie) médiatrice.
   On trouvera une description du dispositif conçu par Héron dans G. E. R. Lloyd,
Greek Science after Aristotle, 1973.

vents en variant les surfaces et leurs inclinaisons. Par rapport à quoi, nos machines et nos logiques, axiomatisées, déductives, montrent une grande indépendance par rapport au milieu, mais une spécialisation qui restreint à l'extrême les interventions opportunes. Dès lors qu'un système informatique, fiable pour les tâches auxquelles il est destiné, a prévu tous les chemins de décision possibles pour un nombre fini de situations, si grand que soit ce nombre, il parcourra une famille de problèmes peu diversifiés entre eux.

Cette manière de départager deux systèmes appelés à simuler le comportement intelligent, ou à le schématiser, n'a pris en compte que deux paramètres : la relative dépendance par rapport au milieu, et la relative généralité ou spécificité des réponses. Manque encore la différence essentielle qui tient à la catégorisation dont on tentera une nouvelle approche.

Considérée comme un système dont les moyens en nombre réduit sont d'une application illimitée, la logique stoïcienne canonique conjugue trois performances : la reconnaissance d'objet, ou perception, l'anticipation raisonnable, dont la décision est un moment particulier et ultime, l'analyse des langues dont dépend la compréhension et la traduction. La structure catégoriale se prête aux trois intentions : elle accapare les articulations syntaxiques pour mettre en correspondance les moments de la preuve et la distribution sémantique de l'expérience.

A l'inverse, dès que sont franchies les limites de ce système, dès que la phénoménologie est délaissée, au profit d'analyses et de coordonnées d'un autre type dont on ne préjugera pas ici, la grammaire, la théorie des jeux et la topologie des formes relèvent de trois disciplines, ou de trois programmations différentes, si ces disciplines peuvent être, en totalité ou en partie, confiées à un système informatisé. Peut-on trouver dans ce contraste matière à caractériser, serait-ce d'un trait général et grossier, une rationalité « naturelle » vis-à-vis d'une procédure plus évidemment instrumentée dont l'intelligence artificielle serait un cas extrême, et les systèmes-experts les simulations les plus fiables ?

La comparaison étant instruite à ce niveau d'abstraction provisoirement acceptable, les propriétés du comportement rationnel saisies

dans sa modélisation grecque se dessinent d'un relief net. Le langage
en fut le lieu et le moyen, intégrant l'un à l'autre deux systèmes, de
représentation et de décision, dont la catégorisation est la trace. Parviendrait-on à en faire voir la double économie qu'on saisirait quelque
chose de la ruse caractérisant l'intelligence, qu'on justifierait les significations stratifiées de la qualification *logikos,* qu'on tiendrait aussi un
terme de référence pour y comparer, et plus sûrement y opposer, les
systèmes ultérieurs où les conduites intelligentes les plus efficaces et
les plus élaborées ont déposé leur maîtrise.

On a dit déjà comment les systèmes logiques définis sur une
langue naturelle s'y inscrivent par le biais d'une catégorisation. Invariant commun à la langue et à l'expérience, qu'il constitue comme
telle, le système des catégories met en correspondance immédiate la
logique et l'expérience, faisant en sorte que les tours logiques puissent
simuler ou doubler de leur épure toutes les conditions rationnelles, de
prévoyance, d'inférence, de décision. Bien loin que le relais des catégories soit une faiblesse de ces logiques, qu'on dira aussi justement de
type *grec* ou *phénoménologiques,* il en constitue la part essentielle, l'effet
attendu, ce par quoi l'univers perçu est soumis à la rationalité de la
connaissance et aux finalités de la décision. La perspective étant ainsi
rectifiée, et la catégorisation apparaissant comme le foyer et l'opération directrice de quelques comportements « intelligents » primor-
diaux, on supposera qu'elle en détient quelques propriétés essentielles.

Une catégorisation, bien que finie, exhaustive, et partagée en chefs
peu nombreux tout de même qu'une classification, s'en distingue par
son principe. Sa fonction propre est de munir un espace de représentation d'une *double* carte, de subordonner une structure d'objets à une
structure d'aspects — on veut dire relevant d'autres schèmes, dimensions ou déterminations. Cette double structure admet un usage dogmatique et un usage critique. Selon le premier, l'objet n'est pas seulement ce que l'on désigne, il est aussi ce que l'on en dit : usage au plus
proche des phénoménologies grecques, où la catégorisation recouvre
exactement la prédication, où la physique « sauve » intégralement les
phénomènes de la perception. Selon l'usage critique, l'objet n'est que
l'instanciation ou le suppôt des moments de la théorie, et des démons-

trations, qui le constituent en objet d'expérience. Ces deux versions n'en confirment que mieux la double cartographie, et le recouvrement d'une description relativement plus *immédiate* par une autre dérivée, plus générale, et décentrée par rapport à la première. Ainsi se projettent sur le donné perceptif les coordonnées d'une preuve physique, les conditions d'une stratégie de gain maximum, une structure d'échange, ou telle autre encore. La singularité des catégorisations grecques fut de spécifier ce « second ordre » comme celui des consécutions physiques, aussi unifiées que le permettait la chose.

   Ce recouvrement des cartes, matérialisé dans la catégorisation du perçu, autorise, et c'est là sa raison d'être, une substitution entre deux manières de décider (prévoir, choisir, refuser, attendre...). Le déplacement se fait d'une réponse immédiate, sollicitée par les déterminations premières données, à une réponse instruite, temporisée, conceptualisée dans les termes d'une expérience où les phénomènes se distribuent selon le temps des causes et des effets. L'état instantané est muni potentiellement de lignes associatives, reliant des états successifs et non nécessairement contigus. Si pauvre que soit ce dispositif, demeure l'avantage de sa grammaticalisation dans l'usage. Outre une disponibilité sans limite, il détient *in nuce,* tous les éléments d'un comportement symbolique, dès lors qu'il couvre toute singularité donnée de la catégorisation, anticipant du même coup le scénario de ses anamorphoses. En bref, il lui impose une *légende,* une lecture synthétique, une énonciation préférentielle. Ce legendum accule à la mutité toute autre énonciation, imposant un canon, un surcroît de généralité, une compréhension effectuée dans le registre d'une conscience universelle parce que quelconque — celui d'un *sens commun.* Les catégories composent alors une *description,* sous laquelle un univers sera nervuré par les lignes d'inférence qui parcourent les preuves, et du même coup, par les lignes d'action qui prétendent en emprunter les sillons.

   Ainsi aura-t-il suffi de reconstituer schématiquement l'appareil entier de ces logiques, d'y inclure la catégorisation et l'aspectualité, pour que l'ampleur de leur dessein soit manifeste. En établissant les conditions sous lesquelles les actions humaines et les causalités naturelles sont identiquement catégorisées, elles fixaient moins le formalisme, dont on voulut garder le seul souvenir, qu'elles ne dessinaient le type idéal du comportement intelligent. Au reste cette structure, dont les manuels ont retenu la seule cohérence interne et la leçon scolaire, fut à l'origine argumentée dans un contexte physique et matérialisée dans la figure du sage : que rien n'émeut, qui ne se trompe jamais, et qui décide toujours.

Quant au privilège accordé à la prédication, il échappe aux objections qui lui furent opposées. Peu importe que la construction n'ait aucune universalité grammaticale, peu importe qu'elle ne véhicule aucune relation ontologiquement pertinente, son rôle fut d'imposer un choix *épistémologique,* de postuler que tout objet de l'univers peut être livré à la connaissance et à l'action moyennant la catégorisation. Toute critique ultérieure doit accorder la valeur heuristique et méthodologique de cette décision grecque. Il s'agissait de verser sur toute chose la phénoménologie d'un corps en mouvement, d'y éduquer la perception, d'y modeler l'action qui s'en emparera. En conséquence, le genre *apophantique* et le style prédicatif constituaient la langue en espace de représentation, sous les règles sémantiques définies par les catégories. Ces conventions une fois acceptées, et elles sont comparables à celles d'un système de coordonnées encore que des unes aux autres la distinction soit comme de l'analogique au digital, la rationalité associée à ce système discursif jouit des deux dimensions de liberté présentées plus haut comme autant de pas, ou de géométries, variables.

Particulièrement notable est cette échelle de conduites rationnelles, codifiées dans un système qu'elles varient, obtenues par amplification, réduction, ou refus des conduites canoniquement définies. On en perçoit un équivalent contemporain dans les *jeux de langage* : mémoire et revendication philosophiques d'une ressource anthropologique, que l'histoire avait éliminée en même temps que l'échelle variable des catégories.

Cette liberté stratégique, où l'on a toujours voulu reconnaître un trait du comportement intelligent, n'a pas manqué de susciter son équivalent dans l'univers des simulations informatisées. En relèvent, au moins partiellement, les recherches sur la théorie des jeux où les résultats expérimentaux sont les plus significatifs. En ce domaine, les programmes sont écrits, les machines disponibles et la comparaison avec des partenaires humains conduite jusqu'au seuil des conclusions, si elles n'ont pas encore été dégagées. Ce que l'on sait des automates joueurs d'échecs incite à penser qu'il est un moment où l'analyse combinatoire coûte plus qu'elle ne produit. Elle doit céder l'avantage à une autre approche, laquelle emprunte quelque chose à la stratégie *holistique* du joueur humain négligeant certaines zones de l'échiquier, appréciant globalement les attaques possibles. Le jeu se divise alors moins en coups qu'en sous-parties, il récuse le modèle d'une combinatoire analytique. Paradoxe d'un retour à l'holistique, là où tout semblait devoir être déterminé par les positions, la nature des pièces et les coups permis, être calculé en tenant compte des choix ouverts à un état donné de la partie, des choix antérieurs et des choix de l'adversaire.

Prima facie, le paradoxe conduit à l'éloge du joueur humain, dont on reconnaîtrait éventuellement la supériorité. Il n'est pas de notre propos d'en débattre. On demandera plutôt si ce paradoxe ne permet pas d'enjamber un fossé réputé infranchissable entre le catégorial et le computable, entre l'analogique et le digital. Il faudrait alors cesser de répartir les deux procédures entre l'entendement humain et l'automate, et considérer leur possible suture dans le comportement humain lui-même, éventuellement en tenir compte dans une simulation programmée. Si, comme on l'a suggéré plus haut et comme le confirme l'histoire lente des systèmes logiques effectifs, le catégorial fut *déjà* le produit de la grammaticalisation d'une stratégie démonstrative dans une langue naturelle chargée de véhiculer des objectivités et des préférences d'un tout autre type, à son tour le computationnel intervint dans une langue catégoriale pour résoudre, et d'abord analyser, des situations et problèmes sur lesquels la rationalité de la dernière n'avait pas, ou peu, de prise. On sait que les devises dont se réclame l'intelligence universelle sont prises de ce point de départ de la philosophie moderne, lorsque quelques philosophes ont projeté de placer l'univers sous le contrôle de coordonnées et d'algorithmes. « Raisonner, ce n'est que calculer » (Hobbes, cité par D. Andler, 1986). Mais ce calcul, et peut-être tout calcul, s'insère dans une globalité antérieure dont il vient dénouer l'impuissance, éclairer l'intention, effectuer la décision. A son tour cette stratégie antérieure, tout juste réduite à quia, résultait de l'intervention de représentations relativement analytiques, ouvertes à la mesure, à la comparaison, à la dichotomie et à l'enchaînement, dans une intention plus immédiate et globalisante, etc. On ne propose ici aucune description, mais d'abstraire, à titre de modèle, ce qui eut une réalité historique. On y voit se répéter l'insertion, ou la prothèse, du computationnel dans le conceptuel, ce dont nos automates sont l'immédiate conséquence. Ce mouvement est en outre confirmé dans le processus d'invention des systèmes formels dont le prototype fut la *Begriffsschrift* frégéenne. Réfléchissant sur son œuvre, plus de vingt ans après l'effort malheureux des *Grundgesetze,* Frege concevait le système quantificationnel à la manière d'un mécanisme d'intervention dans la stratégie générale d'un problème, plutôt qu'il ne serait l'équivalent sans reste d'une pensée pure. Une procédure intellectuelle apparaît alors comme un emboîtement de procédures auquel on ne demande rien de plus que de respecter une hiérarchie invariante et des sutures explicites.

Prendrait-on ce qui précède comme un apologue, qu'il aurait une morale, et peut-être deux.

La fascination qu'a exercée le jeu d'échecs ou, à coup sûr, les jeux définis sur le quadrillage de l'échiquier, dont les témoignages archéologiques sont hors de contestation, se perd en deçà de toute mémoire. La possibilité de composer les choix avec les choix pour abattre l'adversaire, de gouverner la partie, ou de tenter le destin fut, et demeure, un modèle d'exercice de l'intelligence dans un champ de contraintes qui sont aussi des degrés de liberté. Ici les choix font suite aux choix, qui s'agglomèrent en séquences. La maîtrise est dans les séquences, classiques pour les *entrées* et les *fins de partie.* Un degré supérieur de liberté, multipliant les ressources de l'analytique dans le global, pourrait être que le mouvement et le statut des pièces puissent varier à mesure qu'évolue la partie, comme l'imaginèrent un jour deux joueurs dont l'habileté semblait plus stimulée que paralysée par la précarité de leurs conditions de vie et l'incertitude pesant sur leur plus proche avenir[1]. Derechef l'intrusion du computationnel dans le global,

---

1. Il s'agit de Walter Benjamin et de Bertold Brecht.

et d'un computationnel diversifié, devait servir une intelligence finalisée, selon un modèle qu'on dirait de boîtes chinoises ou de poupées
russes. Elle retardait d'autant non pas la défaite, risque assumé, que le
moment de désespérer du jeu.

L'autre morale serait que la catégorisation intervint comme première machine.

DE LA LOGIQUE NATURELLE

> ... la seconde, de bien juger par le moyen des caté-
> gories.
>
> *Le Bourgeois gentilhomme,*
> acte II, VI.

Nous avons évoqué, mais afin d'en prendre distance, un système
achevé, éprouvé, celui des phénoménologies grecques auquel les Stoïciens ont donné cette simplicité qui, assurant un usage universel,
transforme une audace intellectuelle en acquis anthropologique.
Immergée dans l'anonymat des grammaires classiques, cette logique
« stoïcienne », ainsi qualifiée pour éviter l'homonymie du terme que
suppose l'usage contemporain, s'imposait comme un modèle implicite
de rationalité. Aurait-il quelque titre à prétendre en manifester un état
naturel ?

Mais en quel sens, sinon relatif, argumenter cette prétention, ou
seulement l'intérêt d'une telle hypothèse ? Ecartons le sens absolu, qui
reviendrait à chercher un substrat physiologique, neuronal, humoral,
inaccessible par ce chemin et surtout incapable de répondre à la question posée. Plus on croirait s'approcher du *naturel,* plus le caractère
logique serait perdu. Ne conviendrait non plus à la demande un état
logique que l'on pourrait associer à une rationalité *sauvage,* dont l'épi-
thète est ici l'antonyme de domestiqué. Il n'est certes pas douteux que
l'anthropologie a su donner des contours relativement précis à ces
structures d'échange et d'information qui traversent les systèmes de
parenté et les corpus mythologiques qui les accompagnent. Il est également vrai que ces systèmes furent constitués et transmis sans la

tutelle d'instrumentations pour nous déterminantes, au premier chef l'écriture et la géométrie. L'analyse de ces logiques n'y reconnaît pas moins des contraintes et des paradigmes. Ils sont reconnaissables dans les gestualités du récit ou des rites, dans les graphismes déposés sur les supports les plus inattendus, donc toujours déjà institutionnalisés. Et derechef le *naturel* se dérobe. On tentera donc de relever le défi d'une *logique naturelle* dans un sens deux fois relatif qui n'aura d'autre fonction que de baliser l'argument. D'une part, elle sera dite *naturelle* eu égard aux sophistications qui sont les nôtres. D'autre part, et sous la même réserve, on entendra par là ce qui fut si heureusement inséré dans les principes de l'éducation, que la première sophistication put se faire oublier. En résulte ce second *naturel,* d'aisance et de simplicité, où se révèle la capture réussie de possibilités anthropologiques. Sous cette double prudence, le système que nous avons évoqué pourrait offrir un seuil à partir duquel nos questions, sur le naturel et le formel, sur l'intelligence et l'expertise automatisée, pourraient être plus clairement posées.

Comparée à nos symbolismes, la logique stoïcienne se suffit des articulations offertes dans une langue naturelle. Que ce système ait tout juste perdu son autorité, compromis tant par les grammaires des langues non indo-européennes que par son impuissance à grammaticaliser les preuves non catégorisables, c'est là un fait qui suscite un dernier sens où *naturel* avoue une relativité plus spécieuse : ce dont on doit répudier l'évidence encore qu'elle s'impose à nous dans le premier mouvement.

Mais si cette histoire est close, de quel intérêt en sera la leçon ? Elle n'aurait guère de sens si le long règne des catégorisations phénoménologiques devait être évoqué à seule fin d'en dissiper l'illusion. Or les catégories n'ont pas perdu leur usage rhétorique, fort honorable, outre que la théorie parut digne d'être renouvelée, soit dans le projet d'une analyse mathématique des langues naturelles (Granger), soit la perspective complémentaire d'une genèse des universaux de langage (Thom). Ne s'agirait-il, dans ces divers cas, que de produire une description, l'intérêt rémanent pour les catégories témoignerait de la *valeur d'usage* d'un système dont une partie au moins a vaincu les forces d'érosion. Aspect tronqué de ces logiques dont la stoïcienne fut l'aboutissement, la catégorisation renvoie à la structure totale dont elle relève, et aux intentions qui l'animent, depuis son premier état jusqu'aux motifs de sa relégation.

Définitivement révolu quand il s'avéra impossible de grammatica-liser (*logiciser,* dit-on alors) dans une structure prédicative la preuve par récurrence, sur laquelle semblait reposer l'analyse des fondements des mathématiques et particulièrement de l'arithmétique, le régime des logiques catégoriales avait répondu au propos de mettre en coïnci-dence les raisons physiques, au moins une invariance des phénomènes, et la structure de l'exposition discursive. Vingt siècles d'usage ont ins-crit dans la longue durée cette structure, dont le mérite fut d'associer un espace de représentation catégorisé à une économie argumentative confiée à des enchaînements prédicatifs. Le sens en fut perdu après qu'on eut substitué à cette phénoménologie normalisée une carte des positions relatives définies par des coordonnées, coordonnées que l'on dira pour simplifier *cartésiennes.* La comparaison étant dès lors conduite sous le chef de la puissance des démonstrations, elle ne put qu'être de plus en plus défavorable à ces syllogismes bientôt réduits à des tautologies de dictionnaire. Jusqu'à ce que l'histoire ait préparé quelque retour vers les solutions anciennes, pour la part du moins qui n'en pouvait pas être périmée ?

Les nouvelles langues-théories, pour reprendre le terme de Quine et les hypothèses qu'il résume, interviennent dans ce débat à divers titres. En elles s'est fixée la sophistication qui devait précipiter dans l'archaïsme, ou l'incompétence, les logiques catégoriales. En outre, elles véhiculent leur puissance de démonstration et de traitement dans des domaines qui échappaient à l'investigation catégoriale. Ainsi sont-elles créditées d'une intelligence nouvelle, à laquelle on a demandé de porter la décision sur des problèmes anciens, quitte à les dissiper. En ce sens elles ont porté les espoirs d'une *nouvelle objectivité,* autant que de la philosophie analytique. Enfin, dans la mesure où ces logiques furent inscrites dans des systèmes formels où chaque ligne dépend des règles de formation, des écritures primitives, et des règles de transformation, elles semblaient prêter leur formulaire à la simulation informatisée de leurs procédures et au type d'intelligence dont elles sont l'expression. Elles le firent sous deux aspects. Ou bien les démonstrations écrites dans l'un ou l'autre de ces systèmes, premièrement définis dans la proximité des questions mathématiques, transfèrent leur vertu à la famille des modèles sémantiquement associés, mais s'y limitent. Ou bien, si l'on recherche une procédure de décision universelle, l'algorithme, associé à une partie propre de ces systèmes, restreint le type d'information qu'il est capable de traiter. Sa généralité se paye chèrement par la pauvreté analytique de ce dont il décide. Ou encore, pour suivre une métaphore optique encore pertinente dans les questions épistémologiques, sa puissance de résolution est le plus souvent inférieure aux demandes du problème, à la solution duquel on voudrait l'employer. Généralement, un programme informatique trace un chemin intermédiaire entre ces deux possibilités, usant à la fois de la puissance analytique attachée aux écritures et démonstrations quantificationnelles, et des propriétés de décision attachées aux fonctions booléennes. La programmation permet ce montage, moins pour être effectuée à quelques degrés d'écart du langage-machine que pour échapper aux conditions d'extensionnalité propres aux démonstrations quantificationnelles. Chaque instruction, et tout programme est une suite d'instructions, réintroduit de la décision et des procédures intentionnalisées, serait-ce en limitant les récurrences, fixant la fourchette des choix, introduisant des bifurcations propices ou des réponses prédéterminées, etc.

Par contraste, les systèmes catégoriaux, et le type d'intelligence qu'ils matérialisent, se révèlent posséder une propriété métalogique que l'on avait négligée. La catégorisation déploie son pouvoir analytique sans jamais abandonner, au moins théoriquement, le domaine de la décision. On peut alors rectifier, en l'élargissant, la comparaison engagée précédemment. Pour résoudre un problème donné, hormis le cas rare et de peu d'intérêt pratique où sa formulation serait décidable, une logique quantificationnelle, dont il n'importe pas ici de préciser l'ordre, peut tenter d'en donner une formulation l'assimilant à ce dont il existe une démonstration formelle connue. Mais rien ne garantit a priori la possibilité d'une telle réduction, il n'en existe non plus

aucune procédure heuristique éprouvée. Par contre, une logique catégoriale accommode le formalisme aux données du problème, sous
réserve d'une approximation dont il n'est aucune limite donnée. On
dira que son exercice relève du *jugement*, et que ce jugement n'est pas
formalisable ou mécanisable. Peut-être, encore que l'approximation
relève de *systèmes experts*, actuellement disponibles. La juste parade à
l'objection serait plutôt qu'un jugement catégorisant une situation
donnée retarde, déplace, instruit, confirme ou contredit une décision
qu'il ne crée pas. Cette intelligence — sur les limites de laquelle il
n'est aucun doute, mais on s'interroge ici sur son procès — se définit
alors comme ruse et adaptation au relief de son domaine, à la manière
dont, pour reprendre une image stoïcienne, un poulpe prend possession de sa proie en se modelant sur elle.

Ainsi, plutôt que de s'échelonner sur une dimension unique, les
types d'intelligence semblent se diversifier de la même manière que
leurs instrumentations, amenuisant l'espoir d'une invariance où se
loverait le *naturel*. L'issue se laisse entrevoir ailleurs, plus inattendue
et plus complexe, et selon ce que l'expérience précédente suggère.
Un système expert, généralement parlant, peut accroître sa perfor-
mance par l'insertion d'un traitement extensionnel là où le catégorial
a épuisé sa compétence. Si l'intentionnalité est globalement fixée
dans le préfixe d'instruction, le contenu de l'instruction est lui-même
dans une parenthèse que l'intentionnalité ne traverse pas. Le cas est
inverse de ce qui advient dans les logiques modales, où l'intentionnalité diffuse dans le contenu même des écritures sous modalité. Des
brèves indications précédentes, on retiendra encore que l'histoire de
nos logiques montre l'insertion, et la stabilisation, de modes de
représentation et de preuve venus interrompre et remodeler
l'économie rationnelle qu'elles instrumentaient : ainsi l'extensionnel a
ouvert une parenthèse dans le catégorial, intervenant comme une
option de secours (*Hilfessprache* écrivait Frege), tout de même que le
catégorial avait inscrit son gouvernement en ouvrant une parenthèse
dans ce mode de décision et de représentation plus immédiat, et plus
près de l'information sensorielle, que furent les classifications préfé-
rentielles. Intervention que Platon a authentifiée comme « navigation

de secours » (δεύτερον πλοῦν). Néanmoins, d'un cas à l'autre, outre le degré de complexité technique, la différence demeure, comme de la grammaticalisation réussie d'une technique de preuve, à une suture dont les possibilités et les conséquences n'ont pas encore été épistémologiquement analysées.

On aurait donc suivi, très cursivement, à partir des quelques logiques attestées dans notre courte archéologie, une histoire *anthropologique* de structures acquises, explicitement déposées et travaillées dans des systèmes externes : systèmes de représentation et d'écriture, théorie définie par leur médiation — sans rien préjuger de l'organisation psychique ni de la structure analogique (ou digitale, ou autre encore) des effecteurs neuronaux (humoraux). Mais il se pourrait que, pour le présent, les structures matérialisées dans des systèmes symboliques détiennent encore une très large part de l'information pertinente à nos questions concernant l'intelligence naturelle et artificielle. C'est en ce sens que, exemple éminent d'une structure de preuve grammaticalisée, d'un instrument de mesure et de décision *(organon)* intériorisé dans la langue, la logique grecque marque un seuil, le point le plus avancé où perdure l'équivoque du *naturel*.

LOGIQUE ET ARGUMENTATION

Dans un tel schéma, si général et provisoire qu'il soit, l'argumentation ne jouit d'aucun privilège. Au premier abord, elle semblerait avoir une plus grande affinité avec les logiques catégoriales, celles que nous avons décrites comme relativement « naturelles ». La rhétorique grecque, qui fait encore école à l'occasion, y aurait prêté autant qu'elle y a emprunté. Vue de plus près, l'hypothèse perd beaucoup de son évidence. Les *Topiques* d'Aristote sont apparentés aux *Analytiques* précisément en ceci que les transitivités prédicatives, tout juste perçues et versées à la constitution du syllogisme, ainsi que les distinctions catégoriales, mettaient de l'ordre dans les tours dialectiques en usage et, ce faisant, démasquaient les *réfutations sophistiques*. Lesquelles pouvaient, égalitairement, prétendre au « naturel ».

Quant à l'argumentation la plus immédiate et contemporaine, dépouillée de tout savoir rhétorique et telle qu'une médiocre conversation pourrait en livrer l'exemple, l'analyse en a ouvert la boîte de Pandore. S'en échappent actes de langage, présuppositions, estimation des croyances de l'adversaire, postulat de conversation et théorie de la relevance... Sans omettre le faux immédiat de l'ironie (y compris la socratique), la désinvolture affectée du ton à la mode, ni les répliques méticuleusement arbitraires du dandysme. De cette liste ouverte, chaque titre recule d'une nouvelle objection l'espoir de trouver le cœur argumentatif d'une *logique naturelle*.

BIBLIOGRAPHIE

D. Andler, *Les sciences de la cognition*, 1985.
N. Chomsky, *A Review of Skinner's Verbal Behavior*, 1959.
D. Dennet, *Artificial Intelligence as Philosophy and Psychology*, 1985.
B. Gille, *Les mécaniciens grecs, naissance de la technologie*, 1980.
J. Van Heijenoort, *Logic as Calculus and Logic as Language*, 1985, Selected Writings.
D. Kayser, Des machines qui comprennent notre langue, *La Recherche*, n° 170.
G. Lloyd, *Greek Science after Aristotle*, 1973.
Quine, *Word and Object*, 1960.
— *The Roots of Reference*, 1973.
R. Thom, *Modèles mathématiques de la morphogenèse*, 1980.
T. Winograd, *Computers and Rationality : the Myths and the Realities*, 1985.

CHAPITRE XIII

LOGIQUE, GRAMMAIRE, STYLE

Sur les lieux de l'analyse philosophique

> Le style de mes propositions est extraordinaire-
> ment influencé par Frege. Et si je voulais, je pour-
> rais montrer que cette influence s'exerce là même
> où personne, à première vue, ne le soupçonnerait.
>
> Wittgenstein, *Fiches,* 712.

On sait que Wittgenstein avait eu le projet, dans les années qui ont suivi son retour à Cambridge, d'une *Grammaire philosophique.* En témoigne le volume publié sous ce titre, où se trouvent réunis plu-sieurs manuscrits contemporains du *Cahier brun* et du *Cahier bleu* (1931-1934). On se gardera de présupposer l'unité de chapitres et appendices où Wittgenstein a multiplié les « expériences de pensée », et dont ni l'ordre ni l'état définitif ne furent décidés par leur auteur. Au reste, l'hypothèse d'une doctrine intermédiaire entre le *Tractatus* et les *Investigations philosophiques* ne pourrait que brouiller les textes, Witt-genstein ayant voulu que fussent simplement confrontées « les anciennes et les nouvelles pensées : ces dernières ne se trouveraient placées sous leur vrai jour qu'en se détachant sur le fond de mon ancienne manière de penser, et par le contraste qui en résulterait ». Par contre, il a paru possible de suivre, tel un fil conducteur entre les deux états de l'œuvre, les contre-exemples et objections que Wittgenstein opposait à lui-même dans ces manuscrits expérimentaux. Car les insuf-fisances strictement techniques apparues dans la résolution des propo-

sitions générales, allaient verser le doute sur la pertinence analytique
du « calcul » défini dans le *Tractatus*, désaffecter le rapport d'image
entre le fait et la proposition, destituer le paradigme russellien de
l'analyse, et déplacer la question philosophique du réalisme.

Mais pourquoi fallut-il que Wittgenstein, révisant une solution
analytique qui lui était un moment apparue comme définitive, eût
choisi, fût-ce provisoirement, la voie d'une *Grammaire philosophique* ?
L'expression était insolite et voulait surprendre : on sait qu'elle fut
expressément choisie. Car si la plus grande part des manuscrits posthumes ont reçu leur titre des éditeurs, Wittgenstein avait écrit celui-ci
de sa main sur les cahiers réunis et procurés par Rush Rhees. D'autres
textes peuvent éclairer son intention ; le premier cité le fera par
contraste. Dix ans plus tôt, Wittgenstein refusait avec véhémence d'in-
tituler la version anglaise de son premier livre *Logique philosophique*,
comme l'avait proposé Ogden sur une suggestion de Russell. « Quant
au titre, je pense que le latin est meilleur que celui-là. Car même si
Tractatus logico-philosophicus n'est pas le titre idéal, il a quelque chose
qui l'approche de la véritable signification. Mais *Philosophical Logic* ne
va pas. A vrai dire, je ne sais pas ce que cela signifie (à moins que l'on
veuille dire que le livre tout entier est un non-sens, auquel cas le titre
pourrait aussi bien être un non-sens) » (lettre à Ogden, 23 avril 1922).
Quel exercice philosophique avait été alors si exclusivement confié à
l'analyse logique qu'il se trouvait placé dans sa dépendance[1] ? Quel
intérêt déçu était maintenant remis à la grammaire, et lui valait une

---

1. *Tractatus logico-philosophicus* correspondait fidèlement au titre allemand, *Logisch-
philosophish-Abhandlungen*. Le syntagme latin, proposé par Moore et autorisé par le
parallèle de Spinoza, obtenait, par le même enchaînement d'adjectifs, la même hiérarchie des déterminations. Ainsi « philosophicus » se trouvait déterminé et dominé par
« logico- ». Max Black confirme par d'autres textes cette interprétation (*A Companion
to W'Tractatus*, p. 23). Wittgenstein s'était approprié une singularité de la langue
allemande, qui outrepasse de beaucoup la simple capacité à produire des termes
composés par juxtaposition annelée. On y trouverait un équivalent mathématique
dans l'écriture fonctionnelle où la composition se fait de droite à gauche, ainsi :
F(f(...)), et plus curieusement un second précédent philosophique dans la structure de
la table kantienne des jugements. Les fonctions logiques y sont factorisées en sorte
que la dernière est l'intégrant ultime et domine les précédentes. Cf. supra, p. 137.

singularité qui l'excepterait des manuels scolaires ? Une *Remarque philosophique,* où les thèses du *Tractatus* sont sourdement évoquées et nuancées, en donnera un premier indice : « Ce qui appartient à l'essence du monde ne se laisse pas *dire.* Et la philosophie, si elle pouvait dire quelque chose, aurait à décrire l'essence du monde » (V, 92). Suit l'ébauche d'une solution : « L'essence du langage, elle, est une image de l'essence du monde ; et la philosophie, en tant que gérante de la grammaire, peut effectivement saisir l'essence du monde, non sans doute dans les propositions du langage, mais dans les règles de ce langage qui excluent les combinaisons de signes faisant non-sens. » Or le détour par l'essence du langage valait ici pour ce qu'il permettrait d'accroître le pouvoir résolutif de la logique. « Est complète l'analyse logique de la proposition dont la grammaire est complètement tirée au clair. » Et cette complétude résulte de ce que la grammaire « donne au langage le degré de liberté nécessaire (ibid., III, 38). Le *Tractatus* aurait donc contraint l'analyse dans des dimensions insuffisantes, la rendant incapable de concilier la forme et le contenu, dont Wittgenstein fixait métaphoriquement l'opposition « l'un apparaît en quelque sorte multicolore et l'autre mate »[1]. On attendra donc de cette grammaire non classique qu'elle délivre un pouvoir discriminateur, corrélatif des degrés de liberté qu'elle dévoile et par rapport auxquels la logique se trouvait prise en défaut. D'elle dépendait la reprise et l'extension d'une analyse *immanente,* principe sur lequel Wittgenstein

---

1. *Gr. ph.,* App. 5 : « Discuter : la différence entre la logique du contenu et la logique de la forme en général. L'un apparaît en quelque sorte multicolore, et l'autre mate. L'un semble s'occuper de ce que représente l'image, l'autre semble être comme le cadre de l'image, une caractéristique de la forme de l'image. » Tout en demeurant dans l'hypothèse du *Tractatus,* Wittgenstein dissociait deux systèmes de correspondance impliqués dans le rapport d'image. L'un serait fondé sur le contraste des couleurs, des tons et des intensités (susceptibles d'une « mathématique », propre, *Remarques sur les couleurs,* III, 3) et l'autre sur les coordonnées selon lesquelles l'image est construite, compatible avec d'autres, et gouvernée par une syntaxe. En résultait un doute quant à la possibilité de maintenir en recouvrement ces deux modes d'*Abbildung.* On notera aussi que ce point est proposé à la discussion dans un paragraphe où Wittgenstein compare, et oppose l'une à l'autre, la structure vérifonctionnelle, qui serait applicable a priori à toute proposition, et la détermination temporelle de l'énoncé, dont la généralité n'est pas de même nature.

n'a jamais cédé. L'enjeu en serait une « analytique » générale, le Traité s'en étant tenu à une forme techniquement restreinte et matériellement inadéquate. On verrait alors que les *Retractationes* de la *Grammaire* manifestent l'unité de l'œuvre plutôt qu'elles ne l'affectent.

Or, en même temps que Wittgenstein changeait l'échelle, la méthode, et le point d'application de l'analyse, qu'il écartait le « calcul » pour les « jeux de langage » ébauchés dans les manuscrits de ces mêmes années, il se trouvait, par le fait, éclairer et transformer un genre philosophique aussi classique qu'énigmatique et protéiforme. Genre toujours renaissant et immanquablement décrié, tantôt affiché comme « grammaire rationnelle » et tantôt intégré tacitement dans la légitimation de l'opération philosophique elle-même, il met en connivence un ensemble de textes, occasionnellement contradictoires entre eux mais évidemment concurrents d'intention. Le *Sophiste,* où se lit la première grammaire de l'énoncé apophantique, en avait ouvert la série. Y firent suite : le *Traité de l'interprétation,* les essais de Chrysippe connus par les récriminations de Denys d'Halicarnasse, le *De grammatica* d'Anselme, la *Grammaire raisonnée* de Port-Royal, et pour citer le moins connu dans une liste qu'on gardera ouverte jusqu'à Husserl, les *Eclaircissements* IX et X que d'Alembert ajouta à ses *Eléments de philosophie,* comme leur clé. (Mettra-t-on dans le compte de la déduction transcendantale, dont Kant comparait ailleurs les fonctions logiques directrices à une « grammaire générale », et dont le but était de fixer la formule du jugement d'expérience ?) Il ne serait pas malaisé de montrer comment toutes ces tentatives visaient à définir une grammaire au titre de « sens commun logique » (Kant) qui, distribuant quelque chose des preuves et concepts de la physique dans la constitution même de la pensée rationnelle, prêterait son canon, tacite et grammatical, à une explicitation objective de l'éthique. Or, en montrant l'impasse où s'enfermait une analyse qui voudrait assujettir les structures d'une langue naturelle à l'orthologie des sciences, la *Grammaire philosophique* avait clos le régime ouvert par la dialectique platonicienne. Ces manuscrits posthumes, attachés à définir de nouvelles unités analytiques et leurs règles, marqueraient alors un point de rebroussement dans cette histoire du « grammairien » philosophe, dont Henri Joly a établi et analysé l'origine platonicienne[1]. Ils confirmaient néanmoins la détermination « enclitique » de l'activité philosophique, c'est-à-dire toujours versée sur une forme discursive qu'elle redéfinit en même temps qu'elle en use. Fût-elle spéculative ou critique, c'est en ce lieu qu'elle se trouve irrémédiablement postée.

PROPOSITIONS GÉNÉRALES ET PROPOSITIONS ÉLÉMENTAIRES
LES INSUFFISANCES TECHNIQUES
DE L'ANALYSE LOGIQUE DU « TRACTATUS »

Wittgenstein revient par deux fois sur sa « conception erronée de l'analyse logique ». La première réserve porte sur le rôle analytique confié à la proposition élémentaire définie dans le *Tractatus* (*Gr. ph.*, App. A 1, 1932, A 2, 1936). Il est impossible que la proposition élémentaire soit à la fois : *a* / un élément du « calcul logique » ; *b* / le point ultime d'une analyse « ockhamienne » ; *c* / une unité repérable dans un langage effectif, dont « maintenant ce point est rouge » serait un possible exemple. Or ces trois hypothèses se trouvaient conjointement impliquées dans le développement du paradigme russellien de l'analyse. On sait comment l'article défini avait été éliminé au moyen d'une périphrase quantificationnelle monadique. Schématiquement :

$$\exists x[Fx \ \& \ F'x \ \& \ \{\forall y(Fy \ \& \ F'y) > y = x\}].$$

La formule enveloppait une structure propositionnelle, en vertu de laquelle la description définie tomberait sous le coup de la factualité empirique et de la vérité assignable. De là que, pour être achevée, l'analyse devait être conduite jusqu'à l'élémentaire propositionnel. Elle appelait l'élimination des quantificateurs, dont le « calcul » défini

---

1. Cf. Henri Joly, Platon et les *Grammata* dans *Philosophie du langage et grammaire dans l'Antiquité* (1986), et déjà *Le renversement platonicien, Logos, Epistème, Polis*, II, 4 et la conclusion. Le soupçon de psychologisme, porté par L. Brunschwicg à l'encontre de Port-Royal et de Kant a suivi l'invention des syntaxes logiques modernes face auxquelles ces syntaxes classiques n'étaient plus comprises. Et puisqu'il fallait tuer ce chien...

dans le *Tractatus* (c'est ainsi que Wittgenstein en parle désormais) posait qu'ils pouvaient être traités comme des sommes ou produits logiques de propositions élémentaires. Une proposition élémentaire est telle qu'elle peut être vraie ou fausse, indépendamment de la vérité ou fausseté de toute autre proposition élémentaire, ce dont l'extensionnalité du « calcul » est un corollaire. Or cette suite d'implications se trouvait menacée par un contre-exemple banal. Wittgenstein constatait, peut-être dans le mouvement des conversations menées avec les philosophes viennois, que de « maintenant *a* est rouge » vient « maintenant *a* n'est pas vert ». Donc que « dans ce sens, les propositions élémentaires ne sont pas indépendantes les unes des autres, comme des propositions élémentaires du calcul que j'ai autrefois décrit, dont j'admettais alors — égaré par une conception erronée de ce rapport de réduction — que l'usage des propositions dans sa totalité, lui était réductible ». Le calcul du *Tractatus* demeurait donc intact, dans sa singularité, mais décevant pour les fins analytiques attendues.

Restait à en déployer les conséquences. En identifiant la proposition élémentaire du *Tractatus* avec le point ultime de l'analyse, on s'était accordé trop vite une méthode d'analyse complète. Le contre-exemple indiquait ou bien qu'aucune proposition élémentaire en un sens empirique acceptable n'était conforme à la norme du calcul, ou bien que ce traitement ne convenait pas à la question proposée. Or la singularité du calcul d'une part, l'abondance des contre-exemples d'autre part, inclinaient dans le sens de la seconde possibilité. Le problème de l'analyse de « notre » langage demeurait en quête d'une méthode accomplissant ses fins. Si l'analyse, et le type de propositions effectives qu'elle requiert, devait jamais coïncider avec le calcul, et le type de propositions élémentaires qu'il propose, il aurait fallu que la structure de l'espace des objets et des états de choses (car il n'y a pas d'objet empirique sans état) fût subordonnée à la structure extensionnelle des faits. Le contre-exemple de la grammaire des objets « colorés » déniait tout rapport simple entre les deux espaces, qu'il fût de recouvrement ou de complémentarité. Méditant l'objection, Wittgenstein rencontrait la limite du pouvoir analytique demandé au calcul du *Tractatus*, limite dont G. Granger a montré qu'elle était structurale[1]. Par voie d'implication, il versait le doute sur l'assimilation de la forme logique à la « forme de représentation », sur cette loi de projection et de traduction qui, reliant entre eux tous les modes d'expression, les impliquait tous dans cette « relation interne de dépiction qui vaut entre le langage et le monde » (*Tr.*, 4. 014). Demeurait la valeur intrinsèque du « calcul » du *Tractatus*, exemplaire de par son principe « synoptique », et sa manière d'associer une table complète des valeurs possibles aux écritures symboliques. Il fallut néanmoins bientôt admettre que son champ d'application, que l'on voit ici limité pour le propos de l'analyse, le serait aussi pour les mathématiques.

Un second texte développait une réserve beaucoup plus radicale quant aux vertus analytiques des thèses logiques du *Tractatus*. « Ma conception de la proposition générale était que $(x).fx$ est une somme logique, bien que les éléments ne soient pas énumérés *ici*, mais puissent l'être (et ce dans le dictionnaire de la grammaire du langage)... cette explication était le pendant d'une conception erronée de l'analyse logique, lorsque je pensais par exemple qu'on trouverait bien le produit logique correspondant à un $(x).fx$ déterminé » (Ibid., *De la logique et des mathématiques*, 8). Comme le montre le contexte, Wittgenstein ne s'attache pas spécifiquement au rapport de la logique vérifonctionnelle à la théorie de la quantification, prises en tant que telles. Sur ce point, il lui suffit de préciser sous quelles règles, excessivement restrictives, les écritures quantificationnelles pouvaient équivaloir à une somme (ou un produit) de propositions élémentaires monadiques. Le doute portait, globalement, sur la possibilité d'analyser toute proposition générale, telle qu'elle se donne dans *l'usage*, au moyen de quantifications, analysables à leur tour comme des sommes ou produits logiques assignables. L'objection que Wittgenstein dressait contre lui-même parcourait donc à rebours, et d'un seul trait, la chaîne d'implications constitutives du *Tractatus*, y compris le crédit donné sans réserve, autant qu'au paradigme russellien de l'analyse, aux tra-

---

1. Cf. G. Granger, Le problème de l'espace dans le *Tractatus* de Wittgenstein, dans *L'Age de la science*, 1986, 3.

ductions tacites qui lui donnaient pertinence. Au-delà de Russell se trouvait atteinte une tradition d'équivalences déjà bien établie, inaugurée par Frege et toujours supposée au reste dans la problématique commune aux deux logiciens. De là que Wittgenstein poursuivait sans transition sa méditation critique sur trois énoncés effectifs, introduits par des pronoms démonstratifs ou indéfinis, ceux-là mêmes qu'une traduction/analyse convenue livrait jusqu'alors à une traduction quantificationnelle. Soit :

a / toutes les couleurs primaires figurent dans ce tableau ;
b / ce chapeau appartient à un homme dans cette pièce ;
c / tous les hommes meurent avant deux cents ans.

Le premier serait à tort transcrit comme une proposition générale parce que « il n'y a pas de concept de couleur pure (id est primaire). La proposition A est de couleur pure signifie "A est bleu, ou jaune, ou rouge, ou vert" ». Une nouvelle analyse se dessinait, ici. Elle résout le concept en un système d'énoncés qui en font voir la grammaire dans un contexte élémentaire. Et si l'on réfère cette grammaire à l'octaèdre des couleurs (Rem. phil., IV, 39) il devient immédiatement évident que cette distribution ne coïncide ni avec l'espace des faits, ni avec l'espace dual des états de choses. Bien plus, cette géométrie-là (qui n'est ni celle du spectre physique des couleurs, ni le simple ordre d'une liste empirique) régit toute énonciation possible à propos de la couleur. Elle est donc un schématisme pour faire voir une règle excluant toute immédiateté sémiologique. Un espace grammatical est celui des substitutions possibles. Cet exemple, sur lequel Wittgenstein reviendra souvent, orientait vers deux questions déterminantes la recherche d'une *autre* méthode d'analyse. D'une part, si le terme doit en être, comme ici, un système de propositions élémentaires, comment accorder la grammaire des couleurs et la grammaire propositionnelle ? Quelle structure aura une *grammaire philosophique* ? « Si elle se présentait sous la forme d'un livre, la grammaire ne consisterait pas simplement en une série ordonnée d'articles, elle montrerait une tout autre structure... Il y aurait, par exemple un chapitre qui réglerait l'usage des termes de couleurs, mais il n'y aurait pas de chapitre analogue sur

ce que la grammaire dit des mots "pas", "ou" (des constantes logiques) par exemple. Les règles détermineraient qu'il faut utiliser les
mots ci-dessus dans toutes les propositions (mais il n'en va pas de
même pour les termes de couleur). Et ce "toutes" n'aurait pas le
caractère d'une généralité empirique mais la généralité d'une règle de
jeu supérieure. » D'autre part, pour les raisons précédentes, il faudrait
renoncer au rapport simple d'image entre la proposition et le fait,
renoncer à cette thèse essentielle du *Tractatus*[1] et définir sur de nouvelles instances, encore imprécises, le rapport à la réalité, une fois
démontré le caractère décepteur de la traduction quantificationnelle
des termes « dénotants », une fois perdue aussi la simplicité apophantique.

Les deux autres exemples viennent en confirmation. L'énoncé (b)
sera équivalent à une somme logique dans le seul cas où les « hommes
présents dans cette pièce » auront été préalablement énumérés. Outre
que cette condition formelle est peu habituelle, elle ne ferait pas droit
au caractère conjecturel de l'énoncé, pour si vraisemblable que se
donne cette conjecture. Son analyse relève donc du troisième cas. Ici,
la forme générale renvoie à la conceptualisation. Pourquoi dit-on que
les hommes sont mortels — ou « meurent avant deux cents ans » ?
Dans les *Remarques*, Wittgenstein avait référé la conceptualisation à
l'attente d'un fait. Or « si l'acte de l'attente n'était pas rattaché à la réalité, on pourrait s'attendre à un non-sens » (34). Cet argument était
indirect, en attente d'un nouveau registre d'analyse — des jeux de langage et des formes de vie associées. Y serait redéfini le rapport entre
l'articulation de la pensée et la réalité, l'une à l'autre adossées dans un
commerce que n'avaient saisi ni l'intentionnalité des scholastiques,
forme appauvrie de l'apophantique grecque, ni la traduction quantificationnelle des expressions dénotantes.

La gérance confiée à la philosophie aurait donc trait à cette relation des concepts aux faits, que l'on désignait depuis Kant par l'*expérience,* et au contrat toujours révisable et toujours déjà conclu, qu'on

---

1. Sur la théorie de l'image dans le *Tractatus,* cf. G. Granger, *Wittgenstein,* Paris,
1969, § 9.

désigne par *réalisme*. Une certitude s'était pour l'instant imposée ; les hypothèses de traduction qui avaient présidé à l'analyse russellienne, et dont le *Tractatus* avait déployé avec éclat toutes les implications manquaient la cible ; l'analyse devait être libérée du prestige de la logique quantificationnelle. La *Grammaire philosophique* entretenait son mouvement d'un doute sur la forme logique de la *généralité*, « aussi ambiguë que la forme sujet-prédicat ». « Il y a autant de "quelques" différents que de "tous" différents. »

QUANTIFICATION, PRÉDICATION, EXISTENCE

DES PROCÉDURES ANALYTIQUES

A LA QUESTION PHILOSOPHIQUE DU RÉALISME

> « L'état de non-doute appartient à l'essence du jeu de langage. »
>
> *De la certitude,* 370.

De l'ambiguïté inhérente à la transcription quantificationnelle de la *généralité*, à celle, depuis longtemps signalée, de la prédication, s'agissait-il d'un simple et fugitif parallèle ? Ou bien, en liant ce que Frege et Russell avaient opposé, l'un et l'autre convaincus que la quantification avait définitivement aboli le règne de la logique prédicative et du même coup levé ses ambiguïtés, Wittgenstein précisait-il le diagnostic qui lui permettrait de comprendre les insuffisances proprement analytiques du *Tractatus* ?

La *Grammaire philosophique* avait à plusieurs reprises relevé le recours latent à la forme prédicative dans les interprétations associées au symbolisme de la « nouvelle logique ». D'où Wittgenstein concluait que ni Frege, ni Russell n'avaient su s'en libérer[1]. Cet usage prédicatif, main-

---

1. « Chez Frege, "concept et objet" ne sont rien d'autre que sujet et prédicat » (*Gr. phil.,* App. 2, p. 111). Et encore, « la même chose se produit quand dans notre langage nous reproduisons la réalité d'après la norme sujet-prédicat ». Le schéma sujet-prédicat sert de projection pour un nombre infini de formes logiques. Voir également *Rem. phil.,* 93 : « Mais concept et objet, c'est prédicat et sujet. Et nous venons de dire que prédicat et sujet, n'est pas une forme logique. »

tenu en seconde voix, avait-il un rapport essentiel, tacite comme un a priori, à l'entreprise fondationnelle de l'un et à la manière analytique de l'autre ? Lui devrait-on que Frege, engagé dans la construction logique des cardinaux soit, au jugement équitable de l'histoire, l'inventeur de la quantification mais la victime des paradoxes annulant comme telles ses *Lois fondamentales de l'arithmétique* ? Que Russell, engagé dans le programme philosophique et moderniste de l'analyse, ait partagé la gloire des *Principia mathematica* et subi solitairement l'échec de l'atomisme logique ? Trouverait-on, sous les commodités passées en fraude de la prédication, un nœud d'ambitions incompatibles qui ont dépossédé Frege et Russell de la fin qu'ils briguaient, et les ont, tout compte fait, laissés sur le seuil d'une terre promise — et en réalité inexistante là où la géographie des anciennes questions l'avaient située ? Il faut donc revenir sur l'origine de la « nouvelle logique » et retrouver, sous les demandes de l'analyse que le *Tractatus* avaient menées au terme des moyens disponibles, une contradiction sous-jacente, entre les anciennes questions et les nouvelles réponses, que les interprétations de la logique quantificationnelle avaient provisoirement abritée. Il est vrai que Frege avait ouvert un champ simultanément technique et philosophique où personne ne s'était encore aventuré, et du fait de cette conjonction, strictement expérimental. Aussi faut-il brièvement rappeler le motif déterminant, et l'usage premier, de la *Begriffsschrift* (1879), puis l'interprétation existentielle des quantificateurs, enfin son affectation à l'*analyse*, dernière venue.

La quantification fut d'abord partie intégrante d'une syntaxe délibérément étrangère aux langues naturelles, et bien conçue pour donner à la preuve arithmétique « le degré de liberté nécessaire ». Le raisonnement par récurrence s'y trouvait entièrement résolu et exprimé dans la seule syntaxe du système. Ainsi déterminée, la quantification explicitait et développait une structure immanente à l'écriture algébrique. Ses règles de transformation, liées aux substitutions qu'autorisait une syntaxe définie sur trois registres de variables (propositions, arguments et fonctions), outrepassaient au-delà de toute attente les limites de la syllogistique. Le prix payé pour une telle générativité fut la contrainte d'une écriture formulaire et une définition exacte et restrictive de son champ d'application[1]. Dans l'immédiat, on ne vit que la disponibilité des moyens tout juste acquis. Aussi la *Begriffsschrift* portait-elle en sous-titre : *langage formulaire de la pensée pure, imité de l'arithmétique.* L'hypothèse était encore que le registre entier de la pensée s'en trouverait librement enrichi. Suivit donc un usage constructif et aventuré d'une syntaxe dont la structure générative semblait pouvoir triompher des limites de la philosophie kantienne — limites qu'avait soulignées le développement de l'arithmétique gaussienne sur lequel l'épistémologie transcendantale n'avait aucune prise[2]. L'usage analytique, au sens russellien du terme programmatiquement défini dans *On denoting* (1905), fut comme le verso de l'aubaine. Il s'agissait de faire valoir le régime des positions d'existence mathématiques contre l'intentionnalité laxiste des langues naturelles, en supposant que les notions d'*objet* et d'*existence* pourraient transiter d'un domaine à l'autre sans être frappées d'homonymie. Aussi fallut-il longtemps avant que l'extensionnalité, impliquée par la logique quantificationnelle prise comme un tout et munie de ses règles de substitution, se révélât opposer un obstacle aux usages philosophiques et épistémologiques qu'elle semblait au premier abord favoriser.

---

1. La *Begriffsschrift* culminait dans la section III, où Frege donnait une représentation strictement logique, c'est-à-dire immanente aux règles et symboles de son système *(meine Darstellungsweise)* de l'ordre sériel et du raisonnement par récurrence. Celui-ci était familier aux arithméticiens allemands sous l'appellation d'*induction de Bernoulli*. Poincaré, ignorant les travaux originaux de Frege, et méfiant à l'égard de la logistique naissante, avait voulu souligner l'irréductibilité de cette induction à un quelconque syllogisme. (Sur la nature du raisonnement mathématique, 1894, reproduit dans *La science et l'hypothèse*). Le diagnostic était parfaitement exact ; mais le point est ailleurs : il porte sur l'éventualité et la viabilité d'une logique munie d'autres dimensions, donc hétérogène à la tradition du syllogisme. Quant à celle-ci, et l'extensionnalité qui la caractérise autant que son caractère « formulaire », Frege fut le premier à lui reconnaître comme lieu privilégié d'application, éventuellement unique, le raisonnement mathématique (cf. troisième *Recherche logique*). Ce qui semble avoir été confirmé de manière éclatante par W. D. Godfarb (Logic in the Twenties, the nature of the Quantifier, *The Journal of Symbolic Logic,* 1979). Cf. supra, chap. I et IV.

2. Frege fit ses études de mathématiques à Göttingen, où se perpétuait l'enseignement du « princeps mathematicorum ». De l'arithmétique de Gauss, il suffit de rappeler que la conception cardinale du nombre arithmétique est sous-jacente à la définition des classes d'équivalence et de l'arithmétique modulo. Cf. supra, l'appendice au chapitre IV.

De telles applications avaient pu paraître d'autant plus immédiates et loisibles que la manière de lire les quantificateurs avait enrobé de familiarité une syntaxe déroutante. En 1879, Frege avait exploré la générativité de son système en construisant, ligne à ligne, théorèmes, définitions (dont celle de la succession), et inférences (dont l'induction complète). Vint ensuite l'interprétation « existentielle » de ce que nous écrivons aujourd'hui $\exists x.fx$, avec le projet de définir le nombre cardinal par le truchement de cette aisance syntaxique toute récente (*Fondements de l'arithmétique*, 1883). Lecture aussi décisive que périlleuse, elle scellait le recouvrement de l'invention proprement logique par un propos philosophique qui, transmis de Descartes à Kant et de Boole à Frege, s'imposait de conformer à une structure mathématique nouvellement acquise le rapport entre la réalité et les « opérations de la pensée » que cette structure avérait. Simple remise à jour d'un contrat d'objectivité qui, dans les termes de généralité où il avait été premièrement défini par l'apophantique grecque, se donnait pour universel et insensible aux moyens discursifs qu'il mobilise. Aussi, au terme des *Fondements de l'arithmétique,* Frege put-il penser qu'il avait simplement complété et amélioré la dernière et la plus exacte expression de ce contrat — la logique de Kant.

Il est vrai qu'il répondait à une sollicitation pressante en donnant un statut logique au jugement d'existence que tous les postkantiens cherchaient, et chercheraient longtemps encore, à placer sous l'une ou l'autre des rubriques de la logique kantienne. Fallait-il admettre, en suivant le mouvement explicite de la déduction transcendantale, que l'existence est une modalité ? Mais pourquoi reporter au terme de la déduction ce qui devait en quelque manière être engagé dès son premier moment, et par quel artifice les faits devaient-ils être en commerce essentiel avec la modalité ? Fallait-il plutôt situer l'existence sous la première rubrique, là où Kant avait traité de la *réalité* ? Auquel cas, l'objectivité ainsi déterminée serait au mieux celle des qualités qui nous affectent, et les objets de l'expérience une extrapolation problématique. Sans compter que l'existence mathématique demeurerait sans statut. Or ces questions devaient nécessairement rester sans réponse puisqu'elles étaient étrangères à la structure catégoriale qu'elles interrogeaient. Chacune des rubriques tour à tour essayées ne pouvait valoir, on le sait, qu'à titre de moments d'une déduction dont seul l'achèvement validait le jugement d'expérience. Aucune objectivité ne pouvait être déduite avant que n'ait été réfuté l'idéalisme, et démontré que la conscience de soi implique l'existence des objets extérieurs. En dépend l'équation entre les conditions de l'expérience de l'objet et celles de l'objet de l'expérience. Mais il suffisait aussi de cette équation pour que la grammaticalisation des conditions de l'expérience sous la série hiérarchisée des fonctions logiques habilite la formule générique du jugement d'expérience.

On conçoit donc qu'une hésitation sur la manière de dire et de penser l'existence ait impliqué une révision de la table des fonctions du jugement, et c'est bien ainsi que Frege l'entendait. Néanmoins le statut d'universalité, qui parut longtemps lié essentiellement à la nature même de la logique, et l'individuation épistémologiquement constitutive de tout objet en tant que tel, incitèrent Frege à reconduire au moins tacitement une équation de type transcendantal : entre la structure de la preuve et la structure de son domaine. Au mot d'ordre empiriste : « des faits, des faits, des faits... », Frege répondait, on l'a déjà rappelé, qu'un fait n'est rien de plus qu'une pensée qui est vraie. Et Wittgenstein a parfaitement identifié cette solution « transcendantale » implicite, qui seule pouvait conférer au système idéographique le statut (provisionnel et décepteur) d'un langage. « La limite de la langue se montre dans l'impossibilité de décrire le fait correspondant à une proposition (qui est sa traduction) sans justement répéter la proposition. (Nous avons affaire ici à la solution kantienne du problème de la philosophie) ». (*Remarques mêlées*, 1931). Contemporaine des manuscrits réunis dans la *Grammaire philosophique*, cette note touchait en même temps à la solution « transcendantale » du *Tractatus,* où la correspondance entre la proposition élémentaire et le fait répliquait, et portait à l'exactitude, la réponse agacée de Frege aux empiristes. Elle montrait aussi que le kantisme de Frege n'avait rien de sectaire, qu'il n'était pas même un héritage d'époque, à peine conscient. Si l'idéographie devait être aussi un langage, alors elle devait accepter une forme ou une autre d'équation transcendantale. Ainsi Frege avait-il voulu introduire sa première *Recherche logique* par une réfutation de l'idéalisme, dont les maladresses s'effaceront devant la nécessité interne d'un kantisme « structural ». Moment est venu de dire que le réalisme de Frege fut toujours inscrit dans la perspective kantienne d'un contrat de discursivité, d'un accord entre la pensée et ses objets. Réalisme sans naïveté (ni platonisme quoi qu'on ait cru ou simplement répété), il devait valoir de manière régulière (au risque de se penser lui-même comme constitutif), pour toute l'étendue d'un langage, qu'il parcourût le champ déduit des jugements d'expérience ou qu'il fût circonscrit par la générativité d'une écriture dont les règles de transformation préservent l'adéquation des formules. Il est vrai que le réalisme de Frege qui, au témoignage de von Wright, avait conduit Wittgenstein à rejeter ses premières convictions idéalistes, parut d'autant plus singulier (et de là peut-être ce platonisme exotique dont il fut coiffé) que ses arguments transcendantaux sont liés à une interprétation ambiguë de la générativité idéographique, et ne s'appuient sur aucune théorie des facultés[1].

Cette manière d'adosser la première structure quantificationnelle historiquement produite à la logique kantienne, apparaissait déjà dans le titre choisi *(Begriffsschrift)*. Elle se montre plus encore dans l'analogie tacite, puis thématisée dans les années 90, entre *concept* et *fonction*. Pris dans ce jeu d'équivalences qui avait si bien réussi à la déduction « objective » kantienne, où les synthèses insolites des fonctions mathématiques gagnaient d'acquérir la familiarité de notre langage et celui-ci d'être forcé dans une nouvelle syntaxe, le quantificateur *existentiel* se trouvait intrinsèquement identifié comme fonction de second niveau, et extrinsèquement traduit comme déterminant ontologique. Spécifiant la relation du concept à l'objet, la quantification devait,

1. On tiendra pour transcendantal l'argument de Frege faisant valoir que l'unité arithmétique accompagne tout objet de pensée, en cela plus universelle que la spatialité limitée aux objets d'expérience. Voir, en particulier, *Les fondements de l'arithmétique,* IIIe partie. Cet argument trouvait aussi une corroboration, dans l'immédiat incontestée, avec l'interprétation existentielle d'un des quantificateurs : donc son inscription dans le symbolisme primitif de la langue formulaire.

dans ce premier repérage, prendre ouvertement la place de la modalité, et implicitement quelque chose de sa fonction critique. L'usage épistémologique, puis « analytique », de la quantification en allait suivre le plus naturellement.

De ce moment proprement expérimental, où le système idéographique devait « essayer » le statut d'universalité auquel il prétendait, au même titre que les axiomes et les notions communes des Anciens, l'histoire allait décider, et d'abord en diviser les intentions. Ou bien l'usage demeurerait strictement associé au premier contexte de la *Begriffsschrift*, et les quantificateurs ne seraient rien de plus que le corrélat des règles de transformation autorisant la réécriture d'une ligne à l'autre. Le lieu propre de cet usage demeurerait les mathématiques, ou toute modélisation que les mathématiques prendraient en gérance. Ou bien — *kalos kindunos* — le « beau risque » fut pris. Et afin de mieux accorder le domaine relativement familier où les questions épistémologiques étaient posées à celui des preuves quantificationnelles où elles semblaient devoir être résolues, Frege fit jouer en retour la traduction privilégiée (en termes de concept, d'objet, d'existence) sur le symbolisme idéographique. De là que, infléchissant l'extension de son système en faveur du problème proposé, Frege introduisit dans les *Lois fondamentales de l'arithmétique* des symboles et des lois étrangers à l'économie initiale de la *Begriffsschrift*, et parasitaires pour le système de la déduction. Les conséquences antinomiques de cette extension y mirent un terme : par un effet de simple police.

Qu'en serait-il de l'usage analytique, lié au paradigme russellien et plus généralement à la représentation quantificationnelle des propositions générales et particulières de la logique classique ? Moteur premier et public de l'analyse, cette traduction opérait en fait comme un frein, elle enrayait le mouvement qu'elle devait servir. Et bien que cette contradiction, parce qu'elle était interne au propos philosophique, n'ait eu ni l'évidence formelle ni le retentissement de la proposition antinomique dévoilée par Russell, elle allait affecter l'histoire de l'analyse autant que l'autre avait marqué l'histoire de la logique mathématique. L'une et l'autre provenaient, au reste, d'une incertitude trop vite tranchée, d'une manière hâtive de mettre en relation la régularité idéographique et les régularités déjà inscrites sur des langues de culture : large spectre où se répartissent les normes d'un genre, les mouvances des styles et l'économie simplifiée d'un sens commun ou d'une expérience.

Cette contradiction latente ressort des paragraphes de la *Grammaire philosophique* précédemment cités. Ou bien l'instrument analytique provisionnel qu'avait été la quantification devrait pénétrer totalement la grammaire des expressions qui lui seraient proposées, et l'on poursuivrait l'analyse jusqu'au niveau propositionnel et au principe d'extensionnalité, comme l'avait fait le *Tractatus* sous réserve d'une clause de finitude que tolère l'expérience. Mais les énoncés effectifs, fussent-ils idéalement simplifiés, opposaient le réseau de leur grammaire réelle à la règle d'extensionnalité du calcul précédent. Ou bien on traduirait à la manière russellienne, au reste également admise à Iéna, à Varsovie et à Vienne, demandant à la quantification un schématisme de l'objet, afin de mieux reconduire l'ancien débat des kantiens et des empiristes, chaque camp attendant de ce formalisme qu'il tranchât en sa faveur. Mais l'analyse, acceptant d'être une ultime variante de la prédication, répétant une solution toujours reprise des catégorisations grecques aux tables kantiennes, se condamnait à une double déception. Elle reprenait, sans la catégorisation qui en avait été l'aspect épistémologique et pourvoyeur de réalisme, une prédication simplement formelle pour une ontologie abstraite et bientôt scholastique. Elle ne communiquait à l'usage aucune des propriétés génératives du système quantificationnel (faute de pouvoir opérer, il va de soi, les mêmes substitutions) et ne pouvait que traiter avec injustice ou mépris les inférences effectives des grammaires qu'elle voulait rectifier, et seulement rectifier. On avait donc, sans rien gagner, perdu l'élucidation propre à l'ancien système et à sa grammaire proleptique (probabilité d'une analogie), catégoriale (coïncidence entre la structure du procès énoncé et des conditions de l'énonciation), et arborescente (une prédication exclut toute autre, à l'exception de celles qui lui sont subordonnées, ou dans lesquelles elle se trouve impliquée). Mais Kant n'avait-il pas prévenu qu'il n'était ni extensible ni réductible ? Wittgenstein découvrait les limites d'une traduction qui ne pouvait éviter les raideurs et l'opacité d'un formalisme, pour un gain minime puisqu'elle ne contribuait à aucune constitution d'une grammaire de l'expérience :

> « On peut naturellement voir dans la forme sujet/prédicat — ou ce qui revient au même dans la forme argument/fonction — une norme de la représentation... Notre seule obligation sera alors de voir clairement que nous n'avons pas affaire à des objets ni à des concepts résultant d'une analyse, mais à des normes dans lesquelles nous avons moulé la proposition... mais mouler-dans-une-norme est le contraire d'une analyse. De même que pour étudier la croissance naturelle du pommier, on ne considère pas l'arbre en espalier, sauf pour voir comment cet *arbre se comporte sous* cette *contrainte* » (*Rem. phil.*, I, 115).

Cette remarque dévoile brutalement le secours tout relatif, et les limites, onéreuses, que l'analyse (propos philosophique dont on voit combien peu clairement il se trouvait défini) recevrait d'un parallèle poussé jusqu'à l'identification, avec une opération de traduction. Il faut s'arrêter un instant sur cette hypothèse, que Wittgenstein écartait ici tacitement et dont Quine tenterait toutes les ressources. Accordons, en toute justice, que la traduction préservait l'immanence. La syntaxe quantificationnelle et la grammaire prédicative ne seraient que deux variantes optionnelles (évolutives ?), et le symbolisme une manière de s'entendre sur des articulations et des substitutions sans y attacher d'entités propres. Mais le simple fait de choisir la forme sujet/prédicat comme support de traduction émoussait par avance le pouvoir de l'analyse. On reste à mi-chemin, campant sur une canonicité dont on oublie qu'elle n'est que le fantôme d'une apophantique démunie de sa créativité propre et arrachée au contexte des genres parallèles et rivaux qui la spécifiaient de l'extérieur. L'analyse, ou la traduction (Quine), ne peut prétendre corriger un mouvement excessif d'objectivité qu'en restituant une autre équation d'objectivité. Et ce, quand bien même elle ne cesserait d'en réviser les termes et l'extension (qu'elle ait successivement demandé son principe au sens commun, à la véracité divine, à l'économie transcendantale des facultés ou à une traduction canonique). Quine posant qu'on corrige toujours un premier langage, et qu'on ne cesse d'apprendre sa propre langue, permettait de rester dans ce régime kantien, du concept et de l'objet, du prédicat et de l'existence, disons une phénoménologie réglée, mais singulièrement exsangue, de l'objet sensible.

On sera en outre assuré que l'analyse sera toujours effectuable puisque la traduction se fera toujours dans le même sens, vers la langue canonique et selon ses propres « hypothèses de traduction » — avec la maladresse acceptée d'un « thème ». Elle se fera énoncé par énoncé, ne laissant à la langue native aucun ressort ni créativité[1], rien même de ce qui constitue les prolepses du sens, et met une proposition donnée en connivence de signification avec toutes les autres. Ne resterait-il qu'une langue morte, en un sens parfaitement littéral du terme ? Ou s'agit-il d'un projet stylistique dont certains passages de Dos Passos, ou encore de la récente *Autobiographie* de Quine donneraient quelque idée ? En se gardant comme du feu de laisser jouer en retour la règle de traduction, où avait péri Frege, Quine avait donné une seconde vie à l'analyse. Mais il lui fallut imposer à la traduction une transitivité irréversible, qui réfléchit au reste fort exactement la structure, et même la chronologie, de son œuvre, de *Mathematical Logic* à *World and Objet*. Prix dont Quine n'a rien ignoré : « Différentes personnes, éduquées dans le même langage, sont comme des buissons taillés et forcés dans la forme d'identiques éléphants. » La formule de l'analyse porterait la contrainte immédiate d'une réalité biosociale pour laquelle les Grecs n'avaient évidemment conçu aucune grammaire et où le formalisme de l'objet serait la première (et la dernière) élégance. Wittgenstein, pour sa part, avait pris la distance que procure la retraite, recadrant les systèmes, les conduites et les microcosmes selon des coïncidences limitées et effectives, conduit par un sens shakespearien (ou biblique) des différences, et par cette exactitude d'ingénieur qu'il appliquait aussi à la composition de ses livres.

On retiendra de ce contraste, pour cursif qu'il soit, tout juste la note qui singularise l'analyse wittgensteinienne, devenue indiscer-

---

1. Sur deux manières d'analyser la créativité du langage, sur le modèle d'une générativité formelle ou d'une productivité analogique, voir J. Vuillemin, Remarques philosophiques sur l'aspect créateur du langage, dans *Hommage à Claude Lévi-Strauss*, 1978.

nable de l'activité philosophique elle-même. Alors que le *Tractatus*
avait déjà déplacé les habitudes de traduction, convenues entre 1890
et 1905, en donnant l'avantage à l'économie propositionnelle, il restait à conduire pour elle-même l'analyse conceptuelle dans des structures discursives à la fois effectives et non contraintes par l'extensionnalité. « Si les jeux de langage changent, les concepts changent,
et avec les concepts, les significations des mots » (*De la certitude*, 65).
De là que Wittgenstein s'étonnait de la méthode socratique de la
définition, à laquelle il opposait sa propre manière d'interroger : « Si
quelqu'un me montre comment un mot est employé avec différentes
significations, c'est exactement le type de réponse que je souhaite »
(rapporté par Drury).

NOTE : SUR UNE PROPRIÉTÉ SINGULIÈRE
DES LOGIQUES PRÉDICATIVES

On vient d'opposer l'extensionnalité de la logique postfrégéenne à
la structure prédicative des logiques grecques, opposition impliquée
par le calcul du *Tractatus* et dont la *Grammaire philosophique* développait les conséquences. On a dit également qu'une version de l'analyse,
attachée au paradigme russellien, avait préféré une demi-mesure. En
identifiant la fonction au prédicat elle troquait les avantages, encore
problématiques, d'une nouvelle intelligence philosophique contre
ceux, immédiats, du formalisme. Celui-ci maintiendrait une unité syntaxique minimale, dont l'équivocité est moins flagrante qu'une impor-
tation de concepts, tout au long de la chaîne des savoirs, de la mathématique aux connaissances empiriques. Wittgenstein n'avait pas
méconnu cet avantage (cf. « et sans doute cela a-t-il une signification
que la proposition se soit laissé réduire à cette norme de représentation » *Rem.*, XI, 115, citée plus haut). En persévérant dans cette voie,
qu'ouvraient les articles frégéens des années 90, on pouvait obtenir
que la quantification, maintenue au premier ordre et dans un usage
fini le plus souvent limité aux anaphoriques, contrôle le rapport du
concept à l'objet et perpétue la solution classique et grammaticale

apportée au problème platonicien du rapport entre le sensible et l'intelligible. Encore le faisait-elle sans la médiation *visible* des catégories, ce qui put passer pour un avantage. On y aurait enfin gagné que demeurassent compatibles, et même identifiés, l'espace de choses, celui des états de choses, et celui des faits, précisément dans cette phénoménologie minimale de l'objet qui le donne dans ses qualités et relations « d'expérience », et selon une grammaire dont l'énoncé est l'intégrant maximal. La catégorisation, bien que tacite, y réfléchit les coordonnées d'une signification complète. Le point philosophique (et grammatical en même temps) était donc de comprendre comment l'extensionnalité affectait essentiellement le système apophantique classique et particulièrement la structure d'énonciation. Or celle-ci inscrit le procès énoncé dans les moyens de l'énonciation et assume, sans y répondre encore, la question de droit d'une répartition catégoriale de l'expérience. C'est elle qui, dans les termes de Platon, place le *logos* au nombre des formes principales dénombrées dans le *Sophiste*. L'avantage de la traduction, disons « quinienne » pour en évoquer l'état le plus élaboré, était d'arrêter l'analyse avant qu'elle ait démantelé cette structure linguistique, suffisamment anémiée néanmoins pour ne plus véhiculer d'inférence propre. Aussi fallut-il fixer une convention de traduction entre une quantification simplifiée et l'état le plus dépouillé de la logique grecque : le quaterne des propositions « aristotéliciennes » (universelles et particulières, affirmatives et négatives). Hors de cet exercice d'école, pouvait-on mettre en recouvrement une grammaire fondée sur le verbe et la catégorisation, donc une gestion contrôlée de l'énonciation, avec le principe extensionnel de la logique formulaire ? La question dépasse de beaucoup le formalisme, qui se défend lui-même *pragmatiquement*, et même la viabilité philosophique d'un compromis qui sait s'arrêter à une demi-mesure. En sortant du régime propositionnel, en définissant un « jeu de langage », Wittgenstein recherchait une texture généralisée d'expérience et d'énonciation, de forme de vie et de jeu de langage, dont le premier état grec, puis sa révision kantienne, avaient constamment porté l'argument, toujours indirect, du réalisme.

DE LA GRAMMAIRE

AUX INVESTIGATIONS PHILOSOPHIQUES

> Donc se pose la question : abstraction faite de
> cette résonance propositionnelle qui nous induit
> en erreur, avons-nous encore un concept général
> de proposition ?

Déterminer l'unité convenant à l'analyse « complète » sans
renoncer à l'immanence, tel était l'un des problèmes circonscrits dans
la *Grammaire philosophique*. Wittgenstein devait donc définir une articulation discursive aussi distante de l'extensionnalité que de l'intégration
prédicative — conditions respectives de la nouvelle et de l'ancienne
logique, et rien ne laissait prévoir d'abord que le cadre de cette analyse
imposerait de renoncer à l'unité propositionnelle. Les manuscrits
rédigés ou dictés dans ces années 30 montrent que Wittgenstein avait,
de diverses manières, tenté de préserver le rôle, anthropologiquement
confirmé, d'une unité grammaticale aussi explicitement marquée que
la proposition. Le « jeu de langage » saurait contourner l'évidence
propositionnelle, sans l'ignorer.

Qui ne fut surpris de la longue citation latine (*Confessions,* I, 8) qui
occupe le premier paragraphe des *Investigations philosophiques* ? On
concevrait difficilement un point de départ qui fut aussi abrupt que la
première proposition du *Tractatus*, aussi différent à de multiples
égards, néanmoins aussi proche par la manière exacte dont il s'y opposait. L'un et l'autre engageaient immédiatement le propos de l'analyse
philosophique : ce contrat de représentation et de réalité, implicite
dans tout langage, et contentieux aussi longtemps qu'il le demeure.
Dans les deux cas, Wittgenstein exposait d'emblée l'unité discursive
en laquelle serait conduite une analyse immanente. Ce premier jeu de
langage, disons « augustinien », s'explique d'abord par opposition aux
choix du *Tractatus*. Aussi la nouvelle « dimension » analytique refoule
au second plan celle qu'elle écartait. (Nous citons ici le texte d'Augustin dans la traduction d'Arnauld d'Andilly) :

Et lorsque, ensuite de la parole qu'ils avaient dite, ils s'avançaient vers quelque chose, je remarquais et retenais qu'elle s'appelait du nom qu'ils lui donnaient lorsqu'ils la voulaient montrer : et je jugeais qu'ils la voulaient montrer en considérant les mouvements qu'ils faisaient du corps, ces gestes étant comme des paroles naturelles communes à toutes les nations, qui se forment par des signes ou de la tête ou des yeux, par les actions des autres parties du corps, et par le ton de la voix qui découvre le désir de l'âme dans tout ce qu'elle demande, ou veut avoir, ou rejette, ou fuit. Ainsi, en entendant redire souvent les mêmes paroles, dont chacune était arrangée selon la place naturelle dans les différents discours que l'on tenait devant moi, je remarquais peu à peu ce qu'elles signifiaient, et ayant accoutumé ma langue à les prononcer, je m'en servais pour faire connaître ce que j'avais dans le cœur.

Wittgenstein a choisi ce moment où Augustin évoquait sa première éducation. L'apprentissage de la langue y est conforme à ce qu'enseigne le *De magistro*, mais la description a pris une double distance. Le *De magistro* avait l'immédiateté dogmatique, et la lenteur déroutante du genre dialogué alors qu'Augustin exposait ici de manière synthétique, et comme en perspective aérienne, les circonstances, les finalités et les moyens d'un jeu dont il distribuait aussi les rôles[1]. Ce jeu, où l'enfant apprend à nommer une liste ouverte d'objets, a la propriété d'un langage primaire, « absolument au niveau des choses » (*Rem. phil.*, 53).

Le commentaire qu'en donnait Wittgenstein marque une seconde distance. Ce langage, à certains égards primaire, ne prétend pas à l'originaire — ce qui supposerait au reste qu'on puisse jamais s'affranchir de l'immanence pour en décider. « Augustin décrit l'apprentissage du lan-

---

1. Wittgenstein a mentionné, dans divers contextes, sa lecture des dialogues platoniciens, et ce qu'il en attendait pour l'analyse d'un jeu de langage. Il a dit non moins clairement sa déception. « Quand on lit les dialogues socratiques, on a le sentiment d'un effroyable gaspillage de temps ! A quoi bon ces arguments qui ne prouvent rien et n'éclaircissent rien ? » Autant que la lenteur, le véritable obstacle semble lié à la nature même de la dialectique, et de la grammaire, platoniciennes, Wittgenstein constatant et regrettant que la permanence des problèmes grecs soit aussi celle des opacités de notre langue. « Notre langue est demeurée identique à elle-même, et nous dévoie toujours vers les mêmes questions. » Le jeu de langage des *Confessions* aurait alors le double mérite de précipiter le mouvement du dialogue et, en dévoilant les règles d'un jeu, d'en dévoiler la dogmatique. Le *De magistro* est daté 387, les *Confessions* ont été rédigées en 397.

gage humain comme si l'enfant arrivait dans une contrée étrangère et ne comprenait pas la langue du pays. C'est-à-dire comme s'il avait déjà un langage, simplement il ignore celui-là. Ou encore, comme si l'enfant pouvait déjà *penser,* mais ne pouvait encore parler. Et "penser" signifierait quelque chose comme "parler à soi-même" » (*Inv. phil.*, 32). Wittgenstein décèle la leçon, clairement stoïcienne, où fut éduqué le rhéteur Augustin. La *pensée* est ce langage intérieur (λόγος ἐνδιάθετος) qui distingue l'homme de l'animal, et précède toute expression. L'exposé d'Augustin révèle en outre que le rapport simple de nomination, la correspondance entre les mots et ce qu'ils désignent, n'est que la face visible d'un jeu de langage infiniment plus complexe, où opèrent conjointement l'autorité des parents, le désir de l'enfant et la modération que lui impose la description de la réalité par laquelle « le désir de l'âme » et « ce que j'avais dans le cœur » prendront consistance et expression. S'y impliquent l'apprentissage d'une grammaire, au sens le plus immédiat du terme (« selon la place naturelle dans les différents discours »), et une attitude propositionnelle latente (ce que l'âme « demande, ou rejette ou fuit »).

La puissance analytique délivrée par le jeu de langage apparaît bientôt dans les variations auxquelles il donne matière. Travaillant sur ce modèle « augustinien », Wittgenstein imagine deux autres jeux où l'intentionnalité propositionnelle sera condensée dans une simple dénomination ; et cette anamorphose est bien faite à faire voir l'illusion d'un rapport simple entre le nom et la chose. La première ellipse se fait d'une demande à un syntagme sans verbe (on écrit sur un papier : « cinq pommes rouges »), la seconde est restreinte à une simple liste de noms (« brique », « tuile », « poutre »). Un peu plus loin, Wittgenstein proposera un jeu apparenté aux précédents mais plus complexe, où apparaissent les déterminants déictiques (ceci, cela...). Et il aura suffi de cette construction progressive pour relativiser le rôle communément attribué aux définitions ostensives. Tout leur pouvoir leur vient en réalité d'un jeu de langage sous-jacent (*Inv. phil.*, 23, 28).

Une autre propriété analytique sera de donner accès à d'autres jeux de langage impliqués, sans y être thématisés, dans le jeu pris pour référence. Ainsi la mention « cinq pommes rouges » induit le geste de prendre successivement cinq pommes de cette couleur, en faisant le compte sur les doigts d'une main ou par tout autre moyen. « Quant à la signification du mot "cinq", il n'en est pas question ici, mais seulement de la manière dont le mot "cinq" est employé. » On renonce donc à expliciter sur le même *niveau*, et avec les mêmes *moyens* le contenu entier des énoncés de *notre langage,* et en particulier les termes arithmétiques dont il se trouve faire usage. Wittgenstein écartait ici l'hypothèse d'une analyse totale et uniforme, qui traiterait selon les dimensions d'un seul espace logique la totalité de nos concepts (le nombre sera défini, ailleurs, comme propriété interne d'une liste). De manière analogue, le jeu de langage qui accompagne l'échange des briques, tuiles et poutres, fait usage d'une géométrie élémentaire des volumes, dont il n'a a alors ni moyen ni nécessité d'expliciter la mathématique.

Que ces termes fussent suffisamment, et provisionnellement, précisés par leur usage contextuel, et il en suivra qu'une analyse « complète », si elle est jamais possible, serait réticulée, comme le montrait déjà le chevauchement des jeux de langage. Or aucune numérotation des remarques constituant les *Investigations* ne pouvait rendre compte de telles relations. On sait que Wittgenstein s'est résolu, non sans remaniements ni hésitations, à organiser son manuscrit selon une numérotation ordinale simple. Les renvois internes seraient alors le meilleur expédient pour montrer la réticulation corollaire de la dimension nouvelle analytique : le jeu de langage.

NUMÉROTATION ORDINALE ET NUMÉROTATION ALPHABÉTIQUE

L'ordre simple des *Investigations* faisait contraste avec l'étonnante économie « syncopée » du *Tractatus.* Une comparaison conduite sous ce seul aspect éclairera la différence des manières, autant que la continuité d'intention. Les propriétés de l'ordre « alphabétique » ont été explicitées par G. Granger, puis A. Moreno[1]. On en confirmera, sur deux points, le propos philosophique.

---

1. Sur la numérotation du *Tractatus* et son ordre *alphabétique*, voir G. Granger, *Wittgenstein,* op. cit., § 6 à 8, et Arley R. Moreno, Le système de numérotation du *Tractatus,* dans *Systèmes symboliques, science et philosophie,* 1978.

On sait que la numérotation principale du *Tractatus* ordonne sept
thèses par rapport auxquelles sont distribuées, selon une hiérarchie
alphabétique ou décimale, les autres entrées. Considéré d'abord pour ses
conséquences négatives, cet ordre venait rompre la continuité discursive, y compris le système des principales et des subordonnées. Les
entrées « intercalées » se trouvaient réparties à des distances et selon des
plans différents, ce dont aucune syntaxe connue ne pouvait rendre
compte. Il en résultait encore qu'aucune de ces entrées subordonnées
n'aurait ni la portée, ni la suffisance des sept entrées principales, qui
pouvaient au reste être lues à la suite. Ce retrait modulé des autres propositions, dont le *Prototractatus* et la correspondance de Wittgenstein
attestent avec quel soin il fut étalonné, brouillait par avance toute structure argumentative attendue. Il proposait une ponctuation parfaitement
inédite qui, mieux que l'interrogation, la parenthèse, les deux points ou
les guillemets (au reste déjà abondamment utilisés dans le corps des propositions) pouvait suspendre la valeur d'image qui eût été celle de ces
mêmes propositions dans leur usage non ponctué[1]. De là que, ainsi
ponctuées et comme oblitérées, elles se trouvaient pouvoir élucider les
thèses dont elles n'étaient ni les conditions, ni les conséquences. Ainsi,
sans appartenir au même niveau de langage que les entrées principales,
ni s'arroger un sens métalinguistique que le précepte d'immanence
autant que leur teneur excluait, elles recevaient de cette singulière ponctuation une altération graduée de leur poids logique que mesurait précisément l'ordre alphabétique. Encore avait-il fallu que la numérotation-
ponctuation ait également affecté les thèses et, tout en leur donnant
priorité dans la hiérarchie, les ait déjà exceptées de la monodie apophantique. Comme les étapes de la déduction transcendantale et le système de
correspondances qui pondère la signification relative des trois tables

---

1. Sur le rôle logique de la ponctuation, voir, entre autres textes, la remarque 4
des *Investigations*. Wittgenstein y compare la simplicité du jeu de langage évoqué par
Augustin à un système de notation de la parole dénué de ponctuation et de toute
autre manière de marquer l'emphase, ou les degrés d'importance dont seraient susceptibles différentes parties d'un langage. Le problème n'était pas inconnu des logiciens
« classiques ». Cf. Jean-Claude Pariente, Grammaire, logique et ponctuation, dans
L'analyse du langage à Port-Royal, 1985, chap. 3.

kantiennes l'une par rapport à l'autre, les propositions du *Tractatus* devaient, une fois parcourues selon l'ordre indiqué, être oubliées afin que les propositions soient rendues à l'usage, à son analyse canonique, et aux limites de la signification. Cet ordre alphabétique provisionnel avait ainsi procuré à l'exposition du *Tractatus* (on veut dire : *Darstellung*) le « degré de liberté nécessaire ».

Apparaîtra d'autant plus remarquable ce déplacement d'une méthode lexicologique bien connue — celle des dictionnaires — à un usage syntaxique dans sa réalité, et stylistique dans son effet. L'effet était d'autant plus sûr qu'une règle fondée sur l'écriture décimale avait généralisé l'empirisme proprement alphabétique. Or, si bien employées qu'aient été les propriétés de l'ordre alphabétique, rien ne permet de dire qu'elles l'eussent à elles seules imposé. Au reste l'intrusion d'une forme externe répugnerait à la manière constante de Wittgenstein, fondée sur l'exhibition des dimensions syntaxiques immanentes. Aucun lecteur de la *Begriffsschrift* ne pourra méconnaître une analogie de structure entre l'écriture bidimensionnelle et arborescente que Frege désignait sous ce titre, et la numérotation alphabétique du *Tractatus*. Si, de l'écriture idéographique, on ne gardait que le squelette des embranchements composés (cf. figure 1), il se dégagerait du paradigme frégéen un ordre que la numérotation alphabétique réplique avec élégance. Dans les deux cas, il s'était agi d'obtenir une dimension supplémentaire pour l'exposition. Dans les deux cas, la structure choisie avait un équivalent de ponctuation — les parenthèses — qui démultipliait les capacités d'enchâssement restreintes des langues naturelles. Et dès lors que cette invention, de nature proprement syntaxique, pouvait être soustraite au régime de la preuve à laquelle Frege l'avait dédiée, elle offrait sa géométrie à une rhétorique jamais encore imaginée. L'usage inattendu, déplacé, et rectifié, d'une structure si singulière qu'on pourrait sans abus la dire « frégéenne », explique déjà, pour une part au moins, que Wittgenstein n'ait pas à l'occasion épargné ses critiques à l'encontre de ce que la préface du *Tractatus* appelait les « imposants travaux de Frege ». Précisément parce que, auteur d'une syntaxe qui pour la première fois échappait à l'économie grecque du *Wortsprache* (et de son articulation en mots), Frege avait été infidèle à son invention, inexpert dans son extension, et finale-

ment victime d'une interprétation familière réglée sur l'apophantique de
l'objet et du concept. Plus encore, cette reprise strictement « syntaxique » de la *Begriffsschrift* témoigne de la lecture la plus compréhen-
sive qui en ait jamais été faite, éclairant cette pensée « à soi-même » dont
l'avertissement fut notre exergue.

Il demeure que l'organisation du *Tractatus* n'échappait à l'ancienne
rhétorique de l'argumentation philosophique qu'en épousant l'ombre
portée de son prototype. L'analyse philosophique entretenait donc
une parenté seconde avec ces langages scientifiques, formulaires et à
usage démonstratif dont l'idéographie frégéenne avait inventé le
genre, bien que Wittgenstein ait évité la rudesse d'un usage canonique
auquel conviait Russell. Tout l'effort logique du *Tractatus* visait à
donner à l'analyse cette dimension supplémentaire, libérée par la
substitution des variables propositionnelles, et au coût alors accepté
de l'extensionnalité. Son gain philosophique était de porter cette syntaxe à l'effectivité d'un « calcul », et à la conscience de ses limites.

Dans les *Investigations* le principe d'immanence cesserait d'être
simplement régulateur pour être constitutif, dût-on renoncer à une vue
« synoptique » sur le fonctionnement de notre *langage*. Pour le dire
autrement, et de manière externe, deux manières « analytiques » se trouvaient exclues, l'une recherchant la simplicité et la finitude, mais au
risque de l'extensionnalité, l'autre s'affaissant dans une histoire naturelle
des usages, ou dans une théorie comparable à la « mécanique », pour un
langage aussi complexe qu'un organisme. Le point de vue où l'avantage
de l'une et de l'autre seront conciliables est bien caractérisé par une
remarque insérée dans un développement consacré à la grammaire.
« Notez ceci : "Le seul corrélat dans le langage d'une nécessité intrinsèque est une règle arbitraire. C'est la seule chose que l'on puisse extraire
d'une nécessité intrinsèque et verser dans une proposition" » (372). Une
règle, comme un rayon de courbure, fait voir sa loi sur un fragment
infime. Parce qu'elle circonscrit le jeu dont elle relève des autres jeux qui
n'interviendront que sous une forme neutralisée et, comme le nombre
des pommes de l'exemple précédent, simplement lexicalisée — ou
encore comme une nouvelle pièce qui pourrait être introduite dans le jeu
d'échecs sans perturber l'essentiel. La même manière analytique décèle

les recouvrements entre divers jeux, dont Wittgenstein savait qu'ils n'avaient aucun arbitraire. « Notre connaissance de divers langages est ce qui nous empêche de prendre véritablement au sérieux les philosophies qui sont inscrites dans les formes propres à chacun d'eux. En quoi nous sommes aveugles au fait que nous avons (nous-mêmes) de puissants préjugés pour ou contre certaines formes d'expression : comme au fait également que, de cette superposition de plusieurs langages résulte pour nous une image particulière. Aveugle donc au fait que ce n'est pas arbitrairement que nous recouvrons pour ainsi dire *une* forme par une autre » (*Sur la phil. de la psych.*, 587).

Dans cette nouvelle méthode, qui vise à exfolier les jeux de langage plutôt que de réduire un énoncé donné à ses conditions de vérification, l'analyse philosophique trouverait amplement son compte. Elle y apprendrait l'impossibilité d'une grammaire extensionnelle : comme celle d'une *contradictio in adjecto,* en autres raisons parce qu'elle exclut la courbure interne de toute énonciation. Rapportée à ses conditions réelles, l'analyse philosophique y gagnerait encore d'accepter son histoire, et de s'évader d'une contrainte en en acceptant une autre. La distribution simplement ordinale des *Investigations* avait obtenu une double fin. D'abord de parcourir *notre* langage à la manière dont on prend connaissance d'une ville, et celle-là même où l'on est né, en passant des quartiers anciens aux faubourgs modernes et géométriques qui les avoisinent (*Inv. phil.*, 18). Ensuite de faire voir l'inévitable et précieuse ressource des restaurations et recouvrements.

Ce qui ne manquerait pas non plus d'éclairer d'un nouveau jour le choix de la citation d'Augustin. Elle révélait tout l'attrait de la logique ancienne, ici synthétiquement précipitée dans un jeu de langage déjà éloigné, où s'affirmait un accord simple, et pour cela encore exemplaire, entre le langage et la réalité. Intermédiaire voulu entre le *Tractatus* et les *Investigations,* elle rappelait quelle éblouissante simplicité eût rayonné d'un langage qui se fût prévalu d'un premier ordre apophantique, accordant les apparences aux choses comme à leur simple bordure. (En ce sens, *phénoménologique et éthique,* puisqu'il donnait parole « aux choses mêmes » — ou jurait d'y retourner.) Elle indiquait aussi bien tout ce qu'il restait à faire.

Index nominum

TABLE

TROISIÈME PARTIE

PERSPECTIVES

Imprimé en France
Imprimerie des Presses Universitaires de France
73, avenue Ronsard, 41100 Vendôme
Mai 1992 — N° 37 828

.